W9-ATQ-603

Contemporánea

Ana María Matute (Barcelona, 1925 - 2014) publicó sus primeros relatos a los dieciséis años, y su primera novela, *Los Abel*, a los veintidós. Desde entonces su obra ha sido reconocida dentro y fuera de nuestras fronteras como una de las aportaciones más significativas y personales de la narrativa española. Entre sus novelas destacan *Los soldados lloran de noche* (1962) y *La trampa* (1969), que, junto con *Primera memoria* (1960), conforman la trilogía Los mercaderes. Cabe señalar además *La torre vigía* (1971), que anticipó la atmósfera de *Olvidado Rey Gudú* (1996) y *Aranmanoth* (2000), escritas tras más de veinte años de silencio literario. *Paraíso inhabitado* (2008) es su última novela. Muchos de sus cuentos se han reunido en antologías como *La virgen de Antioquía y otros relatos* (1990), *Todos mis cuentos* (2001, 2010) o *La puerta de la luna* (2010). Dentro del género autobiográfico cabe mencionar *A la mitad del camino* (1961) y *El río* (1963). Fue miembro de la Real Academia Española, lo cual la convirtió en la cuarta mujer aceptada en su historia, y de la Hispanic Society of America. Sus libros han sido traducidos a veintitrés lenguas y su trayectoria literaria ha sido reconocida con numerosos premios: en 1952 recibió el Premio Café Gijón por *Fiesta al noreste; Pequeño teatro* fue galardonada en 1954 con el Premio Planeta; por *Los hijos muertos* le fue otorgado el Premio de la Crítica en 1958 y el Nacional de Literatura en 1959; por *Primera memoria* recibió el Premio Nadal en 1959; en 1962 obtuvo el Premio Fastenrath de la Real Academia Española por *Los soldados lloran de noche*; como reconocimiento a toda su obra le fueron concedidos el Premio Terenci Moix en 2006, el Premio Nacional de las Letras Españolas en 2007 y el Premio Cervantes en 2010.

Ana María Matute

Todos mis cuentos

DEBOLS!LLO

Quinta edición: febrero de 2015
Quinta reimpresión: enero de 2021

Diseño de la cubierta: Elsa Suárez Girard

Printed in Spain – Impreso en España

ISBN: 978-84-9989-029-6
Depósito legal: B-28.767-2012

Compuesto en Anglofort, S. A.

Impreso en Prodigitalk, S. L.

P 8 9 0 2 9 A

El saltamontes verde

1

Una vez existió un muchacho llamado Yungo. Vivía en una granja muy grande, cercana a los bosques. La granja estaba llena de muchachos de todas las edades, los unos hijos de los granjeros, los otros de los criados.

Yungo era un huérfano adoptado por la granjera. Lo recogió siendo muy pequeño, pues sus padres se ahogaron en el río cuando empezaba el deshielo y la corriente se desbordó.

La granjera estaba siempre tan atareada, con la cabeza llena de cuentas y cálculos —era una mujer muy ambiciosa—, que no podía recordar en qué año ni día nació Yungo.

A primera vista, Yungo parecía un niño como los demás, pero los muchachos dejaban pronto de jugar con él, y las gentes no solían hablarle ni pedirle nunca nada. Y es que Yungo no tenía voz.

Hubo un tiempo en que, los días de mercado, la granjera lo comentó con otras mujeres del pueblo:

—Este muchacho perdió su voz. Alguien se la robó al tercer día de nacer. En algún lugar estará, pero ¡quién sabe cómo ir a buscarla!

Mas, aunque Yungo hubiera perdido su voz, lo oía y comprendía todo. No era mudo, como el muchacho que acompañaba al mendigo pidiendo limosna por los pueblos. Yungo sabía que alguien le robó la voz, que en algún lugar estaría, quizás aguardándole. Y muchas veces soñaba con ello.

Al principio Yungo era un muchacho más bien alegre, pero, como siempre le dejaban solo, acabó volviéndose abstraído y un poco huraño. A veces, en sus trajines, la granjera pasaba por su lado y le veía sentado en un rincón, o apoyado en la pared al sol, pensativo, con las manos en los bolsillos. Entonces la granjera le decía:

—¿Qué haces ahí, tan solo? ¡Anda a jugar, chico, que muy pronto te obligarán a trabajar!

Yungo se alejaba y procuraba esconderse en algún lugar apacible. Entre las varas del huerto, o allí, en el bosque, donde nadie fuera a decirle cosas estúpidas o malvadas.

De este modo llegó a una edad en que los otros —los hijos de los granjeros y los hijos de los criados— dejaron sus juegos y empezaron a ayudar en las faenas de la granja. Pero a él también le dejaron aparte: nadie le pedía que ayudase, y más bien procuraban alejarle cuando se les acercaba. Le decían:

—¡Quita de ahí, chico, no te hagamos daño!

Le gritaban, pues, como no le oían hablar, creían que era estúpido y no servía para nada. Tampoco lo mandaron a la escuela, ya que el hecho de haber perdido la voz les parecía tan grave que no suponían que Yungo comprendiera y supiera más cosas que ningún otro de su edad. De este modo, Yungo estaba siempre solo, alejado de los otros muchachos, como si viviera dentro de una urna de cristal. Cuando los otros niños volvían de la escuela y se acostaban, él bajaba descalzo y de puntillas por la escalerilla del desván, donde dormía, y miraba sus libros. Sobre todo le llamaba la atención el Atlas: miraba los mapas, y con el dedo recorría países de brillantes colores, mares azules, que no había visto nunca. Le quitó a Bepo, el mayor de los niños, mientras dormía, sus lápices de colores y, en una hoja arrancada de su cuaderno, dibujó una isla muy bonita, rodeada de mar y de pájaros. «Acaso», pensó, «estará aquí escondida mi voz.»

De este modo, Yungo empezó a soñar en un país inventado por él y sólo para él, al que llamaba el Hermoso País. Se levantaba muy temprano, se asomaba al ventanuco del desván y oía los pájaros y el río; veía levantarse la bola encarnada del sol por detrás del bosque, y sabía los nombres de todas las flores, de todos los animales, de todos los árboles. No los nombres con que los llamaban los demás, sino otros nombres inventados por él, tal como se pronunciaban en su Hermoso País.

Un día fue a la entrada del bosque, y con barro y ramaje hizo un pequeño chozo adosado al tronco de un roble, parecido a los de los cazadores y pastores. Dentro guardó sus tesoros: una caja con guijarros de colores, que había encontrado en el río, y el mapa del Hermoso País.

Una vez la granjera vio cómo escuchaba a los otros niños, que deletreaban en voz alta sus libros, y miraba sobre sus hombros, alzándose de puntillas, mientras ellos hacían los deberes en sus cuadernos. Entonces la granjera sintió una punzada de compasión, y cogiéndole de la mano le llevó a la mesa de la cocina y con la cartilla del más pequeño le enseñó las letras. Ella las señalaba con su dedo largo y oscuro, y las pronunciaba claramente. De este modo le enseñó a leer. Pero, como Yungo no podía deletrear, creyó que no la comprendía, y pronto se cansó. Sin embargo, Yungo había aprendido y, con una ramita sobre el barro, escribía palabras.

Cierto día Yungo estaba sentado junto a la pared de las lagartijas. Era el principio de la primavera, y Yungo buscaba todavía el sol de la tapia. Hacía un vientecillo frío, y en el suelo, lleno de barro, había grandes charcas, en cuyo fondo resplandecían ramitas verdes como extraños y diminutos barcos naufragados. Yungo solía asomarse a aquellas charcas y con los ojos entrecerrados contemplaba el fondo. El sol se volvía allí dentro de una misteriosa luz color esmeralda y, al cabo de un rato de mirarlo, Yungo creía estar sumergido en el fondo de la charca y pensaba que tal vez el fondo del mar, que nunca viera, sería parecido a aquello.

Estaba asomado a la charca cuando vio acercarse a los dos hijos del granjero Nicolás, un vecino que maltrataba a los animales. Venían riéndose, y brillaban al sol sus largas piernas desnudas. El más pequeño decía:

—¡Vamos a ahogarlo en la charca!

Yungo sabía que aquellos dos chicos martirizaban a los sapos y a los murciélagos. Todos los niños les tenían miedo, y no osaban decirles nada, aunque les apenara ver que hacían cosas horribles con indefensos animales.

Los dos chicos se agacharon junto a la charca. Traían un bote de conservas vacío, donde habían aprisionado a un pobre saltamontes verde. Le habían atado un hilo a una pata, y con grandes risotadas veían cómo el animal daba inútiles brincos, tratando de escapar. Cada vez que el animal daba un salto, ellos tiraban del hilo, y la patita del animal, frágil y verde como un tallo, estaba a punto de quebrarse.

Yungo se acercó. Extendió las dos manos para decir a los muchachos que se alejaran y abandonaran al saltamontes. De todos los muchachos de la granja Yungo era el que amaba más a los animales, a las flores e incluso al viento cuando soplaba en la negra chimenea.

—¡Vete de ahí, atontao! —dijo el mayor de los chicos, empujándole.

Tiraron del hilo para meter al pobre animal en la charca y ahogarlo. Y, en aquel momento, Yungo notó la mirada del saltamontes. Era una mirada extraña. Dos ojos diminutos que se clavaban en él, como dos finísimas y largas agujas de oro. Ningún animal le había mirado de aquel modo. Y entonces ocurrió algo extraordinario. Una voz llegó hasta él:

—¡Sálvame, Yungo!

Yungo conocía el lenguaje de las flores, de los pájaros y del viento; un lenguaje mudo, sin voz, como el suyo propio. Pero aquel pequeño saltamontes verde, parecido a una de aquellas resplandecientes ramas del fondo de la charca, le miraba y le hablaba con lenguaje humano, como nunca le mirara ni hablara nadie. Al escuchar la voz de aquella pequeña e insignificante criatura de la tierra, se dio cuenta de que todos los hombres, mujeres y niños le hablaban a él con impaciencia, o con desvío, o con tristeza. Nunca le había pedido nadie nada, hasta aquel momento. Una gran indignación se le despertó viendo lo que iban a hacer los chicos del granjero Nicolás, y se lanzó contra ellos. Levantó los puños y los descargó con fuerza contra las dos cabezas, que estaban muy juntas e inclinadas. Las dos cabezas chocaron, y sonaron como cocos huecos.

—¡Ay, ay, ay! —chillaron.

Estaban tan sorprendidos, que sólo sabían mirarse y frotarse la parte dolorida. Y como eran dos grandes cobardes, como casi todos los malvados, echaron a correr, aunque amenazando a Yungo con el puño y gritándole:

—¡Ya nos las pagarás! ¡Se lo contaremos a nuestro padre y te medirá las costillas con un palo!

Pero Yungo no hizo caso de aquellas voces, y les vio alejarse corriendo y chillando. Luego se agachó junto a la charca. Todo el sol brillaba en el agua, y había un resplandor verde muy hermoso. Con mucho cuidado, Yungo desprendió el hilo de la pata del saltamontes. Su corazón golpeaba muy fuerte, y pensaba: «Acaso no es verdad, acaso sólo me imagino que le oí hablar.»

El saltamontes continuaba mirándole con sus ojos agudos, de color de oro. Entonces Yungo volvió a oír aquella voz, que tanto le desazonaba. El saltamontes dijo, claramente:

—Te estoy agradecido. ¿Quieres cogerme con mucha suavidad y ponerme encima de esa piedra?

Yungo abrió la boca. Estaba pasmado. El saltamontes insistió:

—¿Quieres ponerme ahí, por favor? Ya sé que no tienes voz, Yungo. No te preocupes.

Yungo cogió delicadamente al animalillo entre sus dedos y lo puso donde le pedía. La piedra estaba tibia por el sol, y el saltamontes entrecerró los ojos. Dijo:

—Eres bueno. Algún día tendrás tu recompensa. De momento, ¿puedo hacer algo por ti?

Yungo movió la cabeza de un lado a otro, negando. Con una vaga tristeza que nunca sintió antes.

—Vamos —dijo el saltamontes—. Algo habrá que desees.

Yungo cogió una ramita y escribió en el barro:

—¿Dónde está mi voz?

Entonces las ramas de los árboles empezaron a moverse, murmurando algo; los pájaros huyeron, gritando, hacia el bosque. Y un viento recién despertado empezó a soplar sobre la charca, volviendo borrosas las imágenes. El saltamontes abrió mucho sus ojillos y dijo:

—¡Ay, Yungo!

Yungo escribió en el barro:

—Quiero encontrar mi voz.

El saltamontes carraspeó y dijo, con una voz que quería ser alegre:

—Escribes muy bien. ¿Quién te enseñó?

Yungo comprendió que lo que pedía era imposible para el saltamontes. O, por lo menos, no quería concedérselo. Se encogió de hombros con desaliento y tiró el palo lejos.

—No te entristezcas —dijo el saltamontes—. Tú habrás perdido la voz, pero tu oído es más fino que el de los demás muchachos. Tú tienes el oído tan fino como las cañas del río, como los árboles, como los animales del bosque... ¿No te das cuenta? Los otros muchachos no pueden oír mi voz, y tú sí has podido.

Sin embargo, aquellas palabras no parecían consolar a Yungo, que se sentó junto a la tapia, pensativo. El saltamontes se le acercó, cojeando, y suspiró.

—¡En fin! —dijo—. Podemos intentarlo.

Yungo levantó la cabeza. El saltamontes añadió:

—Podemos emprender un viaje juntos, en busca de tu voz. Yo procuraré guiarte.

Yungo sintió una gran alegría. Cogió con mucho cuidado

al saltamontes y se lo colocó en un hombro. De este modo, el animal estaba más cerca de su oreja y no tenía que esforzarse tanto al hablarle.

—Podemos marcharnos enseguida —dijo—. ¿Tienes alguien de quien despedirte?

Yungo pensó un momento. La única que fue amable con él fue la granjera. Se dirigió a la cocina, pero la mujer no estaba allí. Sobre la mesa, donde le había enseñado a leer, vació sus bolsillos de tesoros: le dejó sus guijarros de colores y un reloj de hojalata que le trajo ella de la feria, hacía un par de años.

Era primavera, y daba gusto andar descalzo por la hierba y el tibio barro, pero Yungo sabía que llegarían días fríos o calurosos, suelos nevados o ardientes bajo el sol. Subió al desván y recogió su par de botas de cuero, muy bien engrasadas y colgadas de un clavo. Las ató de su cintura por los cordones y miró al saltamontes.

—Listos —dijo el animal.

Y salieron al camino.

Él no lo sabía, pero así que saltaron la empalizada, todos los lagartos y lagartijas salieron de sus agujeros y corrieron a la linde del camino, mirándole marchar con sus pequeños ojos de oro brillantes bajo el sol. También las mariposas blancas y negras flotaron sobre la empalizada, y salieron de sus nidos las ardillas, y todos decían:

—¡Se ha ido!

El viento bajó al cañaveral, y las cañas se mecían murmurándose unas a otras:

—¡Se ha ido!

El río, que era sabio, y al que nada podía sorprenderle, iba contándoselo a las piedras, a las ramas que se tendían en sus orillas, a las truchas de oro:

—¡Parece increíble, pero Yungo se ha ido de aquí! ¡Parece increíble, pero así ha sucedido!

Y, sin embargo, Yungo se figuraba que a nadie dejaba en la granja y que nadie se daría cuenta de su ausencia.

En tanto, él caminaba alegremente por el camino, junto a los bosques. El sol lucía muy redondo, y él iba saltando, con las manos en los bolsillos, y las botas, colgando de sus cordones, le golpeaban suavemente los fondillos del pantalón. Y había algo en el aire, en la hierba, distinto de todos los días.

2

Llevaban andando medio día, cuando llegaron a un altozano desde donde se divisaba allá abajo un pueblo. El sol estaba ya en mitad del cielo y calentaba mucho. Yungo sentía cómo se le pegaba la camisa al cuerpo, lleno de sudor.

—Pueblo Grande —dijo el saltamontes.

Desde allí parecía un pueblo de juguete, con sus tejados rojizos y azules, la torre blanca del campanario y el nido de la cigüeña.

Bajaron por un pequeño sendero y, cuando llegaban a las cercanías del puente, vieron el mercado. A Yungo le alegró la vista de los animales. Los caballos, los bueyes, y los corderos, balando. Los hermosos gallos blancos, encaramados sobre la empalizada, con sus altivas crestas. Y había también un viejo alfarero, que llamaba la atención de las gentes haciendo sus vasijas. Los pájaros volaban de un lado a otro, muy excitados, comentando las mercancías entre sí.

Un grupo de pájaros, amigos de un joven caballo, iban y venían trayéndole noticias.

—¡Has subido de precio, ahora! —le decían—. ¡Pero todavía te discuten!

Yungo y el saltamontes se detuvieron junto al caballito. Era apenas mayor que un potro, y sus grandes ojos dorados estaban llenos de miedo. Un pájaro llegaba y decía:

—¡No te preocupes, creo que no te llevará! ¡Están poniéndote muy caro!

Yungo miraba con interés los ires y venires de los pájaros,

y entendía perfectamente su lenguaje. Sintió lástima y preocupación por el caballo, que parecía muy asustado. Otro pájaro llegaba y decía:

—¡Ahora estás en peligro! ¡Ay de ti, caballito bayo!

El saltamontes dijo al oído de Yungo:

—Ya ves, ese pobre animal, qué triste está. Le han separado de sus hermanos. Vivía en lo alto del bosque con la manada. Y ahora lo van a vender a ese ganadero, que lo llevará a correr por la llanura, sin árboles, dándole golpes de espuela. Está muy triste por dejar el bosque, los arroyos y el viento. Le pondrán riendas, una silla de cuero, y no volverá a ver los pastos de las alturas, ni los helechos azules, ni los madroños rojos, que tanto le gustan. Fíjate en el hombre que le quiere comprar: es ese de las botas altas con espuelas y el látigo en la mano.

Yungo miró a donde le indicaba el saltamontes. Realmente, el hombre era desagradable. Llevaba en su mano peluda un enorme anillo, con un brillante, que lucía igual que un ojo malvado. Una manta de colores caía sobre su hombro derecho y a Yungo le recordó al granjero Nicolás, que vivía en su hacienda más allá de la granja y maltrataba a los animales. (Al granjero Nicolás, como a sus dos hijos, los perros les temían. Únicamente los cerdos se les acercaban, hozando a su alrededor, porque les engordaban, sin sospechar que luego colgarían, convertidos en jamones, de su negra chimenea.) También este hombre tenía el pelo muy rizado, y al reír le brillaban varios dientes de oro.

El traficante, amo del caballo, movía mucho las manos y se inclinaba, como un junco abatido por el viento. El saltamontes dijo:

—¡Fíjate en sus palabras!

Yungo vio que de la boca del traficante salían pompas de jabón que subían hacia las nubes. Los pájaros las picoteaban furiosos. Las pompas se deshacían enseguida, por más hermosas, brillantes y redondas que aparecieran.

—Ya ves qué vanas son sus palabras —dijo el saltamontes.

Luego, de la gran boca llena de oro del ganadero, Yungo vio caer piedras negras como carbones. En vez de elevarse en el aire como las palabras del traficante, caían al suelo, pesadas, siniestras.

Y el saltamontes añadió:

—¡Ya ves qué falsas y malvadas son ésas!

La conversación duraba mucho, y más pompas de jabón subían en el aire y más negros carbones caían al suelo. Todo resultaba tan desagradable de ver, que Yungo sintió un pesar muy grande.

—¿Aún deseas encontrar tu voz?—dijo el saltamontes, esperanzado—. ¡Ya ves que no son gran cosa las palabras de los hombres!

Pero Yungo movió afirmativamente la cabeza, y el saltamontes leyó su pensamiento: «Sí, deseo encontrar mi voz, sobre todas las cosas de la tierra.»

El caballo estaba temblando. Se notaba en sus finas patas de terciopelo y en el triste mirar de sus pupilas.

Entonces el saltamontes brincó del hombro de Yungo al cuello del animal, y dijo:

—No tiembles así, pobre caballito bayo. Tú eres muy hermoso, y, en cuanto te vean los muchachos del ganadero, te querrán. Ese hombre tiene cinco hijos, altos y espigados como cañas, que están deseando un caballo como tú. El mayor cumplirá quince años dentro de un mes, y ese hombre te regalará a él. Él pasará su mano por tu lomo, te cepillará y peinará tu crin. No dejará que nadie te monte ni te haga daño, y te llevará consigo a todas partes. Es un buen muchacho que no usa espuelas, que subirá contigo a los bosques; y podrás encontrar de nuevo los viejos árboles, y la sombra de los helechos, el nacimiento del río, y tus hermanos.

Yungo escuchaba con gran atención; y la vocecilla del saltamontes penetraba en sus oídos, y caía sobre su corazón como una buena lluvia. También las finas patas del caballo dejaron de temblar. Y sus ojos se llenaron de alegría.

Yungo pensó: «Ahí está una voz que puede hacer mucho bien.» Y deseó aún más recuperar la suya.

En aquel momento los pájaros callaron y huyeron en tropel hacia las ramas. El hombre y el ganadero habían llegado a un acuerdo y se estrechaban las manos, que sonaron como entrechocar de palas.

El saltamontes regresó al hombro de Yungo. El ganadero deslizó una cuerda al cuello del pequeño caballo bayo, y se lo llevó. Los pájaros bajaron de la rama, y revolotearon sobre Yungo y el saltamontes. Chillaban, furiosos, y decían:

—¡Viejo y estúpido saltamontes! ¿Por qué has llenado de mentiras la cabeza del caballito bayo?

—¿Qué otra cosa mejor se os ocurría, tontos y atolondrados pájaros? —dijo el saltamontes—. Vosotros le hicisteis temblar de miedo, y yo le llené de esperanza.

Los pájaros se avergonzaron y escaparon a todo volar. Y uno, que era más modesto, dijo:

—Realmente, de cuando en cuando es necesaria una voz como la tuya, pequeño saltamontes. ¡Tal vez, bien pensado, no eran mentiras lo que dijiste!

Siguieron recorriendo el mercado, y por todos lados Yungo veía pompas de jabón y negras piedras, saliendo de las bocas de compradores y vendedores. Solamente había un muchacho muy delgado, de cuya boca, cada vez que gritaba su mercancía, brotaba una extraña flor parecida a la madreselva, con gran perfume.

—Acerquémonos a ese muchacho —dijo el saltamontes—. Escucha lo que dice; creo que puedes hacer una buena compra.

El muchacho tenía largos cabellos dorados, y llevaba unos zapatos tan rotos que se contaban todos los dedos de sus pies. Decía:

—¡Vendo una preciosa guitarra! Esta guitarra sabe todas las canciones de la tierra, y quien la toca puede dar toda la felicidad del mundo.

A su lado estaba el viejo avaro de las vasijas, que le empujaba con el codo, para que se callase y no tapase su oscura y enronquecida voz que clamaba:

—¡Compren mis vasijas, son resistentes como el hierro, y el agua que en ellas se guarda adquiere un sabor aún más alegre y precioso que el vino!

Pero las palabras del avaro eran, como pudo ver Yungo muy claramente, virutas de madera como las que salen del escoplo de los carpinteros. Rizadas y doradas, pero muy quebradizas.

—¡Calla, mamarracho! —decía el alfarero, rabioso, intentando arrebatarle al muchacho la guitarra—. ¿Adónde vas con tu estúpida guitarra? ¿A quién puede servir una cosa semejante?

El muchacho era ágil como una ardilla y esquivaba sus golpes. Y de su boca las flores se enlazaban y crecían como una hermosa enredadera, que llenó de nostalgia el corazón de Yungo. «Oh», pensó, «¡aquellas flores que trepaban por la pared hasta el desván!» Y echó de menos el perfume de la madreselva, en las largas y cálidas noches, y el canto de los grillos.

—Compra esa guitarra —dijo el saltamontes.

Yungo le miró con sorpresa, porque él no tenía dinero. Pero el saltamontes le aclaró:

—Se la cambiarás por tu par de botas. Vende la guitarra para comprar unas botas: ¿no has visto sus pies?

Yungo se acercó y le tendió las botas. El muchacho las tomó y las repasó. Era un par de botas nuevas que aún crujían, y además estaban muy bien engrasadas. El chico de la guitarra metió las manos dentro y levantó los brazos, riendo con gran alegría. Luego dijo:

—¡Trato hecho! Ya puedes llevarte mi guitarra, niño, y ojalá te dé tanta alegría como a mí.

Pero, cuando Yungo cogió la guitarra, los ojos del muchacho se llenaron de lágrimas, y se volvió de espaldas para que no le vieran llorar.

El viejo avaro se echó a reír:

—¡Llora, llora, tonto de remate! ¡Bien puedes llorar tus grandes tonterías!

Y aquellas palabras salían de su boca como orugas peludas, en hilera, mordiéndose la cola: iguales a las que en el principio de la primavera se deslizaban por el suelo, bajo los árboles. En cambio, los sollozos del muchacho brillaban al sol como la lluvia. Y de la guitarra brotaba algo como un eco: podía decirse, casi, que era un eco mudo, como un resplandor.

El saltamontes saltó y, colocándose tras la oreja del muchacho, dijo:

—No llores más, chico. No necesitas tu guitarra, poeta.

Entonces el muchacho secó sus lágrimas y se alejó.

El saltamontes volvió al hombro de Yungo, y juntos cruzaron el río. Llegaron a una plazuela donde había árboles y bancos de piedra. Yungo se sentó, extendiendo al sol sus desnudos pies, y pulsó las cuerdas de la guitarra. Realmente, el muchacho no había mentido, pues enseguida llegaron cuatro perros hambrientos y famélicos, pájaros, y un torpe y tímido sapo. Hasta la charca donde habitaban, entre las malas hierbas del descampado, habían llegado aquellas notas. Todos levantaban la cabeza hacia Yungo, y le miraban con ojos llenos de amor y agradecimiento.

También los árboles mecieron sus ramas, y el más anciano dijo:

—Nunca nos alegró nadie con palabras como éstas.

Al oír esto, Yungo miró sorprendido al saltamontes. Y el saltamontes leyó en sus ojos: «¿Es posible que crean oír mi voz?»

En aquel momento una de las ventanas de la plaza se abrió, y una mujer gorda, con una gran nariz, volcó un jarro de agua sucia, de modo que Yungo apenas tuvo tiempo de apartarse para que no le mojara.

Huyeron los pájaros, y los perros desaparecieron aullando tras las esquinas.

Sólo el pobre sapo, que era lento y torpe, se quedó temblando junto a ellos, pues no había podido huir.

—¡Fuera de aquí, haragán, mendigo, pordiosero! —chilló la mujer—. ¡Vete de aquí, con los horribles ruidos de esa horrible guitarra!

El cielo se oscurecía, porque un pájaro negro y pesado como un cuervo voló sobre ellos.

—Ahí tienes la voz de esa mujer —dijo el saltamontes—. ¿Qué me dices, Yungo? Has comprado la voz de esa guitarra. ¿No te basta? ¿Volvemos a la granja?

Pero Yungo movió la cabeza de un lado a otro. Y el saltamontes comprendió que decía: «No. Yo deseo encontrar mi voz.»

Yungo notó la presencia del temeroso sapo, que le miraba muy triste y asustado. Al encontrar su mirada, el sapo deseó huir. Pero entonces el saltamontes dijo:

—No huyas, pobre sapo. Ya sé que los muchachos te martirizan y te persiguen con piedras y palos. Ya sé que los muchachos te odian y te creen malo. Pero éste es un muchacho que no martiriza a los animales, y sabe que eres una criatura buena y sensata. Anda, vete tranquilo, porque también hay niños buenos en el mundo.

Dos lágrimas de agradecimiento cayeron de los ojos del sapo. Y, muy despacio, volvió a su charca, entre la maleza.

3

Siguieron andando, y salieron de Pueblo Grande. Continuaron caminando por villas y aldeas. Y, en todas partes, Yungo tocaba su guitarra, y unos le daban pan, otros un plato de sopa, otros unas monedas. Y algunos, como aquella mujer de la voz-cuervo, le echaban con voces destempladas y escobazos.

Por todas las aldeas y lugares, Yungo veía las palabras de

los hombres y de las mujeres, que en su mayoría eran pompas de jabón, o piedras, o algo peor: oscuras y viscosas manchas negras, que se deslizaban boca abajo y producían repugnancia. Alguna vez, un muchacho muy joven, o una criada, o un campesino solitario, tarareaba una canción, y entonces la voz era un manantial pequeño y lleno de sol. Y otras veces, surgiendo de un grupo de mujeres reunidas en la plaza, las voces eran diablillos negros que subían por los tejados y penetraban por las ventanas. Y una vez vieron a una mujer que tenía un niño en brazos, y hablaba con el guardabosques; y su voz era como cuando se descose la esquina de un saco lleno de grano y escapa el trigo igual que un río de oro.

Pero la mayoría de las voces eran cáscaras de avellana, hierbas secas o piedras redondas que rodaban por el terraplén, hacia el río.

En todas estas ocasiones, el saltamontes preguntaba:

—¿Aún deseas encontrar tu voz, Yungo?

Y Yungo asentía tozudamente con la cabeza.

Ya estaba muy avanzada la primavera, por todos los campos brillaban las flores, y se oía el zumbido de los insectos. El verano bajaba por las montañas y, muy a menudo, Yungo buscaba la sombra de los árboles. En estos momentos, sacaba de un bolsillo la hoja del cuaderno donde había trazado el mapa del Hermoso País. Sobre el dibujo revoloteaban verdes mariposas y mariquitas de alas rojas punteadas de negro. También se asomaban al papel las sombras de las ramas, meciéndose dulcemente.

—¡Ya sé que lo deseas mucho! —decía entonces el saltamontes—. ¡Ya sé que lo deseas mucho! —Y suspiraba.

Y Yungo no entendía por qué razón se entristecía tanto.

Una tarde Yungo se sentó al borde del camino, tocando la guitarra, y procuraba que en su música se adivinara cuanto sentía. El saltamontes cerraba los ojos y decía:

—¡Cuánto mejor es esta voz que cualquier palabra!

Oyeron un crujido de ruedas, y vieron llegar por el sendero un carro de titiriteros. Enseguida lo vieron entrar en el prado, y bajaron sus ocupantes dispuestos a pasar allí la noche.

El dueño del carro era un titiritero alto y gordo, con barba roja, que llevaba un anillo de cobre en la oreja. Cortaba pan con un gran cuchillo, y al oír la música se dirigió al árbol donde estaba Yungo tocando la guitarra.

—¡Qué preciosa canción! —dijo.

Se sentó a su lado, y se puso a comer el pan, con los ojos cerrados, dejando que la sombra de las ramas le acariciara la cabeza. Al poco salieron del carro dos mujeres, una de ellas con un niño pequeño en brazos, y se sentaron junto a ellos. Luego llegó corriendo un muchacho de grandes ojos negros, algo mayor que Yungo, una niña, dos perros y un mono. Todos formaban círculo alrededor de Yungo y, cada vez que dejaba de tocar, gritaban y decían:

—¡Más, más, muchacho! ¡Un poco más, por favor!

Aquellas voces, bien se veía en el aire, eran como las plantas llamadas dientes de león, que el viento traía y llevaba de un lado a otro, como copos de una extraña y ligera nieve.

Al fin, el sol se fue hundiendo detrás de la montaña, y Yungo estaba cansado de tanto pulsar las cuerdas de la guitarra.

El hombre del anillo de cobre dijo:

—Muchacho, ¿quieres venir con nosotros?

Yungo asintió con la cabeza, y ellos le dieron la mano y lo llevaron con ellos. Las mujeres extendieron en el suelo sus mantas de colores y prepararon la cena. Encendieron una gran hoguera, que les iluminaba las caras y hacía brillar sus ojos, y se sentaron en torno al fuego. Los perros husmeaban a su alrededor, y aquí y allá, entre la hierba, brillaban cascotes de botellas, o un papel de estaño, de esos que sirven para envolver el chocolate. Pues las gentes solían ir a merendar a aquel prado los días de fiesta. En el cielo había tantas estrellas que nadie hubiera podido contarlas, ni siquiera pasando la noche en vela, con la espalda contra la hierba.

Cuando hubieron comido, todos pidieron a Yungo que

tocara otra vez la guitarra. Y al oírle de nuevo, cada uno de ellos sentía algo distinto. El hombre lloró, la joven madre se quedó pensativa, las dos mujeres callaron, el muchacho y la niña se besaban. El saltamontes dijo al oído de Yungo:

—¿No ves que esto jamás podrías conseguirlo con tus palabras?

Pero él negó con la cabeza y, enfadado, dio un golpe a la guitarra con la mano como diciendo: «Se acabó.»

Así lo comprendieron los titiriteros: se levantaron y recogieron las mantas y los cacharros, y fueron todos a acostarse. Y el hombre dijo al muchacho de los ojos negros:

—Este niño mudo de la guitarra puede echarse en tu colchón.

El muchacho dijo a Yungo:

—Si nos das siempre música como ésta, te quedarás a vivir con nosotros, ¡y es una gran suerte para ti, porque nuestras mujeres guisan mejor que ninguna otra de la tierra!

Así, pues, se quedó, con la esperanza de que por aquel camino tal vez llegaría al Hermoso País y encontraría su voz.

Dormía en el mismo colchón del muchacho, y oyó lo que sus sueños no podían guardar, pues hablaba en voz alta mientras dormía. Y lo que oía era malvado, y sentía miedo, pues el muchacho era ladrón, embustero y ambicioso. Y sus palabras nocturnas se volvían pájaros de mirada estúpida, y murciélagos, que volaban torpemente y se daban golpes contra las paredes del carro. Yungo no dormía; echado en el colchón veía por el ventanuco un cuadro de cielo, con estrellas, y escuchaba los grillos.

Así llegó el día.

Oyeron cómo cantaban los gallos en el pueblo y las mujeres empezaban a trajinar y el titiritero a dar gritos pidiendo sus botas y el vino. Pronto se levantó humo en el prado, y Yungo saltó del carromato con su guitarra bajo el brazo y el saltamontes sobre el hombro derecho.

Las mujeres discutían mientras hervía el agua en las marmitas, con un bullir al parecer también muy enfadado. Y los perros rondaban con ojos temerosos. Yungo empezó a pulsar las cuerdas de la guitarra, pero las mujeres dijeron:

—¡Anda ahí, anda ahí, loco! ¡No estamos esta mañana para música!

Se fue hacia el río, donde la niña se estaba peinando las trenzas, que eran casi azules de puro negras. Pero tenía el ceño fruncido y la boca apretada. Yungo empezó a pulsar las cuerdas, y la niña le chilló:

—¡Vete de ahí, rapaz, con tus monsergas! ¡Vete de ahí, que tengo muy malos pensamientos!

El hombre estaba dando gritos, y perseguía al muchacho con un palo, y el mono les miraba a todos con gran desprecio desde lo alto de la escalerilla. El niño pequeño lloraba en brazos de su madre y todo el aire se llenaba de aquellas voces: como relámpagos y oscuros truenos rodando hacia los bosques.

El hombre golpeó al muchacho, que se fue a llorar detrás de los árboles. Atemorizado, Yungo le siguió, y se sentó a su lado. El muchacho gemía con la cara entre las manos, y decía:

—¡Ay de mí, qué desgraciado soy! ¡Ay de mí, que por las noches estoy lleno de miedo y por el día de odio!

Entonces el saltamontes dijo:

—Yungo, hoy no sirve de nada tu guitarra. Acércame uno a uno a estas gentes y deja que les hable cerca del oído izquierdo.

Así lo hizo Yungo. Se acercó al hombre, que estaba sentado en una piedra, mirando torvamente su cuchillo. El saltamontes se deslizó en su oreja y dijo:

—Hoy es un día hermoso. Estamos en verano y el frío no puede atemorizarte. Las mujeres guisan bien, y tu hijo es un guapo mozo. ¿A qué amargarte la vida? En el pueblo haremos una bonita función y recogerás buenos caudales. Seguramente las mujeres guisarán aquel conejo que cazaste ayer tarde. ¿Por qué enfadarte y temer lo malo que aún no ha sucedido?

Así lo entendió el hombre, puesto que se levantó y fue a lavarse y a peinarse al río. Luego se acercó a las mujeres y pidió con voz amable:

—¿Está dispuesto el desayuno?

Y su voz se convirtió en una alegre cometa de papel amarillo que empezó a elevarse sobre las colinas.

El saltamontes se acercó a las mujeres y, saltando de una a otra, iba diciendo:

—¿Por qué reñir y fatigarse tanto? Al fin y al cabo tenéis leña y unos hermosos pendientes. Este hombre es bueno, reparte con vosotras sus ganancias y os trae buena caza para guisar. Él conduce el carro por el camino, cuando todos dormís, y en invierno os cede sus mantas. ¡Estáis en verano y luce el sol!

Entonces las mujeres suavizaron sus ojos; una le tendió la escudilla, otra el vino y otra el pan.

Y la joven madre dijo:

—¡Hoy nos espera un buen día!

Y su voz escapó cielo arriba, como una golondrina.

La muchacha venía del río, mirándose en un pedazo de espejo. Se quedó pensativa, con una mano en la cadera, y el saltamontes brincó hasta su oído y dijo:

—No estés enfadada con el muchacho, porque sean malos sus sueños. Piensa que es un guapo mozo, que tú eres joven y que te quiere. ¿Es hora acaso de enfadarse, cuando el sol luce y empieza el cálido verano?

La muchacha sonrió y fue a donde gemía el muchacho. Pero el chico estaba de espaldas a ella, y la intimidaba.

El saltamontes brincó hasta el oído del chico de los ojos negros, y empezó a decir:

—Es injusto que te quejes y temas, cuando sabes que tu padre te quiere y sólo piensa en ti. Es injusto que desees los bienes de los otros, cuando tienes un par de botas y tu padre te prometió un látigo nuevo y, andando el tiempo, un caballo. ¡Si aún no has robado nada a nadie! ¿Por qué temes tanto?

Procura portarte bien, y nada temerás. Si andas a derechas, tus sueños serán buenos.

Entonces, la muchacha le llamó por su nombre, y el chico volvió la cabeza, y se dieron la mano. Y el nombre del mozo era como un junco, balanceándose en el aire.

4

Aquellos hombres y mujeres del carromato recogieron sus mantas y cacharros y se fueron a Pueblo Rojo, donde sabían que había feria.

—Debemos ir allí —dijo el saltamontes—. Estoy seguro de que por el centro mismo de la feria pasa nuestro camino.

Viajaron durante toda la noche en el carro, y a las diez de la mañana ya oían los cohetes, los gritos y la música de la feria. El hombre del carromato empezó a dar órdenes. Vistieron al mono su traje verde y oro, y las mujeres se pusieron sus collares y pendientes, y se peinaron las trenzas. El muchacho de los ojos negros lustró sus botas, y los perros ensayaban saltos y carantoñas. Los tres perros se habían hecho buenos amigos de Yungo, y el niño se divertía mirándolos. Pero el hombre le dijo:

—Prepara tu guitarra, Mudo. Tú también tienes que trabajar para ganarte el pan.

Estas palabras entristecieron a Yungo. Ellos le llamaban Mudo, porque ignoraban su nombre, y él no se lo podía decir.

Sacaron los aros, los tambores, y pusieron a los perros las golillas y los sombreros. Las gentes de la feria se acercaban, y la mujer de más edad, con su pájaro negro en la jaula de hierro, repartía papeles del porvenir, y miraba las palmas de las manos de los campesinos, muy pensativa.

Yungo empezó a tocar su guitarra. El saltamontes le dijo al oído:

—Procura escabullirte, niño. Vete hacia el teatrito del guiñol.

Así lo hizo Yungo, y cuando el mono pasó el platillo, entre el corro de campesinos, él se fue deslizando suavemente entre las casetas de la feria. La música de su guitarra se confundía entre otras músicas, y así llegó hasta una tienda de color amarillo, en cuyo frente se abría la boca del escenario. En letras de colores rosa, verde y negro se leía:

GUIÑOL

Los bancos estaban vacíos, y el telón, de terciopelo rojo, cerrado. Se había levantado viento, y un papel volaba de un lado a otro, como una hoja desprendida.

—Siéntate ahí y espera —dijo el saltamontes.

Yungo se sentó en el banco, con la guitarra en las rodillas. En la tienda de al lado, una niña vestida de rojo pasaba sobre una cuerda, alta y tensa. Su cabello, largo y rubio, flotaba al viento. Todos levantaban la cabeza para mirarla, y viéndola, él también pasó mucho rato.

Cuando la niña bajó de la cuerda, todos los campesinos se fueron y la música cesó. Entonces Yungo se dio cuenta de que el cielo se había vuelto muy azul, con los bordes de plata, y una estrella viajaba lentamente hacia las colinas.

—Ha llegado la noche —dijo el saltamontes.

Había silencio. Aquí y allá, las gentes de la feria, los magos, los acróbatas, los hombres del tiro al blanco, los del tiovivo, estaban cenando o acostados. Y las tiendas, puestos o carros se recortaban oscuramente. En sus puertecillas brillaban candiles, y unas mariposas doradas se perseguían en torno a las pequeñas llamas.

Yungo sintió un gran deseo de oír la música de su guitarra y empezó a pulsar las cuerdas.

Entonces el telón empezó a descorrerse despacito, y aparecieron un par de muñecos con ojos de vidrio azul. Yungo sintió una gran alegría de verlos, y continuó tocando su canción. Los muñecos empezaron a bailar. Decían:

—¿Oyes, Cristobita, qué música?

—¡Cómo me gustaría oír siempre esta música, Currito!

Hacían gestos de gran alegría, y se inclinaban sobre Yungo, con la manita sobre la oreja, para escuchar mejor.

Yungo estaba muy admirado y, al ver la atención con que los muñecos escuchaban, tocaba con mayor gusto.

—¿Quién te enseñó estas palabras tan hermosas, niño? —le preguntaron los muñecos.

Entonces Yungo dejó de tocar, y los dos muñecos cayeron lacios sobre la boca del escenario. Sus bracitos pendían hacia el suelo, llenos de desolación, y Yungo se entristeció.

Por una esquina del escenario asomó la cabeza del hombre del guiñol. Era un hombre viejo, con gafas azules, y le llamó:

—¿Quién eres tú, muchacho? Hace mucho tiempo que nadie viene a contemplar mis muñecos. ¿Sabes? Las gentes prefieren el tiro al blanco, los tiovivos y los papeles del porvenir. Dicen que mis muñecos son demasiado tristes. Y es que yo también tengo el corazón lleno de pena, y no puedo hacerles decir cosas alegres.

Yungo estaba muy admirado y, como no podía hablar, volvió a tocar la guitarra. Esta vez la música era muy suave y dulce, como la voz del viento en el cañaveral. El hombre se apoyó de codos en el escenario, y sus gafas azules brillaban como dos pequeñas lunas.

—Estoy muy triste —dijo—, porque tenía tres hijos, tres hermosos muchachos como tú, y los tres eligieron otra profesión. Crecieron y se fueron lejos de mí. El mayor se hizo granjero, el segundo cazador, el tercero marinero. He perdido la juventud y estoy muy solo.

El hombre miraba hacia abajo y veía a Yungo, sentado en el banco, muy pequeño, con su guitarra de color caoba, de la que brotaba una música tan hermosa. Añadió:

—¿Quieres quedarte a vivir conmigo? Tu música reaviva mi corazón.

Entonces cogió los muñecos Cristobita y Currito, uno

en la mano derecha y otro en la izquierda. El saltamontes brincó hasta el hombre del guiñol y empezó a decirle junto al oído:

—No hay razón para estar triste. Realmente no estás solo, porque Cristobita y Currito nunca te abandonarán. Y, si pones buena voluntad, Cristobita y Currito te contarán por la noche todo lo que hacen ahora tus hijos; y, así, vivirás de nuevo con ellos.

El hombre sonrió y dijo:

—Pasa, niño, ven aquí. Te daré de cenar y mis muñecos te contarán qué hijos tan importantes tengo.

Así lo hizo Yungo. Recogió su guitarra y pasó dentro de la tienda.

El hombre estaba muy animado. Dentro de la tienda tenía una pequeña cocina, platos, una mesa y sillas. También, en una estantería, Yungo vio los retratos de sus hijos cuando eran niños, vestidos de payasos. El hombre preparó la comida y se sentaron a cenar con mucho apetito. Mientras comían, el saltamontes se colocó junto a la oreja izquierda del hombre y dijo:

—Tu hijo mayor tiene una granja muy grande, con veinte bueyes. Tiene hermosos caballos negros, blancos y bayos, y en las ferias luce sus altas botas de cuero. Todo el mundo le admira y le quiere, y él siempre dice: «Un día pasará por aquí la feria y os llevaré a ver el teatro de mi padre, donde fui tan feliz cuando era niño.» Tu segundo hijo es un gran cazador, y vive en los bosques que tanto le gustaban de muchacho. Mata alimañas y lobos, y va por los pueblos enseñando sus pieles, y las gentes le celebran y le regalan vino y frutas, y le invitan a beber y a bailar por donde pasa, pues todos le están muy agradecidos por lo que hace, y le bendicen, y le reciben siempre con música. Le quieren mucho en todas partes, porque es muy arrogante y muy valiente, y da gozo verlo con su escopeta al hombro y la canana en la cintura. Está muy contento y a menudo mira por el camino a ver si llegan los de la feria, y entre todos los carros busca aquel pintado de amarillo y azul, donde tan feliz fue de niño. Y siempre que pasan feriantes y titiriteros por el camino, les pregunta: «¿Conocéis a mi padre, y a Currito y Cristobita?» Porque siempre espera encontrarlos, y piensa celebrar un banquete, todos alrededor del fuego, para lo cual cazará liebres y perdices, pues recuerda que su padre es un buen cocinero. Y tu hijo más pequeño es un marinero alto y muy listo, y conoce todos los mares y todas las islas. A menudo viaja por playas lejanas (aquellas que tú le explicabas cuando era niño, cuando él te escuchaba con sus ojos azules muy abiertos). Ahora, él recorre aquellas islas de que tú le hablabas, y conoce las grandes flores de la selva, los altos árboles y los extraños pájaros. Tiene un papagayo blanco, amaestrado, que repite tu nombre y las ocurrencias de Currito y Cristobita. Y cuando navegan, tendido en la cubierta, él dice a su pasajero: «Pronto iremos a tierra, y te llevaré al teatro de guiñol, y podremos decirles a Currito y Cristobita que era verdad todo lo que nos contaba mi padre en las noches de invierno, cuando el viento soplaba y sólo había nieve y frío. Mi padre nos tenía pendientes de su boca, y también a Currito y Cristobita, y todos sabíamos, cuando él nos hablaba, que algún día llegaríamos al Hermoso País.»

Al oír esto, al viejo del guiñol le cayeron dos lágrimas muy redondas y brillantes por debajo de sus lentes azules, y Yungo, que también escuchaba, pensó: «Sí, es cierto, yo también sé que algún día encontraré el Hermoso País.»

El viejo secó sus lágrimas, que no eran de tristeza, sino de una emoción muy buena y agradable. Dijo:

—¿Quieres que te contemos, mis muñecos y yo, lo que hacen ahora mis hijos?

Yungo asintió con la cabeza. El hombre cogió a Currito y Cristobita, y entre los tres repitieron todo lo que le había referido al oído el saltamontes. Pero aún más largo y detallado; y cuando acabó estaba tan alegre y animado como hacía muchos años no se sentía. Igual que cuando eran pequeños sus hijos y tocaban los tres camino adelante con el teatrito del guiñol.

—Hemos charlado mucho —dijo el viejo, mirando el reloj—. Vamos a recoger los cacharros y acostarnos. Mañana seguiré contándote más cosas.

Yungo le ayudó a lavar los platos, y se acostaron. Cuando estaban a oscuras, el saltamontes dijo a su oído:

—¿No quieres quedarte aquí para siempre? Fíjate, este hombre tiene tres voces: la suya, la de Currito y la de Cristobita. ¿No crees que a su lado no necesitarías la tuya?

Pero Yungo era muy tozudo, y negó con tanta energía que el saltamontes calló. Acurrucado junto a su oreja, acabó por dormirse. Y allí al lado, tendidos en su cajita, los dos muñecos miraban a la oscuridad con sus ojos de cristal azul.

5

Al día siguiente les despertó pronto la algarabía de la feria. El hombre se levantó muy contento y dijo:

—Muchacho, ayúdame a montar el escenario.

Hacía mucho tiempo que Cristobita y Currito no le veían tan alegre y se decían entre sí: «Nunca le vimos tan animoso, desde los tiempos de los tres muchachos. ¡Cuánto bien nos ha hecho a todos tu voz, muchachito!» Yungo se quedó muy sorprendido y pensó: «¿A qué voz se referirán, si yo no tengo aún la mía? ¿Acaso a la música de mi guitarra?»

Sea como fuere, aquel hombre había perdido la tristeza y su función fue tan bonita que muchas gentes acudieron y recogió muy buenos cuartos. Mientras él representaba la función con Currito y Cristobita, Yungo tocaba la guitarra y el saltamontes le decía cosas tan divertidas junto a la oreja que obligaba a los muñecos a repetirlas, y el público reía y aplaudía muy satisfecho.

De este modo, Yungo se fue con el guiñol de pueblo en pueblo; y el hombre le quería tanto que le daba los mejores platos, naranjas y uvas. Y decía:

—No sé lo que haría sin ti, Mudo.

Y sin embargo, bien mirado, era muy poco lo que hacía Yungo. Apenas si alcanzarle cuerdas, lavar los platos y tocar la guitarra. Pero durante las noches el saltamontes se ponía tras la oreja del anciano, y éste contaba grandes hazañas de sus hijos y suyas, de cuando era joven. O de cuando —estaba seguro— se encontraran los seis reunidos otra vez: él, sus tres hijos y los muñecos. Porque —y esto sí que sorprendía a Yungo— aquel hombre había alejado la tristeza y no creía ya que había perdido a sus muchachos. Al contrario, tenía gran confianza en abrazarlos de nuevo. Y cada día que pasaba, se decía: «Tal vez hoy encontraremos a uno de ellos...» Y esto le daba una gran esperanza.

De esta forma pasó el verano y entraron en el otoño. Los campos por donde pasaban estaban teñidos de rojo y oro, y eran muy hermosos de ver. Los pájaros huían y gritaban:

—¡Yungo! ¿Has encontrado por fin el Hermoso País y tu voz?

Esto entristecía a Yungo, que negaba con la cabeza.

Cierto día en que habían acampado en los alrededores de un pueblo marinero, Yungo se sintió muy triste. Fue hacia la playa, con su saltamontes, y se sentó en la arena. Empezaban a brillar las primeras estrellas, y Yungo pulsó las cuerdas de la guitarra. Cuando acabó de tocar, el saltamontes no pudo resistir más y empezó a llorar. Yungo le miró, extrañado, y el saltamontes vio que no comprendía por qué lloraba de aquel modo. El saltamontes dijo:

—Estoy llorando, Yungo, porque no puedo resistir más. ¿De verdad, de verdad deseas recuperar tu perdida voz?

Yungo asintió.

—Bien —dijo el saltamontes—. Entonces, déjame en el suelo y aplástame bajo tu pie. Yo soy tu voz.

Yungo se quedó tan sorprendido que apenas podía creer lo que el animal decía. Éste explicó:

—Cuando naciste, yo fui encargado de robar tu voz. De este modo debía andar por el mundo y deslizar en los oídos de los desgraciados un poco de esperanza. Ya has visto cómo lo hice siempre: con el caballito bayo, con el muchacho de la guitarra, con los perros hambrientos y el sapo, con los titiriteros, con el hombre del guiñol... y hasta contigo mismo. De este modo he podido hacer el bien por la tierra. Creí que lo comprenderías, pues yo tampoco sé dónde está el Hermoso País, aunque sé que algún día alguien me llevará allí... ¡Pero eres un chico muy tozudo, Yungo! No tengo más remedio que morir. Si me matas, tu voz volverá a ti. Sólo te pido una cosa: procura hacer con ella el mismo bien que hice yo.

Al oír esto, Yungo se quedó pensativo. En su corazón luchaba el deseo de recuperar su voz y el cariño a su amigo el saltamontes verde.

Al fin, miró tristemente al saltamontes, meneó la cabeza y con una mano le indicó que se marchase, pues no tenía valor para matarle. Sacó de su bolsillo el mapa del Hermoso País y lo contempló con melancolía.

Pero en aquel momento ocurrió algo extraordinario. El mapa del Hermoso País, que tan bien dibujara Yungo, se desprendió de las manos del niño y se lanzó al aire, empujado por el viento. Yungo echó a correr tras él, con las manos extendidas.

—¡Corre, corre a alcanzarlo! —gritó el saltamontes—. ¡No lo dejes perder, Yungo, cógelo fuerte y no lo sueltes!

Yungo lo alcanzó al borde del agua. Pero el papel brillaba como una estrella, y al cogerlo entre sus manos se remontó como un extraño y maravilloso pájaro. Yungo notó que sus pies se elevaban del suelo y se sintió transportado por el aire como un barco que surcara el cielo, o una dorada y maravillosa cometa que rompiera su hilo con la tierra.

El saltamontes le vio alejarse, cielo arriba. Gritando con

todas sus fuerzas, le dijo adiós. Pues sabía que siempre, siempre, Yungo le podría oír.

Pero no estaba triste, pues comprendió que Yungo se marchaba por fin al Hermoso País, donde estaban su madre y su padre: y allí no era necesaria voz alguna, ya que estaban dichas todas las palabras.

El aprendiz

1

Existió una vez un pueblo de gente sencilla, donde cada cual vivía de su trabajo. Pero aquel pueblo pertenecía a un país que sufrió guerra y sequía, y llegó para ellos un tiempo malo y miserable.

Por aquellos días llegó al pueblo un viejo con dos burros cargados de mercancías y víveres. Empezó a hacer préstamos de dinero, herramientas, enseres e incluso comida.

De este modo, al poco tiempo todos los artesanos y vecinos estaban en sus manos.

Pasaron los años y el viejo montó un bazar adonde todos los vecinos, quisiéranlo o no, tenían que acudir para seguir viviendo, pues sus préstamos eran ya como una cadena que les tenía enlazados angustiosamente y de la que no veían fin. De este modo, el viejo arruinó a varias familias, y él cada día se enriquecía más, y se adueñaba del pueblo.

El bazar era grande, oscuro, y el viejo, un hombre de corazón egoísta y duro, que todas las noches guardaba y contaba su dinero escondido en un agujero, bajo un ladrillo. Se llamaba Ezequiel y vivía completamente solo en el altillo de su tienda.

Cierta noche de invierno llamaron a su puerta, y vio a un chicuelo descalzo y muy sucio, que le miraba muy fijo con sus brillantes ojos negros.

—¿Podría usted indicarme quién es el tendero Ezequiel? —dijo—. Vengo de muy lejos, para traerle una carta muy importante.

—Yo soy Ezequiel —contestó el tendero—. Pero no intentes engañarme, porque no tengo amigos ni parientes, y nadie me enviaría a un muchacho como tú para traerme ninguna carta.

Iba a cerrarle la puerta en las narices; pero el muchacho, que era escurridizo como una anguila, penetró por la rendija empujándole y riéndose.

—¡Maldito! —gritó el tendero, cogiendo su bastón—. ¡Ahora verás lo que te espera!

Pero en aquel momento el muchacho sacó de su pecho un sobre sucio y arrugado, y se lo tendió al anciano con una reverencia.

El viejo rasgó el sobre y leyó: «Querido y viejo amigo, no sé si me recordarás, pues hace muchos años que no nos vemos. Yo soy aquel con quien fuiste tan generoso a cambio de nada. Por ello te pido des acogida en tu casa a este chico. Le enseñas un oficio y tenlo como hijo. Estoy seguro de que, con el tiempo, me estarás muy agradecido, pues con él te dejo todo cuanto de bueno me queda en este mundo.»

La firma estaba borrosa, como si hubiera llovido encima y se hubiera corrido la tinta.

—¿Qué broma estúpida es ésta? —se enfadó el viejo—. ¡Hala, fuera de aquí, haragán! ¡En mi casa no hay sitio para pilluelos desvergonzados como tú! En cuanto a tu amo, padre o lo que sea, no recuerdo haber partido mi merienda con nadie, jamás. Así que lárgate de aquí antes de que me enfade y te rompa mi bastón en la cabeza.

Pero el muchacho se escondió detrás de una estantería y dijo:

—Hace usted mal, señor, si no se queda conmigo. Ya está usted muy viejo, y necesita que alguien le ayude. Por mi parte, no pienso pedirle nada: sólo que me deje dormir debajo de la escalera y me permita acudir una hora, después que haya cerrado la tienda, para barrer las casas de los vecinos y ganar un pequeño jornal a cambio. Con estas dos cosas puedo vivir feliz y, con mi ayuda, podrá usted ganar mucho dinero.

El viejo observó al muchacho. Se dio cuenta de que, a pesar de estar tan sucio y andrajoso, era vivo y ágil, y sus ojos brillaban como abalorios.

—Es cierto —dijo.

Y al observar cuán poca cosa le pedía el chico, a cambio de tanto trabajo como pensaba hacerle cumplir, se despertó su codicia y sonrió de través:

—Me estoy haciendo viejo, es cierto, y preciso quien me ayude. Pero, ¿quién me asegura que eres de fiar?

—No tengo nada —dijo el muchacho—. Nada que perder ni que ganar, porque no soy ambicioso. ¿Quiere usted probarme?

El viejo tomó una larga escoba y se la echó.

El niño cogió la escoba en el aire y dio dos vueltas, bailando.

—Eres algo raro —dijo el viejo—. Pero, en fin, probaremos. Empieza por barrer toda la tienda, que buena falta le hace. Pero si dentro de media hora no has terminado, te echaré a palos a la calle.

El chico cogió la escoba y desapareció por entre las estanterías del bazar.

Al día siguiente, el viejo se levantó de madrugada para espiar al muchacho. Lo que vio le dejó sin aliento: el aprendiz estaba sentado en el centro de la tienda, entre las piezas de tela, las vajillas, las herramientas, y jugaba con un montoncito de monedas de oro.

—¡Ah, granuja, malvado! —gritó el viejo, desde lo alto de la escalera—. ¿Cómo has encontrado mi oro?

Se lanzó como un rayo contra el aprendiz, con los puños en alto. Pero el aprendiz se retiró detrás de la estantería y dijo:

—No quiero tu oro, amo. Ahí lo tienes: lo he barrido debajo de las estanterías, es tuyo.

—¿Cómo debajo de las estanterías? ¡No pretendas engañarme! ¡Ya te enseñaré yo a mentir! Tratabas de robarlo...

—Te aseguro que no, amo —dijo el aprendiz—. Vete a buscar tu oro y verás que te digo la verdad.

Así lo hizo el viejo. Buscó su oro bajo el ladrillo y vio que nada faltaba. Con la boca abierta un palmo, recogió el nuevo, que, según el aprendiz, había barrido debajo de las estanterías, sin acertar a explicarse lo ocurrido.

Durante todo el día estuvo espiando al muchacho, pero nada sospechoso había en él, excepto la forma de andar, que parecía hacerlo a saltos, y su risa aguda, como el chillido del viento entre las junturas de las puertas.

Muchas personas vinieron a la tienda con aire contrito. Venían a pedir clemencia al viejo Ezequiel, porque no le podían pagar. Pero él no tenía compasión de nadie. Se quedaba con sus tiendas, tierras, animales, muebles, a cambio de lo que había prestado. Se frotaba las manos y chascaba la lengua. Las gentes se iban desesperadas, pero él no parecía tener ninguna piedad de ellos. Todo esto el aprendiz lo miraba de reojo.

A la hora de comer, el viejo abrió con su llave el candado del armario donde guardaba los víveres, y se preparó un suculento almuerzo. Pues para con él mismo era espléndido y glotón, tanto como mísero y avaro para con los demás.

Esperaba que de un momento a otro el aprendiz le pidiera, cuando menos, un pedazo de pan, para contestarle:

—¡Ni una migaja! ¡Tu contrato es únicamente un lugar para dormir bajo la escalera! Si no te gusta, te marchas, que yo no te llamé.

Sin embargo, el aprendiz no subió a pedirle nada en absoluto. El viejo recogió el mantel y los platos, lleno de estupor. En aquel momento oyó las pisadas del aprendiz, que entró en la estancia y, quitándole el trabajo de la mano, retiró toda la vajilla, la fregó y guardó cuidadosamente. Después hizo una reverencia y dijo:

—¿Qué otra cosa más me ordenas, amo?

—Atiende a los clientes —contestó Ezequiel—. ¡Y pobre de ti como hagas algo a torcidas!

Venían todos los del pueblo. Era el único bazar del lugar. El viejo Ezequiel había arruinado a los pequeños tenderos, y debían acudir a él para que les vendiese sus herramientas de trabajo, sus ropas y todo lo que precisaban. Compraban de fiado, y acababan pagando tres o cuatro veces el valor de lo que se llevaban. De este modo, la gente de aquel pueblo era muy desdichada.

Así pasó el primer día y, cuando llegó la hora de cerrar, el aprendiz dijo:

—Amo, ¿puedo ir a ofrecer mi trabajo a los vecinos?

—Vete —dijo el anciano, bastante aplacado ante la prudencia y buen comportamiento del chico.

Estaba a punto de felicitarse pensando que había encontrado una verdadera ganga. Pero, por no perder su costumbre, gritó:

—¡Vuelve a las doce en punto, si no quieres que te eche a la calle!

Se alegró de que el aprendiz saliera, pues aquella era la hora de contar sus doblones y hacer sus cuentas, y prefería estar solo.

El aprendiz cogió su escoba, se la echó al hombro y salió. La calle estaba silenciosa. Al final, brillaba una lucecilla. Iba silbando una alegre canción, tan extraña, que la gente abría las ventanas.

Casi nadie solía ir silbando por las calles, ya que todo el mundo rumiaba sus preocupaciones.

El aprendiz pasó delante de la casa del carnicero, y se abrió una ventana sobre su cabeza. Era el hijo mayor del carnicero, un niño de cabello dorado, que dijo:

—¿Quién eres tú?

—Soy el aprendiz del tendero Ezequiel. Dile a tu padre si quiere que barra su tienda por muy poca cosa a cambio.

—¿Qué cosa?

—Oh, por solamente un trocito de carne.

El niño entró y a poco volvió a salir, muy alegre, pues aquel aprendiz silbaba una canción muy bonita, y le gustaba escucharla.

—Pasa —dijo—. Dice mi padre que está conforme, pues, aunque nada le sobre, le da compasión saber quién es tu amo.

El aprendiz entró en la tienda. Estaba oscura y vacía, y empezó a barrer. Mientras lo hacía, bailaba, y al niño del carnicero le hizo tanta gracia que fue a llamar a sus hermanos pequeños; y todos bajaron en camisón y se sentaron en los peldaños de la escalera para verlo.

Entonces se dieron cuenta de que lo que barría el aprendiz brillaba extrañamente entre las púas de la escoba. Hasta que formó un montoncito en el suelo, y les dijo:

—Llamad a vuestro padre y decidle que he encontrado algo.

Así lo hicieron los niños. El carnicero estaba haciendo sus cuentas en la mesa del comedor y acudió de mala gana:

—¿Qué diablos quieres? ¡No son horas de molestar a la gente! Bastante hice que te encargué ese trabajo por compasión, pues comprendo que si sirves al viejo de la tienda pasarás más hambre que una rata de estanco.

—Oh, señor carnicero, no se enfade conmigo —dijo el aprendiz, haciéndole una reverencia—. Sólo quería avisarle de que he encontrado esto en su tienda.

Señaló aquello que tanto brillaba. El carnicero se agachó a mirarlo, y empezó a dar alaridos.

—¡Oro! ¡Oro! —decía—. ¡Venid todos, que hemos encontrado oro!

Acudió la mujer, con las trenzas sueltas, y todos los niños saltaban y se abrazaban. Lágrimas de alegría les corrían por las mejillas, y dijeron:

—Toma tú la mitad, por haberlo encontrado.

—No —respondió—. Sólo quiero un trocito de carne.

La carnicera se apresuró a atarse el delantal y a guisarle una comida tan deliciosa que los niños levantaban la nariz al aire y decían:

—¿Acaso es hoy el día de Navidad, madre?

Sentaron a la mesa al aprendiz, y le sirvieron y le miraron comer, muy contentos. Cuando el muchacho se levantó, les saludó con mucho respeto y, echándose de nuevo la escoba al hombro, salió de allí.

Silbando, se dirigió a casa del panadero. Al oírle, la panadera abrió la ventana y dijo:

—¿Adónde vas, chico, con esa escoba? Deja de silbar, que mi marido está desesperado porque tiene grandes preocupaciones, y tu silbido le hace daño.

—Déjeme entrar a barrer su tahona —dijo el aprendiz—. Solamente le pediría a cambio un pedacito de pan. Soy el aprendiz del viejo Ezequiel.

—¡Oh! —dijo la mujer, levantando los brazos. Y sus ojos se llenaron de lágrimas—. Pasa, pasa, muchacho, si tan poca cosa pides a cambio. ¡Pobrecillo, no quisiera estar en tu lugar! Entra de puntillas, para no molestar.

El panadero estaba sentado en un rincón, con la cabeza entre las manos, pues al día siguiente, si no pagaba al abacero, éste se le quedaría a cambio la tahona.

El aprendiz empezó a barrer y, cuando terminó, también había bajo su escoba un montón de oro.

—¡Mire lo que he encontrado, señor panadero!

Al ver aquello, el hombre y la mujer se quedaron mudos. Al fin, levantando los brazos, la mujer chilló:

—¡Oro! ¡Oro! ¿Cómo has encontrado esto, muchachito? ¿Dónde estaba?

—Por ahí —contestó el aprendiz.

—Te corresponde la mitad —dijo el panadero, trémulo de gozo y abrazándole—. ¡Has salvado mi negocio!

—No, no. Sólo quiero un pedazo de pan; es lo tratado —contestó el muchacho, guiñando sus ojos con malicia.

Le dieron un pan tan grande que apenas si podía con él, y tuvieron que atárselo a la espalda. Los dejó abrazados y alabándole, y diciéndole que le querrían siempre como al hijo que no habían tenido.

Desde allí, el aprendiz fue a casa del frutero, del carpintero, del herrero, del alfarero, del sastre, del zapatero... Todos ellos estaban entrampados con el viejo Ezequiel y desesperados con sus pagos, que no podían cumplir. Tenían sus vidas en las malvadas manos del usurero. A todos ellos, el aprendiz les barrió la tienda, a cambio de muy poca cosa: una naranja, un puñado de serrín, tres clavos, una escudilla de barro, un chalequillo, cordones para sus botas... Cuando barría sus tiendas y les entregaba el oro hallado, ellos le colmaban de atenciones y le daban el doble de cuanto les había pedido. De este modo, cuando a las doce de la noche regresó a la tienda, venía cargado, vestido y calzado de nuevo, tan limpio, fresco y bien peinado, que parecía un clavel recién cortado. Traía un escabel de madera de olivo, un cesto de naranjas, un cántaro lleno de aceite, velas... El viejo le vio entrar con estupor.

—¿Qué traes ahí? —dijo.

—Es el pago a mi trabajo.

Al viejo le extrañó que no hubiera pedido dinero a cambio, pero se guardó muy bien de decirlo.

De este modo se acostaron. El viejo, en su cama de mullido colchón, y el aprendiz, en el suelo, bajo la escalera, con la cabeza apoyada en el saco del serrín y rodeado de todos sus bienes.

2

Al día siguiente, el viejo Ezequiel recibió una de las sorpresas mayores y más alegres de su vida. La tienda fue un verdadero desfile de gente. El primero de todos, muy temprano, llegó el carnicero.

—Buenos días, Maese Ezequiel —dijo—. Vengo a pagarte todo lo que te debo.

Y, así diciendo, arrojó sobre el mostrador todo cuanto debía al usurero. El viejo se quedó pasmado, mientras escuchaba el tintineo del oro sobre el mostrador. Cuando el carnicero acabó de contar las monedas que debía, el viejo parpadeó, confuso:

—Pero... ¿cómo es posible? ¿Has heredado, querido compadre?

El carnicero le dio la espalda y salió de la tienda, muy altivo. El viejo le acompañó hasta la puerta, haciéndole reverencias y diciendo:

—Ya sabes, Maese Carnicero, que siempre que os pueda ayudar...

—¡Dios nos guarde de tus ayudas! —dijo el carnicero—. Nunca más me verás, viejo malvado.

El aprendiz lanzó una risa, y el viejo le amenazó con el puño.

—¡A barrer, haragán! —le gritó.

Así lo hizo el chico, y a poco le llamó:

—Amo, mira lo que he encontrado.

El corazón del viejo le saltó dentro del pecho y se lanzó hacia allí como un gamo, brincando sobre el mostrador, sin ocuparse de su reuma. Vio, como esperaba, un montón de oro bajo la estantería.

—¿De dónde ha salido esto? —gimió de placer.

—¡De por ahí!

El viejo se arrojó sobre el oro, llenándose los bolsillos, y se precipitó escaleras arriba. Estaba tan asombrado que apenas si podía respirar.

Al poco rato, llegó el panadero:

—Vengo a devolverte todo lo que te debo.

Como el carnicero, arrojó sobre la mesa el oro y, antes de que el asombrado Ezequiel se repusiera del susto, dijo:

—Ahí está todo cuanto te debo. ¡Y no me verás nunca más, maldito avaro!

Apenas había subido escaleras arriba, para guardar su oro, sonó el tintineo de la puerta y llegó el carpintero. Luego el sastre, el albañil, el frutero, el herrero, el alfarero... En fin, todos sus vecinos deudores. Tanto subió y bajó la escalera, que perdió doce veces las zapatillas, y temblaba de emoción como una hoja. Cuando acabó el día, el viejo estaba tan nervioso que parecía enfermo.

—Hazme una taza de tila, que me acuesto —le dijo al aprendiz.

Así lo hizo el muchacho, y le arropó en la cama.

—¿Vas a barrer las casas vecinas? —le preguntó el viejo.

—No. Ya gané ayer lo suficiente —dijo el aprendiz.

Y se acostó debajo de la escalera.

Aquella noche, el viejo apenas pudo dormir. En su desvelo, sólo veía doblones y más doblones de oro, y su corazón saltaba de tal forma dentro de su pecho que varias veces tuvo que sentarse en la cama y llamar al aprendiz para que le trajese agua.

Pero el día siguiente fue más sorprendente que el anterior. Después que el aprendiz barrió y le entregó el correspondiente montón de oro, nadie entró en la tienda. Ni al otro día, ni al otro. El avaro estaba muy asombrado.

Llegado el tercer día, sus víveres se acabaron y, cogiendo una bolsita con algún dinero y una cesta, se dirigió al pueblo. Pues, como ya nadie le debía nada, no venían a traerle los géneros a la tienda.

Primero fue al carnicero.

Pero, en cuanto los niños le vieron llegar, empezaron a gritarle:

—¡Ahí viene el hombre malo, el hombre malo!

La carnicera salió con la escoba en alto y le persiguió por toda la calle, gritando:

—¡Ni por todo el oro del mundo recibirás una sola onza de carne de mi tienda! ¡Fuera, fuera, ve a que otro te venda sus géneros, malvado usurero!

Muy disgustado y sin entender que a cambio de su oro no

le trataran con respeto, fue a casa del panadero. El panadero, apenas le vio, cerró las puertas de la tahona, y su mujer, asomándose a la ventana, le gritó:

—¡Fuera de aquí, malvado, fuera de aquí! ¡Ni por todo el oro del mundo recibirás un gramo de nuestro pan!

De este modo fue al frutero, y ocurrió lo mismo. Al carbonero, al lechero, al huevero... Todos le daban con la puerta en las narices y decían:

—¡Ni por todo el oro del mundo te venderemos nada, viejo malvado!

Regresó a casa tan atontado que no sabía si soñaba o estaba despierto.

Estaba muerto de hambre, y vio cómo el aprendiz, sentado bajo la escalera, cortaba su pan a rebanadas y lo comía con mucho gusto.

—¡Dame de ese pan! —le ordenó, mientras le amenazaba con el bastón.

El muchacho le dio un pedazo, y el viejo lo devoró con rabia y miedo.

Desde aquel momento, las cosas cambiaron mucho para el viejo de la tienda. Los vecinos del pueblo se reunieron en la plaza y comentaron entre sí su buena ventura. Juraron que nadie acudiría al bazar del viejo Ezequiel. Sus comercios, gracias al oro encontrado por el aprendiz en sus tiendas, volvieron a florecer.

Todos se compraban y vendían entre sí, como antaño, sin avaricia. Y la alegría volvió a reinar en el pueblo.

Llegó la primavera, y los niños iban a jugar al río, y gritaban muy alegres. Pasaban bajo la ventana del viejo, que desfallecía de odio. Y hubiera muerto de hambre de no haber sido por el aprendiz, que le daba la mitad de todos los alimentos que con tanto cariño le regalaban los artesanos del pueblo.

Todos los días venían los niños a llamarle y le decían:

—¡Ven a jugar al río con nosotros, aprendiz!

Y allí, junto al agua verde y dorada, le daban pan, fruta,

vino, queso y trocitos de pastel. El aprendiz guardaba la mitad en los bolsillos, con disimulo, pues ellos decían:

—¡Cómetelo aquí, delante de nosotros, que si no el viejo malo te lo quitará!

El viejo enfermó, más que de hambre, de rabia y de dolor. Todos los días, el aprendiz le traía un montón de oro, y el oro le rodeaba de tal forma que ya ni siquiera lo acariciaba ni contaba.

Un día no se pudo levantar de la cama y llamó al aprendiz:

—Hazme una taza de tila.

Como la tila la encontraba en el campo y el agua manaba sola, el aprendiz no tardó en hacérsela. Era un día de sol y, al entrar en la habitación del viejo, lo halló tan demacrado y triste, que no pudo aguantarse y dijo:

—¿Todavía no has aprendido la lección, amo?

Entonces llegaron las golondrinas al alféizar de la ventana e iban dejándole granos de trigo, que el viejo cogía con manos temblorosas y se llevaba a los labios. En aquel momento, las lágrimas cayeron de sus ojos, y dijo:

—Sí, acabo de comprender, mi buen aprendiz. El dinero se necesita, ya que el mundo está así montado. Pero el dinero vale por lo que da a cambio y no se le debe amar en sí.

Y lloró tanto que de sus ojos se desprendieron las telarañas de egoísmo que los cegaban. Abrazó al aprendiz y dijo:

—Tú eres el único que se apiadó de mí. He sido tan malvado que bien merezco lo que me ha ocurrido. ¿Quién eres tú? ¿Quién te envió a mí?

El aprendiz dijo:

—Yo soy la única buena acción de tu vida. ¿Recuerdas que una vez pasaste por un estercolero y viste que unos chicos iban a quemar un muñeco viejo? Era un muñeco de madera, con la peluca apolillada, al que le faltaban los ojos y una pierna. Entonces tú dijiste: «No queméis ese muñeco, os lo compro.» Les diste unas monedas y lo llevaste contigo. Le arreglaste la pierna, le pusiste ojos y lo colgaste de un clavo en la pared.

En aquel momento, el viejo le reconoció. El pelo rojo, los insolentes ojos negros, que no eran otra cosa que dos botoncillos de azabache.

—¡Tú eres aquel muñeco! —dijo.

Entonces huyeron las golondrinas, gritando. Una nube tapó el sol y el viejo cerró los ojos. Cuando los abrió halló entre sus manos aquel sucio muñequillo que le miraba con sus ojos de botón. Estaba tan sorprendido que apenas podía creer lo que ocurría.

Sonaron pisadas en la escalera y llegaron los niños de los artesanos. Uno le traía pan, otro aceite, otro leche...

—Mi padre se ha enterado de que está usted enfermo y le perdona —decían todos.

Le dieron de comer, se sentaron junto a él y le cuidaron. Todos los días le traían flores y le contaban cuentos. El viejo tenía siempre el muñeco entre sus manos y se sentía tan feliz que decidió cambiar de vida.

Así fue. Cuando empezó el verano, el viejo se levantó. Los niños habían cuidado de su tienda, y todos le esperaban para llevarle al prado.

Las gentes le habían perdonado.

Pero el más pequeño de los niños le arrebató el muñeco y echó a correr con él. El viejo sintió un gran dolor en el corazón y le tendió las manos. Pero, como veía al niño tan alegre con su muñeco, no se atrevió a decirle nada. El niño se alejó hacia el río y, cuando llegó la noche, el viejo le preguntó:

—¿Y aquel muñeco?

—Lo perdí —contestó el pequeño.

El anciano sintió entonces una gran fatiga, aunque era una fatiga muy dulce. Cerró los ojos y dijo:

—No deseo más el bazar, os lo regalo.

Desde aquel momento, todos los vecinos del pueblo se disputaban para tenerlo en su casa. De este modo, él repartió todo su dinero y no deseaba para sí ni un solo céntimo. Todos le llamaban Abuelo, y pasaba un día en casa de cada uno de sus vecinos, donde le servían y le daban toda clase de regalos.

Los niños le adoraban y le llevaban con ellos al prado; y, en invierno, le rodeaban junto al fuego del hogar. Él se sentía feliz, pero no podía olvidar al muñeco de madera, y, a veces, suspiraba pensando en él.

Pasó el otoño, el invierno, la primavera, el verano... Cierto día de otoño se dirigió al río y se sentó a la orilla. Estaba mirando el agua, que brillaba al sol. Todas las hojas, doradas y rojas, despedían tanto resplandor que le deslumbraron. Entonces vio al aprendiz que le tendía la mano.

—¡Aquí estás tú, mi Buena Acción! —dijo alegremente.

Y se dejó conducir por un resplandeciente camino, del que nunca deseó regresar.

Caballito Loco

1

Por lo alto de las montañas, cerca de los bosques, vivía una manada de caballos salvajes. El jefe de todos ellos se llamaba Yar, y era sabio y fuerte, con la crin blanca y relampagueantes ojos negros. Yar tenía varios hijos entre la manada, y todos ellos eran muy respetados por los demás caballos, yeguas, potros y potrancas. Pues de entre ellos había de nacer el nuevo jefe que un día les gobernaría.

El más pequeño de los hijos de Yar nació una noche de luna redonda y amarilla. Su madre era una joven yegua llamada Zira. En cuanto el sol apuntó y pudo ver claramente a su hijito, que era el primero para ella, Zira se sintió tan orgullosa de él que no perdió tiempo y corrió a conducirlo frente a Yar y toda la manada.

Sin embargo, Yar no pareció tan orgulloso ni contento como Zira de aquel hijo. Lo miró largamente con sus temibles ojos negros y, al fin, dijo:

—Éste es un hijito loco, Zira. Te dará muchos disgustos y serás muy desgraciada con él.

Inmediatamente sacudió su larga crin blanca, y volviendo grupas se alejó, seguido de Zar, su altanero hijo mayor.

Al oír y ver aquello, las demás yeguas, que estaban celosas de la juventud y belleza de Zira y sobre todo del raro color dorado de su piel, les volvieron la espalda, riéndose y diciendo:

—¡Un caballito loco! ¡Qué cosa más despreciable!

Y nadie, ni caballos ni yeguas, ni potros ni potrancas, respetó al hijito de Zira como a los demás hijos de Yar.

Zira sintió una gran pena, al tiempo que el amor más grande, y acercándose a su hijo le pasó suavemente el belfo por el cuello y las orejas, dándole su aliento, mientras decía:

—Si es locura lo que veo en tus ojos, yo amo la locura.

De este modo, Caballito Loco fue su nombre para siempre. Era muy hermoso, pero como la luna parecía vagar por sus ojos, los demás potrillos se burlaban de él y no le querían en sus juegos. A menudo le acosaban y le atemorizaban, porque era el más pequeño y temblaba sobre sus patas, aún demasiado largas. Y todos los potrillos, especialmente los hijos de Yar, decían:

—¡Tiene la luna dentro de los ojos! ¡Qué cosa más loca y despreciable!

Tal como lo habían oído decir a sus madres.

De este modo, Caballito Loco se acostumbró a corretear solitario por entre los árboles.

Un día llegó el frío, y el viento empezó a llevarse las hojas de los árboles. Eran de oro, rosadas y rojas, y, como nunca hasta entonces las viera volar, Caballito Loco sintió una gran curiosidad por ellas y, persiguiéndolas como si fueran mariposas o desconocidos pájaros, llegó al otro lado del bosque y vio allá abajo el valle y las casas de los hombres. Caballito Loco quedó muy asombrado y aquella misma noche le preguntó a su madre:

—¿Quién habita al final de las montañas? He visto cosas que no comprendo.

Zira sintió un dolor muy vivo y dijo:

—Hijo mío, has ido demasiado lejos. Allí abajo viven los hombres, de los que debes huir.

—¿Por qué?

—Porque al llegar la primavera nos buscarán con cuerdas, nos echarán al cuello nudos corredizos, nos arrastrarán a sus pueblos y nos marcarán el lomo con hierros ardiendo. Huye siempre de los hombres, porque su corazón es un desconocido.

Caballito Loco sintió una mayor curiosidad por los hombres, pero no dijo nada, ni siquiera a su propia madre.

Todos los días se llegaba allí donde se divisaban las tejas encarnadas y azules del pueblo, los cercados, la torre dorada de la iglesia y el rarísimo —para él, que nunca lo oyó antes— tañer de la campana. Poco a poco fue acercándose más. Oculto entre los últimos troncos de las hayas, pudo ver pastores con ovejas y, una vez, un muchachito que iba silbando una canción.

Le gustó tanto, que no tuvo más remedio que contárselo a Zira. Su madre se entristeció y le dijo:

—Bien puedes mirarlos, ya que tanto te gustan. Pero los niños como ése crecen, se hacen hombres y, a veces, se vuelven como lobos salvajes. Caballito Loco, hijo, no vuelvas hacia esa vertiente. Tú eres aún tan limpio como el nacimiento del río y nada sabes de estas cosas.

Pero Caballito Loco tampoco entendía a su madre y volvió allí donde habitaban los hombres y los niños.

El tiempo transcurría, los pequeños potros crecían y nadie, excepto Zira, le amaba y le escuchaba. Caballito Loco se convirtió en un solitario y con nadie hablaba, salvo con los árboles y el viento, con las pequeñas flores, los pájaros y los brezos. El arroyo huía asustado de sus grandes ojos de oro, y los juncos de la orilla temblaban al verle. Doblándose unos sobre otros, decían:

—Pobre, pobre Caballito Loco.

2

Cierto día, una tribu de carboneros acampó cerca del bosque. Tenían la piel oscura y sus ojos negros y brillantes le atemorizaban. Escondido entre los espinos, Caballito Loco les vio beber vino y encender grandes hogueras en la noche, donde asaban la caza. Al resplandor de la lumbre contaban sus historias, que a veces le parecían de miedo, o de tristeza, o de una salvaje alegría más lejana aún. Huyó de allí con el corazón palpitante; y ellos, que oyeron el trotecillo de sus cascos, comentaron:

—¿Oís? ¡Alguien nos ronda! ¿Será el diablo?

Pero Caballito Loco no había oído jamás hablar del diablo y pensaba si se referían a él.

Fue así como un día descubrió la existencia de Carbonerillo. Carbonerillo tenía muy pocos años y nadie le amaba, porque no tenía padre ni madre. Todos le pegaban, le enviaban a sus recados y le obligaban a trabajar a cambio de pan duro y malos tratos. El más alejado lugar junto al fuego era para Carbonerillo, la tarea más ingrata era la suya, y también el peor bocado. Sólo de cuando en cuando, cuando ellos estaban hartos, le dejaban mojar su mendrugo de pan en la salsa de sus guisos, a pesar de que cazaban hermosos conejos, perdices, codornices y, una vez, una cría de jabalí. Tampoco había lugar para él en la choza donde se guarecían, y solamente poseía en este mundo una vieja manta que llevaba sobre los hombros, de la que nunca se desprendía. En ella se envolvía durante la noche, junto a las brasas de la hoguera; y, de madrugada, los primeros mirlos y las últimas luciérnagas le contemplaban. Carbonerillo tenía el cabello crespo y rizado y los ojos feroces de los carboneros, pero había un lunar grande cerca de su párpado derecho, que cautivó a Caballito Loco.

«El lunar de Carbonerillo es hermano de la estrella de la tarde», se decía. Pues él admiraba mucho a la primera estrella, tan grande y luciente sobre el cielo.

Viendo todas estas cosas, sintió un gran afecto y compasión por el desdichado Carbonerillo y deseó ser amigo suyo.

Una vez, Carbonerillo subió río arriba, hasta el nacimiento del agua. Estaba tan lejos de la tribu y tan alegre, que empezó a silbar; y aquella canción le recordó a Caballito Loco la del muchacho que viera una vez en la aldea, y sintió tal alegría de oírla, que salió de su escondite y se puso a trotar delante de Carbonerillo.

El muchacho quedó sorprendido, con la boca abierta. Entonces Caballito Loco se le acercó y, moviendo el cuello, le mostró su larga crin, y rozó sus hombros con el belfo, porque con ello quería decir:

—Muchacho, no te entristezcas; yo soy tu amigo.

De improviso, Carbonerillo le echó las manos al cuello, y Caballito Loco sintió aquellas manos pequeñas y duras, tan hirientes en su carne, que lanzó un largo grito y se alejó asustado. Esta sensación le llenó de tal terror que durante dos días y dos noches anduvo errante por la vertiente contraria, y ni siquiera se acercó a la manada, ni a su madre. No podía desprenderse del recuerdo de aquellas manos, duras como garras, que le desasosegaban. Recordó las palabras de Zira y tembló como la hoja en el árbol.

Al tercer día, el sol lucía muy redondo, a pesar de que se hallaban a últimos de octubre, y Caballito Loco emprendió la marcha hacia la tribu de los carboneros, pensando en volver a ver a Carbonerillo y diciéndose:

—Yo soy su amigo.

Apenas oteó las humaredas del campamento y los altos montones de tierra donde quemaban el carbón, salió Carbonerillo de entre la maleza, como si hubiera estado esperándole. Y sus ojos negros brillaban con tal ferocidad, que le paralizaron. Carbonerillo estaba allí, frente a él, con los brazos y piernas separados del cuerpo, un poco inclinado, y sus manos parecían dos pequeñas zarpas. Caballito Loco sintió un raro frío al ver que el sol daba de lleno en aquellas manos; caía en ellas el reflejo encarnado de las hojas de otoño y parecían teñidas de sangre.

Carbonerillo empezó a silbar queda y suavemente. Sus silbidos parecían pequeñas y rastreantes culebrillas que fueran trepando hacia los oídos de Caballito Loco. Carbonerillo fue acercándosele y, de improviso, saltó sobre su lomo, le clavó las uñas en el cuello y los talones en los ijares; y esta vez Caballito Loco sintió un gran dolor. Mas era su corazón el que tanto dolía, y pensó:

—Yo quiero llevarte sobre mi lomo, Carbonerillo, no me maltrates. Soy tu buen amigo.

Pero el muchacho le hería y le espoleaba, y sus manos y sus pies se le clavaban como cuatro lanzas.

Poco a poco, en vista de la docilidad de Caballito Loco, Carbonerillo aflojó su presión. Fue conduciéndolo por entre los brezos, hacia el sendero alto, y se detuvieron en la fuente. Al borde del agua se apiñaban los berros, las pequeñas matas de color fresa y las encendidas florecillas malva, que los contemplaron curiosamente. También las rocas estaban asombradas, y el viento que bajaba a ellas dijo:

—¡Pobre Caballito Loco!

El agua manaba rocas abajo, inundando la tierra de lágrimas. Y los brezos estaban cubiertos de blanco rocío, como un gran llanto. Pero nada de esto comprendió Caballito Loco, que se decía:

—Carbonerillo es mi amigo.

Cuando el muchacho se cansó de galopar sobre él, se tiró a la hierba. Y Caballito Loco le miraba con sus redondos ojos de miel. Hasta que oyó las matas azotadas, levantó el cuello al aire y olió a los hombres. Entonces el miedo se apoderó de él y huyó, sin poderlo remediar, vertiente arriba.

Pero no podía olvidar a aquel que creía su amigo, y volvió en su busca. Al principio no lo encontró, y vagó desoladamente por entre los árboles. Cuando menos lo imaginaba, el muchacho saltó sobre él, con el mismo golpe, solapado y feroz, de los lobos. Esta vez, Carbonerillo llevaba una cuerda, tal como explicaba Zira que hacían los hombres en la primavera, y se la echó al cuello. Caballito Loco quiso huir, pero al extremo de aquella cuerda había un nudo corredizo, y la sintió alrededor de su garganta, apretándole.

Caballito Loco se quedó quieto, y Carbonerillo lanzó al aire una risa tan dura, que le hizo aún más daño que la soga. Se dijo:

—¿Por qué me haces esto, Carbonerillo? ¿No comprendes que yo soy tu amigo?

Las lágrimas corrieron de sus ojos hasta la fuente y brillaban en el verdor de los berros, y los pequeños tallos se dijeron entre sí:

—¡Caballito Loco!

Carbonerillo le condujo vertiente arriba, al amparo de las hayas. Él le siguió con mansedumbre, inundado de tristeza.

«Algún día comprenderá», pensaba, «y me tratará como a su amigo.»

Pero el muchacho tenía endurecido el corazón por los golpes y los malos tratos, y nada sabía de estas cosas, ni entendía la palabra amor, ni la palabra amigo.

3

Carbonerillo condujo a Caballito Loco a un escondite entre las altas grutas. Nadie sino él conocía aquel lugar, y mientras quebraba jaras y brezos, apretaba los dientes y mil ideas negras cruzaban su frente. Sólo deseaba vengarse de cuantos le hicieron daño, y en ninguna otra cosa pensaba.

Ya nunca retiró la cuerda del cuello de Caballito Loco. Lo tenía prisionero en la gruta y sólo al amanecer, o durante las noches de luna, lo llevaba a pastar a la hierba. Montado sobre él, castigaba sus flancos con los talones, y lo trataba con tanta dureza como él recibía.

Caballito Loco obedecía al muchacho, pero una gran pena le llenaba por haber perdido su libertad. Durante las noches se acordaba de su madre, Zira, y de sus amigos del bosque: los saltamontes, las luciérnagas, los mirlos y los brezos.

Pero así y todo, miraba con gran dulzura a Carbonerillo, y deseaba hacerle comprender que ninguna otra cosa pedía más que su amistad y su bien.

Mucho tiempo pasó de este modo. Llegó la primavera; el campo se llenó de flores azules, amarillas y blancas.

Los rojos escalambrujos se abrieron en pétalos de color rosa, que esparcieron al aire su perfume. Todas las cumbres se llenaron de aquel aroma, y volvieron de sus largos viajes las golondrinas, las mariposas verdes y negras, los mirlos. Ellos le trajeron noticias:

—Caballito Loco, tu madre nos manda decirte que abandones a Carbonerillo y bajes al barranco. Ella llora por las noches y te espera al pie de la encina vieja. Dice: «Avisad a mi pobre Caballito Loco que ese muchacho es un malvado, que nunca entenderá su bondad.»

A Caballito Loco le hubiera sido fácil escapar, pues muy sencillo era burlar los pocos años de Carbonerillo. Pero estaba preso a aquel muchacho por algo más que una cuerda, y contestó:

—No, pobre Carbonerillo, él me necesita. Yo soy el único bien que posee en la tierra. Algún día entenderá mi corazón y seremos amigos.

—¡Caballito Loco! —le gritaron, apenadas, las golondrinas y las mariposas. Los mirlos piaron irritados, y las luciérnagas lloraban resplandecientes lágrimas.

Al día siguiente llegaron los grajos azules, gritándole:

—¡Florecen los zarzales, Caballito Loco, y Zira nos envía para decirte que abandones a Carbonerillo! ¿Acaso no ves cómo los días le convierten en un hombre malvado? El niño ha huido de él, y de su infancia sólo le quedan los golpes y la maldad que recibió.

—No, no —dijo Caballito Loco—. Carbonerillo no posee sobre esta tierra otro bien que yo.

Estaba lleno de tristeza, pero deseaba que Carbonerillo entendiera su corazón, y esta esperanza le mantenía.

Tal como anunciara Zira, cierto día esplendoroso de la primavera subieron los hombres con cuerdas y hierros en busca de la manada salvaje. Entre el polvo de oro, bajo la luz encarnada del primer sol, acosaron a los caballos. Carbonerillo les oyó y, montando en Caballito Loco, lo condujo donde, ocultos, podían verlo todo.

Allá abajo, en el polvo y los desesperados relinchos, vieron huir inútilmente a Yar y sus hijos, a las yeguas, potros y potrancas. Los hombres les echaban nudos corredizos al cuello, los conducían a las hogueras. Caballito Loco sintió un gran terror hacia los hombres, oyendo los gritos de Yar y de sus hermanos.

Con el corazón destrozado, miraba hacia allá abajo, pues amaba a su madre, Zira, y no deseaba verla apresada. Todos los caballos fueron conducidos al fuego; los hombres los doblegaban sobre sus patas y, calentando al rojo los hierros, marcaban sus lomos. Luego se los llevaron barranco abajo, y el aire quedó lleno de humo y tristeza. Caballito Loco no pudo aguantar más y echó a correr, por mas que Carbonerillo trataba de impedírselo.

Cuando llegó junto a las hogueras, echó la cabeza al aire y llamó largamente a Zira. Pero su madre no acudió, y sólo los cuervos volaron lentamente sobre las brasas aún ardientes, entre el humo negruzco, y gritaron:

—¡Tu madre se fue con la última nieve, Caballito Loco! Sentía tanta pena por ti, que no pudo seguir viviendo. Ahora está con las raíces de los robles y las hayas, bebiendo del manantial oculto. ¡Nunca más la verás, pobre Caballito Loco, por tu necia idea de servir a Carbonerillo!

Caballito Loco sintió un gran dolor y empezó a llorar. Y no se daba cuenta de la furia de Carbonerillo, que le azotó y que luego, cogiendo uno de los hierros olvidados por los hombres, lo enrojeció al fuego y le marcó el lomo. La marca que hizo en su carne era una curva, como un gancho, como la inicial de su nombre, que todos iban a recordar. Pues Carbonerillo levantó el puño y dijo:

—¡Me vengaré de la tierra y del cielo, de los hombres y de todo ser que aliente sobre este suelo!

Y no se daba cuenta de las lágrimas de Caballito Loco, ni entendía su corazón.

Pasaron dos primaveras más, y un día Carbonerillo se vengó, tal como había dicho. Mientras los carboneros de la tribu dormían, él se deslizó como una culebra entre las hojas, penetró en la choza del jefe y le mató. Luego robó su escopeta y su puñal, su dinero, su manta y sus pieles, y, montando sobre Caballito Loco, huyó a la lejana gruta que sólo él conocía.

Desde aquel día, montado en Caballito Loco, Carbonerillo fue el terror de la comarca. Se convirtió en el más feroz bandido que conociera aquel lugar. Hasta los lobos huían, cuando oían los cascos de Caballito Loco, en cuyos lomos cabalgaba. Por las noches, los niños temblaban en sus camas, temiendo que apareciera en la aldea el temible bandido Carbonerillo. Y no había animal ni hombre que no se estremeciera al oír su nombre. Bandido Carbonerillo asoló aldeas y alquerías, granjas y poblados. Los caminantes evitaban pasar cerca de sus montañas, y todos contaban sus maldades y crueldad. Él, en tanto, atesoraba riquezas, y con ellas compró a otros muchachos: muchachos desgraciados y maltratados, muchachos viciosos y muchachos tontos. Y con ellos formó una banda de malhechores y fue aún más temido y odiado. Caballito Loco era su caballo, y sin él nada hubiera podido hacer.

Pero Caballito Loco seguía siendo como cuando Zira le decía: «Eres tan limpio como el nacimiento del río.» Pues pensaba: «Algún día Carbonerillo se dará cuenta del bien.

Algún día comprenderá el mal. ¿Cómo voy a abandonarle ahora que todos le odian, si soy su única esperanza?»

Carbonerillo era ya un hombre, y aquel lunar que conmovía sobre su párpado era ahora una mancha crecida, que casi le borraba la frente y daba miedo de mirar. Sólo Caballito Loco veía en él el antiguo lucero de la tarde y se decía:

—No será del todo malo cuando tiene ese lunar tan hermoso sobre los ojos.

Mas un día llegó en que los hombres se irritaron tanto contra Bandido Carbonerillo que decidieron morir o aniquilarle.

Un grupo de jóvenes valientes se armó de cuanto pudo: escopetas, lazos, horcas, hoces. Se reunieron como para una batida y dijeron:

—¿Acaso no vamos todos reunidos y astutos contra el lobo? Pues peor que cualquier lobo es Bandido Carbonerillo. Vamos a por él y acabemos con sus crueldades.

Prepararon un plan ladino, como de raposos. Salieron de madrugada y sin miedo. Y, dispuestos a morir, los hombres crecen como gigantes.

De este modo, los hombres valientes acosaron a los bandidos y, uno a uno, fueron acabando con ellos. El último que quedó, cercado como una alimaña, montado sobre su Caballito Loco, fue Carbonerillo.

Era un día de invierno, con las cumbres nevadas. El cielo estaba gris, pero luciente, y entre los troncos oscuros de los árboles sintió el olor de la muerte. No tenía escape y, viéndose perdido, tuvo su primer miedo. Estaba rodeado de hombres, de nieve y de gritos, y veía entre la niebla el resplandor de las antorchas. Entonces vinieron a su memoria su infancia y su pena, y lloró, tapándose la cara con las manos. Pero en aquel momento, Caballito Loco, que le amaba, le arrojó bruscamente de su lomo sobre la nieve y los helechos invernales, y corrió hacia los altos robles, diciéndose:

«Ellos creerán que llevo aún sobre mi lomo a Carbonerillo».

Así fue, pues no veían entre la niebla, y creyeron que con

el caballo huía el bandido. Y se reunieron todos tras él, corriendo y gritando.

Cuando Caballito Loco llegó a la cima de la montaña, su silueta se recortó claramente contra el pálido cielo. Los hombres dispararon contra él y le alcanzaron. En tanto, Carbonerillo había encontrado el camino de la huida; escapó a sus espaldas y se salvó.

Caballito Loco quedó detenido en la cumbre de la montaña, caído sobre sus doblados remos. Pronto se vio rodeado de hombres airados, que al verle dijeron:

—¡Si es sólo su Caballo Loco!

Y lo remataron, porque no les gustaba la lenta agonía de los animales.

Caballito Loco cerró los ojos y el aire se llenó de la flor rosada del escalambrujo, la bella rosa salvaje de los campos. Y pensó: «¿Cómo será que ha vuelto la primavera?»

Siempre vio rodeada de niebla aquella alta cumbre de enfrente. Pero la niebla se apartó, como un velo de plata, y apareció a sus ojos una dorada y verde cima. Y un gran asombro le llenó. Allá abajo estaba el valle, con sus orgullosos hermanos atados, uncidos, humillados. Y al otro lado, en el barranco, brillaban los huesos mondos del cementerio de los caballos. Y de pronto supo: «De todo esto, yo me he salvado.»

Creía que no podría andar y, sin embargo, se sentía ligero como una nube. Entonces vio llegar al Pastor, que era tan hermoso como no viera otro. Y le oyó:

—Toma esta florecilla, Caballito Loco. Es una palabra que oí de labios de Carbonerillo cuando huía.

Caballito Loco la tomó entre sus dientes, y comprendió aquella palabra, que decía «amigo». Y es que Carbonerillo iba huyendo allá abajo, como un oscuro gusanillo sobre la tierra. Y decía:

—Acaso tuve un amigo, ¡pobre de mí! Era mi amigo y yo no lo sabía.

Entonces dijo el Pastor:

—Ven conmigo, Caballito Loco.

Y le llevó con él a la cumbre de enfrente, donde la hierba nunca se marchita.

Carnavalito

1

Érase una vez un muchacho llamado Bongo, que trabajaba en una herrería. Bongo se levantaba todas las mañanas a las cinco, cuando el cielo estaba aún negro y titilaban las últimas estrellas. Bongo bajaba entonces a la herrería, prendía el fuego y ya no descansaba hasta la hora de comer.

El Herrero era un hombre jorobado, pecoso, con el pelo rojo y la cara cruzada por una cicatriz. Bongo solía preguntarle:

—¿Por qué tiene esa cicatriz en la cara, maestro?

—Me la hicieron los piratas —contestaba el Herrero.

Y, mientras Bongo le daba al fuelle, empapado de sudor, el Herrero golpeaba el yunque y le contaba sus andanzas por los mares de la China.

A Bongo le gustaban mucho estas historias, a pesar de que los demás muchachos del pueblo venían a escuchar, a escondidas, detrás de la puerta, y de repente interrumpían a gritos:

—¡Mentira, mentira! ¡Mentiroso el uno, tonto el otro!

Entonces el Herrero se enfurecía y salía a la puerta llevando en la mano un hierro al rojo. Los chicos huían como un tropel de pájaros y, ya de lejos, le tiraban piedras y continuaban burlándose. Pero el Herrero no les seguía nunca más allá de la tapia del huerto. Les amenazaba con el puño y decía:

—¡Desgraciados! ¡Desgraciados, vosotros!

Y su cara se llenaba de una pena tan misteriosa, que Bongo no pudo menos de preguntarle un día:

—¿Por qué les llama desgraciados, maestro? Todos ellos tienen padre y madre y una casa, y van a la escuela.

Bongo fue recogido por el Herrero cuando era muy pequeño, y dormía en el desván de la herrería, y trabajaba el día entero para ganarse el pan.

Entonces el Herrero dijo:

—Tú eres mucho más rico que ellos, Bongo.

Y, por primera vez, añadió:

—Vamos a comer, hijo mío.

Nunca le había llamado así y Bongo se sintió contento. Pues si bien su vida era dura, el Herrero nunca le pegó ni le hizo ningún mal. Y siempre compartieron juntos la comida, que unas veces era buena y otras no tanto. Pero siempre juntos, como verdaderos padre e hijo.

A Bongo también le gustaba que el Herrero le contase la historia de cuando lo encontró:

—Pasaba un carro de comediantes y estaba todo el campo muy verde y salpicado de hojas encarnadas, porque estaba lloviendo mucho aquellos días, y empezaba el otoño. Entonces yo vi un bultito que había quedado en el camino y me dije si sería un paquete de ropas o de comida o de cualquiera de los muchos equipajes que llevan consigo los titiriteros. En estas que fui a por él, dispuesto a devolvérselo; pero me llevé un gran chasco, cuando lo recojo, lo desenvuelvo y veo un niño pequeño, vestido de Arlequín.

—¿Era yo? —preguntaba Bongo, sonriendo.

—Eras tú. Entonces te tomé en brazos, corrí tras el carro y les grité: «¡Eh, titiriteros, eh, que os dejáis algo!» Ellos detuvieron el carro y asomaron a las ventanas sus caras morenas. Dijeron: «¿Qué es ello? ¿Acaso oro molido? ¿Acaso plata y diamantes? ¿Acaso trigo y manzanas?» Y yo contesté: «No, no, algo mucho mejor que eso.»

El Herrero se detenía aquí, porque sabía que Bongo enrojecía de placer y le interrumpía diciendo:

—¿Eso dijo, maestro?

—Eso dije. Les enseñé al muchacho (que eras tú). Pero ellos movieron la cabeza de un lado a otro y fruncieron el ceño: «¿Ese niño de pelo rubio, nuestro? ¡Qué disparate, Herrero! Nosotros tenemos el pelo como las alas del cuervo, los ojos como las endrinas, la piel como el cobre. Ese niño más parece cosa vuestra.» Y cerrando las ventanas del carro, azuzaron a los caballos y se marcharon corriendo, no fuera que yo les detuviese. Te llevé entonces a mi casa, y te guardé conmigo. A la noche, me corté con las tijeras un mechón de pelo y lo acerqué a tu cabeza. «No es la misma clase de oro —me dije—, pero parece más cosa mía que de aquellos tunantes.»

—¿Y qué se hizo del traje de Arlequín?

—No sé qué fue de él. Bien, ¿sabes una cosa? Se parecía tanto a los colores del otoño, que no sé yo si sería hecho de hojas de color verde, amarillo y rojo. Y no sé cómo, pero se fue desgajando, desgajando, hasta desaparecer.

—¿Y adónde fue a parar, maestro?

—Yo me digo si el viento se lo llevaría.

En aquel momento, las voces agudas de los muchachos llegaron a la herrería, con sus gritos burlones:

—¡Mentira, mentira! ¡Embustero el uno, tonto el otro!

Muchas veces, cuando Bongo iba con la cesta a comprar al pueblo, la gente le decía:

—Es muy malo el Herrero. ¿Verdad que te pega? ¿Verdad que no te da de comer?

—No es verdad —decía él.

—Es muy malo el Herrero. ¿Verdad que te trata muy mal?

—No es verdad —respondía Bongo, llorando.

Y así crecía, viendo cómo las gentes del pueblo no querían al Herrero, y no sabía por qué, pues con él era bueno. Bongo sentía por él cariño y le dolían estas cosas.

Las gentes acudían a la herrería como por obligación, ya

que no había otro herrero en muchas leguas a la redonda. Y, además, el Herrero sabía muy bien su oficio. Las gentes pagaban sus encargos con el ceño fruncido, sin decir palabra.

Un día, Bongo preguntó:

—Maestro, ¿por qué son tan duras con nosotros las gentes de este pueblo?

—Porque ni tú ni yo hemos nacido aquí —contestó el Herrero—. Ellos no saben de dónde venimos, y estas gentes necesitan tocar las cosas con sus manos para creer en ellas.

—Y, ¿de dónde viene usted, maestro?

Pero a esto, por vez primera, el Herrero no contestó con una historia maravillosa. Siguió golpeando el yunque con más fuerza, y Bongo no se atrevió a preguntarle nada más.

2

Cierto día de noviembre, una gran niebla llegó al pueblo, borrando todas las cosas. Las gentes salían con faroles a las puertas de las casas, y unas a otras se gritaban sus nombres y recados. Los caballos blancos y negros relinchaban en la colina, asustados, y las vacas mugían. También las gallinas estaban sorprendidas, y los orgullosos gallos trepaban a las empalizadas y sufrían porque nadie podía contemplar sus colas de mil colores ni el brillo de sus ojos de oro.

De pronto, oyeron un gran estallido. Luego, otro y otro. Vinieron corriendo unos soldados, que atravesaron el pueblo e iban diciendo:

—¡Huid, huid, porque la guerra ha llegado!

Los hombres y las mujeres de la aldea empezaron a empaquetar sus cosas, entre gritos. Los colchones, las vasijas, todo, lo cargaban sobre los carros, hasta los animales. Y, sobre todo ello, se subían el marido, la mujer y los niños. También los perrillos eran aupados, a veces, a última hora. La niebla era cada vez más espesa. Sólo se veía, de aquí para allá, un estallido rojo, como un sol pequeño, y un gran humo negro, que lo convertía todo en algo extraño. Nadie sabía, al fin, si era de día o de noche, porque alrededor las cosas tenían el mismo resplandor blanco y rojo.

Bongo estaba en la herrería, dándole al fuelle, como acostumbraba. La niebla tapaba las ventanas y, repentinamente, se metió dentro. Bongo sintió una gran angustia, pues no veía al maestro. Sólo oía, en el silencio de la niebla, los golpes de su yunque:

—¡Toc, toc, toc...!

Le llamó:

—¡Maestro!

El Herrero no respondía. Bongo sólo oía aquel ruido:

—¡Toc, toc, toc...!

Bongo sentía mucho frío y ganas de llorar. Allá fuera se empezaban a oír las voces de los soldados, que decían:

—¡Huid, ha llegado la guerra!

Bongo se asomó a la puerta y vio luces que corrían de un lado a otro y, a trozos, caballos, hombres y carros que huían, medio borrados por la niebla. Oyó el estallido del fuego, en lo alto de la colina. Y, al fin, el galope del último caballo y el crujido de las ruedas del último carro. Llamó:

—¡Maestro, maestro!

En aquel momento, una gran explosión lo iluminó todo terriblemente y la herrería se desplomó. Bongo quedó a salvo, junto a la puerta, y, entre los jirones de la niebla, vio cómo se desmoronaban los muros de la casa. Entró en ella, apartando las piedras, y sólo quedaba el hogar apagado y lleno de cenizas. No había rastros del Herrero por ninguna parte.

Asustado, temblando, Bongo se sentó en una piedra. Poco a poco, el fuego se alejó de allí y un gran silencio llegó al pueblo. También la niebla se apartaba, y Bongo vio un sol muy pálido, como si estuviera amaneciendo.

Echó a andar por las calles. Las casas estaban cerradas y vacías, y algunas medio destrozadas. Por todos lados había mucho silencio. Únicamente un gallo blanco se paseaba por el centro de la plaza, con su estúpida cresta levantada y los ojos relampagueantes.

Bongo volvió a la herrería. Aún se levantaba humo de las ruinas del hogar. Aún quedaban en pie el fuelle y el yunque. Se sentó en el suelo quemado, entre cenizas y cascotes, y lloró, pues nunca se había sentido tan solo. Se dijo: «Todos los muchachos fueron recogidos por sus padres y montados en lo alto de los carros. Pero, ¿y yo? Nadie ha pensado en llevarme a mí, y el único que me quería ha desaparecido.»

—No llores, Bongo.

Levantó la cabeza y, sentado en los restos del hogar de la herrería, vio un Arlequín. Iba vestido con un alegre traje de colores rojo, verde, amarillo, azul... Todo él parecía hecho de cintas, de pedacitos de tela, o de hojas; no se podía distinguir muy bien. Pero el traje aquel resaltaba mucho en medio de tanta ruina y negrura.

—¿Quién eres tú? —dijo Bongo, asustado—. ¿De dónde sales?

—No tengas miedo —le contestó el Arlequín—. Dame la mano.

Bongo se la tendió, temblando. Porque necesitaba una gran compañía.

El Arlequín se levantó, llevándole de la mano. A poco de caminar sobre las ruinas, salieron al campo. El sol lucía otra vez, como si no hubiera pasado la guerra, y el suelo brillaba. Estaban en noviembre, el mes más hermoso para los campos.

—¿Cómo te llamas? —se atrevió a preguntar.

Y el Arlequín le contestó:

—Me llamo Carnavalito.

Cuando llegaron a lo alto de la colina, vieron, allá abajo, que la niebla huía lentamente hacia otros lugares. El sol la volvía de oro y todo parecía muy bonito.

Bongo se apartó las lágrimas con las manos y dijo:

—¿De dónde has salido, Carnavalito?

En lugar de contestarle, Carnavalito sacó una armónica del bolsillo y empezó a tocar una canción tan hermosa que hasta los pájaros se pararon a escuchar. Allí estaban, formando círculo, mirlos negros con ojos como diamantes, petirrojos, ruiseñores y los humildes pájaros grises que rondan el invierno. Todos escuchaban con mucha atención, y el mismo Bongo olvidó su miedo, su soledad y su tristeza.

3

Anduvieron sin parar a través del campo. Vieron, aquí y allá, aldeas quemadas, caballos que galopaban con la crin al viento, huyendo de la guerra, corderos perdidos que balaban tristemente y gentes que escapaban en sus carros con caras cerradas por el miedo y el egoísmo.

Varias veces Bongo se puso en mitad del camino y pidió que le llevaran con ellos. Pero aquellas gentes azuzaban sus caballos, y parecía que sus oídos estuvieran tapados.

—No te entristezcas, Bongo —dijo Carnavalito—. Tú no necesitas que te lleven con ellos. ¿Es que no te has dado cuenta de quién eres?

Le condujo de la mano hasta el río, y en un remanso, verde y liso como un duro cristal, le mostró su cara. El sol les daba a la espalda, y aparecían los dos rodeados de oro.

—Fíjate qué ojos tan valientes tienes —dijo Carnavalito.

—Yo no veo mis ojos —contestó Bongo—. El sol me da a la espalda, y sólo veo una cara negra ahí dentro.

—¡Ah, pero yo sí veo tus ojos! Son los de un muchacho a quien no le puede ocurrir nada malo.

Bongo le creyó firmemente y dijo:

—Así es. No tengo ningún miedo.

—Ahora sígueme, que te llevaré a la tierra de la paz.

Junto al río había una barca abandonada y subieron a ella. Cada uno empuñó un remo, y así cruzaron el río.

Pero a la otra orilla no estaba aún la tierra de la paz. De nuevo vieron casas quemadas, cosechas destruidas y buitres que volaban lenta y negramente sobre los campos abandonados.

—Tengo mucha hambre —dijo Bongo.

Por la carretera corría un hombre con un cesto lleno de fruta que, aunque golpeada, era cuanto había podido recoger. Bongo echó a correr hacia él y le tiró de la chaqueta para que le atendiese, diciendo:

—¡Por favor, por favor, buen hombre, deme usted aunque sea sólo una manzana!

Pero aquel hombre tenía los ojos como agujeros y le contestó:

—Y tú, ¿qué vas a darme? Sólo a cambio de oro te podría dar una manzana.

—Yo no tengo oro. Sólo tengo hambre —dijo Bongo, a punto de llorar.

Y el hombre le apartó de un empujón, y siguió corriendo por la cuneta de la carretera.

Carnavalito pasó su brazo sobre los hombros de Bongo, diciéndole:

—Tú no tienes hambre, Bongo.

Volvió a sacar del bolsillo su armónica, y esta vez la canción llenó de tal forma el aire que los buitres huyeron de allí, horrorizados, y Bongo olvidó los tirones de su estómago.

Entretanto, habían llegado a unos zarzales, llenos de moras negras y brillantes. Carnavalito y Bongo arrancaron cuantas pudieron, repartiéndoselas:

—Ésta te toca a ti, ésta me toca a mí...

Y así hasta que las acabaron. Pero Bongo no se daba cuenta de que Carnavalito no comía las suyas y se las pasaba a él disimuladamente.

Llegaron a un pueblo que aún humeaba. Por todos lados había ladrillos rotos, tejas y piedras quemadas, y mucha tristeza. Solamente un árbol estaba allí, en pie, lleno de hojas amarillas, como si fuera de oro.

Carnavalito dijo:

—¿No sería tonto aquel hombre? ¡Cuánta riqueza tenía aquí, y no lo sabía!

Sacudió las ramas del árbol y cayó sobre ellos una lluvia tan radiante que tapaba toda la desolación. Bongo reía muy alegre, hasta que se cansó y se sentó en una piedra. Entonces vio una cabeza que asomaba, llena de miedo, tras una tapia. Bongo volvió a sentir temor y quiso echar a correr.

Pero Carnavalito le sujetó por el fondillo del pantalón y le hizo retroceder.

—¿Adónde vas, Bongo? ¿Qué temes? Tienes que comprender que donde estemos tú y yo no hay miedo.

Carnavalito volvió a sacar su armónica y a tocar aquella canción, que era como el despertar del sol en el campo, pues hacía salir, de entre las ruinas, pájaros, mariposas verdes y cigarras.

Entonces la cabeza que había asomado tras la tapia rota volvió a aparecer. Era un niño muy delgado, con grandes ojos azules, que se les acercó. Estaba tiznado de hollín y descalzo.

Escuchó la canción embelesado y, cuando Carnavalito terminó, el niño de los ojos azules preguntó:

—¿Adónde vais?

—Ven con nosotros —dijo Carnavalito—. Dale la mano a Bongo, porque nos vamos al país de la paz.

—Esperadme —dijo el niño de los ojos azules—. Hay otros dos que tienen aún más miedo que yo. No les podemos abandonar.

Les condujo hacia una casa en ruinas y, apoyando la boca en un agujero del muro, llamó:

—¡Salid de ahí, que ha terminado el miedo!

Oyeron un ruido parecido al roce del viento en las rendijas y, saltando entre las piedras, vieron a otro muchachito aún más pequeño, con unos pantalones tan grandes que la cintura le llegaba hasta debajo de la barbilla y las cañas a los tobillos. Pero era todo lo que llevaba sobre el cuerpo y estaba aún más delgado y más sucio que el primero. Este último niño llevaba en brazos a un perrito negro, con ojos dulces como dos granos de uva moscatel. El perrito temblaba como la hoja en el árbol.

—¿Por qué temblar, tontos? —dijo el niño de los ojos azules—. ¡Estos dos han barrido todo el miedo, como si fuera ceniza!

Y les dijeron sus nombres: el primer niño se llamaba Cuco, el segundo Cuscurrín, y el perro Nabucodonosor.

—Ahora —dijo Carnavalito—, vamos a cargarnos de riquezas para llevárnoslas al país de la paz.

Recogió las hojas de oro y las repartió equitativamente entre ellos. Luego los condujo hacia el sembrado, donde estaban abandonados y enmohecidos el arado y las azadas. La simiente aparecía mal esparcida, y la tierra reventada aquí y allí. Recogió algunos granos de simiente y se los dio.

—Guardadlos —dijo—. Esto es un gran tesoro.

Ellos lo comprendieron y lo guardaron con gran respeto en el fondo de los bolsillos, junto a las hojas de oro.

Nabucodonosor empezó a llorar, porque realmente era el más cobarde de los cinco. Carnavalito volvió a sacar la armónica y al cabo de un rato Nabucodonosor se había puesto a la cabeza de la comitiva y corría alegremente.

De esta forma atravesaron campos y aldeas abandonadas, rotas y negras de humo. En todas partes Carnavalito hallaba alguna cosa buena: espigas caídas, amapolas, una rosa aterida y triste entre zarzales, un grillo que cantaba destempladamente entre las ruinas...

—Guardadlo todo —decía Carnavalito—. Todo esto son cosas que los hombres y el invierno no pudieron destruir.

Los niños le obedecían, y en cuanto flaqueaba su corazón y sentían miedo o cansancio, Carnavalito tocaba su canción en la armónica, y ellos lo olvidaban todo y se sentían muy alegres.

Por el camino se les unió, además, una niña de largos cabellos lisos y amarillos, con muñeca. Se llamaban Tina y Tinina, y habían quedado, como Bongo, Cuco, Cuscurrín y Nabucodonosor, abandonadas en una aldea de gentes duras y egoístas. Se les unieron también una legión de perrillos, pájaros, mariposas, cigarras, luciérnagas y mariquitas, porque, al oírles y verles, comprendían que con ellos volvería la primavera.

En una aldea vieron un potrillo que había quedado preso en un corral y que relinchaba tristemente, porque todos habían huido sin desatarle y él no podía escapar.

Carnavalito, los niños y los perros empezaron a apartar piedras y maderas derruidas, y liberaron al potrillo, que se acercó a frotar su cuello, uno a uno, contra los muchachos y los perros. Y daba unos saltos tan alegres, que todos se reían mucho viéndolos.

Carnavalito dijo:

—Ven con nosotros, Potrillo, que vamos con grandes riquezas a la tierra de la paz.

Así, cantando, bailando, comiendo zarzamoras y recogiendo maravillas de entre los campos y pueblos abandonados, llegaron a las puertas de la ciudad.

Desde lo alto de la colina se pararon a mirarla. Carnavalito dijo:

—Esa ciudad está triste y llena de miedo. Vamos a buscar quien quiera acompañarnos.

Bajaron a la ciudad. Y llevaban tanta alegría, que era como si un surco de oro les fuera siguiendo por entre aquellas calles oscuras y cerradas. Igual que esas colas llenas de luz que arrastran las estrellas fugaces.

4

La ciudad era gris y parda. Los escaparates estaban vacíos, las puertas y las ventanas cerradas. Por todas partes había carteles donde se leía: «No hay», «Se terminó», «Cerrado». Había también coches abandonados, y sólo de tarde en tarde se oía tras una esquina el manar de una fuente pública. Porque nadie puede cortar el curso del agua, que brota del fondo de la tierra.

Iban de tal forma alegres y contentos, que a su paso fueron abriéndose puertas y ventanas, y asomaron gentes adustas y ceñudas, pálidas de miedo, de odio o de egoísmo.

—¿Adónde vais, locos? —les decían—. ¿Qué significan esas canciones y esa alegría, cuando todo es tristeza y miedo?

Y los niños decían:

—No es verdad, no hay miedo, ni tristeza. ¿Queréis venir con nosotros? Vamos cargados de riquezas, hacia la buena tierra.

—¿Riquezas? ¿Dónde están las riquezas? —inquirían, entonces, con los ojos brillantes.

Y se acercaban a ellos, ocultando a la espalda un cuchillo o un palo.

Ellos mostraban todos sus tesoros: espigas, semillas, girasoles, amapolas, rosas salvajes, azadas mohosas, un arado, piedrecillas del borde de los ríos, y los pájaros, las mariposas y el pequeño grillo, que ya se había aprendido todas las canciones de Carnavalito.

Entonces las gentes torcían el gesto y decían:

—¡Embustero el uno, tontos los otros!

Y, oyéndoles, Bongo recordaba a los muchachos de su aldea, cuando el Herrero le hablaba de sus andanzas por el mar de la China y del día en que lo encontró en el camino de los titiriteros.

Pero también vieron algún muchachito, alguna niña, saliendo de solares y descampados. Entre bidones, ladrillos rotos y ramaje seco. Iban mal abrigados en pedazos de saco, y llevaban en las manos escudillas vacías, con la esperanza de que alguien se las llenara.

—¿Venís con nosotros? —les decía Carnavalito.

Y se sentaba con su armónica en lo alto de los muros derruidos. El sol le daba de lleno, y los colores de su traje brillaban de tal forma, que niños, niñas y perrillos perdidos le miraban embelesados. Y cuando terminaba de tocar su canción, le seguían. Y los niños olvidaban incluso sus escudillas en la tierra amarilla del solar.

Algunos hombres y mujeres les gritaban:

—¡Mentira, mentira, mentira!

Y querían correr tras ellos, con palos levantados. Pero entonces Carnavalito tocaba su canción, y una rara neblina de color dorado, que siempre flotaba en torno de aquella armónica, se esparcía tras los talones del último muchacho. Y los hombres y las airadas mujeres se borraban, y sus voces se confundían con el viento que se alejaba a sus espaldas.

De este modo, toda la comitiva llegó al otro extremo de la ciudad, donde había restos de una casa que, por las ruinas, debió de ser grande y lujosa. Quedaban vestigios de un gran parque y árboles decapitados.

Los niños se pararon a mirar por entre la verja, con las manos asidas a los barrotes. También Nabucodonosor metió su cabecita negra por entre la reja, y le imitaron los demás perrillos, el pequeño grillo, los pájaros y las mariposas.

Sentados en un banco de piedra vieron a un hombre y a una mujer. El hombre tenía la cabeza entre los puños y los codos en las rodillas. La mujer se tapaba la cara con las manos.

Bongo les gritó:

—¿Qué ocurre? ¿Qué hacéis?

El hombre levantó la cabeza y quedo muy sorprendido de verles. La mujer se quitó las manos de la cara, y vieron que estaba llena de lágrimas.

—Todo lo hemos perdido —dijo el hombre—. ¡Somos los seres más desgraciados de la tierra!

—¿Qué perdisteis? —preguntó Bongo.

Y todos, hasta los mirlos (que suelen parlotear a gritos estén donde estén), escucharon con gran atención.

—Hemos perdido la casa, el dinero y la tierra —dijo el hombre.

—¿La tierra? ¡Qué raro! —contestó Carnavalito, apareciendo tras un árbol—. La tierra no se puede perder.

El hombre y la mujer quedaron pasmados al verle, y la mujer preguntó con timidez:

—¿Tú crees?

—Estoy seguro —dijo Carnavalito.

Y, sacando la armónica, empezó a tocar su canción.

Y era extraño, pues aquella mujer entendió las palabras de aquella música y las iba repitiendo en voz baja al hombre:

—Ellos dicen: «Venid con nosotros a la buena tierra, donde viven todas las riquezas.»

El hombre dijo con voz dura:

—¿Y mis riquezas, me las devolveréis?

—¡Cómo no! —respondió Carnavalito—. ¡Ciento por uno!

El hombre dudó un momento. Pero enseguida hizo un gesto de incredulidad y volvió a cogerse la cabeza con las dos manos. Entonces la mujer dijo:

—Sigámosles, porque, ¿qué podemos ya perder? Tal vez digan la verdad, pues parecen muy felices.

Dudaron y hablaron entre ellos. Los niños y los perros escuchaban, pero no entendían sus palabras. Al fin el hombre y la mujer se levantaron y fueron a la verja. El hombre les preguntó:

—Vosotros, ¿qué habéis perdido?

Todos se miraron unos a otros, y no sabían qué responder, puesto que nunca tuvieron nada.

—Nosotros —dijo Bongo— vamos a la buena tierra, con nuestras riquezas.

Esto pareció contentar al hombre, y dijo:

—¿Y las repartiréis conmigo y con mi mujer?

—Sí; hay mucho para todos —contestó Carnavalito.

Y volviendo a tocar la armónica, se pusieron en marcha.

El hombre y la mujer aún dudaron un poco. Pero la mujer

inició la marcha y el hombre la siguió. Y aunque iban un poco rezagados, y como desconfiados, al fin y al cabo les seguían, e iban donde les llevaba Carnavalito.

5

Dejaron atrás la ciudad y llegaron de nuevo al campo. La tierra estaba herida y rota por el fuego de la guerra, y aquí y allí descubrían camiones incendiados y armas arrojadas por los soldados que huían. Algún niño echó a correr hacia un fusil, o un puñal, con los ojos repentinamente duros. Pero antes de que su mano los tocara, Carnavalito sacaba la armónica, y el niño levantaba la cabeza y entendía aquella música que decía: «¿Para qué vas a coger eso, si no es riqueza ninguna en la tierra de la paz?»

Y el niño abandonaba el arma, volvía a la caravana, y olvidaba el hierro y el fuego.

Un atardecer lluvioso, llegaron a una gran zanja. Al borde terminaba la tierra quemada, con sus raíces cortadas y los árboles de troncos desnudos, con las ramas levantadas al cielo como brazos. Al otro lado de la zanja había una tierra tapada por la dorada niebla.

Carnavalito dijo:

—Bien, ya hemos llegado. Al otro lado de la zanja está la buena tierra, con la riqueza y la paz. Debemos pasar uno por uno, a medida que os fuimos encontrando. Primero pasa tú, Bongo, y detrás Cuco, Cuscurrín y Nabucodonosor; luego Tina y Tinina, el Potrillo, el grillo...

Fue de este modo enumerándolos a todos. Estaban muy asombrados, y como no atreviéndose a pasar la zanja. En aquel momento llegaron los buitres, con los ojos llenos de cólera, como botones de fuego. Gritaban:

—¡Mentira, mentira, mentira! ¡Ah, qué gran mentira! ¡Nosotros, que volamos sobre vuestras cabezas, vemos el otro lado de la zanja, y no hay en esa tierra riqueza alguna! ¡Mentira, mentira, mentira!

Llovía aún y todos tiritaban de frío. De pronto, parecía que la alegría había acabado y tenían ganas de llorar.

El hombre y la mujer se habían quedado rezagados, llenos de dudas, junto a un árbol quemado. Y empezaron a formarse grandes charcos en el suelo, como espejos sucios, donde se reflejaban los buitres, que parecían responder como un eco:

—¡Mentira, mentira, mentira! ¡Embustero el uno, tontos los otros!

Al oír aquello, Bongo recordó a los muchachos de la aldea, que decían lo mismo cuando el Herrero le contaba sus historias. Entonces sintió una gran indignación y gritó:

—¡Venid conmigo, muchachos, pues mentiras como ésa fueron el único bien que yo recibí de esta tierra quemada!

Y tendió la mano a Cuco, y Cuco a Cuscurrín, y Cuscurrín a Nabucodonosor —que le dio su patita—, y Nabucodonosor tendió su otra patita a Tina, y Tina a Tinina, y a la diminuta cintura de la muñeca Tinina se enrolló el extremo de la rienda del Potrillo, y a la cola del Potrillo se agarró el primer niño que se les unió en la ciudad, y el otro al otro, y al otro... Y de este modo, cuando aún los niños y los perrillos estaban enlazándose en la tierra quemada, Bongo ya había llegado al fondo de la gran zanja. Sudaba, y con sus pequeñas manos, y con las uñas, se agarraba a la tierra y trepaba hacia el otro lado. Y todos le imitaban y le seguían.

Cuando el último de los niños se volvió hacia el hombre y le tendió la mano, chillaron los buitres:

—¡Mentira, mentira, mentira!

El hombre temblaba y la mujer se tapó otra vez la cara con las manos. Los buitres empezaron a planear sobre ellos, con su vuelo lento y negro, a grandes círculos. Y, al verlos, el hombre se inundó de miedo, y se cogió de la mano que le tendía el niño, y tendió la suya a la mujer. Y la mujer también se dejó conducir.

Bongo ya llegaba al otro lado de la zanja. Y en cuanto alcanzó la otra orilla, se vio rodeado de niebla de oro. Y se volvió a ayudar a los que le seguían; tiró con fuerza de Cuco, y Cuco de Cuscurrín, y Cuscurrín de Nabucodonosor... y así, hasta llegar al hombre y la mujer. Todos estaban dentro de la niebla de oro, menos el hombre y la mujer, que aún estaban asustados y llenos de desconfianza.

Bongo gritó, consternado:

—¿Y Carnavalito? ¡Ay, amigo mío, amigo mío! ¿Dónde dejasteis a mi pobre Carnavalito?

Y a todos empezaron a caerles lágrimas, que se confundían con la lluvia. Y Bongo le dijo a Cuco:

—Cuco, ¿a quién diste tú la mano?

Y Cuco se volvió a Cuscurrín y le dijo:

—Cuscurrín, ¿a quién diste tú la mano?

Y Cuscurrín se volvió a Nabucodonosor y le dijo:

—Nabucodonosor, ¿a quién ayudaste tú?

Y Nabucodonosor dirigió sus ojos de uva, llenos de lágrimas, a Tina, ladrando tristemente. Y Tina miró a su muñequita Tinina, y preguntó, llorando:

—Tinina, ¿a quién diste tu manita?

Y Tinina, con su cara de madera empapada de lluvia, miró hacia el Potrillo. El Potrillo relinchó de pena, y miró al primer niño de la ciudad.

Y todos los niños de la ciudad, y los perrillos, y los pájaros, mariposas, luciérnagas, cigarras y grillo, se preguntaban unos a otros:

—¿A quién diste tú la mano?

—¿A quién ayudaste tú?

En estas, la última pregunta llegó hasta el hombre. Y el hombre dijo:

—Mujer, ¿a quién diste tú la mano?

La mujer levantó su mano izquierda, y ante el asombro de todos mostró la armónica de Carnavalito. Pero Carnavalito no estaba allí.

Entonces la mujer sintió miedo y dejó caer la armónica al suelo. Todos la rodearon, y la armónica, ella sola, empezó a tocar su canción. Y todos entendieron aquella música, que decía:

—Escuchad bien, que os voy a contar una historia. Ésta es la historia de un jorobadito, que vivía en un orfelinato. El jorobadito quería salir de allí, hacia el mundo, porque deseaba tener padre y madre, y por ello inventaba historias. Y los demás muchachos le decían: «Mentira, mentira.» Pero los pájaros y el viento le decían: «Tus mentiras no son mentiras negras, son mentiras de colores que no hacen daño a nadie. Antes bien, tus mentiras son como la esperanza.» Así pasó el tiempo, y el jorobadito aprendió el oficio de herrero. Cuando salió del orfelinato fue por el mundo con su oficio. Pero como era feo y jorobado, y nadie sabía de dónde venía ni dónde nació, las gentes no le querían, pues eran gentes de corazón duro, ideas mezquinas y mentiras negras. Y el jorobadito, para buscar amor, inventaba historias hermosas; y unos le creían y se llenaban de esperanza, y otros le insultaban. Un día fue a un orfelinato y se llevó un niño, al que llamó Bongo. Y cuando Bongo le preguntaba: «¿De dónde vine, Herrero?», él inventaba una maravillosa historia. Y cuando Bongo le decía: «¿Y esa cicatriz?», en lugar de contestar que se la había hecho la maldad de los hombres, inventaba mil historias maravillosas. Cierto día, la maldad de los hombres mató al Herrero. Y cuando se presentó a las puertas del Reino, le dijeron: «¿Qué pesa en tu balanza?», y él contestó: «Un puñado de mentiras.» Entonces le dijeron: «No basta.» Pero se compadecieron de él, porque había sufrido mucho, y decidieron: «Espera un poco: enviaremos tus mentiras a la tierra y veremos qué provecho sacas de ellas.» Estas mentiras se vistieron con sus colores, se llamaron Carnavalito, y os condujeron hasta aquí.

Todos se habían quedado asombrados. La armónica enmudeció y ninguno se atrevía a tocarla. Pero la lluvia había cesado y, entre tanto, la niebla de oro se había esparcido. Y vieron aquella tierra.

Aquella tierra era rojiza y ancha. Había algunos árboles, hierba y una casa de paredes encaladas.

Inmediatamente, los mirlos dijeron:

—¡Cuánta riqueza!

Se perdieron en las ramas de los árboles y reanudaron su griterío, como si el mundo acabara de nacer.

Las mariposas dijeron:

—¡Cuánta riqueza!

Y se perdieron entre la hierba. Como si el mundo acabara de nacer.

Entonces los niños y los perrillos se esparcieron de acá para allá, y empezaron a sembrar los granos recogidos en la tierra quemada. Y también a cubrir el suelo con las hojas de oro, las amapolas y las rosas salvajes. Y en ellas se perdieron el grillo, las cigarras y las luciérnagas. Todo empezó a poblarse de voces, de aroma y de tierra removida. Y era como si el mundo acabara de nacer.

Sólo Bongo se quedó quieto, apoyado en el arado, mirando la armónica y sin atreverse a cogerla.

El hombre dijo:

—¿Y las riquezas?

La mujer señaló la casa y los niños:

—Mira, ésa es la casa, y ésos nuestros hijos. ¿Qué otra riqueza quieres? ¡Nunca tuvimos nada igual!

Se dieron la mano y entraron en la casa.

El Potrillo se unció al arado, la muñeca Tinina se acostó a la sombra. La lluvia lo había dejado todo muy brillante, y el sol se apoderó de todo. Bongo arrastró el arado hacia la tierra, seguido de Nabucodonosor. Levantó la cabeza y vio en el cielo una ancha cinta de colores, en forma de puente. Y entonces descubrió a Carnavalito, que corría por aquel puente, hacia arriba, cargado con su saco de hermosas mentiras, una roja, otra azul, otra amarilla, otra verde, otra anaranjada y otra blanca. Y comprendió que el bien había pesado más en la balanza de su amigo el Herrero.

El polizón del «Ulises»

1

La casa de las tres señoritas

La historia que voy a contar arranca de cierta noche de mayo, en casa de las tres señoritas. Ocurrió hace tiempo, pero la verdad es que lo mismo pudo ocurrir hace cien años, que dentro de otros cien, que ayer, o que hoy. Porque ésta es sólo la historia de un muchachito que, un buen día, creció.

Pues bien, cierta noche de mayo, de cualquier año, de cualquier país, llamaron con tres fuertes aldabonazos a la puerta de las tres señoritas.

Las tres señoritas se llamaban Etelvina, Leocadia y Manuelita. Las tres eran hermanas, huérfanas de un rico terrateniente, y solteras. Ninguna de las tres se casó, porque:

ETELVINA: Despreciaba a los hombres del contorno, y nunca salió del contorno. Por tanto, llegó a los cuarenta y siete años —la noche de mayo en que empieza esta historia cumplía esa edad— soltera y orgullosa, sin otro amor que la lectura de la «Historia del Gran Imperio Romano». Esta hermosa historia constaba de doce volúmenes, encuadernados en piel roja y oro, y perteneció al Gran Bisabuelo de las tres señoritas, rico terrateniente también (como su padre y el padre de su padre). La lectura y el estudio de esta historia la habían empujado a escribir ella misma otra «Nueva Historia de la Grandeza del Gran Imperio», y entre lecturas y escritos, pasó la mayor parte de su vida. Así continuaba. Empezó a leer a los ocho años, y aún seguía. A los veinticinco comenzó a escribir la suya propia, y aún seguía. Esto explicaba, en parte, que, tras conocer al dedillo la vida, hazañas y grandeza de los emperadores romanos, los hombres del contorno, que sólo entendían de hortalizas, caballos, piensos y cacerías, no la entusiasmaran en absoluto. Todo lo contrario, la aburrían soberanamente.

LEOCADIA: Contaba ya muy maduros cuarenta años. Esta señorita no despreciaba en absoluto a los hombres del contorno, y tenía una idea muy vaga de los emperadores romanos. Pero era muy romántica, refinada y sentimental. Tocaba el piano con verdadero arte, y oírla era, según la cocinera Rufa, capaz de arrancar lágrimas a las piedras. Ella soñaba, desde los quince años, con un extraño hombre de rizos rubios y ademanes suaves, y claro está, si a los hombres del contorno no los despreciaba, los temía. Aborrecía el humo del tabaco, la caza, las botazas de clavos y el lenguaje grosero. A su vez, intimidaba a los pobres solteros que se le acercaron: era tan exquisita que, ante ella, los pobres no sabían cómo moverse, y se azaraban, derramaban las copas, rompían sillas o pisaban el rabo de los gatos. Acababan huyendo de ella como del diablo, para sentirse cómodos, vociferando y echando la ceniza de sus cigarros donde les viniera en gana. Esta señorita cocinaba muy bien, sabía hacer ricos pasteles y confituras, y se ocupó de plantar un bello jardín en un rinconcito del huerto (después de suplicar mucho a la señorita Manuelita, que sólo estaba contenta donde veía cebollas, coliflores y tomates). La señorita Leocadia cultivó rosas, geranios, crisantemos, donjuanes de noche y girasoles. Era rubia, de ojos azules, y tenía unas manos muy bonitas, de lo que estaba muy envanecida.

Y, por último:

MANUELITA: Tenía treinta y siete años, y estaba tan ocupada llevando la administración y explotación de la finca, la dirección de la finca y el cuidado de la finca (cosa que ninguna de sus hermanas hacía), que, francamente, no tuvo nunca tiempo ni ganas de pensar en novios. Todos los días recorría las tierras a caballo, vigilaba de cerca la siembra, siega, recolección, riegos, ventas y ganancias. Era trabajadora y fuerte como un hombre.

Una vez, un rico hacendado la pidió en matrimonio, y ella le contestó: «Ahora no tengo tiempo, después de la siega ya le contestaré.» Pasó el tiempo de la siega, el de la siembra, el de la vendimia, el de las cerezas, el de las manzanas, el de las nueces. Siegas, siembras y recolecciones se sucedieron y, cuando un día, su hermana Leocadia le recordó que debía dar una contestación a su pretendiente, resultó que él se cansó de esperar, se había casado y ya tenía tres hijos. Esto pareció aliviar a la señorita Manuelita, que dijo:

—La verdad es que con todo este ajetreo, a buena hora iba a perder mi tiempo en bodorrios.

Y así, ninguna de ellas, como dije, se casó. Lo que no impedía que vivieran muy tranquilas y felices, en la gran casa, con su prado, su chopera, su huerta, sus viñas y todas sus grandes y hermosas tierras. Un bello río circundaba la finca, profundo y verde, bordeado de chopos ancianos, álamos y robles. Y más allá, en la ladera de las montañas, se alzaba el misterioso bosque.

Así llegó la noche de mayo en que comienza esta historia. Serían aproximadamente las nueve, y las tres señoritas se disponían a cenar, en la gran mesa redonda del comedor. Acababan de desplegar las servilletas, cuando se oyeron tres fuertes aldabonazos en la puerta principal. El cielo aparecía ya de color malva, con una gran estrella.

—¿Quién puede ser, a esta hora? —dijo Manuelita.

Etelvina y Leocadia se miraron entre sí y asintieron. Juana, la doncella, se echó un chal por los hombros y fue en busca del farol de las tormentas. A aquella hora ya habían cerrado y atrancado todas las puertas de la casa, con sus grandes pasadores y cerrojos, y llamó a Jericó, el mozo, para que la ayudase a abrir la puerta. Todas las noches, antes de cenar, las señoritas solían recorrer la casa, cerrando puertas y ventanas, con la mohosa escopeta del Abuelo y el farol. Ésta era una viejísima costumbre aprendida de su Padre, y del Abuelo, y del Gran Bisabuelo, y se la llamaba «la caza del ladrón». Aunque jamás, que se supiera, habían encontrado ninguno. Entretanto, sobre el gran sofá de la sala, los retratos del Padre, del Abuelo y del Gran Bisabuelo sonreían bajo sus rizados bigotes.

Jericó fue a por las llaves, y descorrió el gran pasador de la puerta. Cuando Juana la abrió, sólo la brisa, el perfume de mayo y el cri-cri de las mariposas cantoras, entraron en la casa. Jericó y Juana se miraron, asombrados.

—¿Quién hay ahí? —preguntó Jericó, asomando la cabeza y mirando a un lado y otro.

Pero nadie, excepto los grillos, contestó. En aquel momento, Juana señaló al suelo: allí había una gran cesta, con tapadera, de las que usan los campesinos para guardar el pan.

—Mira —dijo—. Alguien dejó esto. Seguramente será un presente para la señorita Manuelita. ¡Ya sabes cuánta gente la quiere!

Juana levantó la cesta. Pesaba bastante, y supuso que contendría miel, harina, huevos y cosas así.

—Pues éste —dijo Jericó, rascándose la nuca— es un verdadero agradecido, que ni siquiera se da a conocer.

Juana entró en el comedor con la cesta.

—Han traído esto para ustedes —dijo.

Las tres hermanas levantaron rápidamente la cabeza del plato. Eran las tres muy distintas, pero tenían algo en común: el buen apetito y la curiosidad.

—¡A ver, a ver!

—¡Destápala!

—¿Qué será?

Juana acercó la cesta a la señorita Manuelita, que, aunque

la menor, era la de más autoridad. La señorita Etelvina se puso las gafas, la señorita Leocadia pasó disimuladamente la lengua por sus labios, imaginando alguna tarta o confitura, y la señorita Manuelita sonrió, levantó la tapadera de la cesta y:

—¿Qué?

—¡Ay!

—¿Qué significa esto?

Por poco Juana deja caer la cesta. Dentro había, ni más ni menos, un niño. Un niño gordito, dormido, con un dedo en la boca, envuelto en una vieja manta de colorines. No tendría más de un mes, aproximadamente.

Rufa, que andaba siempre escuchando, y Jericó, que no se había apartado de la puerta, entraron de un salto.

—¡Ah!

—¡Oh!

Dijeron, con muy poca originalidad. Y durante un buen rato, sólo se oyeron aspavientos, gritos y exclamaciones. Poco después, sacaron al niño, lo pasaron de brazo en brazo, lo miraron, lo besaron, y, al fin, la señorita Manuelita envió a Jericó, con la escopeta del Gran Bisabuelo, a escudriñar los alrededores, en busca de una pista. Rufa hirvió leche y preparó el biberón, con una botella y un dedil de goma bien desinfectado. Juana rasgó un lienzo y se dispuso a confeccionar rápidamente unos pañales: porque el niñito sólo traía la vieja manta de colores, como las que usan los vagabundos o los gitanos. El niño seguía durmiendo, muy tranquilo al parecer. Y eso que las tres señoritas no paraban de disputárselo unas a otras.

Jericó volvió al cabo de tres horas largas. Venía cansado y hambriento, porque, a todas estas, no había cenado.

—Nada. Nadie —dijo, porque era de pocas palabras, pero muy claras.

Y se comió medio pan, acariciando con él un huevo frito. Luego se fue a dormir, mucho más cansado de hablar que de andar.

Pero la verdad es que la noticia no entristeció a nadie. Más bien pareció alegrar a todas las mujeres.

—En fin —dijo Etelvina—. Vamos a acostarnos. Nada conseguiremos esta noche. Mañana ya se indagará.

Discutieron sobre quién llevaría al niño a su habitación. Lo echaron a suertes, y le tocó a Etelvina.

Al cabo de una hora, el niño se despertó, miró a su alrededor, abrió la boca y propagó al aire terribles alaridos y toda clase de muestras de descontento. Al cabo de un rato de vanas piruetas y gracias de la pobre señorita Etelvina, ésta lo llevó a la habitación de su hermana Leocadia.

Leocadia lo recibió contenta y feliz. Lo acunó, le runruneó una de sus melodías, y el niño, tras lanzarle una mirada de estupor, cerró los ojos y se durmió.

Al cabo de una hora, los terribles alaridos del niño obligaron a la señorita Leocadia a trasladarlo al cuarto de Manuelita.

Ésta también lo acunó, arrulló y paseó a grandes zancadas, haciendo el paso, el trote y el galope. El niño se sorprendió un tanto de aquellos extraños ejercicios de equitación, paró en sus llantos y sonrió complacido. Pero en cuanto la pobre señorita dejaba de trotar, galopar, etc., reanudaba en sus llantos y proclamaba a todos los vientos su descontento por este mundo. Así pues, cuando al cabo de una hora la pobre señorita Manuelita hubiera ganado con sobrados méritos el Gran Derby, se desplomó desfallecida en un sillón y llamó desesperadamente a sus hermanas.

Ya muy alto el sol, el muchachito decidió recostar la mejilla, meterse un dedo en la boca y cerrar los ojos. Él estaba sonrosado y fresco como un clavel, pero las tres señoritas se miraron y se hallaron pálidas, ojerosas, con las trenzas sueltas y jadeantes.

—En fin —dijo Manuelita—. Vamos a dormir un poco, y más tarde iremos a hablar con el alcalde.

A las doce se vistieron sus abrigos de terciopelo, se pusieron los sombreros de paja contra el sol, y Jericó enganchó la tartanita de grandes ruedas amarillas. Tenían un viejo Ford, que perteneció al Padre de las señoritas, pero permanecía en el cobertizo de los aperos y la leña, lleno de polvo, pajas y telarañas y ultrajado por las gallinas. No lo usaban nunca. Preferían la tartanita, con la yegua Martina, de grandes ojos color coñac y crin trenzada.

Manuelita chascó el látigo en el aire y partieron por el camino de los álamos, hacia el pueblo.

El alcalde estaba regando, y cuando le avisaron que las tres señoritas estaban aguardándole en la Gran Sala de Festejos del Ayuntamiento, corrió por detrás de la huerta en busca de los zapatos y de la corbata. Cuando se hubo adecentado, acudió al Ayuntamiento. Su hijita Rosalía trajo rosquillas y vino dulce, y una larga vara con flecos de colores, para espantarles las moscas.

—Algo extraño ha ocurrido —dijo Manuelita con voz solemne.

Y le contaron lo sucedido.

El alcalde se quedó un buen rato con la boca abierta. La verdad es que no se le ocurría nada que decir. Pero su hijita dio dos palmadas en el aire y gritó:

—¡Lo han dejado los gitanos! ¡Padre, han sido los gitanos que pasaron ayer por el borde del río!

—¿Qué gitanos? —dijo el alcalde—. No he visto ningún gitano.

Preguntaron a todo el mundo. Pronto, todo el pueblo estaba reunido en la plaza, comentándolo. Pero nadie había visto a los gitanos. Sin embargo, la hijita del alcalde aseguró:

—Es verdad, yo los vi ayer tarde, los vi cómo iban con sus carros, reflejados en el agua del río, y oí sus canciones. Es verdad. Y he de decir otra cosa, aunque no me creáis: se dejaron enredado en los espinos un trocito de tela de colores, y yo lo cogí.

Subió a su cuartito, buscó la cajita donde guardaba las piedras redondas y azules del río, las tijeras de plata que heredó de su madre muerta, los cromos del chocolate, la cinta verde para la cabeza y aquel hermoso lápiz que encontró un día, rojo por un lado y azul por el otro. Allí tenía guardado un jironcito de tela, de tantos colores como el arco iris. Lo cogió y bajó la escalera, corriendo.

Cuando las tres señoritas vieron el jironcito palidecieron.

—¡Dios mío! Es igual al de la manta donde iba envuelto *nuestro niño*.

Y con aquel *nuestro*, ya estaba decidido el futuro del pequeño. Leocadia sacó del bolso la manta de colores que envolvió al niño, y, efectivamente, así era. La niña no mentía. Los gitanos, a no dudar, le abandonaron.

—¿Y adónde fueron esos bribones? —preguntó el alcalde, de mal humor.

Tenía verdaderas ganas de quitarse los zapatos y la corbata, y acabar de una vez con tan embrollada historia.

—Por ahí —dijo la niña, tan vagamente, que lo mismo podía ser el norte, el sur, el este o el oeste.

Montaron hombres a caballo y avanzaron por el azul norte, el dorado sur, el rojizo este y el neblinoso oeste. Nadie. Nada. Tal como dijera Jericó.

Buscaron todo el día y toda la noche, y volvieron muy cansados. Por tanto, Rufa hubo de matar y asar un cordero, y Jericó acarrear un pellejo de vino, para calmarles el hambre y la sed. Y sólo dijeron:

—Nadie vio por ninguna parte a los gitanos.

Las señoritas se sintieron verdaderamente felices. Ya habían hecho al niño vestidos y zapatitos. Recién bañado, aún parecía más bonito y saludable. El niño les tiraba del pelo, les metía los dedos por la nariz y les decía algo así como:

—Grrrfffuiiz.

En todo el día la señorita Etelvina no escribió una sola línea sobre los romanos; la señorita Leocadia no horneó, ni apretó una sola tecla, ni leyó una sola de las románticas novelas a que estaba suscrita, y que tan confortablemente la hacían llorar; y la señorita Manuelita se equivocó lo menos cuatro veces en sus cuentas, y no recorrió la finca a caballo.

Por la noche, antes de acostarse, la señorita Etel besó al niño y dijo:

—Me gusta porque es inteligente.

La señorita Leocadia lo besó y dijo:

—Me gusta porque es guapo.

La señorita Manuelita lo besó y dijo:

—Me gusta porque es fuerte.

Como ya habían aprendido a darle el biberón a sus horas, a cambiarle de pañales a sus horas y a distraerle a sus horas, el niño dormía plácidamente y los sobresaltos de la primera noche no se repitieron.

En los días que siguieron, las búsquedas continuaron, pero cada vez con menor entusiasmo. Por tanto, las tres señoritas se reunieron y dijeron:

—Vamos a adoptar al niño.

Volvieron a vestirse como si fuera domingo, engancharon a Martina en la tartana, y llevaron con ellas a Jericó y a Juana, como testigos. Rufa se quedó rezongando, pero no se podía dejar sola la casa y alguien tenía que preparar la comida.

En el último momento, Rosalía, la hijita del alcalde, que estaba escondida tras un abedul, saltó al pescante y les acompañó.

Por el camino dijeron:

—Debemos elegir un buen nombre.

—Como no tenemos hijos, él será nuestro heredero.

—Lo educaremos esmeradamente.

Las tres miraron enternecidas al niño, que hacía muecas y torcía los ojos, mirando a los vencejos que volaban muy bajos, dando gritos.

—Será un gran historiador —dijo Etelvina.

—Será elegante y hermoso como un príncipe —dijo Leocadia.

—¡Bobadas! Será un buen campesino y llevará la finca, como el Abuelo, como Papá y como yo. ¿Para qué nos lo quedamos, si no? Parecéis tontas.

Las otras callaron, pero no abandonaron sus ilusiones.

—Se llamará Marco Aurelio —dijo de pronto Etelvina, con ojos triunfantes.

—¡Se llamará Amado! —sonrió Leocadia, con ojos soñadores.

—¡Al diablo! Se llamará Manuel, como el Abuelo, como Papá y como yo. No se hable más —añadió Manuelita, con ojos severos.

Entonces, Rosalía, que iba en el pescante, se volvió y dijo, con su chillona vocecita:

—¡Pero si se llama Jujú!

Nadie pareció oírla. Y, sin embargo, aunque el niño fue bautizado, inscrito en el Registro Civil y adoptado legalmente por las tres señoritas como Marco Amado Manuel, todo el mundo le llamó siempre Jujú, y nada más que Jujú.

2

Así vivió Jujú en casa de las tres señoritas

Como puede suponerse, Jujú vivió en casa de las tres señoritas de forma poco corriente. Digo poco corriente, porque apostaría cualquier cosa a que pocos niños podrán decir que a los nueve años —edad en que esta historia empieza a tomarle en cuenta— llevaban una vida semejante.

Hay que considerar, y ya lo dijimos antes, que el carácter de las tres señoritas, y sus aficiones, eran muy distintos entre sí. Esto daba como resultado la siguiente mezcla:

La señorita Etelvina (tía Etel para Jujú) intentaba y deseaba por todos los medios que Jujú llegara a ser un hombre culto; más aún, un hombre sabio. Especialmente en cuanto a historia e investigación sobre los romanos se refería. Desde muy chiquitín, haciéndole saltar sobre sus rodillas, paseándole en brazos bajo los cerezos, le recitaba los nombres y hazañas de los más famosos emperadores, sus batallas, su pujanza, esplendor y decadencia (si bien esta última fase era pasada deprisa y sin demasiado detalle). Ella fue quien le enseñó a leer y escribir, quien puso en sus manitas, aún vacilantes y destrozonas, dispuestas más a rasgar páginas que a alimentar su espíritu en ellas, los primeros libros. Así Jujú, a los cinco años de edad, además de saber leer y escribir casi correctamente, sabía mucho más del Imperio romano que yo en este momento (aunque me avergüence confesarlo).

Por su parte, la señorita Leocadia (tía Leo para Jujú) deseaba inculcarle buenos modales, elegancia, dulzura, gusto por el baile, la música y los manjares delicados, amor a las flores y a los animales, y afición a la poesía. He de admitir que, de las tres señoritas, Jujú fue de quien menos aprendió y con menor gusto. Ahora bien, sin ella saberlo, fue la señorita Leocadia quien sembró en el ánimo de Jujú cierta desazón extraña: algo así como una especie de ensueño, un afán de huir a algún lado, a algún lugar remoto y misterioso, que el mismo Jujú no sabía bien explicarse. Y así, a los once años, Jujú sabía tocar bastante bien la guitarra y un poco el piano, y la música le transportaba a un mundo confuso y agradable que le cosquilleaba la imaginación y el deseo de románticas y lejanas aventuras. A veces, Jujú huía al final de la huerta, al rincón sombrío que él conocía, junto a la acequia, allí donde nacían las oscuras y perfumadas fresas silvestres, y soñaba. ¿En qué? En muchas cosas. En países y gentes desconocidas, de otras razas y otras costumbres; en acciones heroicas y maravillosas, de las que, naturalmente, él era siempre el protagonista. La señorita Leocadia estaba suscrita a varias publicaciones y revistas, novelas y periódicos, y, a su vez, suscribió para Jujú maravillosos libros de aventuras y viajes, a espaldas de la severa educación de la señorita Etel, que despreciaba las novelas y los cuentos. De este modo, tendido en el fondo de la huerta, Jujú soñó y se creyó Ivanhoe, Ricardo Corazón de León, Marco Polo, Barbarroja, el Príncipe Blanco, el Caballero del Antifaz, y, a veces —también a veces—, el propio Jujú, escapándose a un remoto país, y regresando luego cargado de oro y aventuras a la casa de las viejas señoritas, que, encanecidas y llorosas, le abrazaban admiradas y enternecidas. Estas y otras cosas consiguió tía Leo, despertando la imaginación y los ensueños de Jujú.

En cuanto a la señorita Manuelita (tía Manu), creo que fue, por el momento, la que consiguió más rendimiento de Jujú. Sus enseñanzas eran directas, día a día y minuto a minuto. No se le podía escamotear nada. Lo cierto es que Jujú trabajaba de la mañana a la noche, como un hombre. Y puede decirse que se ganaba limpiamente techo y comida.

«Haré de él un hombre, no un presumido o un sabio loco», pensaba para sí la señorita Manu. Pero se guardaba sus pensamientos, para no tener que discutir con sus hermanas.

Jujú terminaba su jornada rendido de cansancio, y caía, muerto de sueño, en la cama. Entonces, las tres señoritas, tras la cotidiana vuelta de «la caza del ladrón», instauraron una nueva costumbre: la «contemplación del heredero» (así llamaban entre ellas a Jujú). Después de atrancar puertas y ventanas, correr cerrojos y asegurar cerraduras, las tres señoritas entraban, la lámpara en alto y de puntillas, en la habitación de Jujú, y le miraban dormir.

Jujú ofrecía un aspecto poco ordenado. Solía aparecer de bruces, o atravesado, o con los pies en la cabecera, etc. Tapado hasta más arriba de la cabeza, o completamente destapado. Entonces ellas le colocaban cuidadosamente la cabeza en la almohada, apartaban los mechones de la frente, deslizaban la mano bajo la oreja para comprobar que no había quedado doblada, colocaban los brazos sobre el embozo, o bajo el embozo —dependía de si hacía frío o calor—, le acariciaban el pelo y susurraban:

—Ha crecido.

O:

—Está más delgado.

O:

—Parece que le ha salido un grano.

Luego recogían las ropas que Jujú había esparcido por el suelo, buscaban las botas, examinaban rotos y desperfectos, y se acostaban pensando, poco más o menos:

—Habrá que comprar botas nuevas.

—He de vigilar que se lave bien las orejas, el bribón.

—Procuraré aumentar las vitaminas y disminuir las grasas de sus comidas.

O cosas por el estilo.

Y, con todo ello, podría asegurarse sin temor que Jujú era un muchacho feliz.

En el momento en que empieza esta aventura, Jujú llevaba la vida siguiente:

A las seis menos cuarto sonaba destempladamente el despertador en su mesilla de noche. Debo admitir que Jujú deseaba estrellarlo contra la pared, pero siempre, antes de hacerlo, llegaba la voz de tía Manu a través del tabique:

—¡Arribaaaa!

E, inmediatamente, algunos golpes contra la pared, para que, si el timbre del despertador no era suficiente, quedara reforzado por ella.

Apenas Jujú ponía los pies en el suelo, una tormenta estallaba en el contiguo cuarto de baño. Todo el cuerpo de Jujú se estremecía entonces, mientras oía caer el agua sobre las mil canciones, que, sin un solo temblor, profería tía Manu. Esta costumbre de cantar desaforadamente bajo el chorro de la ducha tenía muy intrigado a Jujú, que era incapaz de musitar un solo trino en las mismas condiciones. Desde luego, la tía Manu estaba hecha de una materia especial y distinta del resto de los mortales, pensaba el niño.

La casa de las tres señoritas era hermosa y grande, pero los adelantos de la civilización habían llegado lentamente a ella.

El cuarto de baño parecía algún extraño lugar de encantamientos, con su enorme lavabo de madera de roble y mármol rojo, veteado de verde. Tenía patas y puertas talladas y un gran espejo inclinado, moteado, que devolvía la imagen borrosa como tras una cortina de humo. Cuando uno se miraba en él parecía lanzarse sobre sí mismo y llenaba de vértigo. En las baldas de mármol se alineaban multitud de frascos de vidrio, verde y azul, con tapones labrados, que fascinaban al muchacho. Pero no se podían tocar, al igual que los cepillos de marfil y pelo de jabalí, que pertenecieron al Abuelo, al Gran Bisabuelo, al Tatarabuelo, etc., de las tres señoritas. Nadie los usaba. Los frascos estaban vacíos, pero eran cuidadosamente limpiados y pulidos, y se consideraban como piezas de museo. La bañera era de metal, y tan alta sobre sus cuatro patas de león, que Jujú debía subirse a un taburete para poder entrar en ella. Exactamente como si se tratara de un abordaje. Y más de una vez hubiera jugado Jujú en ella a cruentas batallas navales, si las voces y los puños de tía Manu, sobre la puerta, no le llamaran al deber. También los grifos de la bañera tenían forma de cabezas de dragón, y sus ojos eran diminutas piedras verdes, que miraban malignamente.

Jujú se miraba la lengua, se frotaba los ojos, se chapuzaba y refrotaba lo más someramente posible, y se vestía. Los trajes de Jujú eran simples: en verano pantalones de dril, en invierno de pana. En verano camisa azul, en invierno jersey de cuello alto con cremallera en el cogote. En verano sandalias, en invierno botas claveteadas. Aparte de esto, tenía un impermeable amarillo, igual al de tía Manu, un par de botas de goma para el agua, un capote, un gorro pasamontañas, un par de guantes y media docena de pañuelos. Para los domingos, un incómodo traje azul marino con botones de plata, y zapatos embetunados por Jericó. Tía Manu decía que un hombre no debe gastar en oropeles (aunque Jujú no sabía qué quería decir oropeles).

Jujú estaba alto para su edad, tenía la piel tostada por el sol, algunas pecas sobre la nariz, y brazos y piernas largos, lo que hacía suponer que crecería mucho. El cabello, negro y lacio, caía sobre su frente y saltaba alegremente por encima de sus orejas, como la crin de un potrito gitano. Cada tres o cuatro meses llegaba a la casa de las tres señoritas un peluquero, con su gran caja llena de tijeras, maquinillas, crema de afeitar, navaja y brochas. Entonces cortaba el pelo de Jericó y Jujú, y les ponía polvos de talco en el cogote y detrás de las orejas, soplándolos con una perilla de goma. Era bastante desagradable y Jujú procuraba zafarse siempre que podía. Entonces, tardaba otros tres meses en cortar su cabello, y eso era motivo de que, casi siempre, lo llevase largo y revuelto.

He de advertir que Jujú no era un niño sabio, ni mucho menos, ni con una exagerada tendencia al estudio, o a la investigación histórica. Pero para su tía Etel era el niño más inteligente y culto del mundo.

Tampoco se puede decir que era una belleza. Tenía una graciosa carita morena, la nariz bastante chata, los ojos redondos y de color avellana, y los dientes un poco largos, como los conejillos. Era alto y ágil, aunque quizás estaba demasiado delgado, y, sobre todo, cuando corría, daba una impresión bastante completa de desgarbo, porque cruzaba un poco las piernas, exactamente como los potrillos jóvenes. Y muchas veces tropezaba y caía al suelo.

Pero para la tía Leo no había nadie más hermoso, y para la tía Manu nadie más robusto, fuerte y viril que Jujú.

Con esto quedaba bien claro que las tres señoritas adoraban a Jujú. Y Jujú, naturalmente, quería mucho a las tres señoritas. Pero esto no impedía que fuera solamente un muchacho, que deseara convertirse pronto en un hombre y que, a veces —muy a menudo en los últimos tiempos—, sintiera un terrible deseo de algo que él mismo no entendía bien, pero que le empujaba. Le empujaba tanto, y con tanta fuerza, que aquel deseo le llevaba muy lejos de la casa, del pueblo, de la comarca e incluso del país.

Quizá tuviera un poco de culpa la tía Etel, abriendo para él la biblioteca del Abuelo. Un poco, el Gran Bisabuelo, por haber reunido en una biblioteca tantos volúmenes sobre viajes, que hablaban de lejanos países y extrañas gentes. Y, sobre todo, del mar... Jujú no había visto nunca el mar; pero lo adoraba con toda la fuerza de su corazón. También contribuían a sus sueños la música y las novelas de aventuras de tía Leo. La música le llegaba a veces, a través de la abierta ventana de la sala, de las ramas de los ciruelos, hasta el rincón de la huerta donde él se tendía a soñar. Y aquella música le traía entonces el rumor de las olas en la playa, el suave balanceo de las palmeras y los cocoteros. A espaldas de tía Etel, tía Leo continuaba encargando libros de aventuras, y así Jujú entró en conocimiento de Sandokán, Gulliver, Simbad, etc.

Volviendo al principio, durante los meses de verano y parte de la primavera, la jornada de Jujú se dividía en:

Ducha.

Desayuno con tía Manu. Café con leche, pan moreno, miel y manteca.

Leñera. Jujú acudía todos los días al cobertizo de la leña y traía a la casa toda la leña que hiciera falta. ¡Y era tanta! Para la cocina, para el horno, para las chimeneas, para el calentador del baño de la tía Etel. Nunca podía comprender Jujú cómo hacía falta tanta leña.

Recorrido a caballo con tía Manu por la finca. Inspección de tierras, siembras, etc. Jujú hacía lo que tía Manu mandaba desde lo alto del caballo. Jujú ayudaba a regar, a cortar hierba, a desviar surcos, a podar, a sembrar... Todo lo que sus fuerzas podían resistir y sus piernas sostener. Los jornaleros eran buenas gentes, y querían a Jujú. Eran silenciosos, poco habladores. Solían dormir a la intemperie o en los pajares, cuando venían de jornal, por los altos caminos, en tiempo de la siega. A veces cantaban, y oírles le daba a Jujú una extraña congoja y dulzura en el corazón. Jujú no tenía amigos. Hubiera querido ser amigo de ellos, pero ellos estaban demasiado ocupados en sus pensamientos y trabajo. Por todo ello Jujú tuvo que inventarse sus propios compañeros.

Después, regresaba a casa, y tía Manu presenciaba su limpieza y aseo. Entraba en la salita de la tía Etel, y empezaba su clase. Estudiaba hasta la hora del almuerzo.

A la hora del almuerzo la sonrosada y rubia tía Leo tocaba la campanilla al pie de la escalera. Ruborizada aún por los calores de la cocina, donde había cocido pastel de almendras el lunes, manzanas con crema los martes, hojaldre relleno los miércoles, peras con crema de limón los jueves, flan de naranja los viernes, soufflé de chocolate los sábados y Gran Tarta Sorpresa los domingos.

Una cosa agradable de la tía Leo, para Jujú, era que olía siempre a pan tierno, y era rubia como un bizcocho. Sus ojos azules eran bondadosos y risueños, muy dispuestos a las lágrimas, y su boca redonda subía y bajaba de esta forma: media luna hacia arriba, con regocijo, media luna hacia abajo, con tristeza. Nunca se la vio de otra manera.

Por la tarde, Jujú tenía una hora libre. Era la famosa *hora de la siesta*, pero, de ningún modo, era *su siesta*. Jujú empleaba esta hora en los más variados quehaceres, como se verá más tarde.

Después de la siesta, Jujú ayudaba a la tía Leo. Bajaban a la huerta y recogían en la gran cesta redondos y rojos tomates, anaranjadas zanahorias, tornasoladas cebollas, verde y risueño perejil —que luego colocaban en un jarrito de cristal, junto a la ventana—, lechugas, pimientos, judías, etc. Después iban al jardín y regaban las flores. Las cuidaban, las discutían y las mimaban. Tía Leo sentía un gran orgullo por sus rosas, llamadas Princesa China, Reina Rubí y Blancanieves. También cultivaban otras flores más modestas, pero no menos bonitas, y grandes macetas de rojos y blancos geranios. A Jujú le gustaban las flores, los saltamontes verdes, las lagartijas que se tendían al sol, las mariquitas rojas punteadas en negro, y los charolados escarabajos con reflejos de oro. Eran unos buenos ratos los que pasaba en el jardín o la huerta, con tía Leo. Y, a veces, muy juntitos, escondidos de todos, tía Leo y él, amparados por el follaje de las altas varas doradas y verdes, en el alubiar, se sentaban en el suelo y leían: ella sus románticas novelas y él sus libros de aventuras y viajes. Eran, sí, unos buenos ratos aquéllos.

Después, Jujú tenía libre su tiempo, por lo general, hasta la hora de la cena. Y la hora de la cena llegaba, y luego el sueño, y... vuelta a comenzar.

Avanzado el otoño, y durante el invierno, Jujú repartía su día entre las clases con tía Etel, y los trabajos como: traer leña del cobertizo, arreglar empalizadas, ayudar a cuidar los caballos, etc.

Ésta era, aparentemente, la vida de Jujú. Pero, además de ésta, Jujú tenía otra vida sólo para él, que ahora vamos a conocer.

3

Así vivía Jujú en el «Ulises»

Jujú no tenía amigos. Quizá los hubiera tenido de acudir a la escuela, pero distaba tres kilómetros largos de la casa, y en invierno —que es la época precisamente de acudir a la escuela— el camino solía aparecer cubierto de nieve, y el viento soplaba muy fuerte. La señorita Etel había decidido, como ya sabemos, instruirle ella misma. En vista de ello, Jujú adquirió sus propios amigos. Y éstos eran:

Contramaestre.

Almirante Plum.

Señorita Florentina.

Contramaestre alcanzó este grado tras muchos esfuerzos y heroicos servicios bajo el mando de Jujú que, naturalmente, era el capitán. Contramaestre era un perrito negro, pequeño, sin raza, pero tan simpático e inteligente como se pueda imaginar, y aún más. Sólo con una mirada Jujú le hacía entender sus deseos, y nunca hubo amigo más leal, fiel, cariñoso y noble. Era, en realidad, el brazo derecho de Jujú.

El Almirante Plum, era un hermoso y arrogante gallo. Aunque altanero, orgulloso y estúpido, servía para esas ocasiones en que se necesitaba alguien a quien dar cuenta de hechos heroicos. Entonces Almirante Plum, se esponjaba, sus ojos relucían coléricos, y hacía bien su papel.

La Señorita Florentina, en realidad, pertenecía a tía Leo. Un día, siendo apenas un polluelo de perdiz, tía Manu la cazó viva. Tía Leo la amaestró, pero ella prefería a Jujú, al que adoraba y seguía con ojos enternecidos por todas partes. Jujú acabó admitiéndola en la tripulación, y la consideró su mascota. Ella era algo aturdida, pero buena, dócil y humilde.

La tía Manu solía decir que la vida era dura, y que si no se aprendía desde niño a darle la cara, luego te daba tantos golpes como un hombre podía o no podía soportar. Así es que, desde los nueve años, Jujú supo *ganar su día*, como decía tía Manu y hemos visto. Ciertamente Jujú trabajaba firme.

En la casa, además de las tres señoritas y Jujú, vivían Rufa, la cocinera; Juana, la doncella, y el viejo Jericó. Todos querían mucho al niño, y el niño les quería a ellos. Había, pues, muchas cosas bonitas y buenas en la vida de Jujú. La libertad de andar por el bosque, de bajar al verde y misterioso río, más allá del prado; la de leer todos los libros que se apilaban en el desván, y que pertenecieron al Abuelo de las tres señoritas. Todos los que no trataban de la historia del gran Imperio romano no interesaban a tía Etel, y por ello había un cofre lleno de libros de viajes, mapas, cartas marítimas, brújulas, etc., en el desván. Pues el grande y secreto deseo del Gran Bisabuelo fue ser marino, aunque nunca conoció el mar. Jujú leía todos estos libros, soñaba sobre aquellos mapas y cartas marinas, y sentía el mismo deseo de conocer el mar.

A la hora de la siesta, cuando la casa entera dormía y sólo

se oía allá fuera el chasquido de las cigarras bajo el sol, Jujú se refugiaba en el desván para leer y leer. Al desván no subía nunca nadie, excepto Jujú. Para trepar a él se debía ascender por una rústica y estrecha escalerilla de mano, y nadie en la casa sentía deseos de hacerlo, excepto él y su tripulación. Porque, naturalmente, Jujú tenía su velero.

El desván era su reino, su mundo, y allí organizó Jujú *la otra vida* de la que antes hablé. Los domingos y días de fiesta, y gran parte de sus horas libres, los pasaba Jujú allí arriba. De este modo el altillo del desván tomó poco a poco el aire de un pintoresco y bellísimo navío. Con cajones y una vieja estantería, Jujú fabricó las literas. Una vieja rueda, hallada en el cobertizo, que perteneció, en tiempos, a la tartana del Abuelo, sirvió a Jujú como timón. Al fin, con largos juncos arrancados de las orillas del río y unas viejas lonas, tras muchos esfuerzos y fracasos, un día izó la vela sobre el tejado, sacándola por el ventanuco. Fue un día triunfal, y soplaba una suave brisa que golpeaba tibiamente la lona y le llenaba de gloria.

Días más tarde un fuerte viento la rasgó de arriba abajo, y Jujú lloró amargas lágrimas, escondido en el huerto. Pero era un niño de gran tesón y fabricó otra, mejor y más fuerte. Desde entonces, tuvo la precaución de arriar su vela todas las tardes. Colocó sobre su mesa de capitán un farol, cartas marinas, la brújula y el viejo catalejo. Arrimó su mesa justamente bajo el ventanuco del tejado, y, desde allí, dominaba toda la finca. Las montañas lejanas y azules y la gran tierra llana, que se perdía en el horizonte, más allá del río. Reunió allá arriba los objetos más preciosos. Los libros y el cofre del Gran Bisabuelo, dos baúles llenos de extraños y variados objetos (dos sables mohosos, un machete de Filipinas, gemelos de teatro, bolas de cristal, un fanal con un diminuto barco encerrado, dos jaulas, un diccionario). También encontró, aunque un poco viejos, dos hermosos almohadones de la India, un candil, un viejo Colt roto y un maravilloso sillón dorado y azul, relegado al desván porque le faltaba una pata. Pero este defecto fue rápidamente solucionado por Jujú, apoyándolo por aquel lado sobre un cajón. Éste fue el *Sillón del capitán* que tanto anhelaba, frente a la ventana, junto al catalejo, para dominar el gran mar imaginario. Como tampoco había que vivir desprevenido, Jujú fue haciendo acopio de víveres, y así, tenía allí una despensa provista de chocolate, galletas, dos tarros de confituras extraídos de las provisiones de tía Leo, y un extraño licor de frambuesas, también fabricado por tía Leo, que hacía cosquillas en los ojos cuando se bebía y daba alegría al corazón.

En una caja encontró un par de pipas labradas, hermosísimas, aunque rotas. Pero él las arregló, y pasaron a formar parte del botín. Por último, Jujú bautizó su velero, que, tras muchas vacilaciones, se llamó «Ulises».

La Señorita Florentina solía seguir fielmente a Jujú en sus meditaciones, ires y venires, sobre sus cortas y rápidas patitas. El Almirante Plum era menos fiel. Aparecía cuando lo creía conveniente, y se paseaba pomposamente sobre los muebles, se asomaba al antepecho del ventanuco y, de cuando en cuando, lanzaba un estentóreo «¡Kikirikiii!» bastante sorprendente.

Desde el ventanuco del capitán se divisaba, allá, al otro lado del río, la negra empalizada y el barracón de madera del Campo de los Penados.

En cuanto a Contramaestre, no solía separarse jamás de Jujú, pues, incluso durante las noches, se tendía a los pies de su cama y roncaba suavemente. Contramaestre no era un perro excesivamente guapo, ni extraordinariamente razado. Más bien se trataba de un chucho vulgar, de origen vagabundo, pero jamás perro alguno tuvo ojos más redondos, brillantes y dorados, inteligentes y sensatos. Y, después de las tres señoritas, era el ser viviente más amado por Jujú.

Desde su puesto de vigilancia, Jujú contemplaba, pues, el fabuloso mundo inventado por él. A veces, irrumpían en su campo visual los rebaños de Marcial, el pastor. Inmediatamente se convertían en ejércitos enemigos, acampados en la costa, y el «Ulises» vomitaba el fuego de sus cañones —dos tubos de estufa convenientemente dispuestos a los lados del tejadillo— y, naturalmente, vencía. Contramaestre lanzaba sus ladridos, órdenes, gritos de batalla, hacia la lejana torre de la iglesia, que se divisaba en el horizonte. Y las praderas eran el ancho y verde mar, el río era el ancho y verde mar, la planicie del valle era el ancho y verde mar. Y la empalizada oscura y el triste barracón de madera que se alzaban más allá del río eran, unas veces Sing-Sing, otras la isla del Diablo, según conviniera. En realidad, se trataba de un cercano Campo de los Penados, que trabajaban para redimir sus penas, en la cercana cantera de cemento. Estas gentes y este lugar, sobrecogían y fascinaban a Jujú, como veremos más adelante, y tuvieron un importante papel en esta historia.

Las montañas de Laguna Negra y Sestil, eran, generalmente, islas fabulosas y legendarias, aparecidas súbitamente en el horizonte, cuando convenía mirarlas; y cuando no convenía mirarlas, simplemente no existían, y el mar, el ancho, verde, deseado, fascinante mar, era lo único que divisaban los ojos de Jujú y Contramaestre. Almirante Plum y Florentina jugaban muy vagamente su papel, ya que sólo sabían pasear de un lado para otro. Pero Jujú y Contramaestre ardían en la fiebre de las batallas, y ora uno, ora otro, oteaban el enigmático horizonte en el viejo catalejo del Abuelo. También Jujú tuvo su «Diario de a bordo». Era un desechado libro de cuentas de tía Manu; Jujú prescindió absolutamente del Debe y el Haber.

La bandera fue confeccionada con retales de tía Leo, y la vela de lona y sacos viejos (que, a veces, más parecía una cometa que una vela) era izada y arriada respetuosamente junto a la bandera. Y cuando el viento soplaba por sobre el Campo de los Penados, Jujú veía hincharse la vela y bambolearse el mástil de caña.

Cierto día la tía Manu hizo una solemne promesa a Jujú. Estaba próximo a nacer un potrito, de la yegua Colorina.

—Jujú, cuando nazca el potrito, te lo regalaré —le dijo.

Jujú sintió el corazón saltarle en el pecho. ¡Un potro para él solo! Era lo que más deseaba, aún más que conducir el viejo Ford que se enmohecía en el establo. Fue tanta su alegría, que sintió algo así como si el corazón se le desatara y girara como un trompo. No pudo evitarlo y se revolcó sobre la paja, dando gritos de felicidad. Pero tía Manu dijo, con acento severo:

—Eso, suponiendo que dejes de ser un niño, Jujú, y te portes como un hombre.

Parecía mentira las ganas que tenían todos de que creciera de una vez. Eso parecía, al menos. Pero por más que se miraba en el espejo, empinándose cuanto podía sobre las puntas de los pies, tirándose hacia arriba los pelos hasta hacerse brotar lágrimas, no apresuraba nada. Crecía tan despacio como todo el mundo.

El potrito nació. Fue de madrugada, mientras Jujú dormía. Pero la ocasión era solemne. La señorita Manu y Jericó vinieron a despertarle. Jericó llevaba el farol de las tormentas y el impermeable mojado, y la señorita Manu la capucha gris, también mojada. Por la ventana, Jujú vio varias veces el cielo volverse blanco, como sacudido. Luego, el trueno rodaba, rodaba, hacia el fondo del cielo. En el establo había nacido Remo. Ya le habían encontrado este nombre, desde hacía tiempo. Era negro, con una estrella en la frente, tal como había leído que nacen los héroes. Así pues, allí estaba, con sus ojos asombrados, vacilando sobre sus largas patas, húmedo y asustadizo. Jujú lo abrazó. Oía caer la lluvia en la techumbre de hojarasca; en torno al farol de las tormentas se perseguían dos mariposas, y se sintió completamente feliz.

Había amanecido, por lo visto, un día de sorpresas. Aquel mismo día, como era domingo, Jujú tenía la tarde libre para hacer lo que quisiera. Estaba, pues, en el «Ulises», cuando Contramaestre empezó a ladrar a la Señorita Florentina, por alguna desconocida razón. Contramaestre no quería demasiado al Almirante Plum, pero sí a la Señorita Florentina. Jujú vio entonces a su mascota pavoneándose sobre una viga, en el rincón de la derecha, junto al conducto de la chimenea. Era aquél un rincón oscuro y algo extraño, con una de las vigas más saliente que las demás, lo que, en ocasiones, servía a la tripulación del «Ulises» para resguardarse en las grandes tormentas.

—¿Por qué estás ladrando a la pobre Tina? —gruñó Jujú.

Pero el fiel Contramaestre seguía ladrando, de una manera especial; y, de pronto, ante los ojos de Jujú, la Señorita Tina desapareció, hundiéndose inexplicablemente en un misterioso vacío. Exactamente: Florentina *se había hundido en el vacío*, y se la oía aletear *detrás de la pared*. Los cabellos de Jujú y el corto y duro pelo de Contramaestre se erizaron a un tiempo. Anonadados, se miraron.

—¿Tú te explicas...? —empezó a decir Jujú.

Pero como era un capitán consciente y sin miedo, acercó el sillón a la pared, se subió encima, metió la mano por detrás de la viga, y descubrió que había un espacio hueco. El descubrimiento dejó a Jujú sin respiración. Su corazón empezó a golpear con fuerza, y recordó inmediatamente las historias de tía Etel, que le hablaba de ocultos y secretos entrepaños, ideados por el Abuelo en las épocas de las grandes guerras.

Jujú empezó a buscar el resorte, y no tardó en hallarlo, disimulado en la cara inferior de la viga. Luego empujó la falsa pared, que se deslizó suavemente, y *apareció el sucio, mohoso, negro y misterioso escondrijo del Gran Bisabuelo*.

—¡Qué maravilla! —murmuró Jujú con ojos brillantes y la cara roja de placer—. ¡Nunca creí que existiera nada tan maravilloso!

»Esto —añadió, dirigiéndose a la estupefacta tripulación del «Ulises»— es lo más importante ocurrido a bordo, desde que nos hicimos a la mar. Juremos guardar el secreto, aun a costa de martirio.

Alineó a la tripulación y todos juraron fidelidad al secreto. Nunca, jamás, nadie sabría nada de él.

Inspeccionó rápidamente el lugar. Era un espacio pequeño, pero cabían en él, perfectamente, dos hombres sentados. De él partía una estrecha y oscura escalera, que erizaba los cabellos sólo de mirarla y oler su mohoso aliento. Sin embargo, el excitante descubrimiento enardeció a Jujú y sacó fuerzas. Como si adivinara su pensamiento, Contramaestre se lanzó a husmear la boca de la escalerilla, y, aún con las orejitas y el rabo tan enhiestos como banderines al viento, miró a su amigo con unos ojos muy abiertos que decían:

—¡No tengas miedo! ¡Yo voy delante! ¡A investigar!

Jujú tomó la linterna, sin querer fijarse en cómo le temblaban las manos. Empezó entonces el penoso descenso por la oscura y estrechísima escalera. Tanto, que los costados del muchacho casi rozaban los lados de la pared. «Menos mal que el Gran Bisabuelo era delgado, tal como está retratado en la sala», se dijo. «Si llega a ser como Rufa, por ejemplo, nunca hubiera podido escapar por aquí.»

Descendieron despacio, procurando no hacer ruido. Era un descenso muy empinado. «Podía habérsele ocurrido hacer el pasadizo en la planta baja», se dijo Jujú. «Pero, entonces», se apresuró a pensar, «ya no lo tendría para mí y sólo para mí.»

Al fin, un rumor típico llegó a sus oídos. «Es el ruido del agua de la acequia», se dijo Jujú con el corazón estallante. Allí había terminado la escalera, y el pasadizo se hacía más ancho y fácil. Pronto divisaron la boca, aunque medio tapada por largas ramas, piedras y maleza. Una débil claridad se tamizaba, suave y dorada.

Pocos minutos después, las cabezas de Jujú y Contramaestre aparecían, cubiertas de musgo, raíces y hierbajos, justamente al pie del cerezo predilecto de Jujú, junto a la acequia. Era el rincón escondido del huerto, donde tantas veces se había tendido él a soñar.

—¡Y pensar que nunca lo sospeché! —murmuró Jujú.

Salieron, sacudiéndose las ramas y el musgo, y respiraron gozosos el aire libre.

Jujú tapó la boca del pasadizo con piedras y maleza, y ardiendo de emoción regresaron por el camino normal al «Ulises».

La tarde fue agitada para Jujú. El recuerdo de los relatos de guerra leídos y escuchados le despertaron de nuevo el miedo y el deseo de siempre. Estuvo asomado al ventanuco, mirando hacia la lejanía, hacia el Campo de los Penados. Muchas veces había visto a los presos, en filas, con sus cabezas rapadas, acudiendo a misa, o al trabajo, en la lejana cantera, con las escudillas y cucharas de aluminio colgadas del cinturón, que tintineaban al andar. Sentía una invencible curiosidad y temor, viéndoles. Eran algo desconocido, pavoroso y a un tiempo lleno de un raro atractivo que no sabía explicarse. Tenía entonces la sensación de que el mundo era algo muy grande, muy lejano, atroz y desconocido. Muy distinto a su pequeño mundo de la casa de las tres señoritas y del «Ulises». Al atardecer una columna de humo ascendía del barracón, y en la noche, los guardianes encendían hogueras que llenaban de resplandores rojizos la ladera de las montañas.

—¡Cuántas cosas existen, que yo no conozco! —se decía Jujú, pensativo y temeroso.

Al anochecer bajó del «Ulises» y se reunió con sus tres tías.

—¿No tienes apetito?

—¿Te duele la cabeza?

—Estás muy rojo, ¿no tendrás fiebre? ¿Te mojaste los pies en el río, como te prohibí?

Jujú negó, comió sin apetito y se acostó con la cabeza llena de ideas fantásticas y temerosos sueños. Tardó más de lo acostumbrado en dormirse, y, en sus sueños, el «Ulises» naufragó, y Contramaestre, él y Florentina flotaron a la deriva, sobre un tronco de madera. Hasta que la voz de tía Manu le devolvió tierra adentro y amaneció un nuevo día de trabajo.

4

Una noche de lobos

El tiempo iba pasando, sin ninguna novedad especial. Desfilaron la primavera, el verano, y llegó de nuevo el otoño. Jujú cumplió diez años. (El cumpleaños de Jujú se contaba desde la noche en que llegó a la casa de las tres señoritas dentro de una cesta.)

Las tres señoritas nunca le habían mentido respecto a esto. Es más, el pedacito de manta de colores en que llegó envuelto, lo tenía guardado la señorita Leo en una caja de cedro y, a veces, se lo dejaba mirar. Esto hacía que la imaginación de Jujú se desatara.

Cierto día Jujú quiso hablar de esto con la hijita del alcalde, al salir de misa. Antes de subir al tílburi de las tías, Jujú fue en busca de la muchacha. Estaba en la huerta y, desde el otro lado de la valla, Jujú la llamó:

—¡Rosalíaaa!

Rosalía quitaba las malas hierbas del jardincillo que cuidaba. Había crecido mucho. Era una muchacha espigada y seria, con el cabello liso y brillante, muy rubio, apretado en una trenza, que le caía sobre la espalda. Los domingos se ponía los largos pendientes de plata que fueron de su madre, y que, al mover la cabeza, tintineaban tan suavemente que sólo ella podía oírlos. Había cambiado mucho. Miraba a los chiquillos con altanería, porque se sabía una mujer, o, por lo menos, a punto de serlo.

—Te ensuciarás el traje —dijo, levantando las cejas, como respuesta a la llamada de Jujú.

—Rosalía, ¿es verdad que tú viste a los gitanos?

—¿Qué gitanos?

Jujú intentó explicárselo, pero, colgado de la valla, su postura resultaba incómoda.

—El día que me encontraron en la cesta... y tú recogiste un trocito de manta de colores... y era igual que la mía...

Jujú cayó al suelo. Dio la vuelta a la valla y buscó la puerta. Rosalía no le oía ya. Tiró de la campanilla, y Rosalía apareció, airada:

—¿Qué quieres ahora? ¿No ves que es domingo y tengo que amasar para que mi padre coma pan tierno?

—¿No viste tú a los gitanos, Rosalía?

—¿Quién dice tal cosa? No sé de qué hablas, niño.

—De cuando me encontraron las señoritas, y tú viste a los gitanos...

En aquel momento pasó el hijo del administrador del duque. Era un chico alto, moreno, con un lunar en el párpado derecho, que siempre llevaba una vara de fresno en la mano. Rosalía se puso encarnada y le apartó a un lado:

—Quita allá, yo no me acuerdo de nada. Olvidas que ya no soy una niña, Jujú, ni sé nada de cosas de niños.

Y Jujú tuvo que subir al tílburi, decepcionado.

Las historias de las tías no le convencían.

—Tú, hermoso mío —decía la señorita Leo, apretándole contra su pecho y aplastándole la nariz contra su camafeo de marfil—, a buen seguro que serías algún príncipe destronado, abandonado por el usurpador al trono. ¿No te das cuenta de que eres bonito y esbelto como un príncipe?

Esto irritaba terriblemente a Jujú, y lo apartaba de su cabeza con abominación.

—Sabiecito mío —decía por su cuenta tía Etel—, tú debes de ser hijo de algún guerrero. Eres de pura raza latina: tus pies tienen los dedos del romano, tu cabeza es la de un romano. Algún día sabremos que eres un guerrero, igual a los de...

Esto no desagradaba a Jujú, pero, sinceramente, le parecía improbable. Y se mantenía en una discreta y cálida duda.

La señorita Manu venía a dar al traste con esos sueños:

—Mira, hijo, tú eres un buen campesino. Eso se nota enseguida. Sólo hay que verte montar a caballo... Y, acaso, un gitanillo. Vamos, lleva esa cesta de manzanas al granero, y déjate de lo que has sido: eres lo que eres, y te debe bastar.

Estos razonamientos enfriaban un tanto a Jujú. Pero no tardaba en volver a soñar.

Especialmente, como dijimos, a la hora de la siesta, en primavera, en el rincón más alejado de la huerta.

Tendido sobre la hierba, veía huir las nubes a través de las ramas del ciruelo, y navegaba por un cielo sin fronteras hacia un lugar adonde ni siquiera sabía si deseaba o temía ir. Oía tambores, galopes de caballo, viento y lejanas voces. Cerraba los ojos y, al final, hay que admitirlo, se dormía.

Algunas veces corría, batallaba con imaginarios ejércitos —el campo de trigo era un ejército dorado y centelleante, por el que se metían Jujú y su tropa con la espada desnuda, bamboleando sus huestes, ante los gritos airados de los campesinos—, o por el lejano bosquecillo de álamos. También el bosque les atraía, y Jujú conocía bien sus senderos y sus vericuetos.

Él y su pequeña tropa merodeaban por los alrededores del Campo de los Penados, pero jamás se acercaron abiertamente a él. Un gran respeto les invadía allí. Contemplaba la empalizada, el pardo barracón, las hogueras nocturnas, y sentía una tristeza cálida, apretada, en la garganta. Algo extraño se le agarraba al pecho en estas excursiones y volvía a casa silencioso.

Las señoritas se preocupaban:

—¿No tienes apetito, Jujú?

—¿Te duele la cabeza, tesoro?

—¿Pero es ésa la expresión de un hombre?

Jericó acusaba:

—Le vi rondando el Campo de los Penados. Y ése no es sitio para niños.

—¡No vayas allí! —ordenaba imperiosamente tía Manu.

—Hijito, son malas gentes, podría ocurrirte algo —(Leo).

—No son buen ejemplo —(Etel).

Pero éstas le parecían a Jujú palabras huecas. No le iba a pasar nada malo, pensaba. Aquellos hombres presos no le parecían, precisamente, amenazadores, y no comprendía lo del mal ejemplo. Sólo le inspiraban una honda e inexplicable tristeza.

Así pasó el otoño y llegó el invierno. Un invierno muy crudo, por cierto. La nieve amenazaba ya desde mucho antes de Navidad, y los lobos, hambrientos, aullaban en las cumbres del Negromonte.

Por las noches, tapado hasta la coronilla con la manta, Jujú les oía, y sentía una sensación parecida a cuando veía a los presos. Contramaestre ladraba y aullaba al oírles, y Almirante Plum andaba con cautela, con las plumas erizadas. Sólo la Señorita Florentina aparecía tan banal e inconsciente como de costumbre.

Los lobos se acercaron en alguna ocasión al pueblo. Salieron grupos de hombres a darles batidas, y Jericó dijo que estaban haciendo grandes destrozos en el ganado.

Así era. También atacaron a los rebaños de las tres señoritas y a las manadas de yeguas y potros de las montañas.

A la salida de misa, los domingos, los hombres y las mujeres del pueblo formaban grupos a la puerta de la iglesia, y comentaban lo sucedido. Contaban sus pérdidas, y por todos lados se oían quejas y lamentos. Jujú vio a los pregoneros recorrer las calles, con las trompetas doradas, de borlas azules, y los tambores rojos. Reclutaban hombres para salir a la caza del lobo, y Jujú sentía deseo de acompañarles. Se lo pidió a tía Manu:

—Quiero ir a la caza del lobo.

—Me gusta que sientas así. Eres un buen campesino. Pero aún no tienes la edad reglamentaria —contestó ella.

Es preciso advertir que Jujú había pedido muchas veces a tía Manu que le enseñase a manejar el viejo fusil del Abuelo. Tía Manu hacía, a veces, ejercicios de tiro al blanco, y era muy buena tiradora. Pero ella siempre decía:

—Cuando cumplas catorce años. El mismo día por la mañana, apenas desayunes, bajaremos a la huerta y te entregaré el rifle. Pero, hasta entonces, ten paciencia.

Esta vez, sólo Jericó pudo acompañar a los hombres que iban en busca del lobo, y, por cierto, sin ningún entusiasmo.

Era ya de noche, cuando llamaron a la puerta con grandes aldabonazos. Los hombres volvían por el alto camino del Negromonte. De un palo largo colgaba la piel larga, negra y siniestra del lobo. Su cola casi arrastraba por el suelo. Las mujeres y los niños del pueblo acudieron, corriendo y gritando, al divisar el fuego de las antorchas. Traían zambombas y guitarras, botas de vino y gran alegría. Todos tocaban la piel del lobo, y le insultaban con grandes gritos. La negra piel brillaba al resplandor del fuego, y Jujú sintió un escalofrío, como una culebra o un relámpago a lo largo de la espalda.

Todos se reunieron en la explanada, tras la casa de las tres señoritas, a los pies del sestil. Las mujeres traían tortas, miel, ron y azúcar. Prendieron una gran hoguera. Juana y Rufa sacaron tazas, vino, jamón y queso. Todos bebían ron y vino caliente con miel, y gritaban y bailaban.

Jujú, arrebujado en su chaqueta, les miraba con ojos redondos y brillantes. No sabía por qué, pero, de pronto, sentía una piedad grande y extraña por aquella piel negra que colgaba del alto palo. «Él tenía hambre», pensó.

Estaban en plena fiesta cuando alguien llegó por el camino. Al resplandor de las llamas brillaron los correajes y los tricornios de los guardias. Delante de todos, montado en su caballo, venía el Jefe del Destacamento del penal. Todo el mundo guardó silencio, y oyeron:

—Váyanse todos a casa. Se ha escapado un preso del Destacamento. Cierren puertas y ventanas, atranquen sus casas y corrales. Estamos batiendo los contornos...

Jujú sintió un golpe en el corazón. Toda la alegría se había apagado. Hombres y mujeres se levantaron, recogieron sus cosas y se alejaron, llenos de silencio y miedo. Tía Manu dijo:

—Ya hemos oído. Otro lobo ronda estos lugares. Encerrémonos bien.

Arrojaron agua a la hoguera, recogieron rápidamente sillas, mesas, tazas y comida. Allá a lo lejos, hacia el pueblo, Jujú vio desaparecer la última antorcha. Sentía un nudo en la garganta.

Aquella noche la famosa ronda de «la caza del ladrón» fue más minuciosa y concienzuda que nunca. Atrancaron puertas y ventanas, y registraron incluso debajo de las camas. Todo estaba en orden.

Una vez acostado, Jujú se arrebujó en su manta. Mil galopes de caballos, y de ideas, y de miedo, recorrían su cabecita. Contramaestre se acomodó a sus pies, un tanto tembloroso. En el cabezal de la cama se posó la Señorita Florentina, y Almirante Plum permanecía oculto, según su costumbre.

Tardó mucho en dormirse. Cuando despertó, aun antes de que tía Manu llamase a su puerta, y que el despertador lanzase su potente chillido, Jujú corrió a la ventana. El cielo aparecía gris y luminoso, como un techo de aluminio. Durante la noche había nevado, y todo estaba blanco, reluciente.

5

Jujú recibe un susto

Un gran viento bajó de las montañas y estremecía la vieja casa.

Apenas bajó al comedor, y se sentó frente a las tostadas, la manteca y el gran bol de café con leche, Jujú miró, suplicante, a tía Manu.

—Hoy no hará falta entrar leña, ¿verdad? Creo que ayer apilé suficiente.

—¡Sueñas! —dijo la señorita, que ya había terminado de desayunar y se calzaba las altas botas de goma—. Precisamente hoy debemos reforzar la provisión. Vamos, Jujú, no es tan horrible traer desde el cobertizo a la cocina unas pocas brazas de leña.

«Y desde la cocina a las habitaciones», suspiró Jujú. Pero de sobra sabía que era inútil discutir con tía Manu.

Así pues, salió al zaguán, descolgó el impermeable amarillo, se lo puso, y se calzó, a su vez, las botas de agua.

La nieve cubría suelo y tejados, lo menos con palmo y medio de espesor. A través del cristal vio cómo el viento levantaba la nieve y la arrojaba contra los balcones y los muros. Heroicamente, Contramaestre, aunque temblando de frío bajo su mantita azul con galones, le siguió.

Fuera, el viento gritaba de un modo bajo y lúgubre, y Jujú se estremeció. Hacía frío, lo que se dice frío.

Se encaminó hacia el cobertizo-garaje. Estaba apartado de la casa, junto al caminito que llevaba a los establos. Era de piedra gris y techumbre de pizarra. Estaba algo ruinoso, y allí, además de la leña, guardaban el viejo Ford y los aperos de labranza.

La puerta crujió con un largo gemido, y el viento y la nieve entraron. Contramaestre saltó dentro, y Jujú le siguió. Una vez dentro, se sacudió la nieve del impermeable y pateó en el suelo.

Junto a la puerta, sobre un arcón donde guardaban las herramientas, estaban el farol y las cerillas. Jujú lo encendió, porque apenas si una tenue claridad entraba por el ventanuco opaco por la suciedad. A la luz del farol brillaron los faros del viejo Ford. Era un trasto alto, pintado de rojo, con capote de hule. Jujú solía limpiarlo cuando tenía humor, y hasta llegó a sacar brillo de los mohosos metales. Pero las gallinas penetraban en su interior, y sobre todo una de ellas, Juanita Colorina (orgullo de la señorita Leo por los hermosos huevos dorados que ponía), se empeñó, en cierta ocasión, en anidar sus polluelos justamente en el asiento del conductor. Jujú soñaba con ponerlo en marcha algún día: levantarse muy de madrugada, antes de los gritos y chapuzones de tía Manu, y darse un paseíto. Pero aún no se atrevía, a pesar de que leyó en un libro algunas instrucciones respecto a lo que se debía y no se debía hacer para ponerlo en marcha.

Contempló con ojos nostálgicos y soñadores el viejo automóvil. En los estribos brillaban algunas briznas de paja. Colgaban del techo telas de araña, formando embudos. Aquel lugar siempre le inspiraba un cierto respeto. Jujú se sopló los nudillos.

Apenas había dado unos pasos, cuando creyó oír un ruido extraño. Contramaestre empezó a gruñir extrañamente, bajando la cabeza.

—¿Qué tiene usted, Contramaestre? —preguntó Jujú—. Vamos, ¿qué le ocurre?

Pero Contramaestre temblaba ahora de pies a cabeza, y no dejaba de gruñir. Miraba al viejo Ford con ojos angustiados.

—¿Qué tonterías son ésas? —le reprendió Jujú, con la voz que solía poner la tía Manu cuando él demostraba miedo o cobardía ante algo—. ¡Ni que fuera la primera vez que lo ves! ¿Qué tiene de particular nuestro pobre Ford?

Se acercó al coche, e iba a abrir su portezuela, cuando se quedó con la mano en alto, la boca seca y los ojos muy abiertos.

En el interior del Ford, se había movido un bulto. Jujú tragó saliva despacio, pero sus piernas se negaron a moverse.

La portezuela se abrió entonces, bruscamente, y alguien saltó fuera. Jujú ni siquiera pudo retroceder.

Era un hombre alto. No se le veía el rostro, quedaba más arriba del farol. Contramaestre empezó a ladrar espantosamente.

—Haz callar a ese bicho, o lo mato —dijo el hombre, con voz baja y ronca.

Al mismo tiempo, Jujú sintió un brazo de hierro en torno a su garganta, y algo, quizá un cuchillo, brilló. Jujú mantuvo el farol con todas sus fuerzas y vio cómo Contramaestre se lanzaba a morder al hombre. Pero recibió tan terrible puntapié, que fue a chocar contra la pared, dio un gran alarido y cayó desvanecido. Se había dado un espantoso golpe en la cabeza. Entonces Jujú recobró el habla:

—¡Qué ha hecho usted, salvaje! ¡Ha matado usted a mi perro!

Abandonó el farol e intentó correr hacia el pobre Contramaestre. Pero el hombre le puso algo frío en la garganta:

—Te rebano el pescuezo si das un solo paso.

Y añadió:

—No está muerto. Es sólo un golpe.

En efecto, Contramaestre se recuperaba. Se tambaleó sobre sus patitas (como en cierta ocasión en que Jujú le dio pan con vino y cogió una terrible borrachera). Pero ahora este recuerdo no le hacía reír. Contramaestre había perdido toda su arrogancia y temblaba, con ojos llenos de lágrimas y la lengua colgando. Jujú sintió una rabia sorda.

—Es usted un cobarde —dijo—. Un malvado y un cobarde.

El hombre le sacudió, hasta hacerle dar diente con diente. Levantó entonces la cabeza y le vio. Era muy alto, con un traje burdo y sucio, de pana marrón, y... ¡exactamente, era uno de los hombres del barracón de los presos! Inmediatamente comprendió: aquel hombre era el evadido del Campo.

—Ahora, mocito —dijo el hombre, siempre con aquella voz baja y ronca, que, de pronto, empezaba a cautivarle (no sabía si por el pánico o por una extraña atracción)—, vas a ser razonable. De lo contrario lo pagarás muy caro.

—Sí... —A su pesar, Jujú notó su voz temblorosa.

—Deja ese farol a un lado, y escucha.

El hombre se había puesto ahora de espaldas a la puerta, y echaba el cerrojo. En su mano derecha, efectivamente, brillaba un cuchillo. Pero en su pierna algo oscuro manaba, y manchaba la tela del pantalón.

—Está herido —exclamó Jujú, débilmente—. Está usted herido, y sangrando...

El hombre estaba muy pálido. Su cara era una mancha blanca en la oscuridad y sus ojos brillaban ferozmente. «Se parece al lobo», pensó entonces Jujú. Era como la terrible y fascinante piel de lobo, colgando del palo. Un sudor frío le llenó, corrió hacia Contramaestre, se arrodilló a su lado y lo abrazó.

Cuando levantó los ojos vio que los dientes del hombre brillaban. Pero no sonreía.

—Ahora, chico —dijo—, vas a hacer lo que yo te diga, si no quieres pasarlo mal. Dame a ese bicho.

—¿Para qué?

—Dámelo y calla.

—No quiero.

El hombre avanzó hacia él, y le dio un fuerte empujón. Se apoderó del desfallecido Contramaestre y rápidamente, con una cuerda que llevaba arrollada a la cintura, lo ató.

—Tu perro se queda conmigo —dijo—. Mientras hagas lo que yo te diga nada debes temer por él. Pero si no...

Jujú estaba aterrado. Fuera, el viento gemía tan fuerte que nadie oiría los ladridos de Contramaestre. Y, por otra parte, era tan ladrador que no hubiera llamado demasiado la atención. Ahora, allí estaba, en poder del hombre, que le hacía un nudo al cuello, y lo ataba a una rueda del Ford.

—¿Lo tiene como rehén? —preguntó Jujú, con voz opaca.

—Eso es, tú lo has dicho. Veo que eres un chico listo.

Jujú se encogió de hombros con amargura.

—Bien, escucha: sí, soy ese fugitivo que ayer tanto cacarearon por ahí. Exactamente soy yo. Pero he tenido mala suerte, y me he herido. Me caí al barranco... Y no podré continuar hasta dentro de un día o dos. Tú me ayudarás.

—¿Yo?

—Sí, tú.

—Pero si yo... pero si yo...

¿Qué iba a decir? ¿Que no pensaba delatarle, aun cuando...? ¿Que sólo quería...? No lo sabía. Temblaba y se sentía arder ahora, tanto como antes se notara helado.

—Lo primero que vas a hacer es traerme comida. Y algo para vendarme y desinfectarme.

—¿Y si me preguntan por Contramaestre?

—Ése es tu problema.

El hombre esgrimió el cuchillo y Jujú se estremeció.

—Está bien —dijo, débilmente—. Está bien, haré lo que pueda... Pero será después de la clase. Ahora debo llevar la leña a las habitaciones, y luego debo estudiar, hasta mediodía... Sólo hasta las doce. Si puedo escaparme, vendré. Si lo hago de otro modo, *ellas* lo notarán.

—Está bien —dijo el hombre—. Hasta las doce. Ni un minuto más. Ahora, puedes coger la leña.

Con temblores y sudores, Jujú cargó la vieja carretilla, como tenía por costumbre. No quería mirar los ojitos angustiados del pobre Contramaestre, si bien se decía: «Se porta como debe, como un soldado.»

—¿Cuántas cargas haces?

—Sólo una —dijo el niño—. Por hoy es bastante.

Abrió la puerta, y de nuevo una ráfaga de viento entró y apagó el farol. No se oía nada, ni el respirar. El hombre había desaparecido dentro del Ford.

Jujú empujó la carretilla. Iba como sonámbulo, apenas si le parecía real la nieve saltando bajo la rueda.

Sólo a unos pasos de todo lo que acababa de ocurrir, Jericó, con una pala, quitaba la nieve del camino. Por un momento se dijo: «Se lo cuento todo, entrarán por sorpresa, y nada le ocurrirá a Contramaestre.» Pero algo extraño le detenía. No era el miedo. Algo que nacía como una llamita menuda, dentro de su pecho. Jujú notaba que, a pesar de todo, deseaba ayudar a aquel hombre. Así era, y no de otra manera.

6

Jujú toma una decisión

La mañana pasaba lentamente. Tan lentamente, como nunca creyera Jujú que pudiera pasar una mañana. La clase con tía Etel fue una verdadera tortura. No oía las palabras, y los copos de nieve, cayendo y cayendo al otro lado del cristal de la ventana, le hacían pensar en el frío cobertizo, y en lo que albergaba. «Debió de entrar esta madrugada, poco antes de la nevada.» Pensó en aquel hombre huyendo, cayéndose barranco abajo, hiriéndose una pierna. «A pesar de todo lo que ha dicho, estoy seguro de que es incapaz de hacer nada malo a Contramaestre. Me apostaría cualquier cosa a que no es capaz de tocarle un solo pelo.» Sin embargo, se sentía desfallecer al recuerdo del pobre Contramaestre, atado al viejo Ford y despavorido.

Tía Etel le preguntaba algo. Se quedó con la boca abierta, sin saber qué contestar.

—¿Qué te ocurre hoy, Jujú? ¿Te encuentras mal?

Jujú negó con la cabeza y hundió la nariz en el libro. Pero no podía atender a nada más que a sus pensamientos. «Si lo encuentra Jericó...», se dijo. Y sentía una gran zozobra, un gran sobresalto, sólo de pensarlo. Decididamente Jujú NO QUERÍA QUE EL FUGITIVO FUERA DESCUBIERTO.

«¿Qué habrá hecho?», se dijo. «Tal vez esté purgando una injusticia.» Algo había leído sobre estas cosas. Tras aquellas lecturas, el corazón de Jujú estaba siempre de parte del perseguido y en contra del perseguidor. Mil ideas bullían en su cabeza, y, lentamente, fue forjándose un plan.

Por fin, sonaron las once y media. Apenas terminó la clase, Jujú salió disparado a la cocina. Empujó la puerta y mil aromáticos y deliciosos olores llegaron a su nariz.

Rufa preparaba una gran fuente de verduras, con pedacitos de jamón. Luego se inclinó junto a la boca del horno, lo abrió y regó con coñac un par de hermosos y dorados pollos.

Acababan de amasar, y una hilera de tiernos y blancos panecillos reposaban sobre un paño blanco. Los dedos de Jujú empezaron a inquietarse dentro de los bolsillos. Se acercó disimuladamente a la mesa donde tía Leo vertía crema de chocolate sobre un pastel.

—Tengo apetito —dijo—. Verdaderamente, tengo apetito.

Tía Leo le miró enternecida.

—Claro está, corderito mío —dijo—. Has traído muchas cargas de leña. ¡Con este frío!

Y suspiró. En el fondo de su corazón tía Leo creía que Manu era demasiado severa con Jujú, y desaprobaba sus sistemas educativos. Jujú le lanzó una lánguida mirada, que derritió enteramente el corazón de la buena mujer:

—¿Quieres un bocadito, cariño?

—Sí —dijo él—. Pero más que un bocadito, quiero un buen bocado. Más bien, un gran bocado. Es decir, un bocado enorme.

Rufa le miró de través. No le gustaba que se probara nada antes de las horas reglamentarias, pues consideraba que era «desbaratar los menús».

—Rufa —dijo tía Leo, sin entender aquella mirada aviesa—. Prepara un bocadillo a Jujú.

—¡Lo haré yo mismo! —dijo él rápidamente.

En un momento, corrió a la despensa, que era lo que deseaba. Visto y no visto, Jujú se metió entre el cinturón y la camisa un gran salchichón y un trozo de queso. Luego se subió al taburete y descolgando el gran cuchillo cortó una inmensa lonja de jamón. A su vez, tomó una de las hogazas de pan. La contempló con duda, y, al fin, la partió por la mitad. Hizo el bocadillo más gigantesco que haya existido nunca. Luego se apropió de un bote lleno de pimienta, lo ocultó bajo el jersey y salió corriendo a toda velocidad.

Al llegar al zaguán se detuvo para respirar. Sacó el salchichón y el queso, los ocultó cuidadosamente bajo la chaqueta y, como una centella, subió al desván.

Una vez en el «Ulises», respiró hondo y se dejó caer en su asiento.

—Ahora —dijo—, deberé tener cuidado, y traer aquí al *polizón* con toda clase de precauciones.

Para no despertar sospechas, bajó la escalera con las manos en los bolsillos y silbando. «Ojalá siga nevando», se dijo. «Así quedarán borradas nuestras pisadas...»

En aquel momento, el gran reloj de carillón empezó a desgranar sus campanadas. El corazón de Jujú pareció paralizarse.

La puerta se abrió, y, con una ráfaga de nieve y viento, entró en el zaguán tía Manu.

—Jujú, ven a ayudarme —dijo—. Coge una pala y el impermeable.

Jujú tragó saliva.

—¿Qué... qué vamos a hacer...? —balbuceó.

—Vamos a quitar la nieve de la puerta. Eso nos hará entrar en calor. El invierno invita al campesino a la holganza, y, entonces, el verano le coge blando. No, no hay que perder la costumbre del trabajo. ¡Vamos, Jujú!

Jujú sintió que el corazón le caía al suelo. Así, tal como suena: no le hubiera sorprendido nada verlo entre sus dos botas, aleteando, como un pájaro atrapado.

Súbitamente, una idea brilló, como un relámpago. Torció los ojos, se llevó las manos a la cabeza y empezó a gemir:

—¡Estoy enfermo, estoy enfermo, tía Manu! ¡Estoy enfermo!

Tía Manu se quedó con la boca abierta. Ciertamente, Jujú no se distinguía por todo el amor al trabajo que ella hubiera deseado. Pero tampoco hacía esta clase de comedias.

—¡Qué ridícula pamema es ésta! —tronó—. ¿Crees que soy imbécil?

Pero, en aquel momento, apareció tía Etel en lo alto de la escalera. Venía, como de costumbre, cargada de libros y cuadernos, con la pluma ensartada en la oreja derecha y las gafas resbalando sobre su nariz.

—Despacio, hermana —dijo—, despacio... No creo que sea comedia. Hoy, durante la lección, me ha parecido que algo extraño le ocurre.

Jujú le lanzó una tiernísima mirada. En aquel momento, tía Etel —que, por lo general, solía ofrecer un aspecto bastante desastrado— se le apareció como el arcángel san Gabriel. Y no le hubiera extrañado que un par de hermosas alas crecieran, de pronto, bajo la toquilla de la señorita.

Como por encanto, apareció tía Leo. Sólo oyó el final de la frase y lanzó un gemido.

—¡Corderito mío! ¡Ya me parecía a mí que hacías hoy cosas extrañas! ¡Pobrecito mío, que te obligan a trabajar como un hombre y eres sólo un niño...!

Tía Manu se acercó a él y le puso una mano en la frente. Luego le obligó a sacar la lengua, y le miró los dientes, como solía hacer con los caballos.

—Bueno —dijo con voz apabullada—. Bueno..., la verdad es que estás ardiendo.

En un momento, tía Leo y Juana calentaron su cama. Luego tía Leo preparó lo que ella llamaba un «cordial», y que consistía en un vaso de leche caliente con dos huevos batidos, ron, canela y un pellizco de mantequilla, y que tenía la virtud de marear completamente a quien lo ingería.

Una vez acostado, con la bolsa de agua caliente en los pies y un buen fuego en la chimenea, tía Leo le besó en la punta de la nariz y le dijo:

—Procura dormir, cariño. Advertiré que nadie te moleste.

Le dio a beber el famoso «cordial» (que Jujú aborrecía cordialmente, tal como su nombre indicaba). Cuando la puerta se cerró tras la plácida sombra de tía Etel, la habitación quedó en la rosada penumbra que esparcía el fuego, y sólo se oía el tic-tac del despertador. Jujú se sentía bañado en sudor, con el corazón palpitante.

Echó una mirada desesperada al despertador, y vio, con verdadera angustia, que marcaba las doce y catorce minutos. Sintió, en medio del calor, un escalofrío.

—¡Adelante! —pensó—. No se debe perder ni un solo minuto en vacilaciones.

Saltó de la cama, se vistió en un abrir y cerrar de ojos, y colocó la almohada de forma que fingiera un cuerpo, con la esperanza, no muy sólida, de engañar a quien viniera a echar un vistazo.

Sin olvidar el tarro de la pimienta y con las botas en la

mano, para no hacer ruido, el capitán del «Ulises» abrió sigilosamente la puerta y asomó la nariz. Escuchó. Nada se oía. La escalera estaba silenciosa. Salió, pues, de puntillas, y procurando que no crujieran los escalones de madera, trepó hasta el desván. Se encaramó a la escalerilla de mano, y, por fin, entró en el «Ulises».

Una vez allí, Jujú se secó el sudor, se calzó las botas de goma, y se dirigió a la puerta del Pasadizo Secreto. Un suave revoloteo le hizo volver la cabeza. La Señorita Florentina se posó en su hombro y le picoteó suavemente la oreja.

—Gracias, Señorita Tina —dijo—. La verdad, me gusta que me acompañes. Sí, me gusta mucho que me acompañes. Tú traes la buena suerte.

Su corazón se hallaba realmente reconfortado por la presencia de Tina, que, a ojos vista, echaba de menos a su buen amigo Contramaestre. En cambio, el ingrato Almirante Plum brillaba por su ausencia. Sólo se presentaba cuando se trataba de recibir honores. Así era la vida.

Jujú tomó la linterna, y el viejo rifle del Gran Bisabuelo. Luego, respirando hondamente, se hundió en la negrura del Pasadizo Secreto.

La puerta del cobertizo gimió. El viento había cesado y la nieve volvía a caer blandamente, allá fuera. Un sol pálido brillaba sobre la escarcha.

Por la puerta asomó el cañón negro del viejo fusil. Luego, una cabeza encapuchada, y un hombro, y, sobre el hombro, una curiosa e inquieta perdiz.

Cubierto de barro, nieve y musgo, Jujú entró en el cobertizo, y cerró la puerta tras él.

—¡Salga de ahí! —ordenó con voz firme—. Salga, le estoy apuntando.

Esta frase la había leído muchas veces, y sabía que daba buen resultado. Pero, de pronto, su corazón dejó de latir.

Contramaestre había desaparecido. En el suelo, en el lugar donde el perro fue atado, aparecía la cuerda, abandonada.

—¡Contramaestre...! —murmuró, con los ojos llenos de lágrimas.

Entonces una voz sonó en las alturas.

—Tira ese cachivache, niño —le dijo—. No te va a hacer falta.

Jujú vio algo que le dejó con la boca abierta.

El fugitivo estaba encaramado sobre la pila más alta de la leña, en el oscuro rincón, y Contramaestre permanecía dulcemente arrebujado en su regazo. La mano del hombre acariciaba a Contramaestre, que entrecerraba plácidamente los ojos bajo sus dedos. Contramaestre saltó del regazo del hombre y, con un jadeo amoroso, se lanzó a Jujú moviendo el rabo.

En aquel momento unos ladridos muy distintos de los de Contramaestre sonaron allí fuera.

—Escucha eso —dijo el hombre—. Vienen a buscarme.

Y añadió, con una voz extraña, una voz de pronto tan dolorida y desesperada, que arañó el corazón de Jujú:

—Es inútil. Ya no hay nada que hacer. ¡Maldita pierna...!

Jujú sintió que algo se rompía dentro de él. O que algo nacía, quizás. Era como un grito de rebeldía, mucho tiempo retenido en su pecho. Escuchó los lejanos ladridos, tan conocidos y temidos. Eran los perros rastreadores que usaban los Guardianes del Campo.

—¡Vamos, no pierda el tiempo, sígame! —gritó.

Pero el hombre no se movía. Casi no parecía verle. Estaba, de pronto, quieto, como si no viera ni oyera nada. Jujú se aproximó a la leña, levantó la cabeza y le miró. Era un hombre entrado en años, con el pelo y barba gris. En aquel momento, sus ojos parecían muy lejanos, como perdidos. «Parece un lobo de mar», se dijo. Sí, se parecía a Simbad, a Ulises, e, incluso un poco, a Marco Polo...

—¡Vamos, sígame! —dijo, lleno de angustia. Una rabia extraña le llenaba—. ¡No se quede ahí, sígame!

—No tengas tanta prisa, muñeco —dijo el hombre, con voz helada. Hablaba muy despacio—. Ya me encontrarán.

Entonces, Jujú se alzó sobre la punta de sus pies y gritó:

—¡No sea usted testarudo, yo no le quiero entregar! ¡Yo no le quiero entregar, yo quiero salvarle! ¿Me oye? Tengo un buen escondite para usted... Créame, le estoy diciendo la verdad... ¡YO ESTOY DE SU PARTE!

El hombre le miró fijamente. Una sonrisa iluminó su cara:

—¡Lárgate!

Jujú le apuntó con el rifle. De pronto se sentía poseído de una energía diabólica. Por primera vez se sentía un hombre, no un niño. Y su voz sonó muy parecida a la autoritaria voz de tía Manu (que, según Jericó, «no había ser humano en la tierra que se negase a obedecer»).

—¡Sígame inmediatamente! Le advierto que está cargado...

7

El entrepaño secreto cumple su función

Sobre la una de la tarde, los guardias llamaron a la puerta de las tres señoritas.

—Lo siento mucho —dijo el sargento—. Pero el rastro del hombre nos trae aquí. Desgraciadamente, esta maldita nieve borra las huellas, pero todo indica, según los perros, que ese bandido ronda por estos alrededores. ¿Nos permiten dar un vistazo a la finca? Les rogamos que cierren bien puertas y ventanas.

—Desde luego —dijo tía Manu—. Pero no hemos visto un alma por estos alrededores.

La bendita, la hermosa nieve, caía sin cesar. Caía sobre los tejados, sobre las empalizadas, sobre el suelo. Caía y se espesaba sobre el huerto. Bajo el ciruelo, la nieve cubría espesamente la entrada secreta del pasadizo. La nieve cubría y borraba todas las huellas, y la pimienta esparcida por Jujú, tras sus pasos, despistaba el olfato de los malignos perros de feroces colmillos. Sus aullidos resonaban, repetidos por el eco. Rastreaban sobre la nieve, y sus negros morros lanzaban al aire pequeñas nubecillas de vapor.

—Vamos a dar una batida por la finca —dijo el sargento—. Permanezcan en la casa, y procuren tener los ojos abiertos y las puertas cerradas.

—¡Quiera Dios que Jujú duerma y no oiga los ladridos! —dijo tía Leo—. ¡Estoy sobrecogida! Subiré a echar un vistazo...

—Déjale dormir —aconsejó tía Etel.

En aquel momento, Jujú acechaba, con la cabeza apoyada en el suelo, junto a la boca que conducía a la escalerilla de mano del «Ulises». El fugitivo ya estaba escondido tras el entrepaño secreto. El camino fue mejor de lo que suponía. Tenía que agradecer a la nieve y a la pimienta la mayor parte de su éxito. En todo lo que duró el trayecto, el fugitivo no había abierto la boca, no había pronunciado una sola palabra. Parecía moverse como si estuviera sonámbulo.

—Ahora —murmuró Jujú, acercándose al entrepaño— tengo que bajar a mi habitación, y fingirme dormido. Usted estese quieto, Señor Fugitivo. No se mueva, y nadie le descubrirá.

Jujú se sirvió un vasito de licor, y lo tragó de un golpe. Tuvo que apretarse la mano en la boca para sofocar el poco digno acceso de tos que le sacudió. No quería, de ninguna manera, que el fugitivo se enterase de aquella debilidad.

—Nadie le va a encontrar ahí —añadió—. Puede usted ser el polizón de mi barco todo el tiempo que quiera. Y cuando sea posible... Tengo un buen plan. Luego hablaremos...

Cuando el silencio llenaba la casa, Jujú se deslizó suavemente por la escalerilla de mano. Bajó, sigiloso como una sombra, y regresó jadeando a su habitación. Se despojó a tirones del pantalón y el jersey, lanzó al aire las botas, y se hundió en la cama, sólo tres minutos antes de que en la puerta repicaran los suaves nudillos de tía Leo:

—¿Duermes, corderito?

La rubia cabeza de la señorita asomó en la habitación. Se acercó a Jujú y le puso una mano en la frente.

—¡Dios mío, estás helado! —dijo, con acento compungido—. ¡Y tiemblas como una hoja!

Jujú abrió un ojo:

—No, tía Leo, te aseguro que estoy mucho mejor.

No le convencía en absoluto permanecer en la cama, ahora que tenía tantas cosas que hacer.

—Pero, cariñito mío, hasta que venga el médico...

Jujú saltó de la cama:

—¡Te aseguro que estoy bien, tía Leo! ¡Nunca me sentí mejor! Seguramente fue un poco de sueño atrasado...

En aquel momento volvieron a oírse los ladridos de los odiados perros. Contramaestre permanecía rígido, con sus inteligentes y sensatos ojos muy abiertos, fijos en Jujú. Nadie entendía al niño como Contramaestre, y, notándolo cerca, Jujú sentía que su corazón se derretía de cariño hacia él.

—Está bien, vístete. Pero hoy no consentiré que Manu te obligue a trabajar. Hoy estarás bajo mi protección, y, así, tal como suena, se lo voy a decir.

—Gracias, tía Leo —dijo el niño. Y la besó (lo que enterneció tanto a la buena mujer que salió de la habitación del niño dando traspiés).

Jujú se vistió en un santiamén, y bajó al comedor.

Había un gran revuelo en la casa. Bajo el retrato del Abuelo y el Gran Bisabuelo, respectivamente (que parecían mirar a todo el mundo con ferocidad y estupefacción a un tiempo), se agitaba el sargento del Campo, y dos de sus hombres. Tía Leo había servido jerez y galletas, pero nadie parecía apreciarlo.

—Está bien —decía tía Manu, en el momento en que Jujú empujaba suavemente la puerta—. ¡Pueden ustedes registrar nuestra casa de arriba abajo! Aunque les confieso que esta medida me ofende. Y hasta puede que me queje al gobernador. Y usted recordará que mi abuelo fue íntimo amigo del...

—Pero, por Dios se lo ruego, Señorita Manuelita —gemía el desesperado sargento—. ¡Yo le juro que no dudo de ustedes! De quien no me fío es de ese maleante. Puede haberse deslizado en la casa sin que ustedes hayan...

—Búsquenlo —dijo tía Manu—. ¡Vayan, búsquenlo! Pero les aseguro que si hubiera entrado aquí, ¡YO LO SABRÍA!

Los ojos de tía Manu brillaban de cólera.

El corazón de Jujú empezó a flaquear de nuevo.

—¡Dios mío! —se lamentó tía Leo al descubrirle—. ¿Por qué te has levantado? ¡Este niño está pálido!

—Déjalo —rugió tía Manu—. ¡Déjale ser hombre, si quiere ser un hombre! ¡Bravo, Jujú, así me gusta! Las enfermedades y todas esas plamplinas se pueden dominar, si uno tiene verdaderamente el espíritu de...

La clase de espíritu que tía Manu predicaba se perdió en las lejanas brumas del olvido, ya que todos los sentidos de Jujú estaban pendientes del sargento y sus hombres. Rápidamente decidió que debía simpatizar. Sonrió al sargento, con lo que él suponía el colmo de la cordialidad, aunque el sargento sólo vio a un niño haciendo extrañas muecas ante él.

—Vaya, niño, no estés asustado —dijo, agachándose y tratando de acariciarle la cabeza (cosa que Jujú evitó violentamente)—. Vamos, no estés nervioso...

—¡Si no estoy nervioso! —protestó Jujú—. Sólo que... ¿me deja que les acompañe?

—Esto no es cosa de niños —dijo el hombre.

—Es que no soy un niño. —Jujú levantó la cabeza con orgullo—. ¡Trabajo como un hombre!

La voz tronante de tía Manu vociferó:

—¡Así es, sargento! ¡Deje al niño que le acompañe, si quiere acompañarle! Y recuerde lo que me prometió: no quiero los perros dentro de mi casa.

El sargento dirigió una paciente mirada al niño y se encogió de hombros.

Empezó la búsqueda. Jujú, seguido fielmente de Contramaestre y de la estupefacta Señorita Tina, lanzó una mirada suplicante a esta última: «Tina, no vengas. Puedes descubrir el entrepaño, como me lo descubriste a mí.»

—Quédate con tía Leo —dijo suavemente a la perdiz.

Pero Tina le seguía, con sus cortas patitas, banal e irresponsable.

—Tía Leo —suplicó—. Quédate a Tina, por favor. No me gusta que venga con nosotros.

Tía Leo le acarició la cabeza, enternecida, y trató de capturar a Tina, pero ella se escondió tras el armario. Jujú aprovechó para escapar.

El sargento y sus hombres escudriñaron toda la casa. Casi no quedaba nada que revolver. Ante las airadas protestas y los ojos de basilisco de Rufa, volvieron la cocina del revés. Registraron el cobertizo, la leñera, etc. Hasta miraron dentro de las tinajas.

Al fin llegaron al pie de la escalera del granero.

—¿Adónde va esa escalerilla? —dijo el sargento.

—Al altillo del desván —informó Jericó—. ¡Eso es del niño!

El sargento miró a Jujú.

—¿Es tuyo?

Jujú notó que aquél era el momento más importante y decisivo de su vida. Llegaron a su recuerdo sus héroes, sus viajes, sus sueños. Jujú sintió que sus rodillas flaqueaban, pero procuró dominar el temblor y sonrió, con lo que imaginaba era la más cautivadora de sus muecas.

—Es mi velero —dijo—. ¿Quiere verlo, usted? ¡Le gustará mucho!

—¿Tu velero?

El sargento también inició una especie de mueca que pretendía anunciar una difícil y casi incapturable sonrisa.

—Sí, mi velero. Se llama el «Ulises», y, ¡me gustaría tanto enseñárselo! —exclamó, dulcemente, el niño, al tiempo que pensaba: «¡Ojalá te pierdas en la nieve de la carretera y jamás se te ocurra poner tus sucias botas en la cubierta de mi "Ulises", condenado!»

El sargento pestañeó:

—¿Sólo se puede subir por esta escalerilla?

—Sí —dijo el niño—. ¡Sólo! —(Mientras, en el interior de sus pensamientos, se abría el Pasadizo Secreto, su olor a humedad.). Pero sonrió.

—¿Vamos, señor?

Casi lo creía dispuesto a retroceder, cuando el sargento tuvo una súbita decisión:

—¡Sí, vamos! Que no se diga que desprecio la invitación.

Jujú tragó saliva y estiró hacia arriba, cuanto pudo, las comisuras de su boca. Pero más que un síntoma de complacencia parecía que le doliera el estómago.

—Yo le conduzco —dijo. E inició el ascenso.

Notaba tras sí el peso del sargento. Los viejos escalones que llevaban al «Ulises» crujían bajo sus botas. Sólo el jadeo de Contramaestre le daba ánimos.

Asomó la cabeza al «Ulises». Reinaba la paz. Sobre el alféizar de la ventana descansaba el catalejo del Abuelo, y los dos tubos de estufa (cañones) enfocaban hacia el horizonte.

—Bienvenido al «Ulises» —murmuró Jujú con voz opaca—. Espero que le guste.

El sargento entró, renqueando. El esfuerzo era demasiado grande para él, que estaba muy gordo. Además, su alta estatura le obligaba a permanecer con la cabeza inclinada bajo el techo.

—¡Bueno, bueno! —dijo—. Es realmente bonito.

Mientras, sus ojos escudriñaban los rincones. Se acercó a la mesa, la miró; a las literas, las palpó; observó las cartas marinas, los libros, el horizonte...

—¡Buena vista, muchacho! —dijo. Y le descargó la mano sobre el hombro.

Jujú sintió como si le hubiera caído en él una de las palas que usaban para despejar la nieve.

—¿Y si tú colaborases conmigo?

—¡Me encantaría!

—Pues bien, mocito. Tú puedes vigilar desde aquí arriba, con tu catalejo... ¡y a la menor sospecha, me avisas!

—¡Así lo haré! ¡Descuide!

El sargento levantó los ojos. El «Ulises», realmente, no era demasiado grande.

—Bien... ¿esto es todo? ¿No hay ningún camarote..., alguna sala más?

—¿Camarote...? No, señor. Nada más. Esto es todo. ¿No le gusta?

—Oh, sí, me encanta —dijo el sargento. Pero a la vista estaba que la cabeza le dolía a fuerza de tenerla inclinada.

—¿Vendrá a verme alguna vez, sargento?

—Acaso, capitán.

El sargento se llevó la mano a la altura de la sien y saludó.

—¡Hasta la vista, capitán!

—¡Hasta la vista, sargento!

Jujú devolvió el saludo.

Cuando vio desaparecer la gorra del sargento bajo la trampilla, su corazón creció. Dirigió una mirada desfallecida al entrepaño y se dejó caer, como si sus piernas fueran de trapo, sobre el flamante y dorado sillón del capitán.

8

El mar, la injusticia humana y varias cosas más

Aún pasó una hora. Quizá dos horas. Jujú no podría saberlo. Nunca en su vida había permanecido tanto tiempo quieto. Es más: INMÓVIL. Sólo su corazón, como un relojito, hacía tic-tac, tic-tac, dentro de su pecho, y le indicaba que estaba vivo, y que no era un sueño lo que estaba viviendo. A sus pies, Contramaestre meditaba, tal vez, sobre los rigores de la vida.

Solamente cuando ya no oyó ningún ladrido, cuando la

casa se sumió en un espeso silencio, Jujú comprendió que había llegado la hora de la siesta, y que todos dormitaban.

Entonces miró hacia el entrepaño secreto. Casi parecía que todo hubiera sido una pesadilla, o una de las muchas fantasías de Jujú. Allí no parecía haber nadie. Sólo una pared sucia y vieja.

Jujú se acercó. Un gran silencio reinaba en el «Ulises». Había dejado de nevar. Contramaestre gruñó suavemente.

—Vigila la entrada, Contramaestre —dijo el capitán Jujú—. Al menor ruido, ladras.

Contramaestre se aproximó a la boca de la escalera y se sentó sobre su cuarto trasero.

Jujú se acercó al entrepaño, y apoyó la boca en él:

—¿Está usted bien?

Nada. Parecía que el fugitivo no existiese.

—Está bien, voy a abrir —dijo—. Estamos seguros.

Se encaramó sobre el taburete y apretó el resorte. Luego, descorrió suavemente el falso entrepaño.

No era un sueño. El hombre estaba allí, acurrucado, con las manos en torno a las rodillas. Su cabeza, una maraña gris, descansaba sobre ellas.

—Señor Fugitivo... —La voz de Jujú temblaba—. ¿Me oye usted? Puede salir un poco, a estirar las piernas, si quiere...

Entonces el fugitivo levantó la cabeza y Jujú vio de cerca sus ojos, azules y lejanos.

—Eres un buen chico, capitán —dijo.

Jujú creyó morir de orgullo. Se quedó quieto, sin decir nada. El hombre añadió:

—Te lo agradezco mucho, de veras, te lo agradezco. He oído tu conversación con el sargento. Ahora sí veo que eres mi amigo.

Jujú intentó reaccionar. De pronto vio la pierna del hombre. Estaba empapada de sangre, seca y negruzca.

—Pero —murmuró con voz ronca de miedo—. Está usted...

—Sí, así es —dijo él—. Estoy herido... Pero tú eres un chico valiente y listo. ¿Quieres ayudarme hasta el final?

—¡Hasta el final!

—Está bien entonces, escúchame... ¿Estás seguro de que nadie puede oírnos?

—Nadie. Los guardias se han marchado. Y los demás duermen la siesta... Además, nunca sube nadie aquí. Y Contramaestre vigila la entrada. ¡Estamos seguros!

El hombre hizo un gesto de resignación. Suspiró levemente y levantó los brazos.

—¡Bien, en todo caso, es la única posibilidad! —dijo.

—¿Quiere salir un poco...?

El hombre se incorporó, trabajosamente.

—Todo hubiera ido bien, a no ser por la herida que tengo en esta pierna. Ante todo, capitán, debemos curarla. ¿Quieres ayudarme?... Si consigo curarme, podré huir por el pasadizo, y no te traeré más complicaciones, mucha... digo, capitán.

—No se preocupe por esto —exclamó el capitán Jujú, con voz hinchada de orgullo—. La verdad es que estoy acostumbrado.

El hombre le miró fijamente, y, de pronto, por vez primera, sonrió. Tenía la cara morena, tostada por el sol y cubierta de finas arrugas. Sus ojos brillaban en ella, como dos azules piedras, parecidas a la que lucía en el dedo tía Leo y que se llamaba aguamarina. Este nombre le gustaba a Jujú.

—Usted tendrá hambre —dijo el niño—. He traído estas cosas...

El hombre asintió. Jujú distribuyó rápidamente las raciones. Se sentó y ofreció un asiento al fugitivo. Pero el fugitivo arrastró la pierna con dificultad y unas gotas de sangre mancharon el pavimento. Jujú quedó casi sin respiración.

—Pero... está usted mal —murmuró.

Levantó los ojos tímidamente hacia el hombre y vio que estaba más pálido y que su párpado derecho temblaba.

—Bueno —dijo, aspirando aire con fuerza—. ¡Voy a curarle a usted! Sigue vigilando, Contramaestre... Y usted, si le oye ladrar, escóndase. Pero no creo que nadie suba, ahora.

Jujú se deslizó por la escalera y bajó al cuarto de baño. Arrimó un taburete al armario-botiquín y lo abrió. Cogió vendas, alcohol, mercromina, esparadrapo, algodón, unas tijeras... Hay que reconocer que no era demasiado templado cuando se trataba de curar una herida, aunque sólo se tratase de sacar una espina de un pie. Pero, «hay que ser duro», se dijo. Y cogió también unas largas pinzas, aunque sus manos temblaban. Los grifos dorados de la bañera le miraban malignamente, con sus ojitos verdes.

Cuando volvió al «Ulises», todo seguía como lo dejó. Cerró la trampilla y se arrodilló frente al hombre.

—Así estamos tranquilos —dijo. Intentaba por todos los medios que no se le notara el temblor de las manos.

—Déjame a mí —dijo el fugitivo—. Dame las tijeras y el alcohol.

Jujú se lo entregó sin resistencia. Luego cerró los ojos. Cuando los abrió, el hombre seguía manipulando. Había rasgado la pernera derecha del pantalón, y lo arrollaba por encima de la rodilla. Allí estaba la herida, fea y negra. Jujú apretó los dientes, pero todo el «Ulises» empezó a balancearse, y, por primera vez, tuvo la auténtica sensación de que estaban navegando sobre un mar de altas y poco tranquilizadoras olas.

El hombre procedió a lavar la herida con alcohol, y Jujú se levantó y empezó a pasear de un lado a otro, con las manos en los bolsillos.

—Háblame —dijo el hombre, entonces—. Me gusta que me hables.

Jujú se quedó perplejo.

—¿Qué quiere usted saber? —dijo, con voz desfallecida.

—¿Por qué haces esto?

El hombre seguía limpiando su herida. Hablaban los dos con voz ahogada. Jujú se encogió levemente de hombros. El hombre insistió:

—¿Por qué has hecho esto, capitán?

Jujú se detuvo. De pronto notó que tenía la frente llena de sudor y que no podía detener el temblor de sus manos. Como un desfile, rápido, vertiginoso, pasaron por su cabeza todos los acontecimientos recién vividos: el encuentro en el cobertizo, la huida a través del pasadizo, los ladridos de los feroces perros... Y sólo se le ocurrió decir:

—Esté usted tranquilo. He arrojado pimienta tras nuestros pasos... Y he despistado a los perros.

—Eres muy listo —dijo el hombre.

El hombre quedaba a su espalda, y no se atrevía a volverse y mirarle. El fugitivo repitió:

—Muy listo... ¿Cómo se te ocurrió?

—Lo he leído.

—¿En esos libros?

—Sí.

—¿Te gusta mucho leer?

—¡Oh, mucho!... Pero me gustaría más viajar.

—¿Por qué...?

—No sé... Salir de aquí. Conocer cosas... El mar, sobre todo.

—¿El mar?

Jujú oía la respiración, un poco ahogada, del hombre. De pronto dijo:

—Yo soy marinero.

—¡Marinero!

¡Naturalmente! Aquella piel tostada, aquellos ojos azules, aquella barba enmarañada y gris. ¿Cómo no lo había pensado? Fue tal su emoción que se volvió.

El hombre y él se miraron. Los ojos de Jujú resplandecían.

—Así es, soy marinero. Ya ves... cosas de la vida. No me adapto aquí, tierra adentro. No es lo mío. Lo mío es el mar. Por eso no pude aguantar más... y me fugué.

Jujú asintió. Sentía calor en la cara y el corazón le golpeaba el pecho con fuerza.

—¡Lo comprendo! —dijo. Sin darse cuenta de que, por primera vez, estaba explicándose a sí mismo algo que llevaba mucho tiempo guardado en el corazón. Y añadió—: Es lo mismo que siento yo, Señor Fugitivo. Lo siento aquí dentro, aunque no lo dije nunca a nadie, porque... bueno, usted ya sabe, vivo entre mujeres, y a las mujeres no se les pueden explicar estas cosas. Pero... usted me dijo por qué hacía esto, y yo... ¿quiere saberlo, Señor Fugitivo, por qué he hecho esto?

El hombre estaba vendándose la rodilla, pero de pronto se había quedado inmóvil. Sus ojos tenían una fijeza extraña, fascinante. Como de un golpe, casi sin respirar, Jujú exclamó:

—Porque, Señor Fugitivo, yo también quiero huir de aquí... Y ¡sí señor, lo tengo todo muy bien planeado! En cuanto sea posible. Cuando empiece el deshielo, quizá. O antes, huiremos... Yo tengo un caballo, Señor Fugitivo. Y conozco muy bien el camino escondido del bosque, que lleva a la montaña, y... huiremos, usted y yo. Huiremos juntos, muy lejos de aquí, y nadie nos encontrará.

El hombre le puso la mano en el hombro.

—Es una buena idea —dijo.

Su voz sonaba ronca, y, sin saber por qué, le pareció a Jujú que era una voz lejana, como el rumor de las ramas en una noche de viento. Aquel susurro que oía, a veces, al fondo del huerto. Que le transportaba, como la música de tía Leo, a un mundo lejano y desconocido.

—Ya ves, capitán —añadió el hombre. Y ya no le miraba, sino que volvía a vendarse la herida—. Así es el mundo. Yo nací al lado del mar, viví siempre en el mar, y... no supe pudrirme aquí, lejos del mar. En fin, creo que tu idea no es mala. Sí, huiremos juntos. Huiremos juntos, en cuanto mi pierna vuelva a ser la de antes...

—¿Me llevará con usted? —murmuró, con la garganta seca.

—Te llevaré conmigo.

—¿Veremos el mar?

—¡Mucho más! Nos embarcaremos... Tengo un barco precioso. No es que desprecie tu «Ulises», no señor... Pero mi barco también merece verse.

—¿Un barco... de verdad?

Jujú creía estar soñando. De nuevo parecía que el «Ulises» atravesara una zona de tormentas y borrascas.

—Sí señor, un velero. Un maravilloso velero, llamado «El Saturno». Nos iremos de este cochino mundo. Te llevaré a países verdaderamente bonitos.

—¿A países...?

—Sí, a mis islas.

—Pero... ¿tiene también usted islas, Señor Fugitivo?

El hombre carraspeó:

—Bien, no puedo decir que sean mías... Pero como si lo fueran. Los habitantes de esas islas me llaman el Príncipe. Me esperan, para coronarme de flores. Me adoran. Tú serás mi heredero. Les diré: «Ved, éste es mi hijo. Más que mi hijo, porque a él le debo la vida.» Así que, cuando yo muera, tú serás su Príncipe, también.

Jujú se sentó, incapaz de permanecer más tiempo de pie.

El hombre añadió:

—Pero no creas que te impedirán seguir viajando... No, nada de eso, continuaremos nuestras aventuras, y sólo iremos allí a descansar. Se conforman. Son buena gente.

—Señor Fugitivo —dijo entonces Jujú, con voz temblorosa—. Usted, ¿por qué...?

Se detuvo intimidado. Pero el hombre levantó la mano, con un gesto casi alegre:

—¿Por qué estaba allí encerrado?... ¡Ah, capitán, algún día te lo contaré despacio! En fin: ¿has oído hablar de injusticia humana? Tú, que has leído cómo se despista el olfato de los perros con pimienta, y cómo es el mar, en esos libros... ¿No explican esos libros nada sobre la injusticia humana?

Jujú vaciló. Al fin, asintió con la cabeza:

—Quiere usted decir... pagar culpas por otro... o pagar culpas que no son culpas...

—Todo depende de quién está a uno y otro lado de la barrera —dijo el hombre.

Trazó con la punta del cuchillo una raya en la madera del suelo. Jujú observó la raya y parpadeó. El hombre clavó la punta del puñal a un lado de la raya y dijo:

—¿Ves? Todo depende del lado desde donde se mire. Las culpas de este lado no son culpas de este otro. Ni las de este otro son culpas de aquel lado.

Jujú pestañeó deprisa.

—¿Entiendes? —preguntó el hombre.

—Bueno. Quizá...

—Pues, entonces... ¿no tendrías un traguito, capitán, antes de empezar a comer?

Jujú sirvió el extraño licor de frambuesas. El hombre lo contempló con mirada pensativa, y luego, ante los admirados ojos del capitán, se lo bebió de un solo trago. Y SIN LA MÁS PEQUEÑA SEÑAL DE ESCOZOR EN LOS OJOS.

9

Diario de a bordo del «Ulises»

Aquel libro encuadernado en rojo, empezó a registrar el Diario de a bordo del «Ulises». Después volvía a su escondite, bajo la litera. Ahora, Jujú comunicaba en él todo lo que a nadie podía explicar.

Había empezado, realmente, una vida distinta. Jujú se sentía cambiar por momentos. Los días pasaban...

Lunes, enero de 19...

Todo va bien en el «Ulises». Polizón sale a las horas de la siesta, y a las que no hay nadie cerca. Afortunadamente no tenemos visitas nunca. La escalerilla es demasiado delgada para cualquiera que no tenga mi peso.

Ayer volvieron los guardianes, con el sargento. Siguen buscándole. Pero no traían los perros. Me canso de esparcir pimienta por todas partes. He gastado todo un bote, y Rufa anda algo escamada. Bueno, la verdad es que Rufa anda escamada por todo. Le desaparecen las chuletas, las croquetas y las empanadillas.

Polizón es un hombre extraordinario. Conoce los mares de la China y las islas. Ha vivido con los negros de África y con los caníbales del Amazonas. Resulta que Polizón sabe más que yo de mis libros. A veces, pienso, si los leerá cuando yo no estoy... Bueno, en todo caso, no me parece mal.

Nuestro proyecto sigue en pie. En cuanto empiece el buen tiempo, nos iremos. Esto será así: yo cogeré a Remo e iré con él hasta la Cabaña Abandonada del Bosque (donde yo sólo sé). Ya he fabricado un plano muy claro, y él lo estudia a conciencia. Donde está la Cabaña Abandonada he puesto una cruz bien clara, roja, para que no se pierda. Pero él lo entiende muy bien. Es el hombre más listo que he conocido. Y se puede hablar con él de todo. Verdaderamente, las tías son buenas y las quiero mucho, pero con ellas no se puede hablar de ciertas cosas. Sólo un hombre puede hablar de esas cosas a otro hombre. A veces, pienso que Polizón podría ser como el padre que no he conocido. Quién sabe... Yo debo de tener sangre de marino. No soy ni campesino, ni gitanillo, ni príncipe abandonado, como imaginan las tías. Yo tengo sangre de marino.

Polizón ha hecho la ruta de Marsella a Shanghai. Yo iré con él a todas partes. Ha dicho: «Como dos camaradas, dos verdaderos camaradas.»

Estoy deseando que conozca a Remo. Yo estoy seguro de que Remo resistirá bien la caminata. Seguiremos río arriba. Yo le explico mis planos, y él me explica sus islas. El también las ha dibujado, en el mar azul del mapa, y en las viejas cartas marinas del abuelo. Yo no sabía que existiesen esas maravillosas islas. Pues, bueno, él las marca y las explica, que parece que uno las esté viendo. También lo escucha todo Contramaestre, muy serio. Polizón ha aceptado que nos acompañe Contramaestre, porque sin él, yo no me iría nunca. Otra cosa es Almirante Plum, y Tina. Me da un poco de pena pensar en dejar a Tina, pero en el fondo me alegra dejar algo a las tías, cuando yo me vaya.

Hay algo que me preocupa. La herida de la rodilla de Polizón no se cura. Y eso que él la limpia y venda todos los días... ¡Pero se hizo un tajo! Y me parece, me parece, que está infectado. Yo ya he subido todo el alcohol del botiquín. Menos mal que nadie se ha dado cuenta. Bien, lo dejo por hoy. Voy a acostarme. Es tarde, todos duermen, y me creen en la cama. Pero todas las noches, en cuanto ha terminado la «caza del ladrón», yo me trepo al «Ulises», a escribir mi diario.

Polizón duerme. Menos mal que no ronca.

Rezo para que no nos descubran.

Viernes, enero de 19...

El domingo, al salir de misa, encontramos al sargento. Me miró muy fijo y dijo:

—¿Qué? ¿Cómo va el oteo desde el «Ulises»? ¿No se ve nada?

—Nada, señor —le dije. Pero el corazón me iba como un motor, casi tenía miedo de que lo oyera.

Todo parece en calma, pero le siguen buscando. De eso estoy seguro. Sé que, cuando parece reinar la calma, se mueven ellos. Polizón también lo sabe, y está inquieto.

Martes, febrero de 19...

Ha pasado algo malo. Polizón tiene fiebre. Esa herida va mal. Va muy mal, y estoy preocupado.

Domingo, febrero de 19...

Polizón no quiere comer. Está muy pálido, lleno de sudor y tiene fiebre. Ayer tarde, empezó a soñar en voz alta, y pasé mucho miedo. Le dejé echarse en la litera, aunque sobresalen mucho los pies, y le tapé con la manta escocesa. Le sequé bien la frente, pero ¡cómo sudaba!

Le di traguitos de licor. He subido, con mil peripecias, una botella de coñac. ¡Si Rufa me descubre estoy perdido! Luego he oído cómo regañaba a Jericó. A mí me daba pena oír cómo se defendía Jericó, pero... ¿qué voy a hacer yo? No puedo delatarme. Va en juego la vida de Polizón.

Por lo que soñó Polizón en voz alta, tiene miedo de algo. Bueno, miedo, miedo... no se puede decir. Pero hay algo que le preocupa mucho. Seguramente en su vida hay un gran misterio.

Todo se aclarará cuando podamos huir. Algún día volveremos, y las tías estarán muy viejecitas. Me pone un nudo en la garganta pensarlo. En fin, hay que endurecerse. ¡No se va a ser niño toda la vida!

Cuando volvamos, las tías estarán muy contentas. Yo les traeré chales de seda, collares de jade y marfil, diamantes y telas tejidas en oro y plata. Todo lo que se encuentra en las islas de Polizón.

Cuando se aclare el misterio de la vida de Polizón, los malvados por cuya culpa fue a parar al Campo lo pagarán muy caro. Yo me encargo de eso.

Si esa herida se curase...

Martes, febrero de 19...

He hecho algo. Bien, ya está hecho. Tengo que escribirlo en el Diario de a bordo, porque tengo que desahogarlo. Y debe constar. En fin, ya está hecho.

Ha sido muy doloroso, pero Polizón me ha dado un abrazo. Y eso está muy bien, y me ha gustado. Me ha gustado mucho.

Dijo Polizón:

—¡Eres un hombre muy grande, capitán!

Bueno, lo que hice es esto: la herida de Polizón sigue mal. Yo no sabía cómo debíamos curarla. Entonces, la otra mañana, cuando fui a por leña al cobertizo, vi el hacha. Y se me ocurrió una cosa. Cerré los ojos, la cogí, volví a cerrar los ojos, y... ¡zas! Me di un tajo en la pierna.

Creí morirme de dolor, y corrí a casa. La sangre iba manchando la nieve, pero yo, a pesar del dolor, sentía una alegría muy grande.

La tía Manu se asustó de veras. Creo que es la primera vez que la veo asustada. Y la tía Etel, y la tía Leo (pero en ellas es más corriente). La sangre lo manchaba todo, y Jericó montó en el caballo y fue a por el médico.

Vino don Anselmo, el médico, y me curó. Y así, yo pude ver cómo lo hacía. Para hacerlo igual con Polizón.

Sigue nevando.

Lunes, febrero de 19...

Las heridas van mejorando. La de Polizón y la mía. La mía se iba a curar mucho antes, y, entonces, la infecté a propósito, para ver lo que hacía el doctor. Bien, eso me ha dado fiebre y un par de días malos. Pero, en cambio, Polizón ha mejorado.

Ahora sí que me quiere Polizón, lo veo muy claro. ¡Cómo me quiere! Estamos leyendo y haciendo proyectos hasta muy tarde.

Los domingos como ayer son maravillosos. Estuve tocando la guitarra, y entonces él la cogió, y... ¡qué bien toca la guitarra Polizón! ¡Y qué música tan maravillosa! Le dije:

—¿De dónde es esa música?

—De mi país.

—¿Qué país es el tuyo?

—¡Qué más da! Es música de las islas.

Entonces pensé que no sé de dónde es, ni siquiera cuál es su nombre. Pero, no sé por qué, prefiero no saberlo. Para mí, es Polizón. No sé por qué, pero no quiero saber más.

Contramaestre también le quiere mucho. Se acurruca a sus pies y le mira dulcemente.

Claro que, a mí, sigue queriéndome más que a nadie.

¿Cuándo llegará, por fin, la primavera, y el deshielo? Parece que nunca fuera a terminar de nevar.

Ningún invierno me pareció tan largo...

10

Jujú cumple once años

El tiempo iba pasando. Después de febrero llegó marzo. Después de marzo, abril. La primavera, pues, volvió (como llegan y se van todas las cosas del mundo).

Cierta mañana de abril, a Jujú le despertó un rumor extraño. Abrió la ventana y notó un aire especial.

—Ha empezado el deshielo —decía Jericó—. El río baja peligroso.

Hacía tiempo que las tres señoritas andaban preocupadas por Jujú.

—Es extraño, come más que nunca. Come de una manera verdaderamente desproporcionada, ¡y, sin embargo, yo le encuentro más delgado!

—Está distraído. No estudia con atención. He de explicarle las cosas tres o cuatro veces. Sus ojos te miran y no te ven...

—Todo parece cansarle. No presta atención a lo que le ordeno, trae doble carga de leña, o ninguna, se equivoca en todo, se cae, anda como medio dormido...

Estaban realmente preocupadas. ¿Qué le ocurría a Jujú?

También Rufa, y Jericó, y Juana le veían hacer cosas extrañas. Salir corriendo de la cocina con misteriosos bultos bajo el brazo. Hablar solo. Ya no correteaba por el bosque. Su vida era el «Ulises», y nada más que el «Ulises».

El huerto se despejó de nieve, y una hierba tímida, verde intenso, empezó a asomar, a corros aislados. De los brazos desnudos de los árboles, la nieve se desprendía como polvo de plata, y brillaba la escarcha, igual que trocitos de vidrio, azul, verde y oro, al sol.

—¡El río se ha desbordado! —se lamentaba Jericó—. Se han ahogado dos vacas del alcalde.

Y llegó, nuevamente, un día muy especial: el día del cumpleaños de Jujú. Once años atrás, exactamente, Jujú irrumpió en la casa de las tres señoritas, metido en una cesta.

Siempre, desde aquella noche memorable para ellas, las tres señoritas se esmeraban en festejar la fecha.

Tía Leo fabricaba, con ayuda de Rufa, una tarta monumental, en cuya cúspide ponía siempre una cestita de chocolate, de bizcocho o de azúcar, para recordar aquella en que llegó a la casa Jujú.

El día amaneció hermoso y brillante. El sol de primavera lucía en el cielo, y el campo olía a tiernas raíces y a ramas jóvenes. El río bajaba crecido, y, por un lado del prado, se desbordó y derribó el muro de piedras.

Antes de que tía Manu llamara a Jujú, él se había vestido y había ya desayunado.

Jujú bajó al establo y contempló a Remo. También el caballito estaba nervioso. Parecía entenderlo todo. Lo montó y galopó por el prado, Contramaestre ladraba tras él. Llegó al borde del río. Parecía furioso, saltando sobre las piedras.

El plan estaba bien estudiado. Al amanecer, Jujú, cargado de provisiones, saldría con Remo y Contramaestre, y esperaría a Polizón en la Cabaña Abandonada del Bosque, donde se reunirían. Desde aquel momento, conduciría Polizón. El mar —pensaba Jujú, como en un sueño—. ¿Cuándo verían el mar?

La voz de tía Manu le sacó de sus pensamientos.

Por dos veces durante el día subió al «Ulises». Polizón lo tenía todo preparado. Pero Jujú se deshacía en explicaciones:

—¿Entiendes bien el plano? Al llegar al otro lado de la chopera, no cruces el puente: es por este lado del río... sigue el camino del bosque y métete por el vericueto, el que nace de los tres robles gemelos. Te llevará directo a la cabaña. ¿No te confundirás?

—Conozco bien los alrededores —le tranquilizó Polizón—. Hace tiempo que los tengo estudiados: cuando salíamos en grupos, a por la leña del invierno. Sé muy bien cómo es toda esta parte del bosque. Lo tengo aquí guardado.

—¿Dónde?

Polizón señaló su frente, con el dedo. Jujú sonrió.

Así pues, llegó la noche —exactamente las nueve de la noche— y el momento de celebrar el aniversario de Jujú.

—Once años —dijo tía Manu, besándole en la frente—. Once años de un hombre hecho y derecho.

—Once años —dijo tía Etel, besándole también—. Once años de estudios y sabiduría.

—Once años —dijo tía Leo, besándole. Le volvió a besar dos o tres veces más, y se secó las lágrimas.

Luego, se apartó a un lado, y tras ella, sobre la mesita, al pie de los retratos de los Abuelos, apareció la tarta más suculenta del mundo. Tenía cuatro pisos y estaba rellena de crema y frutas confitadas. En lo alto lucía una preciosa cestita de chocolate.

Jujú sentía un extraño peso en el corazón. Las contempló y las vio sonrientes, con sus mejores vestidos, olorosas a agua de lavanda y jabón perfumado, con los bien peinados cabellos cubiertos de canas. Le miraban sonrientes, plácidas y confiadas, y de repente se sintió como esos escorpiones que se introducen en las cestas del pan. Pero este sentimiento pasó rápido, abrumado por el vertiginoso recuerdo de la injusticia humana, el hombre perseguido por feroces perros, y el mar. Levantó la cabeza, sonrió y dijo:

—¡Qué tarta, tía Leo!

Luego besó a las tres señoritas y sintió que su corazón se derretía de cariño hacia ellas. Como todo debe confesarse, he de decir que sintió un sospechoso picorcillo en los ojos, a pesar de que no había probado ni un sorbo de licor de frambuesas.

«Éste es mi último cumpleaños con ellas», se dijo. «Mañana desfallecerán de pena. ¿Y si les dejara una carta de despedida?» Sí, sería lo mejor. Les escribiría diciéndoles todo aquello que su corazón guardaba. Que no se iba por desagradecimiento, ni porque no las quisiera, ni porque...

Pero Juana llegó con el asado, y Jujú y las tres señoritas se sentaron y desplegaron las servilletas. Hasta aquel instante, Jujú fingía no ver el montón de paquetes que se amontonaban bajo la suya. (Todos los años ocurría igual.)

Jujú fue deshaciendo los paquetes. Primero apareció un reloj de pulsera (tía Manu).

—Un buen campesino vive pendiente de las horas —dijo ella. Y le besó.

Luego, un lujoso libro de piel roja y oro, donde se leía «Julio César».

—Una buena historia y un gran ejemplo. —Tía Etel le besó.

Después, aparecieron una docena de pañuelos, con sus iniciales, en todos los colores del arco iris.

—Para tu naricita querida —dijo tía Leo. Y también le besó.

Una idea extraña cruzó por la mente de Jujú. «¿Acaso estoy traicionando a algo, a alguien?» Pero esta idea huyó, como humo al viento. La llamada del «Ulises» era más poderosa que todo. Sin embargo, hizo algo extraño en él. Sin más, se levantó, y abrazó una por una a sus tías, con tal fuerza que las dejó casi sin aliento y con los chales torcidos.

—¡Se hace un hombre! —murmuró tía Manu.

Y se sintieron entre orgullosas y apenadas.

La cena terminó. Tía Leo se dirigió al piano, y Jujú cogió la guitarra. Aquella noche, las canciones llegaron como nunca al corazón de Jujú. Sentía una pena dulce y extraña, como un cálido resplandor. Contempló a las tres señoritas: tía Leo, entregada apasionadamente a la música; tía Etel, fingiendo escuchar, pero repasando con disimulo, por debajo del chal, las últimas cuartillas escritas; tía Manu, cabeceando e iniciando suaves ronquidos, sin demasiado disimulo. Juana, Rufa y Jericó, sentados y escuchando, más o menos atentos, o dormitando.

También el Abuelo y el Gran Bisabuelo parecían escuchar.

«Adiós, adiós a todos», pensó Jujú, con algo parecido a un suave ahogo.

Algo debían de notar en él las tres señoritas, pues, cuando

Jujú bostezó y se frotó los ojos (fingiendo un sueño que en realidad no sentía), les pareció demasiado serio y pálido.

Cuando le dieron las buenas noches, el reloj marcaba las diez y cuarto de la noche. Juana y Rufa se abrigaron en sus toquillas y subieron a su habitación. Jericó fue en busca del farol, y tía Manu descolgó el fusil del Abuelo. Empezaba la «caza del ladrón». Jujú sintió un tironcito en el corazón, se empinó sobre las puntas de los pies y, una a una, les dijo, en el oído:

—Buenas noches, tía Leo. Te quiero mucho. Gracias por tus pasteles.

—Buenas noches, tía Etel. Eres muy sabia. Gracias por tus lecciones.

—Buenas noches, tía Manu. Eres muy fuerte y muy buena. Gracias por tener tanta paciencia conmigo.

Luego, dio media vuelta y echó a correr escaleras arriba.

Las tres señoritas se miraron, un poco desconcertadas.

—¿Qué le pasará? —se inquietó Leo.

—Sí. ¡Está algo raro! —aseveró Etel.

—¡Ah, hermana! Así es la vida: Jujú está creciendo. ¡Ea, basta de palabras, y vamos a la ronda! Mañana hay mucho trabajo.

Pero, aunque no quisiera reconocerlo, tía Manu sentía también un raro cosquilleo de inquietud.

Jujú entró en su habitación. Un resto de fuego moría en la chimenea. Las brasas encendidas parecían trozos de cristal rojo. Las removió con el atizador, y suspiró.

Contempló el reloj, le dio cuerda y comprobó que iba en punto. «Nunca podrá pensar tía Manu lo oportuno que es su regalo», se dijo.

Puso en hora el despertador, para que sonase exactamente a las cuatro de la mañana.

Comprobó que todo estaba en orden. Había ocultado en el armario todos los enseres: la alforja con la comida, la cantimplora con el agua, la brújula, el diario, el puñalito, el revólver del Abuelo. La verdad, pesaba un poco, pero Remo era fuerte. ¡Había que contar con Remo!

Contramaestre le miraba con ojos redondos y un poco tristes.

—¿Por qué estás triste, Contramaestre? —le dijo.

Pero notaba que su voz temblaba. Le acarició la cabeza, y le enfundó la mantita azul con su distintivo de galones dorados.

—¡Bien abrigadito! Las madrugadas son frescas, en este tiempo.

Luego se acostó. Al apagar la luz un extraño desaliento le llenaba. Pero notó el peso de Contramaestre sobre sus pies, su suave respiración, y su calor.

Cuando las tres señoritas entraron a darle el último vistazo, tras la caza del ladrón, Jujú dormía profundamente.

11

El gran día amanece

¡Riiiiiing!

Nunca, durante los once años de su vida, el sonido estridente del despertador sobresaltó a Jujú como aquella madrugada memorable. Dio un brinco, una auténtica cabriola en la cama, y se lanzó sobre el despertador, enterrándolo en las profundidades de la manta. A aquella hora en que todo, absolutamente todo, permanecía en el más negro silencio, el destemplado timbre del maldito cachivache parecía querer destruir y derribar las paredes, el techo, y la casa entera.

Jujú se encontró sentado encima, temblando, cubierto de sudor, cuando el grito cesó. Aún estuvo un rato estrujándolo bajo la manta, las sábanas y la almohada. Nunca hubiera creído que aquel sonido pudiera resultar tan frenéticamente escandaloso.

Jujú bajó al fin de la cama. Sobre la cómoda, había una lamparilla rosada, y Jujú la encendió con dedos, a su pesar, temblorosos. En el espejo, encerrado en su marco negro, contempló la cabeza despeinada de un muchacho, con los cabellos erizados, y los ojos redondos y fijos.

Notó la garganta seca, y tragó saliva. Se miró los ojos, la boca, la nariz. Luego se contempló las palmas de las manos. Era extraño, pero de pronto Jujú sintió algo así como si se estuviera despidiendo de alguien: de un niño que fue amigo suyo, en algún tiempo, en algún lugar.

Desechó estos pensamientos y se frotó los ojos.

—Estoy todavía medio dormido —dijo. Y pensó en Polizón. Aquel hombre que había permanecido durante tiempo y tiempo allí arriba, confiando en él. En él, que, al fin y al cabo, sólo era un niño. Escondido en un agujero, saliendo sólo durante las noches y las horas de la siesta, a estirar las piernas por el «Ulises». ¡Qué valor había demostrado! No, no podía defraudarle. Aquel hombre confiaba en él, y le trataba como a otro hombre. Como a un verdadero camarada. No de la manera que pretendía tía Manu, ni tía Etel, ni tía Leo. No. Él le trataba exactamente como a Jujú le gustaba ser tratado: como un hombre a otro hombre. Como un camarada a otro camarada. Como dos amigos.

No se le podía defraudar. Habían forjado el plan unidos, llenos de ilusión, en voz baja, con las cabezas juntas. Siseando, para no ser oídos, amparados en las alturas del «Ulises».

Jujú suspiró. No dudaba de que la vida con Polizón le reservaba fabulosas aventuras. Pasaron por su imaginación las islas y todo lo demás. Pero, estaba seguro: algo, dentro del corazón, le decía que nunca olvidaría aquellos días, aquellas noches, aquellas tardes del «Ulises», dibujando mapas, planos. Marcando islas y sueños sobre las cartas marinas del Gran Bisabuelo.

En fin, no tenía tiempo que perder. «Todo ha sido planeado al milímetro, al minuto», se dijo, lleno de orgullo.

El corazón le latía de impaciencia y emoción mezcladas. Sentía unas terribles ganas de marcharse, y una extraña tristeza por dejar todo lo que le rodeaba. La verdad es que Jujú ardía de confusión y deseos entrecruzados.

Pero cuando se elige un camino, se elige. Así que Jujú, por primera vez en su vida, no entró en el cuarto de baño, ni siquiera para lavarse la cara. Se atusó someramente el cabello con el cepillo que había sobre la cómoda, se enfundó en su pelliza de piel y cuero, se calzó las botas...

Pero ¡cómo crujían! Nunca supuso Jujú que sus botas crujieran de aquella manera. El silencio de la casa aumentaba todos los ruidos de forma alarmante.

Jujú optó por descalzarse y atarse las botas al cinturón. Así, sus pies, enfundados en gruesos calcetines de lana, no producían ruido alguno.

Contramaestre le seguía, con pasos astutos. La Señorita Tina dormía. Jujú le lanzó un beso, apagó la luz y abrió la puerta.

Sacó la linterna del bolsillo, y avanzó hacia la escalera.

La faja de luz de la linterna iba marcándole los escalones. Pisaba con gran cuidado, para que la vieja madera no rechinase. Llevaba la alforja al hombro, y sentía junto a la pierna, de cuando en cuando, el tibio roce de Contramaestre.

«Cuánta compañía me haces, amigo», se dijo. Y en aquel momento comprendió que, sin Contramaestre, no hubiera sido capaz de aquella aventura.

Una vez en la planta baja, se dirigió a la cocina. La puerta trasera era mucho más sencilla de abrir que las otras. Debía descorrer simplemente un pasador de hierro, un tanto pesado, pero fácil para él.

A la luz de la linterna, brillaron todos los objetos: las cacerolas y cazos de cobre, los morteros, los cuchillos, las espumaderas, los grandes peroles... «¡Se acabaron las comidas suculentas de Rufa!... Bien, hay que despedirse de todas esas cosas. La vida, de ahora en adelante, es una dura cosa.» Por el hueco de la gran campana del hogar, negra y apagada, Jujú escuchó el suave silbar del viento.

Allí estaba el largo pasador de hierro, cruzado sobre la puerta. Dejó la linterna en el suelo y lo levantó con las dos manos.

Luego, abrió.

Una bocanada de aire, frío y limpio, le dio en la cara. Oyó el viento, sobre la hierba, y los mil rumores del campo. Un resplandor plateado llegaba del cielo, y vio brillar el rocío helado, como finísima nieve, sobre la hierba.

—Adelante —murmuró Jujú, con voz ahogada. Apagó la linterna, y cerró suavemente la puerta tras su espalda.

Avanzó un trecho descalzo, y notó la humedad del suelo a través de la lana de los calcetines. Se sentó sobre un banquillo (donde acostumbraba a fumar melancólicamente Jericó) y se calzó las botas.

Contramaestre temblaba bajo su mantita azul. Su rabo daba señales de agitación: parecía una hélice.

—Vamos, Contramaestre, ánimo —dijo el capitán.

Salieron al jardincillo, saltaron la cerca y se dirigieron a los establos. Allí reinaba un gran silencio. Abrió la puerta, muy despacio y levantándola hacia arriba con todas sus fuerzas, pues era ésta la única manera de que no rechinase.

Remo permanecía alerta, con sus hermosos ojos brillantes. Jujú le acarició y dijo mil ternezas al oído. Luego lo ensilló, echó la manta y la alforja sobre su lomo, y lo montó.

En el último momento creyó descubrir una súplica en los ojos de Contramaestre.

—¡Arriba, amigo! —le dijo, compadecido.

Contramaestre no se hizo repetir la orden. De un salto se subió sobre el pesebre, y de otro fue a caer en el regazo de Jujú.

—Suerte tenemos de que eres tan pequeñito —dijo el niño—. ¡Si llegas a ser como Guro, el mastín del alcalde!

Contramaestre pareció sonreír, y su rabo chascó como un látigo contra el cuero de la silla.

—¡Adelante, Remo! —Jujú golpeó suavemente los flancos de su caballito, y éste obedeció.

Con un trotecillo que apenas si parecía golpear el suelo, salieron al campo. Y, por fin, se hallaron en el caminillo del bosque.

Jujú volvió la cabeza.

Despacio, tan lentamente que apenas si podía notarse, la casa de las tres señoritas (negra contra el cielo, con su tejado, sus chimeneas, su jardín, huerta, muros y árboles) iba alejándose de él. Desaparecía, en la distancia y en la niebla de la madrugada. Por algún lado andaría la luna, pues se notaba su resplandor en todas partes.

El bosque, en cambio, aparecía cada vez más negro y cercano. Jujú oyó el canto de la lechuza, y un gran frío le estremeció. También las orejitas de Remo se erizaron. Le acarició el cuello y la crin. Contramaestre miraba a todos lados con ojos redondos y vigilantes.

Al fin, tras la huidiza niebla, asomó la luna. Pero enseguida la perdieron, entre las ramas de los árboles. Acababan de entrar en el bosque.

Jujú oía crujir la escarcha como vidrio triturado, bajo las pezuñas de Remo. El viento, suave y frío, soplaba entre los troncos, y Jujú notaba helada su nariz. Se subió el cuello de la pelliza, para cubrirse las orejas, y Contramaestre se arrebujó más en su regazo. Remo avanzaba con un trotecillo ahora más ligero.

El camino se empinaba, y los árboles se espesaban cada vez más. Jujú se agarraba con fuerza a las crines de Remo.

Al fin, tras una hora larga de camino, el cielo pareció aclararse entre las ramas, y en la cima de una pequeña loma se dibujó la silueta de la Cabaña Abandonada.

Jujú aminoró la marcha de Remo, hasta que se paró. Observó el aspecto de la cabaña. Antiguamente sirvió de albergue a un guardabosques del Gran Bisabuelo. Murió destrozado por un lobo, cierta noche de invierno en que se emborrachó y salió sin escopeta. Aquel guardabosques fue un hombre extraño y temido por todo el mundo. Desde entonces, nadie quería ir a la cabaña, y todos preferían dar un gran rodeo para no pasar por allí. Decía la leyenda que el alma del viejo guardabosques borracho rondaba por aquellos parajes y asustaba los rebaños y los caballos. Tía Manu se cansaba de decir que aquello eran puras majaderías, pero no consiguió nada de los pastores, y ningún otro guardabosques quiso habitar aquella cabaña. Así pues, hubo de quedar ruinosa y lúgubre, y el camino que a ella conducía —el seguido por Jujú— aparecía por esta causa medio borrado y comido por helechos y jaras. Verdadero espíritu aventurero empujaba al Capitán Jujú, pero confesaremos que, en aquel momento, al contemplar la silueta de la cabaña, con los ojos muy abiertos, el corazón casi se oía a través de su pelliza. Por su parte, Contramaestre tenía todos los pelitos del lomo erizados y temblaba como la hoja en el árbol.

De todos modos, por estas razones —su soledad y su leyenda, que ahuyentaba a las gentes—, era el lugar adecuado y elegido por Jujú y Polizón para su encuentro.

Jujú rechazó los pensamientos poco tranquilizadores y bajó del caballo. También Remo parecía desazonado, y le palmeó el cuello. Al otro lado de la loma, por lo hondo del barranco, se oía el fragor del río crecido. Jujú se estremeció.

—Ánimo, Contramaestre —dijo—. Nosotros no nos asustamos por cuentos de viejas.

Allá arriba, en el cielo, una luz dorada iba naciendo. Jujú miró su reloj.

—Magnífico —dijo—. Las cinco menos cuarto. Hemos llegado con un cuarto de hora de antelación. Créeme, Contramaestre, no hay nada como la puntualidad. Cuando los planes se organizan como nosotros hemos organizado el nuestro...

Hablaba en voz susurrante, pues oírse le daba ánimos. La colita de Contramaestre inició un tímido balanceo.

Jujú avanzó hacia la cabaña. En la espalda sentía, pegado, el morro tibio de Remo, y en la pierna derecha el lomo de su amadísimo Contramaestre.

La Cabaña Abandonada estaba rodeada de maleza y espinos. Verdaderamente nadie hollaba aquellos lugares.

De improviso, algo negro y horrible voló hacia ellos. Jujú sofocó un grito.

—¡No te asustes, Contramaestre! —dijo. Y recibió una reprobadora mirada del perro, porque el pobre no había dicho «esta boca es mía». Quizá fue el terror, pero no se había movido ni un solo músculo de su cuerpo—. ¡Es sólo un murciélago! —añadió Jujú, fingiendo una sonrisa.

Jujú puso la mano en el mohoso picaporte y toda la vieja puerta se puso a rechinar de un solo golpe. La pesada y carcomida madera gemía con un maullido siniestro.

Jujú asomó la cabeza al interior. Todo estaba oscuro. Olía fuertemente a humedad y moho. «Igual que el pasadizo del Gran Bisabuelo», pensó.

Jujú entró, seguido de sus amigos. Incluso Remo entró en la cabaña. Jujú cerró la puerta cuidadosamente y encendió la linterna.

El foco de luz escudriñó la estancia. Todo aparecía en ruinas, cubierto de polvo y telarañas. Oyó el golpeteo de menudas pisadas corriendo despavoridamente de un lado a otro. «Ratas», se dijo. Pero Jujú se acostumbró a ellas en el «Ulises» y no las temía.

También descubrió un farol, igual al que utilizaban para la caza del ladrón, cubierto de polvo espeso y telarañas. Jujú lo examinó con la linterna. Buscó las cerillas y lo encendió. Los cristales estaban tan sucios, que apenas si una claridad amarilla se transparentaba en ellos. Jujú sacó su pañuelo y los limpió cuanto pudo. Todos los postigos estaban cerrados y atrancados con su pasador. «Nadie verá esta luz.»

Poco a poco la estancia se ofreció a sus ojos. La negra chimenea, con su cadena y su caldera pendiente. En una esquina había un camastro, con una sucia manta roída por las ratas.

Ató a Remo al pie del camastro y se envolvió en la manta. No tuvo valor para echarse en el camastro. Prefirió hacerlo en el suelo, con el amado peso de Contramaestre sobre sus pies.

«No podré dormir», pensó. «Pero en cambio descansaré.»

No quería apagar el farol. La luz de la llama balanceaba las sombras y, en la penumbra, todos los muebles y objetos adquirían amenazadoras formas de animales. Pero Jujú estaba bien enseñado por tía Manu a no temer a los fantasmas.

El viento silbaba suavemente en el caño de la chimenea. «Pronto vendrá Polizón, y la maravillosa vida empezará...»

Sin embargo, cinco minutos después, Jujú y Contramaestre, y tal vez Remo, dormían plácidamente.

12

El río

Algo raro ocurría. Algo que no encajaba en lo normal, en lo que debía ser. En medio del sueño, una extraña inquietud se abría paso.

Jujú abrió lentamente un ojo. De repente, se puso en pie de un salto. Su corazón golpeaba sordamente. Despertó a Contramaestre y miro su reloj. La vela del farol aparecía ya moribunda, y la llamita temblaba, agonizando. Las manecillas del reloj marcaban las siete.

—¡LAS SIETE! —gimió, desesperado.

¿Cómo había podido ocurrir? Jujú se sintió invadido por un sudor frío. ¡Se había dormido! Pero...

Pero ¿cómo no le había despertado Polizón?

Notó que sus rodillas temblaban, y se dejó caer en el taburete. Una nube de polvo le rodeó. Jujú se frotó los ojos y sintió en su rodilla el suave morro de Contramaestre.

—¡No hay que perder la serenidad! —dijo, en voz alta.

Pero notó que su voz le traicionaba. Fue a una de las ventanas y abrió el pesado postigo.

En efecto, el día llegaba. El sol doraba los bordes de los troncos y las copas de los árboles. La escarcha empezaba a derretirse.

—¿Qué puede haberle ocurrido? ¿Qué le habrá pasado a Polizón? ¿Le habrán cogido? ¿Le habrán descubierto?

Una sensación de catástrofe se iba abriendo paso en el corazón de Jujú. Algo como un viento muy frío, un oscuro presentimiento llegaba hasta él.

—Si le hubieran cogido, yo habría oído los gritos, los perros... quizá los disparos...

Pero él había dormido, y nada había llegado a sus finos oídos de cazador, pirata, guerrero y algunas otras cosas más.

Jujú se notaba invadido, cada vez más, por aquel raro frío. ¿Qué era? ¿Angustia? ¿Desesperación? No, algo más hondo y triste. Algo que mataba alguna cosa, o muchas cosas dentro de él.

—Contramaestre —llamó, súbitamente.

Contramaestre meneó el rabo.

—¡Vamos a echar a suertes! —dijo.

Sacó del bolsillo una bola de cristal verde, que siempre conservaba como mascota. La guardó en el puño derecho. Luego ocultó los dos puños a la espalda y los volvió a sacar, mostrándolos a Contramaestre.

—En la bola verde está la vuelta a casa, para ver si Polizón se ha dormido o le ocurrió algo malo. En la mano vacía está... bueno, está la posibilidad de que Polizón se haya ido, sin esperarnos, POR EL OTRO LADO DEL RÍO.

Casi le dolía decirlo. Sí, casi sentía dolor en la lengua, al decir aquello, que era, en su fuero interno, una traición a Polizón. Como la ruptura de algo muy querido: la confianza, la fe en la amistad. Sentía un nudo en la garganta que casi le impedía respirar.

Contramaestre contempló, con ojos tristísimos, los dos puños apretados ante él. Y, como pidiendo perdón con la mirada (que de pronto a Jujú le pareció vieja y sabia), colocó el morro sobre el puño vacío.

Si Polizón había escogido el otro lado del río, se hallaban incomunicados. El único puente existente se alzaba mucho más atrás, y era imposible retroceder hasta él, pues entonces Polizón tenía tiempo de desaparecer para siempre. El río bajaba tan crecido, que era imposible cruzarlo a nado.

—No hay nada IMPOSIBLE —dijo de pronto Jujú.

Porque, ¿acaso no era lo que siempre le había dicho Polizón? Aún resonaban sus palabras en los oídos atentos de Jujú: «Nada hay imposible para un corazón valiente, como el tuyo.» Pues bien. Iba a demostrarlo.

Jujú apagó el farol, desató a Remo y, seguido de su fiel Contramaestre, salió de la cabaña.

Llevaba a Remo de la rienda. Notaba las piernas entumecidas. En el aire frío de la mañana su aliento formaba pequeñas nubecillas blancas.

Bajó al río. Efectivamente, el agua rugía como una fiera extraña y desconocida. Tenía razón Jericó, cuando decía que el río desbordado era como un dragón, como un monstruo, que todo lo podía asolar en unas horas. El agua, oscura y rojiza, salpicaba de espuma amarillenta las rocas y el musgo de las orillas; se revolvía, furiosa, y saltaba sobre las piedras, desbordada e incontenible.

Jujú empezó a caminar río arriba. Remo y Contramaestre resbalaban a trechos por las rocas húmedas y llenas de viscoso musgo. Al otro lado, los árboles parecían gigantes ancianos y misteriosos, llenos de una sabiduría lejana y oscura.

Al cabo de un rato, se detuvo. El ruido de la cercana cascada llegaba hasta él. Era un fragor siniestro, que conocía porque Jericó se lo explicó en muchas ocasiones. Nunca había llegado hasta allí, pero creía oír la voz de Jericó, cuando, alguna noche de invierno, junto al fuego, lo describía.

—Ahora o nunca —dijo el niño.

Estaba pálido, y sentía tanto frío como si estuviera en medio de la nieve.

Miró a Remo. Sentía una pena muy grande, por lo que iba a

hacer. «No hay más remedio», se dijo. «No puedo exponer la vida de Remo, ni la de Contramaestre.»

Se dirigió a Remo y le abrazó. Sin querer, ocultó la cabeza en su crin y ahogó unas lágrimas. «Hay que ser fuerte», pensaba. Inmediatamente, reaccionó. Ató el caballo a la rama de un árbol cercano. Luego se volvió a Contramaestre, se agachó a su lado y le estrechó contra él. Inútilmente intentó que las lágrimas no le cayeran. Era superior a él. Despedirse de Contramaestre era lo más triste del mundo. Le besó en las orejitas y le colocó su insignia de capitán.

Contramaestre le miraba, inquieto. Posiblemente no entendía todas aquellas manipulaciones. Luego, sorprendido, vio cómo Jujú sacaba una cuerda del bolsillo. La deslió y, antes de que saliera de su sorpresa, se vio atado al árbol, al igual que Remo.

Entonces, Contramaestre comprendió que había llegado al límite de cuanto su perruno corazón podía soportar. Abrió la boca y lanzó al aire los más tristes y desesperados ladridos. Eran, bien claro estaba, el reproche más amargo que llegara jamás a los oídos de Jujú.

El muchacho dio media vuelta, corriendo, hacia el río. Pero a su espalda los aullidos clamaban sin lugar a dudas:

—¿Cómo haces esto, ingrato? ¿Cómo puedes tratar así a tu más fiel y verdadero amigo, hermano, colaborador, camarada, etcétera, etc., etc.?

Las lágrimas corrían por las mejillas de Jujú. Tenían un sabor amargo, y le llenaban de ira y de pena a un tiempo.

—¡Espera, amigo, espera! —gritó en su desesperación—. ¡Polizón se ha burlado de mí, pero te juro que se lo haré pagar!

Contramaestre empezó a tironear de la cuerda. Sus aullidos se elevaban por encima de los árboles, por entre las ramas y los troncos.

Al fin Contramaestre rompió la cuerda. Como un rayo corrió tras su amito. Pero, con el corazón destrozado, apenas tuvo tiempo de ver cómo Jujú, enloquecido de rabia y de pena, se lanzaba al feroz río. Pretendía cruzarlo a nado, para seguir los pasos de su traidor Polizón.

Los aullidos de Contramaestre llegaron hasta el otro lado del río, donde, entre los troncos, un hombre huía, cautelosamente, ocultándose.

De pronto quedó en suspenso, y sus ojos azules brillaron en la oscuridad del bosque. Intentó reanudar el camino interrumpido, pero los aullidos de Contramaestre, tan conocidos para él, volvieron a detenerle.

Súbitamente, tiró el saco que llevaba al hombro, y volvió sobre sus pasos.

Justo llegó a tiempo de ver cómo, en el centro del río, un niño se ahogaba. Luchando desesperadamente con la corriente, la cabeza de Jujú aparecía y desaparecía en las turbulentas aguas. En la orilla opuesta, Contramaestre lanzaba al aire sus angustiosas llamadas de socorro.

Polizón titubeó. El tiempo era precioso para él. Por un instante, cruzaron mil dudas por su cabeza. Pero sólo fue un instante. Polizón desenrolló la soga que llevaba a la cintura, ató un extremo a uno de los árboles y el otro en torno a su cuerpo. Junto a la orilla había una rama larga vencida por los temporales. Polizón la cogió y, desafiando la corriente, avanzó. Alargó la rama a Jujú, justo a tiempo de que el muchacho se abrazase a ella.

Luego Polizón lo fue atrayendo hacia sí. La corriente era feroz en aquel punto. En algún instante Polizón se creyó perdido. Pero sacó toda su fuerza, y al fin arrastró a Jujú, tras sí, hacia la orilla.

Una vez a salvo, se dejó caer, rendido, sobre el musgo y las rocas. Jujú permanecía con los ojos cerrados y el rostro muy blanco, tendido junto a él.

Polizón se incorporó. Ya no era joven, pero sí un hombre endurecido y lleno de tristeza.

—Bien —murmuró—. Ahí te quedas, capitán. ¡Espero que te encuentren, antes de que te hieles!

Se levantó y recogió el saco. Pero apenas había avanzado unos pasos, cuando los aullidos de Contramaestre le persiguieron de nuevo insistentes y tenaces.

Avanzó un metro, dos. Pero Contramaestre, al otro lado del río, seguía su camino.

Al fin, Polizón arrojó otra vez el saco al suelo, con rabia. Lentamente regresó hasta Jujú.

El niño seguía sin conocimiento. Sus ropas y su cabello estaban empapados de agua. Polizón se arrodilló a su lado y le contempló. Tenía la cara blanca y los labios amoratados. El negro cabello, mojado, se pegaba sobre su frente. Las manos de Jujú abiertas sobre el musgo, daban una gran sensación de vacío.

Polizón sintió como un golpe, pecho adentro. Luego un suave calor se extendía en su corazón. «Me estoy haciendo viejo», pensó. Y añadió en voz alta:

—Bien. Ésta es la ocasión de hacer algo bueno, viejo farsante. ¿A qué esperas?

Cogió a Jujú en brazos, lo cargó a su espalda, y empezó a deshacer el camino, iniciado con tantas fatigas.

Mucho más abajo, al llegar al puente, Contramaestre se les unió.

13

El despertar

Cierta mañana, ya finalizando la primavera, Jujú abrió los ojos. Este hecho, al parecer tan simple, dio lugar a una gran conmoción.

En torno a la cama de Jujú, las tres señoritas se apretujaban, reían, lloraban, le besaban y le hablaban todas a la vez. También Rufa subió, secándose los ojos con la punta del delantal, y Juana y Jericó se empujaban uno a otro para alzarse de puntillas y mirarle, tras las espaldas de las señoritas.

—¡Tesoro! ¡Rey de la casa! ¡Qué enfermo has estado! —etcétera, etc., etc.

Jujú lanzó una mirada vaga y asombrada alrededor. Luego se incorporó. Pero se sentía débil. Entonces dijo, con voz desmayada:

—¡Tengo hambre!

Estas palabras, tan escuetas y rotundas, hicieron el efecto de un cañonazo en medio de la tropa. Las huestes se desparramaron, y al poco rato, la habitación de Jujú aparecía abarrotada de manjares: pollo, pastel de chocolate, jamón, manzanas asadas, mermelada de frambuesa, bollos tiernos, crema... Pero en aquel instante llegó don Anselmo, el doctor. Llevaba el traje azul de los domingos, con la cadena de oro cruzada sobre el chaleco, y la leontina de jade y marfil. La ocasión era solemne, también para él. Se acercó al niño, le miró los ojos, los dientes, le tomó el pulso, le hizo repetir: *sesenta y seis, Alí-Babá* y *Mozambique* hasta cinco veces. Luego sonrió, complacido, y manifestó:

—¡Este niño ha empezado a recuperarse! Denle un poquito de caldo y gelatina de pollo.

Rápidamente, los manjares volvieron a la cocina, y Jujú se hundió en un mundo de mimos, palabras tiernas, caldo, y gelatina de pollo.

Desde aquel momento, poco a poco, Jujú fue entrando en la convalecencia. Le dijeron que había estado muy enfermo. El sol doraba suavemente la habitación, tamizado por los visillos, y una tibia paz le reconfortaba.

A sus pies, Contramaestre lloraba de alegría.

—¿Y Remo? ¿Dónde está mi caballito? —preguntó Jujú apenas pudo empezar a reconstruir los hechos.

Las tres señoritas se miraron. Parecía que se resistían a hablar de lo que había ocurrido.

—¿Dónde está? —gimió el niño—. ¿Dónde está Remo? ¡Lo dejé en el bosque...!

Pero tía Manu se apresuró a tranquilizarle:

—Puedes estar tranquilo, Jujú. Remo está muy bien, en su establo, esperando que te pongas fuerte para salir a cazar.

—¿A cazar?

—¿Cómo no? Ahí tengo reservada una hermosa escopeta, Jujú. ¡Te la mereces de verdad!

Jujú sonrió, y no quiso preguntar más.

Sólo dos días más tarde, antes de dormirse, le dijo a tía Leo:

—Tía Leo, ¿quién me devolvió a casa?

Tía Leo se ruborizó. Miró a sus hermanas y, al fin, tía Manu explicó:

—Bien, ya puedes saberlo todo. Te trajo a casa aquel buen hombre. Te llevaba a ti en brazos, y traía a Remo de las riendas... Y a Contramaestre de compañero.

Un gran silencio siguió a estas palabras. Tía Leo fingió sumirse en su labor, tía Etel en su lectura y tía Manu en la contemplación de sus uñas.

Repentinamente, tía Manu levantó la cabeza y dijo, con su acostumbrado brío:

—¡Ea, basta de pamplinas! El chico está bueno. Debemos cumplir nuestra promesa.

Las otras dos mujeres asintieron.

Tía Manu se levantó con rapidez y fue a la cómoda. De ella extrajo un sobre, y se lo tendió a Jujú.

—Toma —le dijo—. Esto nos lo dio el buen hombre, que Dios bendiga, que te trajo a esta casa. Con ello se jugó su libertad, a cambio de tu vida. No lo olvides nunca, Jujú. Ahora te dejamos solo, para que puedas leer a gusto.

Tía Manu le entregó la carta, y las tres salieron de la habitación.

Jujú rasgó el sobre. Aún sus manos estaban débiles, pero sentía una rara sensación de seguridad dentro de él.

La carta no era muy larga. Jujú la leyó varias veces. Decía así:

Querido capitán:

Creo que no he sido honrado contigo. Pero, en fin, más vale tarde que nunca. Cuando te vi sin sentido, comprendí que no podía abandonarte, a merced del frío y de los lobos. Así que, sin pensarlo más, me dije: Voy a devolverlo a bordo del «Ulises», que es donde debe estar. Porque un capitán no puede abandonar su puesto, así como así. Y no sea que coja una pulmonía. Conque, en fin, ya sabía que con eso echaba por tierra mis planes, pero, en definitiva, la cárcel es mi puesto, y estoy acostumbrado. Porque, perdóname, querido capitán, por todas las mentiras que te conté. Yo no soy un gran aventurero, ni una víctima de la injusticia humana, y todas esas cosas. Yo sólo soy un solemne embustero, que no hizo en su vida nada bueno. Soy un ladrón, un pobre ladrón, y nada más que un ladrón. No conozco ninguna isla y jamás vi el mar de cerca. Pero, todo ese tiempo del «Ulises» ha sido un tiempo muy bueno. Nunca olvidaré el «Ulises», ni al capitán ni a Contramaestre. Tal vez ha sido el mejor tiempo de mi vida, y cuando te contaba mis aventuras, casi creí que eran verdad.

Ahora, querido capitán, procura ser un hombre honrado. Protege a tus tías, cuida de ellas, porque, ¿quién sino tú puede hacerlo? Sólo te tienen a ti.

Estoy seguro de que, algún día no lejano, conocerás el mar. Entonces, acuérdate de este pobre ladrón, al que tanto le hubiera gustado embarcarse.

Recibe un fuerte abrazo de tu

POLIZÓN

Jujú se quedó pensativo. La carta aún reposaba sobre la colcha cuando el sol, ya rojizo, huía paredes arriba.

Mucho más tarde, entró tía Leo a encender la luz y a preguntarle qué quería cenar. Jujú había guardado la carta, en muchos dobleces, bajo la almohada.

Después de cenar, rodeado de sus tías, dijo únicamente:

—¿Qué ha sido de aquel hombre?

Tía Etel carraspeó:

—Pues... sí, era un gran corazón. Claro está, cuando te trajo, los guardianes no tardaron en cogerlo. Primero lo llevaron al barracón. Pero no tardaron en trasladarlo a otro lugar. Entonces nos envió esa carta para ti.

Jujú no dijo nada más.

Dos días después, Jujú se despertó impaciente:

—Pero bueno, ¿cuánto tiempo voy a estar en esta cama? ¡Me siento fuerte, tía Manu, estoy seguro de que hay mucho trabajo atrasado! ¿Y mis lecciones? ¡Y... qué hambre tengo!

Al día siguiente don Anselmo le dio permiso para vestirse. Y entonces, se planteó un problema en la casa: ninguna de sus antiguas prendas servían a Jujú. ¡Todo se le había quedado un palmo más corto! Ni siquiera las botas le entraban en los pies.

—¡Qué barbaridad! Envuélvete en una manta, Jujú, hasta que te compremos ropa nueva... —dijo tía Leo, en vista de que Jujú no quería volver a acostarse por nada del mundo.

Envuelto en la manta, Jujú las contempló. De pronto le parecieron más bajitas, más débiles y llenas de canas. Sintió un gran deseo de trabajar y de estudiar, y de no abandonarlas nunca. Pensó, entonces, que ellas le necesitaban a él más que él a ellas. Y este pensamiento le daba una rara, una honda sensación de seguridad.

Aquella misma tarde, Jericó llegó, sudoroso, del cercano pueblo, con un gran paquete. Traía un traje nuevo, zapatos, camisas...

Jujú se vistió. Estaba desconocido.

—¡Es un hombre! —gritó tía Manu, reventando de orgullo.

—¡Alto como una pértiga! —se admiró tía Etel.

—¡Como un chopo! —añadió tía Leo.

Y aquel día, Jujú bajó de nuevo al comedor.

Y volvió al trabajo.

Y al estudio.

Y se hizo más alto.

Y más sabio.

Y más fuerte.

Y un día, tía Etel le consultó algo sobre los romanos, y él le dio una buena explicación.

Y otro día en que tía Leo se torció un tobillo, él la cogió en brazos y la subió a su habitación.

Y otro día, tía Manu hubo de pedirle que recorriera él solo la finca, pues el reuma la tenía baldada.

Y se olvidó del «Ulises». Y de Polizón. Y de Marco Polo. Y de..., pero, ¿a qué seguir? Ninguna de estas cosas tiene nada de extraordinario. Pues ya advertí en un principio que, al fin y al cabo, ésta era sólo la historia de un muchacho que, un buen día, creció.

Paulina

1

Camino de las montañas

Acababa de cumplir diez años cuando me llevaron con los abuelos, a la casa de las montañas. Primero hicimos un viaje muy largo, que duró cerca de tres días. Tuvimos que coger dos trenes, y al final (después de tomar café con leche en un bar al lado de la estación, de madrugada, con un frío muy grande), llegó el autocar, pintado de azul, que llevaba a las montañas. Desde luego, fue un viaje larguísimo. A veces sentía un poco de cansancio, pero en general me gustó. Porque a mí me gustan mucho los trenes y, aunque parezca mentira, los túneles. Dormir en el tren, despertarte a medianoche, y oír el trac-trac, y sentir el balanceo, y pensar: «Estoy viajando, voy a través de campos, quizá de bosques, voy por entre boquetes de rocas, y debe de hacer mucho frío y mucho miedo ahí fuera, tan de noche, ¡cualquiera está ahí en el campo! Y yo, en cambio, aquí metidita, durmiendo. Con sólo levantar la cortina de cuero de la ventanilla, vería todo ese miedo. Pero voy aquí, arropada y durmiendo.» Eso me da cosquillitas frías por el espinazo, de esas tan agradables. Pues, como iba diciendo, subimos al autocar que llevaba a las montañas, a eso de las cinco de la mañana.

¿Nunca habéis visto una ciudad a las cinco de la mañana? Resulta algo rara, la verdad. Por lo menos en invierno, cuando yo la vi. Todas las tiendas tenían el cierre echado, el parque estaba cerrado y los troncos de los árboles aparecían casi negros. Las pisadas sonaban en la acera, chop, chop, y aunque no llovía, no sé qué había en el aire, y en los ruidos, que lo parecía. Además, una cosa rara: la luna estaba allí, en el cielo, y el cielo en cambio tenía una luz, que sin ser de día, no era de noche. Y estaban encendidos todos los faroles. Como aquella ciudad era una ciudad vieja, del norte de España, los faroles aún eran de gas, y se oía al pasar debajo de ellos un silbidito pequeño, que me gustaba bastante.

El autocar era más nuevo por fuera que por dentro. A lo mejor es que le habían dado una mano de pintura. Pero los asientos estaban desvencijados, forrados de hule marrón, bastante suciotes y rozados. Como no había mucha gente, nos pusimos al lado de la ventanilla, y cerquita del conductor, para ver bien cómo manejaba aquello. A mí me gusta mucho ponerme cerca del chófer, y ver qué tal lo hace.

Cuando arrancamos, empezaron a retemblar los cristales de las ventanillas. Daba risa, pensando que era como si el autocar tuviera frío y le castañetearan los dientes. Yo también tenía frío y metí las manos en los bolsillos. Pero las piernas y los pies los tenía helados, y como llenos de sifón por dentro, dando pinchacitos.

—No te pongas de rodillas en el asiento —me dijo entonces Susana.

Bueno, aún no he hablado de Susana. Todo lo del viaje hubiera estado muy bien si no fuera por Susana.

Todo el mundo decía que Susana era una bonísima persona. Susana era muy limpia, muy madrugadora, muy trabajadora, muy alta, muy fuerte. Todo de todo. Pero Susana era para mí como una pared. No entendía nada de lo que yo le decía, no comprendía nada de lo que a mí me gustaba, ni se hacía cargo de cuando yo no podía hacer lo que ella quería. Susana no tenía ni oídos ni ojos, nada más que para oír y ver lo malo. Por lo demás, ya lo he dicho: como una pared.

—¡Susana, ya están bien regastados estos asientos!... Y así me caliento las piernas y veo la carretera —dije, poniendo voz de sueño, para que me hiciera más caso.

—Siéntate como es debido —me dijo.

La voz de Susana era como una lima. ¿No habéis oído nunca limar un trozo de hierro? Pues así.

Como no tengo padres, desde que era muy pequeña —tanto que no me acuerdo de ellos—, sé que he vivido siempre con Susana, porque Susana era prima hermana de mi padre, y la única persona de mi familia que vivía en la ciudad. Creo que de muy, muy pequeña, ya estuve al principio en las montañas, con los abuelos. Pero no tengo más que un recuerdo muy pequeño, como de una casita que se ve de lejos. Luego fui con Susana a la ciudad, porque todos los niños tienen que ir al colegio y estudiar, y en las montañas dicen que no hay colegios. Como los abuelos eran muy viejos, me cuidaba Susana. Todo iba así de corriente, sin nada de particular, hasta que me puse enferma, hace más de un año. Luego me cortaron el pelo, me pude levantar, pasear un poco y ponerme del todo bien. Pero dijeron que en las montañas me pondría mucho mejor. Lo que más me gustó fue que Susana se volvería a la ciudad y me dejaría sola en casa de los abuelos. Al abuelo sí que le conocía, porque alguna vez había ido a verme al colegio. Un par de veces, creo yo, pero me acordaba muy bien de él. Era alto, vestido de negro, y tenía las manos muy grandes. Su anillo de boda casi me hubiera servido de pulsera, y era muy poco hablador, pero a su lado se estaba bien. Las veces que vino, me llevó a merendar y al parque, porque había árboles. Al cine no, porque decía que no le gustaba. A la abuela no la conocía más que por fotografía, como a papá y a mamá. O, por lo menos, no me acordaba de ella.

Levantando bien la cabeza, acercándola a la ventanilla, alcanzaba a ver la luna. Estaba bastante baja para mis diez años. Ahora ya he cumplido los trece, y soy muy diferente. Porque para eso me llevaron a las montañas. En el tiempo en que estuve enferma —creo que más de un año—, para mí todo era bastante confuso, lo recordaba muy poco, y como a saltos, a trozos sueltos. Luego fue cuando me cortaron el pelo al rape. Cuando el viaje, ya me empezaba a crecer, aunque muy poquito, y muy tieso. De vez en cuando me gustaba pasarme la mano por la cabeza, porque el pelo que nacía era muy finito y me hacía cosquillas en la palma de la mano. Cuando me miraba al espejo me encontraba muy rara. Parecía un niño, aunque no del todo, porque no me habían quitado los pendientes, unos aritos muy pequeños de oro, que me pusieron, dice Susana, en cuanto nací. A mí no me gustan los pendientes. Leí en un libro que los salvajes se agujerean las narices y las orejas, para ponerse esas cosas. ¿Por qué nos harán lo mismo a las niñas? Ahora me estoy volviendo morena, pero entonces aún me crecía el pelo rubiancho, así como color avellana, que no me gustaba nada.

Como decía, iba mirando la luna. ¡Qué cosa tan rara! Cuando la luna iba pasando por encima de las montañas, era como un balón que rebotaba de pico en pico. Así me lo parecía entonces, aunque comprendía que éramos nosotros los que nos movíamos y no ella. Pues parecía eso mismo: que fuera persiguiéndonos por el cielo, y dando botes, igual que una pelota de goma. A medida que íbamos avanzando, las montañas se acercaban más a la carretera. Primero pasábamos por muchos campos que tenían color de frío, y los árboles de la carretera, y los de allá lejos, estaban sin hojas, con todos los brazos levantados, negros, como gritándonos cosas por haberles despertado. Empezamos a pasar pueblos. Estaban aún como la ciudad de los faroles de gas: solitarios y en silencio, con sus ventanitas pequeñujas bien cerradas. Las casas eran de piedra y de madera, pero a la luz del amanecer tenían todas un colorcillo como azul. Pensé que las pintaría en mi cuaderno, con mi caja de lápices de colores, en cuanto llegara a la casa de los abuelos. Los pueblos que pasábamos de cerca ni parecían pueblos: eran sólo como una calle vieja y pequeñita. Los que parecían pueblos, y bien pueblos, como los que pintan en los libros de cuentos, y en los cuadros, eran los que veíamos lejos, más allá de los campos, o al pie de las montañas. Chiquitines, daban ganas de ir cogiendo las casitas de una a una, para mirarlas de cerca, en la palma de la mano. Y meter el dedo por las ventanitas y las puertas. (A lo mejor cabía un trocito del meñique y tocaba las mesitas y las sillas, y la cocinita y todo. ¡Qué gracia! ¡Menudo susto se hubieran dado los que dormían dentro, en sus camas pequeñitas!)

Iba pensando en estas bobadas, cuando Susana sacó de la bolsa de cuadros una pastilla de chocolate y tres galletas.

—Toma —me dijo—. Come y estate quieta. ¡Me estas dando con los pies en las piernas, y me vas a romper las medias!

No tenía mucha gana a aquella hora. Pero empecé a mordisquear el chocolate, porque Susana me hubiera obligado, de todos modos. Después fui apoyándome, casi sin querer, en el hombro de Susana. Me acuerdo muy bien de que olía la lana áspera, de su abrigo. ¡Qué duro era el hombro de Susana! Luego, casi sin darme cuenta, creo que me dormí. Y cuando me desperté, era completamente de día.

2

En casa de los abuelos

Ya nunca, nunca, aunque viva años y años y sea más vieja que nadie, se me olvidará la casa de las montañas. Si se me olvidó una vez, es porque me llevaron de allí tan pequeñita, que apenas me quedaba el recuerdo del prado y los nogales, y de una nubecita gris que se marchaba, como un barco un poco raro, cielo arriba. Ahora no. Ahora no. Y por eso estoy escribiendo todo esto, porque dentro de muy poco tiempo, o quizá ya, en este momento, no seré nunca más una niña.

Había nevado hacía dos días, y el borde de la carretera estaba blanco, a trozos, y a trozos cubierto de barro. En la cuneta había hielo, gris y brillante. Dándole con el talón, sin que se diera cuenta Susana, que en todo tenía que meterse, el hielo se rompía como si fuera de cristal. ¡Daba un gusto! Bajamos del autocar, enfrente justo a la casa de los abuelos.

Pero la casa de los abuelos no estaba, ni mucho menos, al borde de la carretera. Estaba allí, al otro lado del río, al fondo del prado, y al pie mismo de las montañas. Justo allí, al pie del barranco, entre dos rocas grandísimas, como dos castillos. La casa de los abuelos era muy parecida a la casa que yo dibujo siempre. Apostaría cualquier cosa a que se parece también a la casa que dibuja cualquiera de vosotros. En fin, una casa como debían ser las casas, a no ser que sean castillos. Y los castillos ya no se usan para vivir.

Había un caminito que bajaba desde el borde de la carretera hasta el río. El río lo cruzaba un puentecito de madera. Me gustó mucho bajar por el caminillo, a pesar de que Susana refunfuñaba porque no estaba nadie esperándonos y teníamos que cargar con las dos maletas y la bolsa. Bueno, la verdad es que ella llevaba las maletas y yo sólo la bolsa.

—Cuidado, cuidado —decía Susana, con voz de respirar muy deprisa—. Cuidado, que resbala...

Sí que era verdad, que resbalaba mucho. Pero por eso precisamente me gustaba tanto bajar por él. Tenía forma de S (zig, zag), porque la bajada era muy empinada. Cuando llegamos al puentecillo, era tan fuerte el ruido del río que no se oía nada más. Cerré los ojos para oírlo mejor. Me parecía que había soñado, o que había oído antes, hacía mucho tiempo, el ruido de la corriente del agua. El agua venía muy sucia, de un color rojo oscuro, como yo no había visto nunca el río. Claro que yo no había visto un río de cerca desde hacía mucho tiempo. (O quizá sólo lo había visto en las láminas del libro de geografía, o en el cine. La verdad es ésa.)

El sol brillaba muy poco, como si tuviera frío o sueño, y se escondía entre las nubes, como yo entre las sábanas, cuando me despertaba la campana del colegio y me hacía la remolona. En aquel momento, al otro lado del río, al final de la escalerilla de piedras, en la angarilla del prado, asomó un hombre que llevaba una boina negra y un chaquetón.

—¡Lorenzo! —le gritó Susana—. ¡Lorenzo!

Lorenzo bajó despacito. Era muy serio y no tenía nada de prisa, al contrario de Susana, que había dejado las maletas en el suelo y se frotaba las manos. Lorenzo cruzó el puentecillo y cuando estuvo a nuestro lado se quitó la boina y se la puso.

—Bienvenidas —dijo.

Cogió las dos maletas y echó a andar. Susana me cogió de la mano, y le seguimos.

El prado estaba mojado y lleno de barro. A lo lejos aún se veían manchas blancas, de nieve. Los nogales estaban desnudos, con grandes ramas levantadas, brillando debajo del cielo. Allí enfrente, alta, sobre la terraza, estaba la casa. Las paredes eran lo mismo que trozos de turrón de Alicante. La casa cuadrada, las ventanas cuadradas, un balcón muy largo y el tejado encarnado, con su chimenea echando humo y todo. Igual, igual, que las de mis cuadernos. Sólo que las ventanas tenían todas un color azul oscuro, como si dentro hubieran puesto trocitos de papel brillante, de ese que a veces envuelve los regalos de Navidad. ¡Y cuántos árboles había alrededor de la casa! Qué sé yo cuántos árboles. Enseguida se veían, y llenaban de alegría, aunque no tuvieran hojas. Por encima de las montañas pasaba el cielo, con todas sus nubes, que aquella mañana tenía un color gris claro (pero no daba ninguna tristeza, porque brillaba mucho, como si fuera de aluminio). La tierra olía muy bien, de ese modo especial que huele la tierra cuando está mojada. Entonces noté que tenía bastante apetito, que se me despertó de pronto, sin saber cómo, y eso me puso muy contenta. Me pareció que el humo que salía de la chimenea, blanco como una nube, olía a café y a pan con mantequilla.

Pero claro que eso sólo me lo parecía, porque el humo sólo huele a humo, y nada más.

Subimos por un caminillo muy empinado, que bordeaba el huerto, lleno de árboles. Al pasar, Lorenzo señaló y dijo:

—Ciruelas, peras, manzanas. ¡Ya verás, así que asome la fruta, cómo te pones!

—Se guardará mucho —dijo Susana—. Supongo que la vigilarán bien, porque es bastante desmandada.

Lorenzo miró a Susana despacito, y no dijo nada. A mí me pareció que de pronto se me quitaba el apetito.

La terraza estaba cubierta de piedrecillas mojadas, y en los bordes brillaba la escarcha. Por la barandilla de la terraza asomaban las copas desnudas de los árboles del prado. A mí me pareció que se asomaban para mirarme y curiosear. Yo sabía que los árboles vivían, porque lo había leído, y aunque no lo leyera, era igual, porque a la vista estaba. Por eso decía Susana que yo era una mentirosa, y me hacía copiar sesenta veces en el cuaderno: «No volveré a decir mentiras.» Pero yo estoy segura de que no mentía nunca. O casi nunca.

En medio de la terraza había una mesa muy extraña. Parecía como una seta enorme, de piedra, con la cabeza plana. Me acerqué corriendo y la palmoteé. Estaba mojada, y noté la humedad en las manos, a pesar de los guantes de lana.

—¡Quieta! —dijo Susana—. ¡No empieces ya a alborotar!

—Déjela, señorita Susana —dijo Lorenzo—. A todos les llama la atención la mesa.

Se volvió a mí y me dijo:

—No es una mesa como todas... ¿A que no sabes tú con qué está hecha?

—No lo sé —dije.

Y tenía ganas de reírme, sin saber por qué.

—Con una rueda de molino —me dijo—. ¿Ves? Está agujereada en el centro. Una rueda de molino sobre una columna de piedra. Cuando llegue el verano, desayunarás aquí. ¡Y que no te pondrás poco guapa! Estos aires son buenos. ¡Ya verás a todos los chicos de la aldea...!

—¿Dónde está la aldea? —le pregunté.

Lorenzo señaló con un movimiento de la barbilla allá lejos, hacia la carretera adelante, que se perdía entre las montañas.

—Allá —dijo—. A un kilómetro y pico.

—Tú no tienes que ir a la aldea para nada —dijo Susana—. Es decir, solamente a la misa, los domingos y fiestas de guardar.

Sentí un poco de tristeza, pero enseguida se me pasó. Entramos en la casa y Lorenzo dejó las maletas en el suelo.

¡Qué cosa tan extraña! De pronto, como de golpe, me di cuenta de que me acordaba muy bien de todo aquello que veía. Me volví a Susana y le dije:

—¡Me acuerdo muy bien de esto, Susana! ¡Me acuerdo muy bien...! Mira las arcas, al lado de la pared, los bancos de madera, el farolito, la puerta grande...

—Embustera —dijo Susana—. Cuando te fuiste no tenías ni cuatro años. No empieces a mentir tan pronto.

—No miento, Susana, te lo aseguro. Me acuerdo muy bien. Y de la escalera, que está ahí, al lado...

—Ven aquí —dijo Susana.

Y se sonrió un poquito. ¡Si supiera cuánto ganaba cuando se reía, lo haría más a menudo! Casi parecía otra. Eso también lo dijo el abuelo, una vez. Yo lo oí.

—Arriba las está el señor esperando —dijo Lorenzo—. La señora aún no está levantada.

En aquel momento el reloj de la esquina, que era alto y estrecho, de los llamados de carillón, empezó a tintinear una cancioncilla. Luego conté hasta nueve campanadas.

—¡Las nueve! —dije.

—Ya lo hemos oído —contestó Susana.

Subía delante de mí las escaleras, y vi que tenía el abrigo bastante arrugado. Era un abrigote grande y peludo, que a mí no me gustaba nada. Ni tampoco me gustaba el abrigo que yo llevaba, ni ninguno de los vestidos que ella me compraba. Ninguna de las niñas del colegio, los días que salían a sus casas, llevaban vestidos parecidos a los míos. Yo no sabría explicar cómo eran, pero eran diferentes. Con mi pelo rapado y mi abrigo marrón, me parece que estaba horrible. Siempre me habían dicho que era fea. También lo había oído decir a las niñas del colegio, y hasta una vez a una de las profesoras. Me acuerdo de que era para la fiesta de fin de curso, que íbamos a hacer una representación del Nacimiento de Jesús, con los pastores y todo. Todas las niñas querían ser el ángel, o la Virgen. Yo también. Pero nunca me elegían. Y ese día, yo oí cómo decía una de las profesoras: «Esta pobre, con esa carita de...» No sé de qué dijo que tenía cara. Pero era algo feo, eso seguro. Esas cosas se saben siempre. Se notan. Que lo dijeran las niñas no me hacía daño. Pero que lo dijera una persona mayor sí me dolía. Tuve ganas de llorar, y como si me apretara mucho la garganta. Luego se me pasó, y ya casi no me importaba. Pero era mejor que no me viera mucha gente, y por eso me gustaba esconderme para jugar, debajo de la escalera, o en el rincón más oscuro. Yo me inventaba todos mis juegos, y sobre todo leía. Así lo pasaba bien, pero que muy bien. Además, si corría o jugaba a la pelota, me cansaba enseguida.

En la sala estaba el abuelo, y corrí a abrazarle, porque ya le conocía. Me gustaba mucho conocerle, encontrar a alguien que ya había visto antes. El abuelo estaba sentado al lado de una mesa camilla con faldas, junto al balcón. Debajo de las faldas de la mesa había un brasero de color dorado, la mar de bonito. También había una chimenea, pero la leña estaba apilada, aún sin encender. En la sala, que era muy grande, había montones de cosas. Muchos cuadros y fotografías, y mesitas, sillones, lámparas y sillas. El suelo era de madera y hacía cric-cric al pisarlo. Le habían dado cera y brillaba, resbalaba y olía muy bien. El olor de la madera y el olor del periódico, por la mañana, me gustaron muchísimo.

Y de tantos abrazos que le di al abuelo, le arrugué todo el periódico que estaba leyendo.

—¡Loca, loca! —decía Susana—. Esta niña está loca.

El abuelo no se enfadó. Me dio un beso y nos preguntó qué tal había ido el viaje.

—Fatal —dijo Susana.

Eso de «fatal», lo decía siempre que una cosa no le gustaba. (Cuando salíamos del cine, si le preguntaba alguien qué tal era la película, decía: «Fatal». Si le preguntaban qué tal me portaba yo, o qué notas sacaba en el colegio: «Fatal».) Yo no sabía qué quería decir con esa palabra, pero lo seguro es que resultaba siempre una cosa: «Malo, malo, malo.»

—Vaya —dijo el abuelo—. No será tanto. Cuando era más joven, hasta me gustaba ese viaje.

—A mí también —dije—. A mí me ha gustado.

—A ti nadie te pregunta —dijo Susana, que de repente se ponía rabiosa, sin saberse por qué.

—Bueno, id a lavaros y a descansar —dijo el abuelo—. María os acompañará.

María había entrado sin que la viéramos. Era más alta aún que Susana, pero más vieja. Llevaba un delantal blanco, muy tieso, que crujía. Me cogió de la mano, y la suya era muy áspera, casi como la de un hombre. Levanté la cabeza para mirarla y me sonrió. Luego me preparó el baño, abrió mi cama, sin descorrer las cortinas del balcón. Cuando salí del baño, me ayudó a trepar hasta la cama, que era muy alta.

—Duerme —me dijo. Tenía una voz ronca, muy bonita—. Duerme.

Despacito, arregló mi ropa. Al abrir el armario, la puerta hizo ¡cruuuiii! Todo estaba en sombra, y sólo se veía una luz medio encarnadita, a través de las cortinas. Yo miraba con los ojos entrecerrados, porque ella había dicho: «Duerme». Entonces me di cuenta de que Susana había ido a acostarse a otra habitación. Y aunque no estaba del todo bien (porque todo el mundo decía que Susana era muy buena conmigo), me alegré de lo lindo al pensar que yo tendría aquella habitación para mí sola. Y, para colmo, Susana se volvería al día siguiente a la ciudad.

3

Los otros niños

¡Qué cosa tan bonita es ver nevar! Dos días después de que se fuera Susana, empezó a nevar otra vez. En la ciudad donde yo vivía no nevaba casi nunca; más bien era una cosa rara. Yo nunca había visto caer los copos. Cuando nevó una vez, al día siguiente de Año Nuevo, me levanté, me asomé a la ventana y Susana me enseñó todos los tejados blancos, y la puntita de los árboles que se veían por detrás, también como espolvoreados de harina. Igual que hacemos en el Nacimiento. Pero caer los copos, eso no lo había visto nunca, hasta aquel día en las montañas. Me gustaba tanto, que no me sabía apartar de los cristales del balcón.

Lorenzo había encendido el fuego de la chimenea, y la abuela estaba sentada a la mesa camilla.

—Todo calor es poco —decía la abuela.

Estaba haciendo punto, con una lana marrón, bastante fea.

La abuela era muy diferente del abuelo. Muy bajita, tenía el pelo completamente blanco, con un moñito muy gracioso, y hablaba mucho. Las manos de la abuela eran casi del tamaño de las mías. La abuela era muy cariñosa, y besaba bastante: por la mañana, por la noche y hasta, de cuando en cuando, durante el día. El abuelo sólo besaba cuando se iba o venía de viaje. La abuela me pasaba la mano por la cabeza y se reía con el poco pelo que crecía.

Sabía muchas historias, muchísimas. Eso era lo mejor. Me sentaba a oírla y, en la semana que llevaba con ellos, ya me había contado lo menos mil.

(Bueno, tantas no, pero muchas.)

Las historias de la abuela eran muy diferentes de las de los libros. Sabían a pan y avellanas. (Digo eso, porque me las contaba a la hora de merendar, mientras yo comía pan y avellanas, de las que guardaban, tostaditas, en un tarro de cristal.) Una vez la abuela me miró y me dijo:

—Y tú, ardillita, ¿a quién te parecerás tú?

Yo comprendí que me encontraba también muy feúcha, porque todo el mundo sabía que papá y mamá (que murieron juntos cuando naufragó el barco) fueron muy guapos los dos. Pero cuando la abuela me dijo «ardillita» yo no sentí ninguna pena, ni mucho menos, sino un calorcito muy bueno por dentro.

—Abuela —le dije—. Yo quiero estar siempre aquí.

—Ah, pues no has visto esto cuando está más bonito —me dijo ella—. ¡Ya verás, cuando llegue la primavera! ¿Sabes, la tapia del huerto? Entre las piedras, crecen violetas, y madreselvas. ¡Si vieras qué olor tan hermoso! Entonces podrás bajar al prado. Y correr por ahí fuera todo lo que te guste.

Pero de lo de quedarme siempre, no dijo nada.

Seguía nevando y nevando, y yo miraba por el balcón. El prado estaba del todo blanco, y los nogales brillaban, como si fueran de cristal. ¡Hacía más bonito! Por allá lejos había unas montañas de color azul, morado, y blancas. Pensé que las dibujaría con mis lápices de colores.

Al revés que a Susana —que todo le parecía mal hecho—, el abuelo y la abuela estuvieron mirando mi cuaderno, y dijeron que les gustaba.

—El próximo viaje, te he de traer acuarelas —dijo el abuelo.

¡Qué alegría me dio! Aunque aún no había pintado con acuarelas, no quise decirlo, no se fuera el abuelo a volver atrás. Ya me las arreglaría, y me saldría bien.

—Abuela, me gustaría que toda la vida nevase —dije.

—¡Qué disparate! —rió la abuela—. ¡Qué disparate! ¡Te cansarías! Ya te he dicho que el campo está más bonito cuando llega la primavera.

De repente la abuela se quedó pensativa, con las agujas y la lana de hacer punto encima de las rodillas, como cuando yo me distraía en el colegio, pensando en mis cosas.

—Ven —dijo, con una voz un poco triste—. Te voy a dejar jugar con unas cosas.

Me cogió de la mano y pasito a pasito subimos la escalera hasta el último piso. La escalera de la casa me gustaba porque crujía con un ruido precioso bajo los pies.

La abuela, aunque iba despacio y era tan pequeñita, era muy fuerte. Todo el mundo lo decía. Llegamos al último piso, debajo del desván. La abuela buscó entre sus llaves, que hacían clinc-clinc cuando andaba, y abrió una habitación. Estaba todo a oscuras, y con un olor muy raro, como huelen los libros viejos que no se abren mucho. La abuela fue hacia la ventana. Corrió las cortinas, y abrió los postigos, que eran muy gordos, como todos los de la casa. Aquella habitación tenía los muebles enfundados, y un armario empotrado en la pared. La abuela abrió el armario, y vi que había muchos paquetes dentro. Olía muy fuerte a naftalina.

Los paquetes estaban a medio envolver, y se veía lo que había dentro. A lo primero de todo no me di cuenta, pero enseguida fui viendo lo que eran: juguetes, muchos juguetes. Aunque a mí no me gustaban los juguetes, aquéllos me daban curiosidad, y ya los quería ir a sacar, cuando la abuela dijo:

—Despacito, hija mía, despacito... No los vayas a romper. Éstos eran los juguetes de tu padre y de tus tíos, cuando eran pequeños... ¿Ves? Ese caballo era de tu papá. Se lo compró el abuelo cuando cumplió siete años... Y esa muñeca del pelo amarillo, que está un poco apolillada, es la de la tía María Teresa... y esa cocinita también... ¡Cuidado, con cuidado! ¿Ves? Tiene sus cazuelitas, sus sartenes, sus pucheritos... Ten cuidado, que se van a caer al suelo... Y ese rompecabezas era del tío Miguelín, que se murió pequeño...

Así, iba diciendo y diciendo, y yo, venga sacar cosas y cosas. ¡Y qué misterioso, pero qué misterioso era todo! Qué emoción daba sacar todas las cosas, con cuidadito, para que no se rompieran, y desenvolverlas y quitar la naftalina. La abuela se había puesto un poco coloradita, y parecía una manzana de esas pequeñas que María ponía a madurar en la repisa de la chimenea.

A la abuela nunca le temblaban las manos para nada, pero en aquel momento sí le temblaban un poco, y casi casi se le rompió una muñequita pequeña, de porcelana, que desenvolvía.

—Ésta es la muñequita Mignon —dijo—. Ésta era mía. Me la trajeron de París, cuando tenía ocho años justos.

De repente la abuela se calló y le cayeron dos lagrimones.

—¿Por qué lloras, abuela? —le dije.

No comprendía que se llorara con todo lo bonito que era aquello, y encima nevando por detrás de la ventana.

—Nada, ardillita —dijo la abuela. Y se secó las lágrimas.

—Sí, dímelo, dímelo —le dije.

Y empecé a tener miedo, no fuera que yo hubiera hecho algo malo. ¡Como siempre decía Susana que yo lo estropeaba todo! A lo mejor tenía razón y era verdad que yo siempre andaba metiendo la pata.

—Es que hacía tanto tiempo que no miraba estas cosas —dijo la abuela—. Tanto tiempo...

Le di un abrazo todo lo fuerte que podía, y entonces la abuela se secó las lágrimas y dijo una cosa un poco rara.

—Yo tenía muchos niños —dijo. Y parecía que lo pensase y hablara sin darse cuenta—. Tenía muchos niños. Ocho niños. ¿Cómo pueden desaparecer todos, uno tras otro? ¿Sabes una cosa, ardillita? Te levantas una mañana, y buscas a tus niños, y ya no queda ninguno. ¡Ninguno! Entonces hay que guardar todos los juguetes, rotos o enteros, que se dejaron por ahí olvidados. Pero da tanta pena mirarlos, y acordarse: esto era de Miguel, esto era de Ricardo, esto de Pablo, esto era de María Teresa... ¿Y dónde están, Señor, dónde están Ricardo, María Teresa, Pablo y todos los demás...?

A mí me dio de repente mucha tristeza lo que decía, aunque no lo entendía bien. Porque yo sabía, y lo había oído, y hasta ella me enseñó en el álbum las fotografías de papá y de los tíos, y menos el tío Miguelín que se murió muy pequeño de la difteria y mi papá que murió de mayor, los otros eran ya casados y todo, y hasta estaban uno en América y otro en Alemania. Pero de todos modos, la abuela parecía una niña en aquellos momentos, igual que una niña del colegio que hubiera perdido alguna cosa de recuerdo (de esas que se guardan en una cajita especial, en algún rincón).

—Anda, juega —me dijo. Y otra vez se había puesto a sonreír, muy tranquila—. Y cuando acabes, baja a la sala a buscarme, y lo guardaremos todo en su sitio. Cuidado, no rompas nada.

Se marchó, y yo me quedé sola. Pero no podía jugar con nada, ya era demasiado mayor, y además aquellos juguetes daban pena. El caballo de papá era todo forrado de piel de verdad, con una crin de lana encarnada, y la cola igual. Olía mucho a naftalina, y le faltaba un ojo.

—Hola, tuertecito —le dije.

El ojo que tenía era muy redondo, de color dorado, la mar de bonito. Le acaricié el cuello, pero de repente me pareció que había muchos niños mirándome, desde alguna parte que yo no sabía. Me acerqué a la ventana y miré por los cristales. Aquella ventana daba a la parte de atrás de la casa, junto al barranco y las montañas. Estaba nevado, y encima de todo se veía un trocito de cielo de color de rosa. Estaba mirando, porque era muy bonito, aunque un poco triste, y se notaba mucho silencio en la habitación, en los juguetes y en aquellas montañas, cuando me fijé que por el caminillo de la ladera venía un caballo con una mujer y un niño montados encima. Ya no caían copos, y el caballo iba dejando las huellas en la nieve, manchadas de barro. Me puse de pie en la silla para ver mejor. Iban envueltos en un mantón negro, y por debajo asomaban los pies del niño, con unas botas muy grandes. Creí que iban a pasar de largo, pero no. Fueron y pararon el caballo, y la mujer bajó, y luego el niño, que era muy delgadito, casi tanto como yo. Entonces la mujer descargó de las alforjas una cesta tapada, y ató el caballo a uno de los árboles. Vi que se iban a la puerta trasera, la que daba a la cocina. ¡Venían a nuestra casa!

Sentí de pronto mucha curiosidad. Bajaría por la escalera, sin hacer ruidito, y entraría en la cocina para verles.

¡Qué contenta me puse sin saber por qué! Pero me pareció que era mejor que nadie me oyera.

4

Llega Nin

Bajé muy despacito la escalera. Tenía una barandilla brillante, que María enceraba todas las mañanas. Si no hubiera sido porque suponía que a la abuela, como a Susana, no le hubiera gustado, me habría deslizado por ella, como por un tobogán. Lo malo era que, al llegar al final, casi siempre me caía.

En la cocina había entrado sólo dos veces, desde que llegué a la casa. Y las dos veces estuve muy poquito rato, porque a la abuela no le gustaba que bajase. No sé por qué no le gustaba, ¡con lo bonito que era! Y además en la cocina estaba Marta. Marta era la mujer de Lorenzo, y la cocinera de la casa. Tenía más de sesenta años, y era baja y regordeta, con el pelo negro, muy tirante y un moño enorme, de trenza, arrollado encima de la nuca. Las dos veces que fui a la cocina, Marta me había dado rosquillas, de un bote de latón que había en un armario. Eran unas rosquillas riquísimas, todas rebozadas de azúcar, que hacían cru-cru al mascarlas. En la cocina olía muy bien y, además, el fuego le daba a todo un color muy bonito, entre dorado y rojo, que hacía brillar las sartenes, cazos, espumaderas y potes que había en los vasares. ¡Y cuántos cacharros había! Marta dijo que era porque en la casa, hacía tiempo, hubo muchos niños, y todos tenían muy buen apetito. «Pero ahora ya no se usan casi ninguno de esos pucheros», dijo. Y también se le puso la voz un poco triste, como a la abuela cuando me enseñó los juguetes. Mientras bajaba la escalera, procurando que no crujieran los escalones, me acordé de eso que me había dicho Marta. Y otra vez me pareció que unos niños que no se veían estaban allí también, bajando conmigo la escalera.

La cocina estaba en lo más bajo de la casa. Iba yo pisando despacito, y vi que la puerta de la cocina estaba entreabierta, y salía el resplandor del fuego, y las voces de Marta y las otras dos mujeres. Empujé la puerta y entré.

Todo brillaba mucho, pero brillaba caliente, de un modo muy esparcido. La cocina era de piedra y de hierro: no como las cocinas de la ciudad, que apenas si se ve el fuego. Aquí sí que se veía; un buen fuego en el centro mismo, debajo de la gran campana. La pared estaba negra de hollín, y colgaba una cadena con una enorme olla. Marta apartaba cenizas, con una palita, y rodeaba con mucho cuidadito los pucheros de barro que hervían al lado de las llamas. Había un puchero grande rodeado de tres chiquitines, muy juntitos a él, como una gallina con sus polluelos. A los dos lados del fuego, encima de la misma tarima, había dos bancos largos de madera, con respaldos. En uno de los bancos estaba sentado el niño. Se había quitado el mantón y las botas, que habían puesto a secar en un rincón. Sería de mi edad o cosa así, y tenía el pelo muy liso, de color rubio, que le brillaba mucho junto al fuego, como si estuviera mojado. No le llegaban los pies al suelo, y llevaba calcetines de lana encarnada. Parecía que estuviera pensando algo muy fijo, porque ni siquiera me miró. En cambio, Marta y la otra mujer, que parecía la madre del niño, se callaron y se volvieron a mí.

—Hola, Marta —dije—. ¿Puedo estar aquí un ratito contigo?

Marta se echó a reír. Me gustaba mucho cómo se reía, porque echaba la cabeza para atrás y enseñaba todos los dientes. Su risa se parecía al barboteo de un puchero hirviendo. Toda ella era como un redondo puchero hirviendo.

—Acércate al fuego —me dijo—. Te calentarás.

Me cogió por debajo de los brazos y me levantó en vilo, hasta sentarme junto al niño.

—Este muchacho es Juanín —dijo Marta—. Todos le llamamos Nin. No lo habías visto nunca, ¿verdad?

—No —dije—. Sólo ahora, mirando por la ventana... ¡Y por eso bajé a la cocina!

Marta y la otra mujer se rieron. Nin había vuelto la cara hacia mí, pero no me miraba. O no parecía que me mirase. Marta y la otra mujer volvieron a hablar de sus cosas. Yo no las entendía bien, pero me parece que se quejaban de algo. Sobre todo la que parecía la madre de Nin. Era también delgada, morena, y estaba sentada en el borde de una silla, con las manos cruzadas. De cuando en cuando movía la cabeza de arriba abajo, y suspiraba fuerte.

—¿Ésta es la niña? —oí que le preguntaba a Marta, bajito.

Y Marta dijo que sí con la cabeza.

Me volví a Nin y le dije:

—Me llamo Paulina. —Me parecía que mi nombre no era muy bonito.

Me hubiera gustado llamarme Isabel, o Rosalía, o Esther, que esos nombres sí que sonaban bien. Pero no: me llamaba Paulina, porque papá se llamaba Pablo.

Nin sonrió un poquito, y no dijo nada. Yo volví a decir:

—¿Cuántos años tienes?

—Diez —dijo él.

Eso me alegró.

—¡Yo también! —dije—. Los he cumplido el mes pasado.

—Yo, en mayo los cumplí —dijo él—. El día cinco de mayo.

En aquel momento entró Lorenzo, con una carga de leña, y la dejó en el suelo, con mucho ruido.

Tenía los hombros mojados y la cara y la boina también, por la nieve derretida.

—¡Cómo está el camino de la leñera! —dijo—. Como siga nevando, apañados estamos...

Entonces se fijó en la mujer y en el niño y dijo:

—Otra vez tenemos visita... ¡Me alegro, me alegro de verdad!

Se acercó a Nin, que al oírle se puso muy contento, porque se reía y le alargaba la mano, por encima de mi cabeza.

—¡Hola, muchachito, hola! —decía Lorenzo, y le daba tirones de pelo.

A mí también me pasó la mano por la cabeza, y dijo:

—Ya tienes un compañero, para jugar por ahí... ¡Es muy aburrida esta casa, para esta criatura!

—Sí —dijo Marta—. Qué le vamos a hacer. Mejor estará aquí, de todos modos, que de donde vino.

Todos se echaron a reír. María, que hasta entonces había estado sentada cosiendo, sin hablar, levantó la cabeza y dijo:

—¿Te gustará jugar con Nin?

Yo dije que sí, con la cabeza, y María me hizo señas de que me acercase. Yo me levanté y fui a su lado. Entonces María empezó a arreglarme el cuello del vestido con las manos y a ponerme bien la medalla, que siempre se me iba para la espalda. Pero eso, yo noté que lo hacía para disimular, porque entretanto me iba diciendo por lo bajito:

—Paulinita, hermosa, quiero decirte algo: ese niño que está ahí, es el hijo de Ricardo y Cristina, aparceros de esta casa. Ten cuidado con él y sé muy buena: porque ese niño no ve.

—¿No ve? —pregunté asombrada. Y sentí mucha pena y algo así como una desilusión.

—Es ciego —dijo María, poniendo la boca muy cerca de mi oído. Y luego, para que todos la oyesen, me dijo—: Cuando nieva tanto, hace mucho frío en casa de Nin. Lo traemos aquí para que no se ponga enfermo, como le pasó hace años. Tus abuelitos quieren mucho a Nin, y hasta que venga el deshielo se queda en esta casa, que está más abrigada. Así que podréis jugar todo lo que queráis, si no hacéis ruido y no subís a la sala.

—¡Qué bien! —dije—. ¡Qué bien, cuánto me gusta que se quede aquí! Así tendré con quien hablar y jugar...

Pero notaba una cosa muy tirante dentro y pensaba: «¿Cómo se puede jugar con un niño que no ve?»

Marta nos dio rosquillas y Cristina se puso de pie.

—Bien, hijo, hasta la primavera —dijo—. Tengo que volver, antes de que se haga de noche.

A mí me pareció que estaba muy triste, pero no le salió ni una lágrima. Se acercó a Nin y el niño le pasó el brazo por el cuello. Yo vi cómo la mano de Nin, que era muy morena y huesuda, se quedaba quieta encima del cuello de su madre y la apretaba. Cristina le dio un par de besos y, despacito, se desprendió del brazo del niño.

—¡Hasta muy pronto! —dijo Lorenzo—. ¡Los meses pasan corriendo como un potro loco!

Cristina también me besó a mí. Cuando vi su cara cerca, me pareció que tenía demasiadas arrugas, porque era mucho más joven que Marta. Se echó el manto encima de la cabeza y salió, acompañada de Lorenzo. Nin se había quedado con la cabeza gacha, y yo fui a su lado, porque María me empujó por la espalda.

Entonces Marta acercó el cajón de las patatas y puso unas cuantas entre la ceniza.

—Vamos a asar patatas y a comerlas cuando estén a punto —dijo—. ¡Cosa más rica!...

Las patatas iban poniéndose grises y llenas de cenizas y negras por algún lado. Marta las sacaba entonces, soplándose los dedos, y todos nos reíamos, hasta Nin, que no sé cómo se daba cuenta de lo que pasaba. Marta las abría por medio y salía un humito muy pequeño y un olorcillo buenísimo. A mí, que no me gustaban las patatas, aquéllas me parecían muy apetitosas. Marta les echaba sal, y así, a mordiscos, medio quemándonos y pelándolas con los dedos, nos las fuimos comiendo. ¡Si nos hubiera visto Susana! Por la ventana de la cocina ya se veía oscuro y allá arriba, muy lejos, brillaban dos estrellitas. Marta dijo:

—¡Pronto, antes que nadie lo piense, ha de venir la primavera!

—Siempre estáis hablando de la primavera —dije yo—.

A mí me gusta mucho el invierno y el fuego y la nieve... y la cocina y las patatas asadas en la ceniza...

—Yo quiero más el verano y la primavera —dijo entonces Nin. Yo le miré y él estaba con los ojos llenos del resplandor—. Entonces volveré a mi casa.

—¿No te gusta estar aquí, con nosotros? —le dije yo, con pena.

—Sí me gusta —dijo él. Bajó la cabeza y en voz más queda añadió—: Pero me gusta ir a mi casa.

Marta sacó un cuchillo grande, muy brillante, y empezó a pelar manzanas, para hacer compota.

5

La historia de Nin

Aquella misma noche, cuando María me acompañó a acostar, yo iba pensando mucho en el pobre Nin, que no podía ver nada, con lo bonito que era todo en la montaña. Me daba mucha lástima y tenía dentro una cosa que me pesaba, como una piedra. Mientras María me preparaba el baño, yo le dije:

—Cuéntame cosas de Nin, María.

—¿Y qué quieres que te cuente, Paulinita? —dijo—. Ya lo has visto, al pobrecito. Nació así, completamente ciego. No se puede hacer nada.

—Ay, María, qué pena tan grande siento.

María me acarició el pelo.

—Cuando te crezca, voy a hacerte un par de trenzas bien hermosas —me dijo.

Pero yo noté que era para que no pensara en la pena.

—María —le dije—. Yo quiero ser muy amiga de Nin. ¿Estará mucho tiempo en esta casa? ¿Viene todos los años? Cuéntame cosas de él.

—Bien —dijo María—. Anda y báñate deprisa, y cuando estés en la cama, me llamas.

Me bañé rápido. El agua estaba muy caliente, pero me gustaba porque la sangre me iba muy deprisa entonces, por todo el cuerpo. Lo que más me gustaba era enjabonarme la cabeza, que sacaba mucha espuma, blanquita y finísima. Entonces María me echaba agua desde arriba, y yo cerraba los ojos, y me gustaba y me daba repelús y ganas de reírme. Luego, cuando María me envolvía en la toalla y me frotaba, me quedaba el poquito pelo tan suavecito y levantado, que me daba risa mirarme en el espejo, porque mi cabeza parecía una borla. Ay, Dios mío, ¿por qué sería yo tan fea? Seguro que todo el mundo pensaba lo mismo al verme. Y luego me dije: «Por lo menos, Nin no me verá y a lo mejor cree que soy muy bonita.» Pero esto no me daba alegría tampoco, porque cuanto más lo pensaba, más horrible y triste me parecía no poder ver.

Me puse el camisón, que era de franela y muy largo, porque allí hay que ir siempre bien abrigado, y llamé a María.

—Mete los brazos dentro —me dijo—. Y ahora, ¿qué es lo que quieres saber?

María había apagado la luz y sólo dejaba encendida la lamparilla que había sobre la mesita de noche. Cogió una silla y se sentó a mi lado.

—María, ¿por qué Nin viene a esta casa? ¿Viene todos los años?

—Sí, viene todos los años... desde que era bien pequeñito. Porque cuando tu abuelita se enteró de que era ciego, tuvo mucha lástima de él y siempre que veía a Cristina con su niño atado a la espalda (porque aquí, las mujeres que trabajan en el campo, como ella, llevan a los niños atados a la espalda, envueltos en un mantón), se acercaba a preguntarle cómo iba creciendo el niño. Cristina estaba muy triste, porque el médico del pueblo dijo que el niño era ciego de nacimiento. En estas, llegó el invierno, y el niño de Cristina, que tenía ya cerca de dos años, se puso muy enfermo. Como ellos vivían apartados, más allá de Cuatro Cruces (en una casita de la ladera, junto al bosque del abuelito), el padre de Juanín, que se llama Ricardo, cogió el caballo y se fue a buscar al médico. Pero al pasar por aquí el abuelo lo vio y lo llamó. Y entonces Ricardo le dijo: «El niño está muy enfermo, se ahoga, parece que se va a morir.» Y dijo que hacía un ruido terrible con la garganta. El abuelo y la abuela se acordaron del señorito Miguelín, que se había muerto de lo mismo, hacía muchos años. Y mandaron a buscar al médico muy rápido. El señor mismo, tu abuelito, les acompañó. Y entonces vio que la casa de Cristina era una casa muy vieja, con goteras y con rendijas por donde el frío entraba por todas partes. Le dio mucha lástima y dijo: «Envolved al niño y traedlo a casa, porque aquí hace mucho frío para él.» Y en cuanto le hubieron puesto el suero, lo envolvieron bien y en el caballo lo trajeron aquí, junto con la madre. El niño se curó, porque ahora hay muchas cosas para curar esa enfermedad, que se llama difteria. Antes la llamábamos garrotillo y no la podían curar.

María se había quedado pensando y yo le tuve que decir:

—Sigue, María, por favor. Cuéntame más cosas.

—Entonces los señores se encariñaron con Nin. Y como es un niño delicado, lo traen todos los inviernos, porque aquella casa es muy mala para él.

—Pero él tiene pena de separarse de su madre —dije—. Yo lo he visto.

—¿Y qué le vamos a hacer? —dijo María—. Son pobres y no pueden hacer otra cosa.

Esto que había dicho María me hizo mucho daño. No sabía explicarlo, pero me dio más pena todavía que la ceguera de Juanín. Y de repente pensé: «Yo no quiero que pasen estas cosas. Yo no quiero que haya pobres y ricos.» Porque me parecía muy mal y además yo lo había leído, en la Historia Sagrada, que Jesús vino al mundo por eso.

—¿Y no puede arreglar el abuelo la casa de Nin? —dije yo—. Cristina y su marido son aparceros del abuelo.

María se quedó callada un momentito, mirando para el suelo.

—No sé, hija —me contestó—. A lo mejor no se puede. ¡Es tan vieja! Ya los abuelos de Nin, y los tatarabuelos, nacieron en ella... ¡Y es bonita, no creas! Ya iremos un día, con la merienda, de excursión, cuando llegue la primavera.

A mí se me debía de notar la pena y la inquietud de todo lo que había dicho María, porque de pronto me puso la mano en la frente y dijo:

—No pienses más en esas cosas, niña. Anda; tú sólo sé muy buena con Nin, que el pobrecillo no tiene amigos. Sé tú muy buena con él y no te preocupes de cosas que no son de niños.

Se levantó y apagó la luz. Luego me dio un beso en la frente y, muy despacito, salió de la habitación. Yo pensé que sus manos, que eran tan grandes y ásperas, eran las manos más cariñosas del mundo, y me gustaba mucho su olor, mezcla de jabón, de leña y de pan tostado.

6

El invento de Paulina

Estábamos ya en el mes de diciembre, me parece que sería el día catorce o quince, por lo menos; el caso es que pronto se acercaba la Navidad. Para mí, la fiesta más bonita de todas era ésta. En el colegio siempre la esperaba con mucha ilusión, y a pesar de Susana, que era bastante aguafiestas, lo pasábamos muy bien esos días. Ella se portaba un poquitín más suave y me ayudaba a hacer el Nacimiento y todo. A lo mejor es por eso que me gusta a mí el invierno.

Pues como iba diciendo, se acercaba ya la Navidad. Hacía ya cerca de dos semanas que había llegado Nin a nuestra casa, y en esos días nos hicimos lo más amigos que se puede imaginar. Al principio me había parecido que jugar con un niño que no ve debe de ser una cosa muy difícil; pero luego, al contrario, me di cuenta de lo que podía hacer por él y esto me daba mucha alegría, a pesar de la pena que no tenía más remedio que sentir. Pensaba que tenía que ser yo muy buena, porque podía ver muy bien con mis ojos; y ser feúcha y baja no era nada comparado con la desgracia de Nin. A veces Marta cantaba una canción medio en romance, de esas tan bonitas que ella sabía y que empezaba diciendo:

A la puerta llama un niño
más hermoso que el sol bello.
¡Anda, déjale que entre,
se calentará!
Porque en este pueblo,
ya no hay caridad...

Entonces yo miraba a Nin, y sentía ganas de llorar, porque aunque Marta decía que aquel niño era seguramente el Niño Jesús, yo pensaba en Nin, que, al fin y al cabo, era lo mismo que le pasaba a él. Y también era «más hermoso que el *sol bello*», como decía la canción (aunque en el fondo me daba un poco de risa eso del sol bello). Y Nin tenía una cara muy bonita, que para mí hubiera querido yo.

Al principio de jugar con Nin, yo fui un poco torpe. Es decir, que en algún momento se me olvidaba que Nin era ciego, y yo decía o hacía algo inoportuno. Enseguida que me daba cuenta, me daba una rabia tremenda y notaba que me ponía colorada, porque me subía un calor terrible por el cuello, por las orejas y por las mejillas. Luego, poco a poco, fui acomodando los juegos a él y hasta resultaban mucho mejor, porque sentí una cosa que no había sentido hasta entonces: que yo era útil, que yo podía ayudar a alguien y servir para algo. Todo lo contrario de lo que siempre me estaba diciendo Susana, de que yo era un estorbo y un dolor de cabeza para todo el mundo, cosa que me ponía triste.

Para jugar no nos dejaban subir a la sala, ni a las habitaciones del primer piso, y eso me extrañó, porque a mí sola sí que me dejaban. Pero cuando se lo dije a María, me contestó:

—Es que los dos hacéis ruido y la señora está delicada...

No era verdad, porque precisamente nuestros juegos no hacían ruido. Pero casi fue mejor, porque así nadie me prohibía bajar a la cocina y al fin y al cabo era donde se estaba mejor de toda la casa. ¡Qué bonita, pero qué bonita era la cocina! Y Marta, con sus cuentos y sus canciones, y María, cosiendo en la sillita al lado del fuego, y las patatas asadas y el ayudar a Marta a cascar nueces para hacer torta. ¡Qué bonito, pero qué bonito! Aún ahora, que tengo ya trece años bien cumplidos y tantas ideas en la cabeza, me da nostalgia acordarme de aquellos días de invierno en la cocina de las montañas.

El juego mejor que habíamos inventado Nin y yo era el de la cabañita. Consistía en que, detrás de uno de los bancos de respaldo, quedaba entre él y la pared un hueco muy simpático. Marta nos dio un trozo de colcha vieja, y lo pusimos de techo clavándolo por un lado con tachuelas a la pared. Allí dentro pusimos dos banquetas de madera y una lámpara pequeña. Ésa era la cabañita. Nin y yo nos sentábamos uno enfrente del otro. Entonces yo le contaba cosas a él y él me contaba cosas a mí. Yo le hablaba del colegio, de la tía Susana y de la ciudad. Él me hablaba de su casa de la ladera, del caballo y de la huerta. ¡Cuántas cosas sabía Nin, a pesar de no ver! Tantas y muchas más que otro niño cualquiera. Porque, como me dijo María, Nin tenía mucho más sensible el tacto y el oído que cualquiera de nosotros. Y era verdad, que en cuanto yo entraba en la cocina levantaba la cara y decía:

—Paulina.

Y eso que a veces yo entraba despacito, para darle una sorpresa. Pues enseguida levantaba la cabeza y tendía la mano hacia donde yo estaba.

Otra cosa muy bonita era cuando Marta se sentaba y decía:

—¡Va un cuento!

Corríamos y nos poníamos muy juntos a ella y hasta a veces nos tapábamos las rodillas con su delantal. Marta cantaba y contaba unos cuentos muy curiosos. Me acuerdo de uno, que le hizo mucha gracia a Nin. Era el cuento del pueblo que corría detrás del sol. Marta lo contó varias veces, porque le gustaba oír reír a Nin.

Marta lo contaba así:

—Pues señor, era una vez un pueblo muy tonto, con unos hombres y mujeres muy tontos. Todas las mañanas cuando se despertaban trabajaban mucho, muchísimo, en el campo. Pero cuando anochecía se desesperaban diciendo: «¡Que se nos marcha el sol, que se nos escapa el sol por detrás de las montañas!» Entonces recogían todas sus cosas, las metían en sus carros y allí iban todos, carretera adelante, corriendo detrás del sol, muy desesperados y lamentándose: «¡Que se nos ha escapado el sol, ay de nosotros, que se nos ha escapado el sol!» Toda la noche se la pasaban hala, hala, por los caminos y las carreteras, como locos. Al fin, cuando iba amaneciendo, les volvía el alma al cuerpo y les entraba alegría: «¡Que ya lo alcanzamos, que ya lo alcanzamos!», chillaban; y les arreaban a los caballos y allí andaban los carros levantando polvo por el camino. Y cuando el sol brillaba bien redondo, en mitad del cielo, ellos caían rendidos y dormían hasta el mediodía. Se levantaban y trabajaban la tierra, siempre inútilmente, para correr detrás del dichoso sol: ¡hala, hala!...

Marta también contaba otros cuentos más largos. Pero ninguno divertía tanto a Nin como el cuento de los tontos del sol.

—¡Eso le pasa a veces a mucha gente! —decía Marta, moviendo en el aire su gran cuchillo—. Que va corriendo detrás de las cosas, cuando las tiene delante de las narices.

Yo no entendía entonces lo que quería decir Marta, pero luego sí creo que lo comprendí.

Y Marta, que le gustaba mucho, pero que mucho, cambiar de conversación muy deprisa, se ponía a lo mejor a entonar:

A cazar iba don Pedro,
a cazar como solía;
tres leguas llevaba andando
y el falcón perdido había.
Se encontró con un pastor
que tocaba la gumía...

Era otro romance muy bonito, que le escuchábamos siempre con mucho gusto. Porque Marta lo cantaba muy bien y ponía muchas voces diferentes para decirlo. Nin levantaba mucho la cabeza cuando Marta cantaba y se quedaba muy quieto. Parecía como si estuviera soñando.

Un día yo pensé que podíamos jugar con Nin a las damas. El abuelo tenía un tablero muy bonito, de marfil y ébano, pero ése no se podía tocar. Además, a Nin no le hubiera servido de nada. Entonces yo cogí mis lápices y dibujé uno en un cartón. Recorté las fichas y a las negras les di tres pinchazos en el centro, con un alfiler. El abuelo me vio hacerlo (porque era después de la cena, cuando Nin ya estaba acostado y yo me quedaba un ratito con ellos, en la mesa camilla).

—¿Qué es eso? —me preguntó el abuelo.

—Es un juego de damas, para Nin y para mí —dije—. Y para que Nin conozca cuáles son las negras, les hago estos pinchazos. A los cuadros negros del tablero también los marcaré formando un aspa, del mismo modo.

El abuelo se quedó pensativo. También la abuela dejó de hacer aquel punto marrón, que era un poco feo, y miró las fichas de cartón.

—¿Tú no sabes que hay un alfabeto para ciegos? —dijo el abuelo—. Se llama el Sistema Braille y es algo parecido a eso que has hecho tú.

—No, no lo sabía —contesté. Y sentí un poco de orgullo y todo.

El abuelo me acarició la barbilla y dijo:

—Me gusta mucho que hayas hecho eso.

La abuela no dijo nada y él volvió a leer el periódico.

Al día siguiente bajé a la cocina, cuando aún estaba desayunando Nin, de tantas ganas que tenía de enseñarle el juego. Nin estaba al lado del fuego, sentado en el banco, con un tazón de leche caliente entre las manos, lleno de trocitos de pan.

—Nin —le dije—. Quiero enseñarte un juego muy bonito. Date prisa en desayunar y vamos a la cabañita.

Nin se dio mucha prisa y yo veía cómo sus pies, colgando del banco, se movían balanceándose. Y eso era que estaba muy contento.

Cuando estuvimos sentados en la cabañita, yo puse el tablero entre los dos, y le entregué las fichas marcadas. Le cogí la mano y le pasé una ficha por la yema del dedo.

—Las que están marcadas son las tuyas, Nin —le dije—. Las otras, son las mías. Las tuyas son *negras* y las mías *blancas*. ¿Lo has entendido bien? También el tablero tiene cuadros negros y blancos. Los cuadros negros están pinchados, como las fichas negras... ¿Lo notas?

Nin estaba algo sorprendido. Entonces vi que le temblaban las manos. Pero sólo muy poco, y nadie más que yo, que ya le iba conociendo tan bien, se hubiera dado cuenta. Y es que Nin tenía mucho miedo de hacer mal las cosas y, cuando pensaba que algo no iba a hacerlo bien, prefería fingir que no le gustaba o que estaba cansado. Por eso vi que tenía curiosidad de conocer el juego, y también un poco de miedo de quedar mal delante de mí. Me dio tanta pena ver sus manos temblando, que casi se me salían las lágrimas, pero como pensé que él lo iba a notar enseguida, me mordí bien los labios y le expliqué el juego lo mejor que supe. Al principio él me escuchaba con la cabeza baja, que era su modo de demostrar que no lo entendía muy bien. Pero luego levantó la frente y dijo:

—Empieza, Paulina, a ver si te sigo.

¡Y ya lo creo que me siguió! ¡Pero qué listo era, Dios mío, pero qué listísimo era Nin! Como que al cabo de un rato ya empezó a ganarme y todo. ¡Y qué contenta estaba yo también!

Marta asomó la cabeza por la puerta de la cabañita. Y como se tenía que agachar, se ponía coloradísima.

—¿Qué es ese juego, mocitos? —dijo, con la voz un poco ahogada por la postura.

Yo no me pude contener y le di un abrazo fortísimo y la pobre se echó a toser y toser que parecía que se ahogaba.

Entonces yo salí de la cabañita y levantándome sobre los pies le dije al oído:

—¡Que ya sabe jugar a las damas, Marta, que Nin ya sabe jugar a las damas!

Ella se persignó lo menos diez veces, como cuando María le contaba algún chisme de la aldea. Entonces yo le expliqué cómo había agujereado las fichas y el tablero, y Marta las tocó, con su dedo regordete y encarnado lleno de cortes.

—¡Dios, Dios, Dios! —dijo, apretando el puño contra la barbilla—. ¡Y qué habrá puesto Dios debajo de esta cabecita rapada! ¡Dios te bendiga, feúcha. Dios te bendiga!

Y aunque me había llamado «feúcha», yo sabía que era lo más bonito que se le había ocurrido llamarme. Y me gustó.

7

Nin aprende a leer

Como había salido tan bien lo del juego de damas, Nin casi siempre quería jugar a eso. ¡Lo que le llegaba a gustar! Y es que entonces parecía como si tuviera vista, y cualquiera que nos hubiera mirado y no supiera la desgracia de Nin, hubiera creído que no estaba ciego.

Entonces tuve una idea mucho mejor. Nin no sabía leer, porque no podía ir a la escuela del pueblo. Sólo sabía contar, porque su madre le había enseñado, con los dedos y de memoria. En la escuela del pueblo no podían enseñar a niños ciegos. Y Nin era además el único cieguecito de aquel lugar.

Y tuve mi idea más buena, la mejor de todas las ideas que he tenido. Cogí otro cartón y dibujé todas las letras del abecedario, desde la A hasta la Z. Luego las fui pinchando con mucho cuidado con el alfiler, pero siguiendo los contornos muy exactamente. Yo no sabía si era así el Sistema Braille, del que habló el abuelo, pero, en todo caso, me había dado la idea.

Al principio Nin estuvo muy poco ilusionado con aquello.

—No podré —dijo—. Dicen todos que yo no podré leer nunca.

—¡Pero no seas tozudo, Nin! ¿No has visto cómo distingues muy bien las fichas marcadas? ¡Pues lo mismo, lo mismo harás con las letras! ¡Si es tan fácil!

Al fin se dejó convencer. Nos sentamos juntos, él con el cartón sobre las rodillas. Yo le cogía la mano derecha y con el dedo índice le hacía repasar los bordes de las letras.

—Esta que tiene pico es la A. Esta que tiene dos barriguillas es la B. Esta que es media rosquilla es la C...

Nin se reía un poco de lo que yo decía. Pero como era de lo más listo, enseguida se dio cuenta de que era bastante más fácil de lo que parecía. Yo había dibujado las letras mayúsculas, porque, verdaderamente, si no, hubiera sido más difícil.

Así iban pasando los días. Nin aprendía bastante bien. Luego yo le ponía el lápiz en la mano y él trazaba las letras en mi cuaderno. Al principio le salían muy mal, pero yo no se lo decía, para no desanimarle. La primera A que trazó era como una montaña rusa, y de la B, ni hablemos, parecía la carretera de las montañas, llena de eses y de curvas. Pero luego... ¡qué enormemente listo era! Tuve que pensar que era mucho más listo que yo (y eso que en el colegio no era de las más atrasadas y las profesoras decían que, si no fuera tan perezosa, tenía bastante fósforo).

Pues yo, nada, lo que se dice nada, comparada con Nin. ¡Porque hay que pensar que él no veía y que era la primera vez que cogía un lápiz y que al principio no sabía cómo sujetarlo entre los dedos! Marta se sentaba a nuestro lado para mirarlo y decía:

—¡Pero, muchacha, quién hubiera tenido una maestra como tú! Ya ves, paso de los cincuenta años, Dios me dio un buen par de ojos, y no sé leer ni escribir.

—¿Y por qué no sabes leer ni escribir? —le pregunté muy extrañada.

—Ay, chiquita, porque éramos muy pobres y, cuando debí andar a la escuela, me metieron a trabajar. Así es la vida, muñeca.

Y se fue a sus pucheros, suspirando. ¡Estas cosas sí que me hacían a mí daño! Y me bullían muchas ideas por la cabeza, pero ni siquiera sabía aún cómo llamarlas.

En tanto, lo importante era que Nin pudiese aprender las letras, que luego ya le enseñaría yo a silabear y, al fin, a leer de corrido y a escribir lo mismo. Sólo de pensarlo, el corazón me hacía pum-pum-pum y hasta las primeras noches no me podía dormir ni nada, pensándolo. ¡Poder enseñar a leer a Nin!

Ya estábamos entrando en la semana de Navidad cuando Nin aprendió todo el abecedario. Al principio costó, pero las últimas ya las aprendió en un periquete. Y también las trazaba, aunque no muy derechas, en el cuaderno. Yo, para que hiciera más bonito, le daba un color distinto para cada letra. Y procuraba explicárselo:

—La A la ponemos encarnada, ¿sabes? El encarnado es un color que quema como el fuego. La B es azul. El cielo tiene el color azul y tus ojos también. El azul se parece un poco al ruido del agua, y el río, según como se mire, es también azul. La C es verde... El verde es como la hierba y como los árboles. Se parece a...

Pero Nin levantó la cabeza y dijo:

—Ya lo sé. Paulina, ya sé cómo es el color verde.

—¿Cómo, muchacho? —dijo Marta, y hasta se quedó con la espumadera en alto, goteando y brillando, al lado del fuego.

Y María levantó los ojos y dejó de coser.

Nin repitió:

—Sí que sé cómo es el color verde. Madre lo dijo.

Cuando dijo «madre», a mí me subió algo por la garganta; algo como si un pájaro quisiera escaparse.

—Madre lo cuenta —dijo Nin un poco impaciente, empezando a figurarse, tal vez, que no le íbamos a creer.

—¿Qué dice? —le pregunté yo.

—Madre lo explicó, la primavera pasada, cuando volvía a casa. Padre me llevaba en el caballo, montado encima, y ya cuando nos acercábamos a nuestra casa, padre gritaba, llamándola. Yo ya sabía que estábamos cerca, porque sabía cómo sonaban las ramas de los árboles, al pasar por el camino del bosque. Y además notaba el olor del humo... Y a madre también. A madre la notaba, porque escuchando la tierra se la oía venir: y sí que la tierra se oía, allá por el camino. Con la voz del padre y con las pisadas del caballo y todo, yo oía a la tierra cuando venía madre a esperarme... Y entonces, así que padre me cogió y me bajó, yo sabía que ella estaba plantada en el camino, mirándome; yo lo sabía muy bien y me estiré todo lo que pude, para que ella viera lo que había crecido estando en la casa de los señores. Para que viera que de algo servía la pena de separarnos. Y entonces madre se acercó y me echó el brazo por el cuello y me apretó contra ella y dijo: «Nin, Nin, todo está verde, hijo mío, está todo tan verde, tan verde...» Y sí lo estaba, yo lo notaba, porque me venía todo el olor de la hierba, con los árboles y con el vientecillo, y hasta lo sentía en las plantas de los pies; porque como había llegado la primavera, me había quitado padre las botas, a guardar para el invierno...

Nos quedamos callados.

8

Cuando llegue la primavera

Casi no nos dimos cuenta y estábamos ya en vísperas de Navidad. Solamente faltaban dos días. Y la sorpresa que yo quería dar a los padres de Nin, ya podía ser: Nin sabía todas las letras del abecedario y las sabía escribir. Bastante bien, por cierto.

Marta y María, y hasta Lorenzo, se habían quedado muchos ratos mirándonos por encima de los hombros, a ver cómo era posible que Nin aprendiera en tan poco tiempo y más aún siendo ciego. Pero todos guardaban el secreto. A Marta sobre todo, que la pobre no sabía escribir, le parecía un verdadero milagro.

Lo que había contado Nin del día que él llegaba a su casa, en la primavera, me llegó muy al fondo del corazón. Porque comprendí que Nin deseaba con toda su alma vivir con sus padres, en su casita del campo. Y aunque pasara frío, él deseaba ir allí, y soñaba con la primavera.

Yo pensé entonces qué grande debe de ser tener padres. Claro que yo tenía a los abuelos, que me querían mucho, ¡pero los había visto tan poco! (Y Susana, ya se sabe que no se podía ni comparar.)

Era, como dije antes, el veintitrés de diciembre y ya estaban preparando la mar de cosas para la Navidad. La abuela bajó dos veces a la cocina para hablar con Marta y estaban todas las mujeres de la casa haciendo muchos preparativos. Porque en la casa de las montañas la Nochebuena se celebraba con mucha ceremonia. Todos los aparceros de los abuelos venían esa noche a cenar a la casa y también, como es natural, los padres de Nin.

Por eso Nin estaba muy nervioso y me decía de cuando en cuando:

—Paulina, apuesto a que estoy más alto que cuando llegué.

—Yo creo que sí —le dije. Aunque, la verdad, a mí me parecía que estaba igual.

—Si tú quisieras medirme... —me dijo Nin—. Compararíamos con el año pasado, antes que llegue madre.

—¿Medirte? Sí... —dije, aunque no entendía mucho.

—Vamos a salir, sin que nos vean, a la huerta —dijo Nin—. Allí tengo las medidas que hizo madre, el año pasado.

Yo miré por la ventana; hacía frío. Tenían todos los árboles un brillo extraño, como si les hubiera caído arena de cristal, y había escarcha en los quicios de las ventanas.

—¡Pero hace mucho frío! —le dije—. Y si nos ve María, nos reñirá...

—No nos verá —dijo Nin—. Y además, bien abrigados...

Tenía tanta ilusión, que fui callandito a por mi abrigo y él a por su chaqueta.

Sin que nos oyeran salimos despacito por la puertecilla del huerto. ¡Qué frío hacía y qué viento nos daba contra la cara! Teníamos que cerrar los ojos.

—¡Ven por aquí! —dijo Nin, gritándome como si fuera sorda, porque del viento que hacía ni se le oía casi.

El huerto estaba precioso. Bueno, Lorenzo decía que en invierno el campo está feo; pero para mí estaba precioso. El suelo brillaba, porque había mucha escarcha, y caía el sol de refilón, entre nubes, aquella mañana. Se veían más allá los surcos de la tierra, muy oscuros, completamente yertos. Y los árboles frutales, desnudos, con los troncos negros y como llenos de estrellitas pequeñísimas que hacían guiños.

Nin me dio la mano y echó a correr por el camino, que descendía en un suave declive. A la derecha bajaba el arroyo, casi desbordado, con mucha espuma, arrastrando ramas heladas y troncos pequeños. El cielo tenía un color casi blanco y detrás de una nube estaba escondido el sol; pero se le adivinaba por el resplandor, de un color dorado, que se esparcía por todas partes encima de nuestras cabezas.

Las ramas de los árboles, las más finas, parecían telas de araña negras.

—Aquí es —dijo Nin, parándose delante de un árbol.

¡Qué bien sabía guiar Nin, a través del huerto, y cómo conocía los árboles! Pensando en eso, me dije que con aquellos sentidos tan agudizados, Nin podría hacer muchas cosas en la vida. ¡Mejor que muchos otros que tienen dos ojos y son tan torpes y tan sosos que no sirven para nada! Y pensando esto me sentí muy animada en mis planes, porque yo había pensado que Nin tenía que ser muy feliz y debíamos ayudarle todos a que notara lo menos posible todas aquellas cosas que no tenía.

—¿Ves ese tronco? —dijo Nin. Y con su mano iba palpándolo cuidadosamente—. Por aquí hizo madre la muesca, para medirme, el año pasado.

Al fin encontró algo; me cogió la mano y la llevó también hasta aquella marca.

—Aquí es —dijo—. Aquí es...

Nin estaba muy colorado, de repente. Y yo comprendí que se acordaba de su madre y que, o estaba muy alegre, o tenía ganas de llorar.

—Nin —le dije—. ¡Mañana por la noche, madre y padre vendrán!

—Sí —dijo—. Y los tíos y los primos... Es muy bonita la Nochebuena. ¡Y con la sorpresa que les tenemos preparada este año! Anda, Paulina, mídeme, a ver cuánto he crecido.

Se acercó al árbol, puso la espalda muy pegada al tronco, con los talones juntos. La luz sobre su cabello brillaba como si fuera de oro. Yo acerqué mi mano y la puse encima de su cabeza, estirándome todo lo que podía. ¡Pues sí que había crecido, lo menos dos centímetros!

—¡Muchísimo has crecido! —le dije—. Muchísimo.

Nin estaba muy contento, yo se lo notaba por la forma de apretar los labios.

Entonces sacó una navajita del bolsillo y me la dio.

—Márcalo —me dijo.

Yo hice un cortecito y me costó bastante, porque estaba muy duro. Nin pasó los dedos por encima.

—Más hondo —dijo—. Si no, se borrará.

Y cogiendo él mismo la navaja le hizo al árbol una muesca más larga y más profunda.

—Ahora tú —me dijo.

Yo hice como él, y Nin marcó mi estatura, junto a la suya.

Éramos casi iguales, pero con sorpresa vi que él era una chispita más alto que yo.

Entonces vi que Lorenzo se acercaba a nosotros por el sendero y con la mano hacía gestos como diciendo que éramos unos locos de estar allí con aquel viento y aquel frío.

—¡Qué locura, estar aquí con ese frío! —iba diciendo Lorenzo mientras se acercaba—. ¡Buena se pondría la señora, si se enterase!

—No se enterará —dije yo. Porque sabía que Lorenzo era muy bueno, incapaz de andar con chismorreos de un lado para otro. (¡Qué diferente de Susana!)

—¿Se puede saber qué hacíais aquí? —nos preguntó cuando llegó a nuestro lado.

—Estábamos marcando la estatura en ese árbol —le dije. Y le expliqué cuánto había crecido Nin desde el año anterior, y le enseñamos las marcas: aquellas dos, frescas aún, que se habían cubierto de humedad, y la otra, oscurecida, del año pasado.

Lorenzo se quedó pensativo. Sacó una petaca bastante mugrienta del bolsillo y empezó a liar un cigarrillo. El papel temblaba entre sus dedos muy grandes, casi sin uñas y con cortaduras y rebordes oscuros, como trozos de ramas secas.

—¡Amparadme, para que pueda encender eso! —dijo. Porque con el viento no se podía ni echar el tabaco en el papel. Lorenzo se agachó y nosotros abrimos nuestros abrigos, para hacerle cabañita, muy cerca, de modo que no entrara aire. Lorenzo lió y encendió el cigarrillo y escupió en el suelo.

—Qué cosas... —dijo—. Qué cosas raras de la vida; todos los chavales se parecen, qué demonio. Los otros hacían igual.

—¿Quiénes? —dijo Nin.

—Los otros —repitió Lorenzo—. Los de antes.

Me pareció que se ponía un poco triste, o por lo menos con aquellos ojos que ponen las personas cuando se acuerdan de cosas que pasaron hace mucho tiempo, aunque sean cosas alegres. También el abuelo y la abuela ponían aquella mirada, muchas veces, cuando se quedaban charlando un rato, después de la cena, mientras yo dibujaba en mis cuadernos o pensaba en mis cosas. Y Marta y María también cuando hablaban de eso que ellos llamaban «los buenos años».

—Los chicos que hubo en esta casa... ¡Diablo, y qué ruido había aquí entonces...! María servía una cena de Nochebuena que parecía que no se iba a acabar; y cánticos y risas y peleas, para no contar. ¡Qué tiempo aquél! Parece mentira, chavalines, cómo se va la vida. ¡Cómo se va la vida, Señor! ¿Veis aquel árbol de allá?

Lorenzo señaló un chopo, alto como un mástil, que había al final del huerto. Siempre me había fijado en aquel chopo, tan recto, tan solo, que había allí detrás.

—Allí era donde ellos se medían —dijo Lorenzo—. Yo les ponía en fila, uno detrás de otro, y con mi navaja iba haciendo muescas. Primero el señorito Ricardo, que era como un huso, derecho y buen mozo. Luego la señorita María Teresa, el señorito Pablo, morenito y vivo, ¡aún le veo trepar por la tapia, en el verano!...

—Ése era mi padre —dije yo, que empezaba a sentir como un nudo en la garganta.

¿Por qué todo el mundo en aquella casa estaba siempre acordándose de aquellos niños que se habían ido, que ya no estaban en ninguna parte? ¿Por qué ahora parecía que siempre estaban mirándonos aquellos niños, desde alguna parte?

—Y el pobrecito Miguelín... —dijo entonces Lorenzo—. ¡Ay, lástima del señorito Miguelín! Allí está su rayita, la última, como una pena.

—Llévanos allí, Lorenzo —dijo Nin—. Quiero tocar esas rayas.

Lorenzo nos cogió de la mano y allí fuimos. El viento le arrancaba chispitas encarnadas del cigarrillo, que acabó por apagársele, pero él ni siquiera se dio cuenta.

Allí estaba el chopo, y en aquella parte del huerto había

mucho barro y buenos se nos estaban poniendo los zapatos a Nin y a mí; pero no decíamos nada.

Lorenzo señaló con el dedo sobre el tronco del chopo y vimos como una escalerita enana, hecha de muchas cicatrices. El que no lo supiera ni sabría que estaban hechas con navaja. La última, la más pequeña, apenas se veía. Y Lorenzo dijo:

—Ahí, el señorito Miguelín.

Entonces Nin se agachó y la tocó con sus dedos. Y, qué cosa rara, en aquel momento parecía que Miguelín estaba allí, mirándonos. Y como Miguelín era el único que no había crecido, como los otros, era también un poco como si no se hubiera ido de la casa.

—Ése es el que también tuvo el garrotillo —dijo Nin, con mucha seriedad.

—¿Y dices que hacían mucho ruido, en la casa? —pregunté yo—. Pues los abuelos no quieren oír nunca ruido. ¡Deben de haber cambiado mucho!

—Todo el mundo cambia —me dijo Lorenzo—. Todo el mundo. Así es la vida. Vosotros también cambiaréis.

Eso me dio una tristeza muy grande. Y también un poco de rabia. ¡Yo no iba a cambiar! ¡Yo no quería cambiar! Por lo menos, en algunas cosas. (Y menos aún en las que en aquel tiempo estaba pensando, que eran muchas.)

—¡Vamos a casa corriendo! —dijo al fin Lorenzo, cogiéndonos de las manos—. ¡Si se entera Marta de que os entretengo aquí, con el viento y el frío que hace, me la va a armar gorda!

Echamos a correr hacia la casa, y al entrar en la cocina vimos a Marta rodeada de pucheros y de ollas, roja como un tomate, enfrente de un buen fuego que todo lo llenaba de resplandor. ¡Y cómo olía todo a compota caliente, a canela, a asado, a manzanas y a torta de azúcar tostado! ¡Cómo olía, de pronto, todo a Navidad!

Sin volverse a mirarnos, siquiera, de tan atareada que andaba, Marta iba canturreando:

La Nochebuena se viene,
la Nochebuena se va
y nosotros nos iremos
y no volveremos más...

«No, no», pensé yo, limpiándome los zapatos en el felpudo, sin que ella me viera. «Nosotros hemos dejado también nuestras marcas en el árbol. Y todos los que vengan a esta casa al verlas se acordarán de nosotros, y será como si nos quedáramos siempre.»

9

El Belén

El día de Nochebuena amaneció bien. Ése era un gran día porque era el que yo había elegido para decirle todas aquellas cosas que pensaba al abuelo. Y aunque todo el mundo decía que el abuelo era muy bueno, yo sabía que las personas mayores, en algunas cosas tenían unas ideas muy suyas, muy especiales, y me parecía que a lo mejor no iba a hacerme caso. Pero como era tan importante para mí todo lo que tenía que decirle, debía tener valor y hablar con él hasta el final, sin miedo ni nada de titubeos, porque bien sabía yo, por mis experiencias del colegio, que cuando se habla con las personas mayores hay que ir bien seguro con las cosas de uno, para que vean que uno no es tan niño como a ellos les gusta que seamos. Y yo ya empezaba a dejar de ser niña, porque la verdad es que como casi siempre estaba sola, a pesar de no tener más que diez años, había pensado mucho. Sí, la verdad es que me había pasado la mitad de mi vida pensando. Y eso siempre da fruto.

Pues, como digo, el día amaneció de lo mejor. Y digo amaneció, porque *lo vi amanecer*. Y es que, estaba yo tan impaciente porque llegara aquella fecha, que era aún muy temprano, pero que mucho, tanto que ni siquiera había aún asomado el sol, y ya me había desvelado, y dándole en la cabeza a todas aquellas cosas que se iban haciendo muy claras dentro de mí.

Estaba bien arropada en mi cama, con los ojos abiertos a la oscuridad. Apenas se clareaba algo de luz por la ventana a través de las cortinas; pero no era luz de día, sino del cielo por la noche, aún. Oí sonar entonces, allá abajo, en el vestíbulo, la melodía del reloj de carillón. Ya me la había aprendido, y era aquello de:

Ya se van los pastores
a la Extremadura.
Ya se queda la sierra
triste y oscura.

Ya se van los pastores,
ya se van marchando.

Más de cuatro zagalas
quedan llorando...

La letra me la había enseñado Marta, que para estas cosas era como nadie. Yo creo que se sabía todos los cuentos y todas las canciones. ¡Qué suerte, tenerla! Bueno, todo era suerte, estando en las montañas.

Pues como digo, sonó la melodía del reloj de carillón, y después: tan, tan, tan, hasta siete campanadas. Empezaba a colorearse la cortina, y ya se distinguían las flores y las rosas. Me levanté tiritando de frío, y me fui a mirar por los cristales, a ver cómo llegaba el día. ¡Qué bonito era! ¡Y pensar que hay gente tan tonta que sale a las azoteas cuando se anuncian eclipses, con sus cristales ahumados, para ver total dos tontadillas, teniendo todos los días algo tan maravilloso como la salida del sol! Sí, es verdad, la gente se deja guiar mucho por lo que oye. Me acuerdo de que una vez en el colegio pasó algo parecido, con un eclipse de sol. Nos dieron cristales ahumados, y todas venga a mirar y mirar para arriba, y nada, yo no vi lo que se dice nada, y me puse la cara negra como un carbonero. En cambio, ¡aquel amanecer de Nochebuena, con resplandor de color rojo por detrás de Cruz Nevada, que iba llenando el cielo, y de repente brillaban todos los árboles, y parecía que colgaban estrellas de todas las ramas, y luego se teñía todo el cielo de color de rosa, y de oro, y después de un violeta finísimo y transparente, como una gasa! En fin, que era precioso. Pero lo que se dice precioso. Me quedé con la nariz aplastada contra el cristal qué sé yo cuánto rato, y para cuando quise darme cuenta, ya volaban algunos pájaros, que tenían aspecto de frío, por encima de la nieve. Y entonces noté que estaba yo tiritando y tenía los pies helados. Me volví a la cama, y estuve mirando el techo mucho rato, pensando en mis cosas.

A las nueve, apenas había oído dar las campanadas abajo, entró María. Se creía que aún dormía, pero me vio con los ojos abiertos.

—¿Ya despierta? —dijo—. Mejor. Hoy es un día que hay que aprovechar lo más posible.

¡No lo sabía ella bien! Le di un beso, y salté de la cama sin hacerme la remolona ni nada. El agua estaba muy fría, fría, pero me gustaba, porque espabilaba mejor.

María se arrodilló para ayudarme a poner los zapatos. Yo la miraba y vi que tenía el pelo ya casi blanco, y con su cara morena hacía muy bonito. Tenía los ojos azules. Entonces sentí dentro de mí que la quería mucho. Y le dije:

—Es muy raro que no te hayas casado, María. Porque eres bien guapa.

—¿Guapa yo? —dijo. Y se echó a reír—. ¡Qué ocurrencia! Nadie me ha dicho nunca que yo fuera guapa. Pero eso no importa nada, Paulina. Lo importante es tener el corazón bueno.

—También lo tienes —le dije yo—. Tienes un corazón bonísimo. Por eso digo que es raro que no te casaras. ¿No había ningún mozo del pueblo con el que te quisieras casar?

María movió la cabeza, y sonrió un poco.

—No lo sé —dijo—. Nunca lo pensé. Cuando entré en esta casa era muy joven, no tenía más que dieciséis años. Siempre me ocupé de los niños, y todos me quisieron mucho. Yo también los quería, y así, ni me daba cuenta de que el tiempo pasaba. No sé por qué me parecía que toda la vida la pasaría bañando niños, planchándoles la ropa, dándoles el desayuno y zurciéndoles los calcetines. Peinándoles, contándoles cuentos y preparándoles la merienda. Sí, ésa es la verdad... Y ya ves, ellos se fueron uno a uno, y yo me di cuenta de que me había hecho vieja, y ya no podía tener ningún niño mío del todo. ¡Pero no estoy triste por eso! No, no lo estoy. Yo creo que ellos se acordarán aún de María, estén donde estén.

—¡Sí que se acordarán! —dije yo—. Y encima te digo que eres guapa.

Ella volvió a reírse y fue a prepararme el desayuno. Cuando estuve vestida, bajé a la salita. El abuelo y la abuela aún no habían salido de su habitación, pero en la mesa ya estaba humeando mi taza, con las tostadas.

Tenía mucho apetito y el café con leche, caliente, me caía muy bien. Daba gusto desayunar cosas calientes, mirando por la ventana y viendo las montañas llenas de nieve y frío. ¡Brrr!, pensaba yo. Bajé a la cocina, y allí estaba Nin, de lo más guapo. Llevaba lo que Marta y María —y él mismo— llamaban «la muda». Era la ropa que trajo su madre, junto con otras cosas, en la cesta. Nin estaba muy repeinado, con unas gotitas de agua cayéndole por la frente, al lado del fuego, y con la cara y las manos muy coloradas por el fregoteo. Nin solía lavarse en la tina de madera de la cocina, y se frotaba tanto con el estropajo que Marta decía si acabaría arrancándose la piel. Llevaba puesto un traje azul, con rayitas grises, de hombre, arreglado a su medida por su madre. Marta estaba dándole lustre a las botas, y cantaba a media voz.

—¡Qué madrugadora! —dijo Marta—. ¡Cómo se nota el día que amaneció!

—Date prisa, por favor —dije yo—. Nin y yo tenemos que armar el Nacimiento.

—¡Uy, el Nacimiento! —dijo Marta—. ¿Y dónde andarán las figuras? ¡A saber si quedará algún trozo por ahí! Desde aquellos buenos tiempos, que nadie arma Nacimiento en esta casa. ¡Ya le pone la señora un trajecillo de encajes al Niño de la cómoda, y le arde una vela toda la noche!

—Nosotros haremos Nacimiento —dije—. ¡Sí, Marta, búscanos las figuras, sé buena!

—No sé —dijo ella, pensando—. Quizás estarán en algún lado. Tal vez María se acuerde.

María dijo que ella no se acordaba.

—Me gustaría tenerlo para cuando la abuela se levante —dije—. Le daríamos una sorpresa.

Marta se echó a reír y dijo:

—Mientras no ensuciéis ni alborotéis...

¡Pero qué manía tenían todos con eso de alborotar! Y, en cambio, venga de alabanzas por los alborotos del *otro tiempo*, cuando los *otros niños* de la casa.

—Nada de alborotos —dije yo—. ¡Si queremos hacerlo en silencio, para que sea sorpresa!

—¿Y dónde lo queréis montar? —dijo María—. Porque en la sala, no será.

—Donde lo vean los niños que vendrán —dije yo—. Donde lo vean los padres, y los primos de Nin.

Marta se puso seria y dijo:

—A ver, diré a Lorenzo que busque por lo alto del armario.

Lorenzo entró poco después, restregándose las manos. Cuando Marta le habló de las figuras del Nacimiento, dijo que él sabía dónde quedaba una caja.

—Lo que no sé es si habrá alguna del todo cabal —dijo.

Marta terminó de lustrar las botas de Nin, que se las puso. Al andar le crujían un poco, y se sabía por dónde iba oyendo aquel cru-cru, de un lado para otro, pegado a la pared. Estaba como distraído. Yo comprendía que pensaba en su madre, en su padre y en sus primos. ¡Ya no tardarían en llegar todos, los unos desde el pueblo, por la carretera, y los otros por el caminillo de la ladera, desde el bosque!

—Lo que haréis bien, hoy —dijo Marta—, es aparecer poco por aquí. ¡Tengo yo un trajín!

Y nos hizo salir de la cocina, como quien espanta moscas.

—No hace frío —dije, asomándome a la puertecilla del huerto—. Brilla mucho el sol.

—Si pisamos con cuidado, no nos mancharemos los zapatos —dijo Nin.

Porque a Nin le gustaba mucho el campo, y cualquier cosa le parecía bien con tal de asomar la nariz afuera. ¡Y eso que no le convenía nada el frío!

—Vamos a dar la vuelta a la casa —le dije—. Mientras Lorenzo busca las figuras, miraré hacia el camino, y hacia la carretera, desde aquel altozano.

—Sí —dijo—. Y verás cómo yo sé muy bien cuando llegan *ellos*.

Yo ya sabía quiénes eran *ellos*, y no hacía falta preguntarlo.

—Pero aún es temprano —dijo—. No son más de las diez, y ellos no pueden llegar aquí antes de la una.

En aquel momento, Lorenzo nos llamó. Fuimos corriendo y él nos dio una caja de madera, muy desportillada. Nos sentamos a la puerta del huerto, en el banquillo de madera. El sol calentaba poquito, pero no hacía frío. Nos daba de frente. Yo abrí la caja, y entre virutas asomaban las cabezas de los pastores. Sí, estaban bastante rotas, pero servían. (¡Cómo no iban a servir, si no había otras!) Se las iba pasando a Nin, que las rozaba con sus dedos, mientras yo le iba explicando:

—Ése es el pastor del cordero al cuello... Ésta es la lavandera, éste el pescador, éste otro pastor con su cayado en la mano, ésta una mujer con una cesta...

También había familias de patos y de gallinas, corderos, perros (siempre tan simpáticos, con sus rabitos tiesos), conejos, burros cargados de leña y la vieja hilando. A alguno le faltaba la cabeza, y entonces teníamos que apartarlo, porque no servía. Al fin, al fondo de todo, envueltos en papel de seda amarillenta, estaban San José, la Virgen y el Niño Jesús.

—Son muy bonitos —le dije a Nin—. ¿Te das cuenta?

—Sí que me doy —dijo él, pasando sus dedos por las caritas pequeñas, y por los bracitos—. Me doy muy bien cuenta de que son de lo mejor. Una vez mi tío Eladio trajo una Familia de la feria, pero ni se podía comparar.

Lorenzo subía del huerto, con algo en un pañuelo.

—¡Muchachitos! —dijo—. Echad una mirada, a ver si os sirve esto.

Yo me acerqué corriendo, y vi que nos había buscado musgo.

—¡Muchas gracias, Lorenzo! —dije muy contenta—. Esto es lo que necesitamos.

Y entonces tuve una idea.

—Nin —le dije—. Como ahí dentro no tenemos dónde armar el Nacimiento, lo haremos aquí fuera.

—¿Aquí? —dijo él—. ¿Dónde?

—Ya buscaremos un sitio bueno —dije yo—. Con piedras y musgo y nieve de verdad: no se puede hacer un Nacimiento mejor.

Nos pusimos a buscar, los dos. Nin tenía mucho acierto para eso, porque la tierra se la conocía como la palma de la mano. Al fin dimos con un rinconcito, junto al muro, que hacía forma de cueva, arreglándola un poco con ramitas y piedras. Las ramas las teníamos que pescar del arroyo, de las que pasaban nadando, como barcas. ¡Qué helada estaba el agua!

—Nin, se quedan los dedos como hielo.

—¡Y cómo pican luego! Cuando llegue la primavera, vendrás a mi casa y verás el arroyo que baja por la montaña. ¡Entonces sí que da gusto meterse en el agua! Yo me descalzo y me meto todos los días. Padre pesca truchas, ¿oyes? Pesca unas truchas muy grandes. ¿Te gustan a ti las truchas?

—No sé... no sé si las he comido.

—A mí sí me gustan —dijo Nin, entonces—. Pero no las como muchas veces. Las que pesca mi padre suele venderlas.

—¿A quién?

Nin se encogió de hombros:

—Pues yo qué sé... Al médico, a don Eleuterio... también a tu abuelita, que le gustan mucho... ¡Pero las primeras son para mí! Como estoy recién llegado, en esos días, me dan bastantes gustos. Y padre dice siempre: «Las primeras del arroyo, para ti.»

—¿Y a qué saben?

—A muy ricas —dijo Nin—. A riquísimas.

Y yo lo entendí muy bien. Entretanto íbamos armando la cueva, y hay que ver con qué cuidado y lo bien que lo hacía él, tanteando con sus manos, aquí un montoncito de nieve, aquí una piedra, aquí musgo, aquí una rama pinchada, como si fuera un árbol desnudo. ¡Qué efecto iba teniendo todo! ¡Si parecía de verdad! Las manos se nos habían puesto rojas y las uñas azuladas. Pero el sol estaba ahora alto y brillaba mucho la nieve.

—¿Y si nieva? —dijo Nin—. ¡Si nieva, todo esto se quedará enterrado!

—No nevará —dije yo. No sabía por qué, de seguro.

Al fin pusimos las figuras. Hacían muy bonito, con sus trajecillos pintados de colores, encima de la nieve, tan blanca. Hicimos caminillos que subían a la cueva y hasta escaleritas. Era de lo más divertido.

Y estábamos en lo mejor, cuando vi que Lorenzo se acercaba, con un aire un poco cansado, o remolón, que me llamó la atención.

—Paulinita —me dijo—. Levántate, que te esperan en la sala.

—¿Sí? —dije—. ¿Quién me espera?

—¡Visita tenemos! —dijo él despacio, tal como le gustaba hablar.

Entonces reparó en el Nacimiento y movió la cabeza de arriba abajo, como diciendo que estaba muy bien.

—Muy bonito —dijo—. Pero que muy bonito.

Yo me levanté del suelo, me sacudí la nieve del abrigo y me fui para la casa.

—¡Enseguida vuelvo, Nin! —le dije—. Espérame, que enseguida vuelvo.

Y cuando entré en la casa y subí a la sala, me quedé parada en el quicio de la puerta. Se me puso una cosa amarga, porque allí estaba, esperándome, entre el abuelo y la abuela, nada menos que Susana.

10

Vuelve Susana

—¿Por qué te quedas ahí parada? —dijo el abuelo—. Vamos, Paulina, mira quién ha venido. La tía Susana pasará estas fiestas con nosotros. ¡Anda, Paulina, acércate! ¡Besa a tía Susana!

Ay, Señor, no sé por qué, pero me parecía que la voz del abuelo también sonaba un poco floja. Vamos, así, como sin mucho aliento.

La abuela me sonrió y yo me acerqué a darle un beso.

—Felices Pascuas, abuelito, abuelita... —dije, dándoles un abrazo.

Y claro, me volví hacia Susana, que ni se inclinaba ni nada para ayudarme en eso de los besos, como todo el mundo. Siempre se quedaba tiesa como un chopo (y eso que sabía que yo andaba mal de estatura y ella en cambio era una mujerona bien alta).

—Felices Pascuas, tía Susana —dije. Y me sonó rara la voz, porque por lo general no la llamaba tía, sino Susana a secas, como a ella le gustaba, sabe Dios por qué.

—Felices, Paula —dijo ella.

¡Qué raro me sonaba eso de Paula! Así me llamaba cuando

había gente desconocida delante, o cuando me iba a regañar, o cuando iba de visita al colegio. ¡Como si no fuera suficiente con llamarme Paulina, pobre de mí!

—Pero ¿cómo va esta criatura? —dijo, apenas se encontró con mi cara cerca—. ¡Cielo santísimo, si está chorreando agua! Y está helada... Mirad, los labios morados, las manos azules... ¡Pero dónde, dónde habrá estado metida!

Y así empezó con su rosario de gritos y aspavientos, todo porque yo estaba algo mojada por la nieve, el barro y el agua. (¡Muy natural, si había andado con Nin en el huerto, para lo del Nacimiento!) Los abuelos no solían fijarse en esas cosas, y además siempre había tiempo de secarme en la cocina, antes de subir a verles. ¡Susana tenía que ser la que diera el grito de alarma! ¡Qué aguafiestas! De repente pensé por qué no se habría quedado incomunicado el autobús de las montañas, entre la nieve, como contó Lorenzo que había sucedido hacía dos años, que tuvieron que ir a buscar a la gente y sacarlos con cuerdas, colgados como marionetas. No es que yo le deseara ningún daño a Susana, pero un buen susto, eso no la perjudicaba (con lo fuerte y buena moza que era). Hubiera llegado a casa pasada ya la Nochebuena y bastante aplacada de gritos, digo yo.

—Esto es espantoso —decía Susana, sentándose en el sillón al lado del fuego, aquel precisamente que era del abuelo y que todos sabíamos que no le gustaba que le quitara nadie—. Si la niña vuelve a estar enferma... ¡Qué disgustos, Señor! Ya sabía yo que si no andaba siguiéndole los pasos, os haría las mil y una barrabasadas: porque no tiene una sola idea buena...

¡Con lo llena de buenas ideas que andaba yo por aquellos días! Daba sofoco oírla. ¡Y cuánto tenía yo que contenerme para no decir unas cuantas cosas bien dichas! Porque, Señor, cuando no estaba Susana, yo era más bien pacífica. Pero en cuanto andaba por medio, con sus chillidos y sus cosas, se me subía la sangre a la cabeza y me venían sentimientos que luego no me gustaba tener. Así era la vida (como decía Lorenzo).

Intenté explicar lo que habíamos hecho en el huerto, aunque era una pena decirlo, porque se trataba de una sorpresa para los abuelos; ¡pero ni me hacían caso!

Los abuelos se miraban, un poco atontados con tanto jaleo y como un poco asustados.

—Bueno —dijo el abuelo—. Es la primera vez... No acostumbra a hacer cosas así...

—¡La primera, que será la primera de veinte! —dijo Susana—. Ay, inocentes, que no la conocéis... ¡Os acabará trayendo de cabeza!

Me mandaron subir a mi habitación y volver a la hora de la comida, bien arreglada, peinada y limpia. Y cuando salí me dolía la garganta, porque sin saber cómo, había sonado aquello a castigo. Y castigarme era una cosa que no habían hecho nunca los abuelos conmigo. ¿Por qué, si yo era buena? Ya no era una niña. No, yo ya no era una niña, para andarme con esos castigos.

María estaba en el rellano y cogió entre sus manos ásperas y limpias las mías (que sí, reconozco que estaban frías, pero no era para tanto).

—Paulinita —dijo—. Anda, sube a cambiarte y baja luego despacito, que ya te esconderemos en la cocina, para que no te vean.

De pronto sentí una cosa extraña dentro. Algo que no había sentido nunca por nadie: y miré a María y vi sus ojos y pensé que algo parecido debía de sentir dentro Nin, pero muy dentro del pecho, donde dicen que suena el corazón, cuando hablaba de su madre.

Ella misma me secó la ropa y bajamos a la cocina, muy despacito. Al pasar por delante de la sala se oía la voz de Susana, dale que dale a *la sin hueso* (como llamaba Lorenzo a la lengua). ¡Ay, qué voz chillona, qué diferente de aquella voz ronca y bajita de María, aquella voz de nueces y de pan tostado, aquella voz de hora de merienda, con nieve fuera!

Cuando entré en la cocina, ya debía de haber dicho Lorenzo quién estaba arriba, porque Marta y Lorenzo, y el mismo

Nin, se volvieron a mí callados. Y noté que habían estado hablando de mí. «A lo mejor creen que es verdad todas las cosas que de mí cuenta Susana. A lo mejor creen que es verdad que yo no soy ni pizca buena», me dije. Y qué pena tan grande me daba, sólo de pensarlo. ¡Ellos, que siempre decían que yo tenía muchas cosas grandes dentro de la cabeza!

—Ha venido la señorita Susana, ¿verdad? —dijo Nin.

Yo no contesté, porque si hablaba iba a salirme una voz muy rara. Entonces Nin, que de todo se daba cuenta, se acercó y me cogió de la mano.

—De todos modos —dijo—, hoy es la Nochebuena. ¡A nadie se le va a ocurrir estropear la Nochebuena! Y además, cuando se enteren de la sorpresa...

—¿Qué sorpresa? —dije.

Porque lo del Nacimiento, ya ni sorpresa ni nada parecía. ¡Qué manera de venirse todo abajo!

—Lo de las letras —dijo Nin—. Es la sorpresa más gorda de todas.

Eso me levantó algo el ánimo, pero ya ni me parecía que iba a alegrar a nadie. «Al fin y al cabo», pensé, «no es para tanto.» ¡Y pensar que me había parecido una cosa estupenda sólo unas horas antes! Razón tenía Lorenzo cuando decía que el tiempo cambia a la gente. Yo estaba cambiando por momentos y hasta era como si me hiciera un poco vieja.

—Sí, Nin —dije—. Una sorpresa para tus padres.

—¡Y para el primo Valentín! —dijo Nin—. El primo Valentín, que siempre anda dándose pisto, porque es el primero de la escuela...

—¡Para lo que le va a servir! —dijo entonces Marta—. Dentro de dos años, a arrear mulas, como su padre. A darles a los terrones y a reventarse encima de la tierra, para ganarse el currusco... Ésa es la vida que le espera. ¿De qué le sirve, muchacho, ser el primero de la escuela, si dentro de dos años ni se acordará de todo lo aprendido? ¡Ay, qué vida esta, Señor!

¿No decía yo que era aquello verdad? Qué desaliento,

Dios mío, qué desaliento tan grande. No era nada importante que Nin supiera escribir sin equivocarse de la A a la Z. Y que, en los últimos días, ya silabease de memoria, cuando yo me sentaba a su lado y le iba diciendo: «La erre y la a, ra; la erre y la e, re; la erre y la i, ri...» Tuve que apretar los dientes, porque me subía mucha pena por el cuello arriba. Me acerqué al fuego y me senté en el banco.

—Ya deben de ser cerca de las doce —dijo Lorenzo, de pronto.

Porque, sin saber cómo, nos habíamos quedado todos callados.

Nin dio un salto y se puso de pie.

—¿Dónde andan los cartones, Paulina? —dijo. Estaba muy nervioso—. Vamos a preparar los cartones, no sea que se hayan traspuesto por algún lado... ¡Ya van a llegar pronto!

—Sí, ahí están, en la cabañita —le dije—. No te preocupes, Nin, que no se han perdido.

Había muchas cazuelas, que despedían olores muy sabrosos, y Marta las cuidaba con amor, las retiraba del fuego, las removía un poco, les daba un bailecito, las tapaba y destapaba. Se le había soltado el moño y la trenza le caía por la espalda. Tenía el pelo muy negro y le brillaba con la luz, como si fuera de hierro. ¡Y qué cosas tan duras decía Marta, a veces! Sí, tan duras como el hierro también.

—Letras, letras... —decía entonces—. ¡Eso está bien para otros! Pero aquí...

Y movía los hombros, como a quien no le importan esas cosas. ¡Ay, no, no, aquello no podía ser! Y entonces sentí que me subía toda la rabia y que volvía a ser valiente, como cuando vi amanecer y pensé que tendría valor para hablar de mis cosas con el abuelo.

—Pues Valentín sabe leer de corrido y eso que sólo tiene ocho años —dijo Nin, con amargura—. ¡Y sabía ya cuando tenía seis! Y Bibiana ya anda también en la cartilla... Mateo no, porque sólo tiene cuatro. Pero el tío dice que todos los chicos de la familia somos listos para el estudio... porque padre y él, de niños también...

—¡Historias, historias, galán! —dijo Marta. Y ahora, su voz sí era dulce, otra vez, pero algo triste—. Historias pasadas. Padre y tío, a la tierra, que es lo suyo. Lo demás se queda para los que puedan. Mejor es no saber, a esas cuentas. Tú, mocito, vas para otros caminos.

—Va por muy buenos caminos —dije yo, entonces. Y hablé de una manera que todos se volvieron a mirarme. Y eso me dio más valor y añadí—: Por los mejores caminos del mundo. No los hay mejores.

Todos se echaron a reír. Pero no me molestaba aquella risa, ni hería, ni era mala. Al contrario, también me alegró a mí.

11

Los primos de Nin

Primero llegaron los tíos y los primos, Valentín, Bibiana y Mateo. Venían encima de la mula Felisona, que era de color castaño oscuro y la querían horrores, porque era todo lo que tenían. Una vez, que la tuvieron mala (contaba Nin), el primo Valentín lloraba por la noche en su cama y sus padres se creían que estaba malo de robar peras verdes y comérselas. Pues, como decía, llegaron los primeros. Ellos venían por la carretera, desde la aldea, y a Felisona (que era de lo más simpática) le habían echado encima de la salma las alforjas, encarnadas con rayas de colores y borlitas en la punta. ¡Era una cosa que hacía más fiesta que nada! Montada en Felisona, venía la tía Rosalía envuelta en su mantón negro. En brazos, traía a Mateo. Detrás de la madre iban, a horcajadas, Bibiana y Valentín, los dos bien arropados en otro mantón y atados con cuerdas para no caerse por el camino. Andando y sujetando a Felisona por el ramal, venía el tío Eladio. Viéndoles llegar, por allá lejos, en la carretera, sobre la nieve, parecían figuras del Nacimiento.

—¡Allí va la *Huida a Egipto*! —dijo Marta, que fue la primera en verlos. Y sí que lo parecían, mirándolos pasar, de lejos.

Nin estaba muy contento y hasta daba saltos de un lado para otro. Y al mismo tiempo, y con voz medio alegre, medio triste, cosa que no se comprendía bien, decía, como hablando sólo para él:

—¡Lástima que sólo es un día! ¡Lástima que sólo es un día! ¡Y qué aprisa se pasa!

Al fin, Felisona y sus amos dieron la vuelta por detrás de la chopera, porque el camino que bajaba al río estaba helado y podía resbalar la mula. Llegaron por el otro lado, con sus caras encarnadas de frío, pero muy sonrientes. Por debajo del mantón colgaban los pies de Bibiana y Valentín, y ellos le daban con el tacón en las ancas a la mula y decían, riéndose:

—¡Hala, Felisona! ¡Hala, maja, rosa de mayo, Felisona!

Y Felisona movía las orejas y le salía humo por el belfo, como si fuera una chimeneíta.

Nin se adelantaba hacia ellos y, viéndole, nadie hubiera creído que era ciego, con lo seguro que andaba, bien derecho hacia el camino, sin que nadie le guiase. ¡Si sabía yo muy bien lo listo que era!

—¡Valentín, Bibiana!... ¡Aquí estoy, Valentín! —llamaba.

Y yo veía cómo iba dejando sus pisadas en la nieve.

El tío Eladio era un hombre bastante gordito, con una risa muy alegre. También la tía Rosalía venía diciendo cosas, pero tantas y tan de prisa, que ni siquiera se le entendían. Y llamaba a todo el mundo: a Marta, que salía secándose las manos en el delantal y sujetándose la trenza del moño; a María, la última, muy arrebujada en su chaqueta, porque era muy friolera, y a Lorenzo, que se quedó en el umbral de la puerta, mirándolos a todos, cachazudo y sonriente, como siempre.

—¡Felices Pascuas!

—¡Felices! —decía todo el mundo. (Y yo también, que

aunque no les había visto nunca, ya sabía cómo eran, por haberles oído nombrar tantas veces.)

El tío Eladio desató a los niños; y saltaron al suelo Valentín y Bibiana, y empezaron a dar patadas en el suelo, para calentarse los pies, diciendo que se les habían quedado helados.

—¡Adentro todos, buena gente, que tengo armado un fuego como para quemar la casa! —decía Marta, muy contenta. Y los empujaba a todos para la puerta. Y todos estaban tan contentos y hablaban todos a la vez (hasta Nin), que casi nadie me hacía caso, ni me miraba siquiera. ¡Qué alegres estaban todos de verse! Marta, Lorenzo, María, Rosalía, Eladio... ¡Si parecían todos de la misma familia!, y sin embargo, no lo eran. Pero había algo entre ellos, algo que los hacía como hermanos, o como si se hubieran conocido de siempre. Y me acordé de pronto de aquello que había leído en mi Libro Santo, que decía que los hombres debían ser todos como hermanos. Y ellos sí que lo parecían, de verdad. Y en cambio, otros, que éramos parientes y todo (como Susana y yo, por ejemplo) a veces no lo parecíamos. Y tuve una idea un poco extraña: «Se quieren porque son pobres», pensé. Y aquella idea dolía y hacía bien al mismo tiempo.

Todos rodearon el fuego, corrieron los bancos, en forma de V, para que a todos les diera el fuego, y se acercaron escabeles para los niños. La tía Rosalía besó mucho a Nin y le apretaba la cabeza contra su vientre, que era muy redondo. Y decía:

—¡Hermoso, hermoso galán!

Luego sentó en sus rodillas a Mateo, y todos los miraban, aunque Mateo estaba de mal humor y con sueño. Mateo era muy grande para su edad, pero parecía muy *enmadrado*. Se lo dijo Marta enseguida.

Valentín y Bibiana se pusieron a hablar con Nin, y a mí, lo confieso, me daba un poquitín de celos, de pensar que Nin ya tenía otros y que yo pasaba a segundo lugar y estaba como apartada de ellos. Valentín era —qué cosas— más alto que nosotros. ¡Y sólo tenía nueve años! ¡Pero si parecía lo menos de doce! Me daba un no sé qué verlo allí, pavoneándose, tan alto, con su pelo negro y reluciente y unos ojos muy grandes y la piel de color de cobre. ¡Era muy guapo, sí, no se podía negar! Y Bibiana también era bastante alta, aunque decían que sólo tenía siete años. Bibiana me miró la primera y me sonrió, aunque un poco tímida. Tenía dos trenzas preciosas, de color muy negro también, que le caían por la espalda. Y de repente me acordé de mis pelujos tiesos y cortos, y me subió una vergüenza terrible de pensar lo fea y rara que me iban a encontrar. ¡Y en todo aquel tiempo ni siquiera me había acordado de esas cosas!

Nin me llamó.

El corazón me dio un saltito y me acerqué.

—Ésta es Paulina —dijo Nin.

Y parecía tan orgulloso de decirlo, que, de pronto, me volvió toda la alegría.

Valentín y Bibiana me miraron, sin decir nada. Parecían un poco avergonzados y a mí tampoco se me ocurría nada. La tía Rosalía se volvió y me estampó dos besos gordos en la cara, de esos de mucho ruido, que es como —me iba dando cuenta— besan las mujeres de las montañas.

—¡Ésta es la hija del señorito Pablito, que Dios tenga en su gloria! —dijo—. ¡Ay, qué lucida!

Marta y María empezaron entonces en sus alabanzas. Tantas, que me daba mucha vergüenza oírlas y miré para el suelo. Nunca me habían dicho a mí esas cosas que ahora decían. Y Rosalía asentía con la cabeza y me pasaba la mano por la cara. ¡Qué pensaría de mi cabello rapado! Claro que, a lo mejor, se creía que en la ciudad se llevaba así. Y eso me consolaba.

—Lucida es, pero más que lucida la cara, lo tiene el corazón —dijo Marta, que siempre hablaba así, un poco raro.

—No lo hay mejor en el mundo entero —dijo María—. Y si no, que le pregunten a Nin.

—¿Qué dices tú, Nin? —preguntó el tío Eladio.

Y Nin no dijo nada, pero se reía de una forma que era mejor que todas las palabras que pudiera decir.

Mientras la tía Rosalía sacudía y doblaba el mantón, Marta les dio café y rosquillas. Nin ya volvía a estar nervioso y no hacía más que irse a la puerta y volver. Irse y volver.

—¡Ay, pájaro, no revolotees! —dijo la tía Rosalía—. ¡Que ya llegarán a su hora, no te impacientes!

Y le miraba de una forma, que parecía ella su madre, en aquel momento.

Al poco rato ya habíamos empezado a hacer buenas migas Bibiana, Valentín y yo. Eran unos niños un poco raros y a veces yo no entendía lo que decían. Hablaban con palabras que yo no conocía y de cosas que no había visto nunca. Pero, poco más o menos, nos íbamos comprendiendo.

—Tenemos preparada una sorpresa —dije—. ¿Queréis ver el Nacimiento?

—¡Ay! —dijo Bibiana, y juntó las manos—. ¿Seguro que armasteis Nacimiento? ¿Como en la iglesia?

—Sí —dijo Nin—. Pero mucho mejor. ¡Abrigaos bien y vamos a la huerta!

Salimos y los mayores andaban tan enzarzados en sus cosas que no nos dijeron nada. Mateo, que estaba tumbado en un banco, al ver que nos íbamos, corrió a darle la mano a su hermana. Era un niño muy gordito, con la cabeza llena de rizos de color de azúcar tostado. ¡Cuánto me hubiera gustado tener un hermanito así, para peinarlo, para contarle cuentos y darle la comida! Pero yo ya no podía tener hermanos, porque mis padres estaban en el cielo. ¡Pero, bien pensado, aquellos niños eran casi hermanos míos!

Cuando llegamos al rincón del huerto, Nin se paró justo enfrente del Nacimiento, sin que nadie le dijera que allí, justo allí, estaba. Valentín y Bibiana se quedaron encantados, y Mateo ya quería coger las figuras, pero no le dejamos.

—¿Y el Niño? —preguntó Bibiana—. ¡Está la cuna vacía!

—Esta noche a las doce llegará —dijo Nin, tal como habíamos quedado—. ¡Vendremos con un farol y cantaremos villancicos!

—Yo sé unos muy buenos —dijo Valentín (que sí que era verdad que se daba algo de pisto)—. Madre me los enseñó siendo bien pequeño.

—¡Y yo también! —dijo Bibiana.

—Y yo —dijo Mateo.

Y todos nos reímos.

Entonces allá arriba, en la ventana de la casa, se oyó un tactac especial de dedos contra el cristal. Levantamos la cabeza y vimos las caras de los abuelos y de Susana, que nos hacían señas de que entráramos, que hacía frío. ¡Cómo no! La única que no sonreía era Susana.

—Vamos adentro —dije yo, resignada—. Si no, luego me regañarán.

Y aunque ellos se quedaron un poco sorprendidos, no dijeron nada y nos fuimos hacia la casa. A pesar de que bien claro se notaba que deseaban quedarse más rato viendo el Nacimiento. Y no era nada raro, porque nos había salido de primera. ¡No en vano nos llevó hacerlo tanto rato a Nin y a mí! ¡Si casi nos costó quedarnos medio helados! «Seguro que cuando ellos lo vean», me dije, pensando en los abuelos, «también lo comprenderán. ¡Y hasta apostaría que la misma Susana desarrugará el ceño!» Pero quizás esto último era pedir demasiado.

12

El hermanito

¡Qué raro! Era ya la hora de comer y no habían llegado los padres de Nin. Ni que decir tiene que estaba el pobre como sobre ascuas. Y hasta los mayores, aunque querían disimular, andaban también muy nerviosos, y yo me daba cuenta de que se miraban unos a otros y hacían gestos un poco raros, a espaldas de Nin.

El pobre Nin no se apartaba de la puerta, que dejó abierta;

con la cabeza levantada parecía que viera el caminillo del bosque que tan bien conocía. Ya ni siquiera preguntaba.

Y eso era lo peor, porque quería decir que el corazón de Nin ya no podía más. ¡Bien sabía yo lo que era eso!

Llegó la hora de subir a comer con los abuelos y Susana. Nada peor pudo decirme María:

—Sube, Paulina, que es hora de comer.

¡Tener que separarme de ellos! ¡Y dejar a Nin, con aquella zozobra! Ni yo misma quería pensarlo, pero mil temores me venían y no tenía más remedio que escuchar una vocecilla mala que por dentro me decía: «¿Y si les ha pasado algo? ¿Y si el caballo resbaló en la nieve? ¡Están tan helados los caminos!...» Y hasta en lobos y todo pensaba, y no se me iba de la cabeza una historia de lobos que había contado Lorenzo, hacía apenas una semana. Porque en los inviernos los lobos tienen hambre y bajan de las montañas, y hasta se atreven a acercarse a los pueblos. ¡Ay, Señor, no podían pasar cosas así el día de la Nochebuena! ¡No, no podían pasar!

Tenía el corazón apretado y hasta me parecía sentirlo pequeño, dentro del pecho, cuando entré en el comedor.

Aunque no era de noche, la abuela había adornado muy bonita la mesa, con ramos de acebo. Enseguida me notaron que algo me pasaba, porque apenas pude probar la sopa (y eso que era una de aquellas sopas tan buenas y tan calentitas que sabía preparar Marta).

—¿Qué te pasa, Paulina? —me dijo el abuelo—. ¿Por qué no comes?

A mí me parecía que no me iban a entender, porque siempre las cosas como aquélla me costaban mucho de explicar y al fin me hacía un lío y me lo entendían todo al revés. (Cuando escribo las cosas, me salen mejor, pero hablando soy una calamidad. Sobre todo entonces, que sólo tenía diez años.)

—No hay que hacerle mucho caso —dijo Susana—. Es bastante huraña. ¡Y por cierto que, en las compañías que la he visto, no aprenderá muy buenos modales! ¿No hay por aquí otros niños con quienes tratarse? He oído que el ingeniero de las minas tiene dos o tres hijas de su edad...

—Sí —dijo la abuela—. Pero en el invierno no están por aquí. Y de todos modos, vivimos muy alejados... ¡Pero ésos son unos buenos niños! ¡Y están muy educados, a su modo!

—A su modo —dijo Susana, con risa de conejo—. ¡Buen modo será!

Entonces el abuelo dijo, con una voz muy dura, que yo no conocía:

—Por lo menos no están maleados. Son niños sanos, en todos los sentidos. Nada malo aprenderá de ellos.

Susana se mordió los labios.

—Bien, no digo que no —añadió, con una voz temblona—. Pero en cuanto a educación...

El abuelo la interrumpió y volvió a decirme:

—¿Qué te pasa, Paulina?

Entonces yo comprendí que el abuelo estaba muy dispuesto para oírme. Y puse mi mano encima de la suya (tan grande que tenía algo de árbol).

—Es que los padres de Nin aún no han llegado. Y Nin tiene miedo, y yo también, porque esos caminos están tan helados...

Y me callé, porque sólo de pensarlo se me ponía una cosa en la garganta y no podía hablar.

El abuelo se quedó pensativo, y la abuela también dejó de comer. Susana me parece que preguntó quién era Nin, pero nadie le hacía caso, porque lo que yo decía era más importante y vi que a ellos también les preocupaba. Entonces María, que servía la mesa, se inclinó al lado de la abuela y le dijo algo bajito, que yo no entendí.

—¡Válgame Dios! —dijo la abuela, juntando las manos.

Pero por la manera de decirlo, no parecía una desgracia. ¡Menos mal!

—¿Qué pasa, abuelita? —me atreví a preguntar, aunque ya sabía que iba a indignarse Susana, con mis preguntas.

—No te preocupes, hermosa —dijo María—. Come, que no es nada malo.

Lo dijo en voz queda a mi lado y me tranquilizó algo.

Acabamos de comer y aún no me había yo escapado a la cocina cuando María subió y dijo que abajo estaba el pastor Millán, que traía noticias de la casa de la ladera.

El abuelo dijo que subiera, que deseaba hablar con él. Y mientras el abuelo y el pastor pasaban a la salita, para hablar, yo me colgué del cuello de María y le pregunté:

—¡Por favor, dímelo, aunque sea malo!

—No es malo —dijo María—. ¡No es malo, Dios sea bendito!

Pero le caían lágrimas por la cara. Y entonces se agachó, y mientras me arreglaba el cuello del vestido, como hacía siempre, me fue diciendo que los padres de Nin no podían venir aquella Nochebuena, porque Dios había querido enviarles un niño, dentro de aquel mismo día.

—¿Un niño? —me extrañé. Y casi me parecía imposible.

—Sí, un hermanito para Nin —dijo—. Ya ves que no es ninguna cosa triste, sino todo lo contrario: una gran alegría. Y aunque no lo esperaban tan pronto, es seguro que llegará en esta misma Nochebuena. ¡Mejor día, no podían escoger!

Yo me quedé como si me dieran un golpe en la cabeza. ¡Un hermanito para Nin! ¡Dios, Dios, un hermanito para Nin!

—¿Y él lo sabe? —dije.

—No, aún no. A lo mejor, ahora se lo va a decir el señor.

Así fue. Al poco rato María acompañó a Nin a las habitaciones de arriba. ¡Qué raro y qué inesperado era todo aquello! Verdaderamente, estaba resultando todo muy distinto de como lo habíamos esperado y preparado. ¡En lugar de darles nosotros la sorpresa, nos la daban ellos a nosotros! María subió llevando a Nin de la mano, que estaba muy pálido. ¡Qué pena me dio! Cómo me hubiera gustado adelantarme y abrazarle para decirle: «No tengas miedo, Nin, que no es nada malo; que, al contrario, todos dicen que es una gran alegría.»

Pero, en el fondo, había algo que me decía: «Sí, será una pena para Nin. Sí lo será, porque él esperaba tanto este día...» Y hasta para mí misma, no lo podía remediar, era una grande, una muy grande, desilusión.

María llamó con los nudillos a la habitación donde estaban el abuelo y el pastor, y entró Nin. Lo vi, antes de que se cerrara la puerta, cómo avanzaba despacio hacia el abuelo. Con su trajecillo de hombre, achicado.

Me senté a esperarle y por más que hacía no me podía distraer. No sé cuánto rato pasó hasta que, al fin, se abrió la puerta y el abuelo salió con Nin de la mano. Detrás, el pastor Millán nos miraba con sus ojos amarillos, como los de los perros de caza.

—Paulina —me dijo el abuelo—. Baja a jugar con Nin, ¡y divertíos mucho, que hoy es un día muy grande!

Nunca el abuelo me decía que bajara a jugar con Nin. Y le agradecí mucho que en aquel momento lo dijera. Nin seguía muy pálido y apretaba mucho los labios. ¡No decía yo que aquella alegría no le iba mucho a él!

Le di la mano y en silencio —¿qué podía decirle yo, Dios mío, si tan bien le conocía?— bajamos la escalera.

13

Los regalos de Paulina

Sin embargo, abajo, en la cocina, nos recibieron llenos de gritos de alegría, como si aquello fuese lo mejor de la fiesta. ¡Y yo no digo que no lo fuera, sólo que Nin no iba a ver a sus padres hasta la primavera!

—¡Pero, muchacho, qué regalo! ¡Qué regalo te trajo el Niño Dios!

—¡Ay, qué noticia, Nin, qué noticia!

Y todos le abrazaban y le besaban. Y hasta Valentín y Bibiana estaban con la boca abierta y le tenían su poquillo de envidia. Porque Valentín dijo:

—¡Pues Mateo también por poco nace la Noche Santa... apenas un mes antes! ¿No es verdad, madre, que cerca le anduvo?

Pero Nin estaba callado. No podía hablar, bien claro se veía. El pastor Millán, que bajó detrás justo de nosotros, dijo:

—Pues a ser valiente, muchacho. Ya oíste lo que dijo el señor: que te portaras bien, como un hombre que eres. Un hombre, sí señor.

—¡Pues está claro! —dijo Marta, que siempre llevaba en todo la voz cantante y no le gustaba que nadie le tomara la delantera en decisiones y consejos—. Siempre ha sido muy hombre este Nin. Más que otros, que presumen de barba y años.

Y con eso, todo el mundo dio por terminada la cosa y se preparaban a la fiesta. Las mujeres ayudando a la cocina y los hombres, reunidos y fumando, hablando de la tierra y del agua (que eran dos cosas que les gustaban mucho).

La tarde se nos venía encima y el cielo estaba aún lleno de luz. Yo tenía algo que me apretaba por dentro, pero bien claro estaba que aquello aumentaba la alegría del día y había que echar ánimos. Entonces una de las cosas que me habían estado rondando por la cabeza aquellos días me volvió. Y pensé que era el momento de sacarla a relucir.

—Esperadme un poco —dije a los chicos—. Enseguida vuelvo.

Subí la escalera y algo de remusguillo llevaba, porque no estaba muy segura de cómo iba a resultar aquello.

En la sala estaban los abuelos y Susana, junto a la chimenea, hablando. Aún tenían las tazas de café en la mesita.

—Abuela —dije. Y procuré poner una voz muy entonada—. Abuela, quiero pedirte una cosa.

—¿Qué cosa? —dijo la abuela. Y como sonreía, vi que estaba muy a las buenas. ¡Claro, con el día que era! Sólo había una espina que podía echarlo a rodar todo. (Me refiero a Susana.)

—No es una cosa grande —dije, para ir preparando.

—Bien. ¿Y qué es?

Como me miraban los tres y estaban esperando, aunque el corazón empezó a hacer tap, tap, yo procuré que pareciera muy natural lo que decía y me lancé de corrido:

—Pues, abuela..., aquellos juguetes, ¿te acuerdas? Aquellos de arriba del armario... Como tú dijiste que ya no había niños en la casa, y que aquellos niños se fueron...

De repente, me quedé sin habla. Me había atascado y veía que no me salía tal como quería. ¡Y eso que casi lo había aprendido de memoria! Pero ya todo lo iba diciendo al revés.

La abuela se había quedado de pronto muy seria y el abuelo me miraba muy fijo. Susana abrió la boca, pero del miedo que me dio oírle decir algo me salió la voz otra vez:

—¡Abuela, ahora hay niños aquí! Sí, abajo están Valentín, Bibiana, Mateo... Y Nin. Y como ellos no tienen juguetes... pues yo pensé: siempre hay niños en alguna parte. Y si uno quiere, pues siempre pueden servir los juguetes para ellos... ¡Porque cada año nacen niños, y la aldea está llena, y el mundo entero!

¡Ay, qué mal me salía, qué mal! ¡Qué lío me estaba armando con los niños que nacían, y en cambio, tan claro que lo sentía yo por dentro!

—No te entiendo —dijo la abuela—. No sé qué dices.

Me mordí los labios. ¡Si no lo podía explicar mejor!

—Abuela —dije por fin—. No tendrás más pena, pensando en los niños que se fueron, si les das los juguetes a otros niños... y ves y oyes cómo juegan otros niños...

Me volví a quedar callada. Y ahora sí que, si no me entendían, ya no me entenderían nunca. Ni me hubiera salido la voz. ¿Por qué, si no era nada malo lo que yo pedía, me daba tanto miedo y tanta zozobra? Había algo raro allí, que yo no podía comprender.

La abuela se había quedado muy seria, y miraba hacia el fuego. Me pareció que los labios le temblaban un poco. ¡Si encima se hubiera enfadado! Pero ¿cómo podía enfadarse por una cosa así? Yo estaba segura de que la abuela era buena. ¿Por qué eran difíciles, entonces, esas cosas? Y sin saber cómo, de pronto, me acordé del cuento del pueblo que iba detrás del sol y de cómo decía Marta que había mucha gente así. Y me pareció que lo comprendía.

—No te enfades conmigo —dije entonces. Y noté que me sonaba la voz como cuando tenía ganas de llorar—. No te enfades conmigo, y menos en la Nochebuena.

—No me enfado —dijo la abuela. Y me miró—. No es que me enfade... Pero ya sabes que eso son recuerdos. Y yo no puedo darles mis recuerdos a esos niños.

—No son recuerdos —dije yo, y no sé ni cómo me atrevía. Pero por la voz, notaba que la abuela no estaba enfadada, sino que le pasaba otra cosa rara, que yo no comprendía—. No son recuerdos, abuela..., sólo son juguetes... y los juguetes son para jugar... Los recuerdos son las fotografías... y cosas así, digo yo... Y además los recuerdos se tienen dentro y, aunque no tengas los juguetes, igual te acuerdas...

Y entonces (¡cómo no, si ya había tardado de un modo incomprensible!) sonó la voz de Susana:

—¡Pero es el colmo! ¡Es el colmo! Anda, márchate y no vuelvas a interrumpir con tus locuras...

Estaba sofocada, y se volvió al abuelo:

—¡Qué pensarás de mí, tío! ¡Qué pensarás... la educación que le he dado! Pero te aseguro que esas ideas se le cuecen solas: es una criatura bien difícil, ya os lo advertí.

El abuelo, que hasta entonces no decía nada, extendió la mano para que Susana se callase. Y Susana debió de entenderle bien porque, gracias a Dios, cerró la boca. (El pico, como decía Lorenzo. ¡Y qué bien le pegaba a ella!)

—Deja, deja —decía el abuelo—. No te disculpes. No es nada malo.

La abuela también pareció ablandarse.

—No —dijo, muy despacio—. Desde luego, no es nada malo. Nada malo.

Se quedaron callados. Yo no sé cuánto rato, pero me pareció que mucho, mucho tiempo.

Y al fin el abuelo dijo:

—Yo creo que a la abuela le parecerá bien.

La abuela parecía que tuviera lágrimas, pero como volvía a sonreír no me pareció que tuviera pena. Hizo un gesto como quien dice: «¡Todo sea por Dios!», y se levantó.

—Anda, anda, ardillita —me dijo—. Vamos arriba.

¡Al fin, lo había conseguido! ¡Si era mejor para todos, yo estaba segura de que era mejor para todos!

Y ya nos íbamos, cuando el abuelo me cogió de la mano y me dijo:

—Tienes mucha razón, Paulina. Tienes mucha razón.

Subía la abuela, muy despacito, la escalera, y yo le dije:

—¿Puedo decirles que suban?

Y la abuela me contestó:

—¿Y qué no podrás tú?

Bajé como un rayo. ¡Si aquello alegrara a Nin! ¡No sé qué hubiera dado yo porque Nin se alegrara!

Valentín y Bibiana, y hasta Mateo, estaban esperándome, llenos de curiosidad.

—¡Venid conmigo todos! ¡Vamos arriba! —les dije.

Ellos subían muy despacito y todo lo miraban con unos ojos muy redondos y muy abiertos. Nin iba el último, tanteando la pared con la mano. ¡Y sí que parecía ciego en aquel momento! ¡Sí que parecía ciego! Como nunca le viera, desde que le conocí.

14

La ilusión de los niños

La abuela había encendido todas las luces de la habitación. Y allí estaba también María, quitándoles las fundas a los muebles. Y vimos que aquellos muebles eran muy bonitos, tapizados de rojo y de azul, y la madera era clara. María me miró en cuanto aparecimos y le brillaban tanto los ojos que parecía joven.

Valentín, Bibiana y Mateo (que iba de la mano y se escondía detrás de las piernas de su hermana) se quedaron parados en la puerta y como encogidos. Nin estaba a mi lado, y como nada veía, nada se notaba en su cara, si no fuera aquella pena tan grande que llevaba dentro. ¡Pero sí que se portaba como un hombre y ni una sola lágrima se le veía y hasta procuró sonreír y todo cuando le recibieron en la cocina con tanta algarabía! ¡Vaya si era hombre Nin, y qué razón tenía Marta! Sólo conociéndole como yo le conocía, podía saberse lo que estaba pasando.

La abuela abrió el armario y todo se llenó de olor a naftalina. En aquel momento, la abuela parecía una reina. Se volvió a nosotros y dijo:

—¡Pasad aquí, muchachos! ¡Pasad! ¡Este armario está lleno de regalos de Nochebuena!

Pero ni Valentín, ni Bibiana, ni Mateo mucho menos, parecían entender lo que la abuela decía. María, entonces, que sabía hablar como ellos, les dijo:

—¡Pero, tontunos, no veis lo que dice la señora! ¡Andad y no seáis torpes, que ahí dentro hay juguetes para todos!

Valentín se había puesto como una amapola y miraba al suelo. Bibiana era algo más atrevida y dijo:

—¿Para nosotros?

—Sí, sí, para todos —dije yo—. Hay juguetes para todos, porque hoy es Nochebuena.

—¡Y mañana Navidad! —dijo María, riéndose—. ¡Andad, muchachos! ¿En qué pensáis?

Cogí a Bibiana de una mano y a Nin de otra, y los empujé dentro del cuarto. Mateo venía también, cogido a las faldas de su hermana. Y Valentín, al vernos, también se atrevió.

Entre la abuela y María empezaron a desempaquetar los juguetes y a dejarlos en el suelo y sobre los muebles. Bibiana y Valentín los miraban todos, como quien no comprende bien lo que ocurre. Mateo, que era el más pequeño, perdió enseguida la timidez y no tardó en correr hacia el caballo que fue de mi padre. Le rodeó el cuello con los brazos y daba unos pequeños gritos de alegría, muy parecidos a los de los pájaros. Vi que Bibiana miraba embobada la muñeca grande y me apresuré a decirle:

—Ésta es para ti, Bibiana... y la cocina también... y la cuna y el baulito...

Valentín no sabía adónde mirar, ni qué tocar, azaradísimo. Nunca pensé que aquello les pareciera tanta sorpresa. Bibiana estaba extasiada; cogió la muñeca, acarició su pelo amarillo y casi no se atrevía a rozarla con sus dedos. Pero enseguida, casi sin que nos diéramos cuenta, cada uno ya estaba examinando las cosas que más le llamaban la atención. Y empezaban los comentarios y se les veía que la alegría no les cabía dentro, como si hasta aquel momento no acabaran de darse cuenta de que aquellas cosas iban a pasar de verdad a su poder.

—Valentín, seguro que esto te gustará a ti —le dije.

Y le entregué aquello que a mí también me gustaba tanto, pero que comprendía que a él le hacía más falta, porque no tenía ninguno: los libros.

No me engañé en absoluto. Valentín los cogió con una alegría enorme. Los miraba, los ojeaba, los amontonaba. Se notaba que nada de lo que había en aquella habitación le atraía tanto como los libros. Eran muy bonitos, con láminas en colores y cubiertas de piel. Estaban muy bien conservados y eran historias de Julio Verne, y también los viajes de Gulliver, y Tom Sawyer, y los viajes de Marco Polo. Y otros muchos, que ahora no me acuerdo, todos preciosos. (Confieso que tuve tentaciones de quedarme alguno para mí y que me costaba algún esfuerzo entregarlos.) Pero enseguida comprendí que no debía ser, porque yo tenía otros y tan buenos como aquéllos.

—¿Para mí... de verdad que para mí? —me dijo Valentín. Y los ojos le ardían y brillaban.

—Sí, sí: para ti todos —le dije.

—¿Todos... todos, de verdad? —decía él.

Y le entraba una prisa tan grande por verlos, que no sabía casi por cuál empezar. Se sentó en el suelo mismo, con los libros amontonados a su lado, y los abría uno y otro y otro. Y tenía la cara tan roja que parecía que le daba todo el frío de la nieve, o todo el calor del fuego.

También Bibiana charloteaba con Mateo —que no se separaba casi ni un momento de ella— y le enseñaba todas las cosas. Entonces fui a Nin, le cogí de la mano y le dije:

—Nin, para ti todo lo que quieras. ¡Todo lo que quieras de esta habitación!

Pero aunque yo le explicaba lo que había, él no decía nada y estaba quieto. Y sólo dijo:

—No, Paulina. Para mí, nada. Yo no necesito nada. Déjaselo a Bibiana y Valentín.

¡Qué extraño era! Porque yo me daba cuenta de que Nin decía la verdad y que nada le atraía, como no fuera lo que yo bien sabía: que llegara la primavera.

La abuela y María terminaron de repartir lo que quedaba: pelotas, una casa de muñecas, una escopeta de dos cañones, un rompecabezas, más libros y qué sé yo cuántas cosas más. Valentín y Bibiana acabaron por perder la timidez, y reían y hablaban en voz alta, y se enseñaban los juguetes el uno al otro. Mateo iba de un lado para otro, con sus piernecillas morenas. También, al fin, Nin se quedó con algo: un par de libros que le prometí leería en voz alta en la cocina, «para hacer más corto el tiempo».

Me pareció que la abuela estaba muy contenta viendo y oyendo lo que hacían Mateo y sus hermanos. Luego salió despacito de la habitación, como siempre que andaba por la casa. Yo la vi cómo se iba y sentí que la quería más que nunca y que estaba muy orgullosa de tener una abuela como ella.

La tarde, entre unas cosas y otras, se pasó deprisa.

15

La tierra todo se lo lleva

A eso de las seis fueron llegando los demás aparceros y ya casi no cabían allá abajo en la cocina. Cuando María nos subió la merienda —chocolate y rosquillas de las que hacía Marta— se oía por la escalera de la cocina un murmullo muy grande de voces.

—Ya están ahí todos —dijo, poniendo la bandeja sobre la mesa—. ¡Oíd cómo ríen y comentan!

Todos fueron corriendo a la escalera, menos Nin y yo.

—¿Cuándo tendremos noticias de la ladera? —preguntó Nin.

—Pronto, hermoso —dijo María—. Ya fue Millán para allá. No te preocupes, come y diviértete, Nin. No es ninguna pena lo que está ocurriendo en tu casa. ¡Ya ves, diez hermanos fuimos nosotros! En una casa, cuantos más niños hay, mejor.

—¡Y si no, fíjate qué día más bonito es hoy! —le dije yo—. Ya ves: porque están aquí Valentín, Bibiana y Mateo... ¡También a mí me gustaría tener hermanos!

—Tú ya los tienes —contestó Nin, entonces—. Yo y el que nace.

Valentín entró y dijo muy contento:

—¡Abajo están todos! ¡Lorenzo, padre, Nicolasón el de la Alberca, Juanjo, Inés, Eladio... y todos, todos!

—¡Y las mujeres! —decía Bibiana—. ¡Hemos oído a las mujeres!

Aquello parecía que les divertía mucho.

—Pocas veces se ven reunidos —dijo entonces María, sentándose y cogiéndome las manos—. Por eso están contentos. Es raro, para ellos, poderse reunir así y comentar y hablar... ¡Como siempre andan de trabajo, cara a la tierra!

—Como padre y madre —dijo Nin—. Por eso pienso que madre ahora tendrá que ir al campo con el que nace, atado a la espalda. Como cuando yo nací... Y eso me duele. Me duele mucho que madre tenga que volverlo a pasar todo, como entonces... A veces me lo contaba, y me decía: «Te ponía yo a la sombra, con el vino y la comida, cuando íbamos a la era: allí te quedabas tú bien envuelto, debajo de un paraguas abierto, para que no te dieran el calor y las moscas. Y cuando íbamos a comer, te cogía en brazos y tú movías al aire los pies...» Eso me contaba madre, alguna noche, cuando el otoño. Ya iba haciendo frío y nos sentábamos juntos a la puerta de casa... ¡Pues ahora más trabajo aún!

Se había acercado Valentín y dijo:

—Ya se sabe. También madre tiene que dejar encerrado a Mateo, cuando va al campo... ¡Y menos mal que la maestra deja salir a Bibiana, a echarle un vistazo, a media mañana!

—Es cierto —dijo María—. La tierra es así: todo se lo lleva.

A mí me sonó de un modo triste y grande aquello: «La tierra todo se lo lleva.» Y aunque en aquel momento no lo entendí del todo, se me quedó muy grabado dentro: «La tierra todo se lo lleva.» Y Bibiana y Valentín, y el mismo Nin, bien entendían lo que quería decir, aun no siendo más que unos niños, porque se quedaron como pensativos. ¡Qué diferentes eran los niños de las montañas de los que yo había conocido en la ciudad! Las niñas del colegio, y todos los que yo traté hasta entonces, no se preocupaban por aquellas cosas, y hasta diré que ninguna echaba de menos las vacaciones para ver a sus padres (sólo para ver a sus padres) como el pobre Nin. «Me gustan las montañas», me dije. «Sí, yo también noto aquí dentro que *soy* de las montañas.»

Después de merendar, subieron todos los aparceros a felicitar la Nochebuena a los abuelos. Entraban en la sala y se sentaban muy serios, pisando apenas con sus gruesas botas. Sus manos, cruzadas y quietas, parecían de madera, tan grandes y oscuras. Deseaban muchas felicidades, a todos, con palabras muy lentas. Todos tenían unos ojos especiales, unos ojos como mirando para lejos por encima de las montañas. El abuelo y la abuela, y hasta Susana (aunque callada, porque se le notaba que no sabía qué decir) presidían la reunión. María sirvió copas y galletas. Todos bebían muy poco, apenas rozando los labios en el cristal, y comían una galleta o dos. (¡Y en cambio en la cocina bien que les gustaba beber!) Pero aquello comprendí que ellos lo hacían sólo *por cumplir*, como decía Marta.

La mesa de la cocina resultó enorme. Juntaron Marta y María lo menos tres mesas y una artesa y las cubrieron con manteles de hilo muy grueso. ¡Cuántos se reunían allá abajo! ¡Y cómo me hubiera a mí gustado cenar con ellos y no allá arriba, nosotros solos!

—Así debe ser —me explicó María, cuando, muy bajito, le dije lo que pensaba—. Tú no seas mañosa y cena arriba. ¡Ya bajan el señor y la señora, todos los años, y bendicen nuestra mesa! No armes revuelos, Paulina. Las cosas son como son y nada más.

¡Cuánto más me hubiera yo divertido con Nin, Valentín, Bibiana y hasta Mateo! No es que no me gustara cenar con los abuelos, pero... ¡qué difícil era el mundo, Señor! ¡Cuánto nos complicábamos las cosas!

También nuestra mesa era bonita. Estaba adornada con ramas de acebo y de muérdago y brillaban mucho las copas. La abuela había encendido las velas del Niño, sobre la cómoda. Susana se portó bastante bien y casi no dijo nada molesto. Desde que pasó lo de los juguetes parece que andaba algo rara, así como estupefacta. Y me miraba un poco de reojo.

Apenas terminó la cena, dije a los abuelos si querían bajar a ver el Nacimiento que habíamos hecho Nin y yo.

—¿Y dónde lo hicisteis? —preguntaron.

Cuando se lo dije se quedaron muy sorprendidos.

—¡Sí que es una idea! —dijo la abuela—. Pero, en fin, habrá que ir a verlo antes de la misa, ¡aunque se agrave mi reuma!

A Susana se le notaba que no tenía ganas de venir, y yo le dije:

—No importa que no vengas, Susana. Por Dios, no te molestes. No vayas a coger frío.

—¡Iré! —dijo entonces. (Verdaderamente, siempre sería la misma.)

—Antes, querría enseñaros la sorpresa grande —dije—. Habíamos esperado mucho este día, para dárosla... a vosotros y a los padres de Nin. ¡Y como ellos no están...!

—¿Qué es ello? —preguntó la abuela.

Y el abuelo se reía.

—Ahora lo veréis —dije.

Fui a buscar a Nin. Abajo habían terminado de cenar y se oían sus risas. Estaban muy alegres y los hombres bebían de las botas, empinadas, y el fuego lo llenaba todo de resplandor. Nin estaba sentado al lado de Lorenzo, a un extremo de la mesa. Estaba muy callado. Y, en medio de todos los que allí estaban (y eso que eran tantos), nunca me pareció ver a nadie tan solo en el mundo. Me acerqué a él y le cogí de la mano.

—Nin —le dije—. Sube conmigo... Vamos a por los cuadernos y los lápices, que es la hora de la sorpresa.

Nin sonrió un poco y se levantó. Fuimos a por las cosas, que estaban en la cabañita.

—No pases pena, pensando en *ellos* —le dije—. Casi será mejor, porque cuando vayas a casa la sorpresa será mucho más grande.

—¿Por qué? —dijo él.

—¡Porque sabrás escribir y leer de corrido!

—¿Tú crees?

—Estoy segura —le dije—. ¡Nin, tú no sabes lo listo que eres!

No contestó nada. Pero vi que no conseguía quitarle aquella pena que llevaba dentro, como una piedra, pesándole.

Entramos en la sala. La abuela y el abuelo estaban esperándonos, a mí me parece que con bastante curiosidad.

—¿Qué es esa sorpresa? —nos preguntaron.

Nin estaba un poco azarado. Yo extendí el cuaderno y le di

los lápices. No hacía falta que dijéramos nada: Nin empezó a escribir, y trazó todas las letras que yo le dije.

Desde luego, el éxito fue grande. Hasta Susana sacó las gafas de su fundita (todo lo llevaba en fundita: las gafas, la polvera, el encendedor, la barra de labios...) y se quedó, como decía Marta, «de un aire». (¡Apostaría algo a que las sorpresas más gordas de aquella Nochebuena se las estaba llevando ella!)

El abuelo y la abuela se hacían cruces. Ellos mismos le dictaban las letras y Nin, ¡zas, zas!, en dos periquetes, las formaba. Yo me sentía orgullosa de él. ¡Desde luego, no estuvo nunca tan seguro Nin como aquella noche!

—¿Y cómo habéis conseguido esto? —preguntó el abuelo.

Cuando se lo expliqué, me hizo enseñarle los cartones.

—Se me ocurrió aquella vez que me hablaste del Sistema Braille —le dije—. Supongo que debe de ser algo así.

El abuelo miraba mucho el cartón, con mi alfabeto pinchado. Y yo sabía que cuando le brillaban los ojos de aquella manera, quería decir que estaba muy contento. También la abuela me besó y abrazó a Nin. Y dijo que estaba muy contenta de nosotros: de mí, por haber tenido la idea, y de Nin, por ser tan listo.

En estas estábamos, cuando subió María. Traía (¡por fin!) la noticia: Millán había llegado de la ladera y en la casa de Nin había nacido un niño.

Al oírlo, Nin ya no pudo resistir más y empezó a llorar. Se tapó la cara con las manos y aunque no se oía nada, veíamos cómo se movían sus hombros. La abuela le cogió y le abrazó fuerte.

—No llores, Nin —le dijo—. No es cosa de llorar...

¡Pero nadie se daba cuenta de que no lloraba por capricho, nadie se daba cuenta de que lloraba porque no podían venir sus padres y aún faltaba mucho tiempo para el deshielo! ¿Cómo podían todos ser tan ciegos y no darse cuenta de la verdadera pena de Nin? ¡Y con toda la ilusión de lo del abecedario de por medio!

Nin se serenó poco a poco y se limpió los ojos con el revés de la manga.

—Ya pronto será la hora —dijo el abuelo, mirando su reloj, que llevaba metido en el chaleco, con una cadena de oro—. ¡Vamos, preparaos para ir a misa del gallo! Abrigaos muy bien.

Y le dijo a María:

—Que Lorenzo enganche los caballos.

Allá abajo, en la explanada, estaban las dos tartanas, preparadas.

—¿No vamos a ver el Nacimiento? —pregunté yo.

—¡Es cierto! —dijo el abuelo—. Antes de salir a la carretera pasaremos por el huerto, con los faroles.

Así lo hicimos. Fuimos todos, bien envueltos en nuestros abrigos, con los faroles encendidos. ¡Parecíamos una procesión!

¡Qué lástima que Nin no pudiera verlo! Pero de todos modos, yo se lo iba explicando:

—¡Qué bonito hacen los faroles en la noche, Nin! ¡Parecen de oro!

A todos les gustó mucho el Nacimiento. Gracias a Dios, no había nevado, y estaba todo intacto. En la nieve dura se veían los caminillos y escaleritas, tan bien formadas.

María había puesto el Niño entre las pajas, y Mateo y Bibiana estaban maravillados.

—¡Pues es verdad que ha venido! —decía Bibiana a su hermano pequeño, que, como siempre, iba bien agarrado a ella—. ¡Fíjate, es verdad que ha venido!

Todos cantaron los villancicos que sabían. La que mejor lo hacía era Rosalía, pero la que conocía los más bonitos —¡cómo no!— era Marta. Me acuerdo de uno, sobre todo, que decía:

En el portal de Belén
hay estrellas, sol y luna...

Y aunque el cielo estaba negro, cuando Marta decía «estrellas, sol y luna» parecía que brillaban muchas luces, muchas estrellas, y muchas lunas y soles, por todos lados.

Luego subimos a las tartanas, y rodando, rodando las ruedas sobre la nieve dura, camino de la aldea, fuimos a oír la misa del gallo. Y en la tartana donde iban Marta y Rosalía, iban cantando todo el camino. Yo, junto a Nin, escuchaba sus voces, y el ruido de los cascos de los caballos, y el viento al pasar junto a los árboles desnudos de la carretera. Y me dije: «De verdad, ¡quién viviera siempre en las montañas!»

16

La Navidad

El día de Navidad amaneció bastante gris, y a eso de las once de la mañana empezó a nevar de nuevo.

A las diez, ya se habían marchado todos: Bibiana, Valentín, Mateo y sus padres, hacia la aldea. Felisona iba cargada con todos los juguetes. Estuve viéndoles marchar, asomada al balcón.

Luego volvimos a quedarnos los de siempre. Cuando cayó la nieve, supuse que nuestro Nacimiento se iba a enterrar. Pero me dije que no valía la pena recogerlo, y que tal vez era así mucho más bonito.

Abajo estaba Nin, como siempre, sentado en el banco, junto al fuego. El día de Navidad todo el mundo se levantaba tarde, porque la noche anterior había sido larga.

—¡Aquí lo tienes, hecho un pajarillo! —me dijo Marta, que atizaba el fuego, en cuanto aparecí en la cocina. Señalaba a Nin, y añadió—: A ver si os alegráis, muchachos. ¡Está Nin que parece que le hayan dado cañazo!

—Buenos días, Nin —le dije.

—Buenos días, Paulina —contestó él—. ¡Ya sé que está nevando!

—Cierto —dije—. Están cayendo copos otra vez.

—¡Cuánto frío hará en la ladera!

—¡Ya estamos así! —dijo Marta—. Vamos, muchacho, acabarás por enfadarme... ¿Es que acaso no sabes pensar en otra cosa? No creas que el mundo acaba ahí. Y te aseguro que ellos ya saben ponerse a buen resguardo. ¡No son los primeros que viven en esa casa! ¡Me gustaría saber a quién has salido tú, tan mojigato! Óyeme: conocí a tu abuelo, que era un hombre como un chopo y fuerte como una yunta. ¡Qué hubiera pensado de un nieto como tú, débil como una señorita! ¡No hubiera él consentido lloriqueos, sólo porque hace frío en una casa!

Nin se puso muy encarnado, casi tanto que parecía que iba a saltarle la sangre de las mejillas.

—¡No digas esto, Marta! —dijo—. ¡No hables así!... No es por mí, por lo que tengo miedo. ¡Qué no daría yo por estar allí, con nieve y con frío! No es por mi gusto que yo me fui de allí. Bien sabes tú por qué me quejo yo.

Pero Marta, que era dura muchas veces, añadió:

—¡A callar, galán! ¡Poco favor haces a nadie, con esos lamentos y esas caras largas! ¡No les abrigas tú, por estar con la cabeza gacha, en un rincón! Y ellos, además, están acostumbrados. Allí vivieron tus abuelos y los abuelos de tus abuelos. Y nadie salió endeble de esa rama: a todos los llevó la tierra con más años que los tres juntos.

—¿Y el que ha nacido? —dijo Nin, con una voz tan dolorida que me partía el corazón—. ¿Es también fuerte, el que ha nacido? ¿Más que yo, acaso? Dime, ¿por qué he de ser yo el tratado con estos miramientos, por qué sólo yo he de ser tratado diferente? ¡No me gusta eso, Marta, no me gusta que se me trate de otro modo!

De repente, hablando de aquella forma, no parecía un niño. Y me di cuenta de que Nin, en aquellos momentos, se sentía por dentro como yo cuando me daba por pensar, y acababa creyendo que, de mí, la niñez estaba ya lejos. O, por lo menos, alejándose. Sí, en las montañas también se crece más pronto. Bien lo aprendí yo en aquel tiempo.

Marta suavizó el tono. Se acercó y le cogió la cabeza.

—No caviles, muchacho —dijo—. ¡Tiempo tendrás, al correr de los años!

Y volviéndose a mí, añadió:

—¿Y qué hace, la señorita maestra? ¿No se le ocurre nada, para levantar los ánimos a este incauto?

Eso era lo triste: que no se me ocurría nada. Nada, porque nada había contra aquella pena. Me senté al lado de Nin, en silencio. Al cabo de un ratito, pensé que lo mejor era ir a las cosas de frente. ¿Qué sacaba Marta con hacer callar a Nin, si él pensaba siempre en lo mismo? ¿Acaso no era mejor dejarle hablar libremente de todo aquello que le iba royendo por dentro?

—Cuéntame lo que piensas, Nin —le dije—. Cuéntamelo sin miedo: yo sí te comprenderé.

Nin se encogió de hombros, suavemente.

—Ya sabes en qué pienso, Paulina —me dijo—. Tú bien lo sabes: que no quiero que me traten así, como si fuera un chico pequeño. ¡Peor que a Mateo, se me trata!

—¿Por qué? —dije.

Hablamos en voz baja, para que Marta no oyera lo que decíamos. Y se oía el chisporrotear del fuego, y el barboteo de las ollas que hervían, a nuestros pies.

—Porque sí —añadió él—. Porque de todos hacen planes... y de todos dicen: «Éste el año que viene ayudará a padre... Ésta, para el *tardío*, ya ayudará en aquello»... Sí, eso lo oigo yo, que lo dicen el tío Eladio y la tía Rosalía. Y hasta padre también le hablaba de Valentín al tío Eladio, el verano pasado: ya era tiempo de llevarlo al campo. ¿Y de mí? De mí no. De mí, nadie piensa más que en tenerme lejos, bien abrigado. ¡Para que crezca solo, como la mala hierba!

¡Cuánta amargura había en su voz! Sentí una pena muy grande, oyéndole.

—¡Y ni siquiera sé de letras, como Valentín! —dijo—. Si no fuera por ti, ni la A sabría. Y aunque todos digan de Valentín: «Lástima de cabeza, para enterrarla en la tierra», yo sé que por lo menos eso se lleva él por delante. ¡Pero yo! ¡Para nada sirvo! ¡Ni para ayudar a mi madre, como una chica, igual que Bibiana!

—No digas eso, Nin, que me haces mucho daño —le dije—. Tú sabrás leer y escribir muy pronto.

Nin se quedó callado. Pero bien a la vista estaba que no me respondía por no herirme.

—¿Quisieras estar en tu casa, ahora? —le pregunté.

—Sí —contestó. Y lo decía con tanta fuerza, que parecía rabia—. ¡Sí, ahora y siempre!

Me hacía daño, de verdad, lo que me decía. Pero no podía ser egoísta con mis cosas, que, en comparación con las de él, nada eran.

—Háblame de tu casa —le dije entonces. Aunque sentía pena de oírle—. Dime cosas de allá...

—Aunque me quede solo —dijo él—. ¡Aunque me dejen solo, mientras ellos van a la siembra, o a la era... es bueno! Yo me asomo a la puerta y, como la era queda cerca, les oigo. Oigo la voz de padre, gritándole al caballo. Y oigo a madre. Ella, a veces, me llama: «¡Nin!» Me llama sólo por eso: porque yo la oiga. Y según viene de lejos la voz, yo sé por dónde anda. Otras veces van más allá y no les oigo. ¡Pero, de todos modos, estoy en casa!

—Te comprendo muy bien, Nin —le dije—. ¡Ojalá pudieras estar siempre con ellos!

—O por lo menos —dijo— que les ayudara en algo. Si el estar lejos le sirviera a ellos... ¡Pero así! ¡Eso es lo que me duele tanto! Antes yo era pequeño y no me daba cuenta de estas cosas. Sólo sentía pena por no estar juntos. Pero ahora... Te voy a decir una cosa que nadie sabe, porque a nadie se la he dicho.

Marta se acercó:

—¿Qué andáis cuchicheando? —dijo—. ¿Más sorpresas o alguna escapada?

No hubiéramos podido explicárselo, porque, aunque era muy buena (y bien claro estaba que a Nin le quería muchísimo), no lo hubiera entendido y le habría dicho a Nin que no se calentara tanto los cascos.

—Nada, Marta —dije yo—. Pensábamos en cuando pase el tiempo.

Ella se echó a reír, de aquella manera tan suya, echando para atrás la cabeza.

—¡El tiempo! —dijo—. El tiempo pasa sin sentir. No lo sabréis y os veréis de pronto un hombre y una mujer. ¡Ayer me parecía a mí, aún, estar buscando fresas allí, en el rincón húmedo de la huerta! Aún se me llena la boca de perfume recordándolo. ¡Y no tenía ni los quince cumplidos! Ya vendrá el tiempo a buscaros, mocitos. ¡Ya está aquí ahora, buscándoos! ¡Sí, así mismo, como lo digo: es como estar soñando y el tiempo rueda que rueda! Y un buen día: ¿qué pasa? ¿Qué ha pasado, si ayer estaba cogiendo fresas, sólo ayer, y era apenas una mocita, y ahora llena de canas la cabeza?

—No es verdad, Marta —le dije, porque me pareció que a pesar de su risa se ponía triste—. ¡Ni una cana tienes, ni una sola!

—Es un modo de hablar —dijo ella.

Y me pareció que le sentaba muy bien lo que yo había dicho, porque se fue orgullosa a por las llaves de la bodeguilla.

—Dime, Nin —le dije a mi amiguito—. Cuéntame eso que te pasa, eso que es tu secreto.

—Es algo que oí, en el verano pasado —me dijo él—. ¡Me hizo mucho daño, Paulina!

—¿A quién lo oíste?

—Fue en la era, a la tía Rosalía. Era un día que hacía mucho calor, muchísimo. Ellos habían venido a ayudarnos a nosotros, como nosotros les ayudamos a ellos. (Así lo hacen todos los aparceros, en el tiempo de las parvas, porque se necesitan muchos brazos.) Pues, como te digo, era un día de mucho calor, y alrededor de la era (que está en la ladera del Santo Cristo) crecen unos castaños. A la sombra de ellos habían dejado el vino y las cestas de la comida, tapadas. Y yo, como siempre, allí estaba tendido, en la hierba, al lado de la comida, donde no me diera mucho el sol. Y les oía a ellos como trajinaban. A ellos, a los tíos, y a Valentín y Bibiana. Y todos hablando y riendo y gritando, y hasta peleándose (porque cuando se trabaja, ya se sabe: pero son riñas de poca monta). Y me acuerdo que era en un rato en que había silencio, que habían bajado los caballos por el senderillo y les oía alejarse chascando en las piedras las herraduras. Escuchaba a las chicharras, que parecía que se partían debajo del sol, y me acuerdo de que estaba yo todo mojado de sudor. Entonces se acercó la tía Rosalía a mi madre, que subía por el senderillo. Al principio no presté mucha atención a lo que ellas iban hablando; creía que eran las cosas de siempre que hablan las mujeres. Pero, de pronto, la voz de la tía Rosalía (que como sabes no se puede confundir), dijo: «¿Y siempre le tendréis así, de haragán? ¡Ay, mujer, que va ya para los once! ¡Mala vida vais a sacar de ese cuitado!» Yo me quedé todo tenso, como una cuerda, y me dio aquí dentro un golpe, en mitad del pecho. «No digas cosas que duelen», contestó entonces la voz de madre. «Bastante pena llevamos encima.» «Pero en algo hay que emplearle», volvió a decir la voz de la tía Rosalía. «No va a ser siempre eso: un hijo que duerme a la sombra. ¡No por él, ni por vosotros! ¿Qué será de él, en el correr del tiempo? Los niños se van, sin que nos demos cuenta: ya, una mañana, no tenemos niños. Y un hombre sin oficio ni beneficio, júntalo a la desgracia que le dio Dios y dos desgracias serán.» Entonces, madre empezó a llorar; yo sé que lloraba, por la voz que tuvo para decir: «No puedo hacer nada, mujer, no puedo hacer nada.» Pero la tía le volvió a decir: «No quiero ser dura para ti, hermana (que como hermana te tengo, aunque no sea de sangre). Pero, por la ley que os tengo a ti y al niño: ¡piensa bien en qué le empleas! Algo podrá hacer, me digo yo..., algo que le dé provecho en esta vida y os ayude a vosotros también. ¡Mira a Valentín, mujer! ¡Mira cómo se porta ya en la era! ¿Y qué me dices de Bibiana?...» Sí, yo creo que ella no quería doler a mi madre; pero le reventaba el orgullo hablando de sus hijos y no caía en el dolor que le iba echando encima a mi madre. Y debía ser tanto, que ni respirar la oía. Sus voces subían, hasta debajo de los castaños, y me llegaban porque estaba en alto. ¡No imaginaban ellas cómo bebía yo lo que oía, porque cuanto más nos duele una palabra, más atentos la escuchamos...!

Nin se quedó con la cabeza doblada. Tenía las manos abiertas, descansando sobre las rodillas, y eran unas manos morenas y delgadas, pero finas como la madera brillante y pulida del puño del bastón. No eran las manos abiertas, chatas, ásperas, de Valentín.

¡Algo tenía yo dentro, como un mordisco, que me hacía mucho daño también!

—No pienses en eso —dije, aunque notaba que de nada servía—. Nin, tú eres una alegría muy grande para tu madre. Yo lo sé y, además, Marta lo dice. ¡Dice Marta que ella no tuvo niños y muchas veces envidió a tu madre, porque un hijo siempre es bendito! Ella lo dice, yo lo oí: te lo puedo jurar, si quieres.

Nin sonrió y movió la cabeza.

—No —dijo—. Pero aún oí más a la tía Rosalía. Dijo: «Es un hijo lo que crías, no una golondrina. Piénsalo, mujer. Te matarán el trabajo y la pesadumbre, si no lo piensas a tiempo.» Y como ya volvían Valentín y mi padre, las mujeres callaron y volvieron todos al trabajo. Pero yo ya no pude apartar de mí estas palabras, y siempre les voy dando vueltas. Y cuando llegó el invierno y me trajeron otra vez aquí, ellos no sabían por qué les pedía yo (que lo iba pidiendo todo el camino) que no me trajeran, que me dejaran en casa. Porque allí, por lo menos, de alguna utilidad le soy a madre. ¡Sé traer leña del establo, y darle pienso al caballo, y ayudar en la casa, en muchas cosas!

¡Porque mi casa la conozco toda, escalón a escalón, y cada palmo de la pared, como si fuera mi mano derecha!

—Estoy segura de que sí —le dije—. ¡Tan listo eres! ¡Tan enormemente listo, que nadie vi como tú!

—Bueno, no exageres —dijo él. Y hasta se puso colorado—. Eso lo dices, porque igual a ti en la voz te noto muchas cosas.

—¿Qué cosas? —dije yo.

—Qué tú también, aunque no seas de mi sangre, me tienes mucha ley.

Yo noté que me apretaba algo la garganta. Le cogí la mano y dije:

—Sí, es verdad, Nin. ¡Aunque no sea tu hermana de sangre, te tengo mucha ley!

17

El potrillo

Todas esas cosas las estuvimos hablando Nin y yo el día de Navidad, por la mañana. Es verdad que yo lo había encontrado tan triste, pero me quedé muy sorprendida, y muy preocupada, cuando fui a buscarle después de comer y Marta me dijo, con aire muy abatido:

—Nin no está bien, Paulina. Yo creo que está enfermo.

—¿Enfermo, Marta? ¿Cómo es posible? ¿Qué le pasa?

María, que entraba en aquel momento, dijo:

—Creo que tiene fiebre. Le arde la cabeza y tiene las manos heladas. Será mejor que se lo digamos al señor. ¡Qué responsabilidad para ellos! Siempre dije yo que este muchacho nació muy delicado.

Enseguida avisamos al abuelo y mandaron a Lorenzo a la aldea, en busca del médico. Llegó cuando anochecía, en el caballo. Había vuelto a nevar, pero entonces ya no me parecía tan bonita la nieve, sino que me daba tristeza pensando en Nin y en la casa de la ladera.

El médico dijo que Nin tenía algo de fiebre, pero que no veía, de momento, nada grave.

—Quizá sea algo de gripe —dijo—. Pero de momento no hay que asustarse. Es un niño muy nervioso. Cualquier cosa le altera.

—Sí, lo es —dijo María—. Sueña en voz alta y hasta a veces le he oído gritar en sueños.

—Que duerma —dijo el médico—. Que descanse y que no se inquiete por nada.

Aún recomendó algunas cosas más, que no entendí, y mandó a Lorenzo a la aldea a por una medicina.

—¿Puedo entrar a verle? —pregunté.

—Mejor será que no —dijo Marta—. Ya oíste lo que dijo el médico: que descanse. ¡Si tú vas, querrá hablar y se pondrá nervioso! Vamos, es mejor que duerma.

Me vio la cara que ponía yo de disgusto. ¡Estaba tan acostumbrada a Nin, a nuestros juegos y conversaciones! Me parecía imposible pasar un día sin verle. ¡Cómo nos habíamos acostumbrado el uno al otro! Entonces, por primera vez, me dije que era natural que un día u otro nos separáramos. Y eso me daba una tristeza enorme.

Toda la tarde estuve yo pensando en aquellas cosas que Nin me había contado. ¿Qué podía hacer yo por él? Bien poco, desde luego. Pero ¿no había alguna forma de ayudarle? ¿No sería posible, de alguna manera? Una voz pequeñita me decía por dentro que sí, que había seguramente alguna forma. Y mi cabeza venga cavilar y cavilar, como decía Marta.

Al día siguiente me desperté bastante temprano; eran poco más de las ocho cuando fui a desayunar. Me esperaban dos noticias importantes: había nacido un potrito, durante la noche, y Susana se marchaba dentro de una hora, en el auto de línea. El abuelo fue quien me dijo las dos cosas, y por una lucecilla que le brillaba dentro de los ojos, noté que también a él le parecían importantes las dos cosas.

Susana estaba muy atareada dando órdenes para que llevaran sus maletas a la carretera, donde pararía el autocar. Iba envuelta, ya, en su abrigo marrón y peludo, y olía mucho a colonia de lavanda (que era la que le gustaba).

—Bueno —me dijo en cuanto desayunamos—. Piensa que dentro de muy poco te tocará a ti hacer lo mismo que a mí ahora.

—¿Tan pronto? —pregunté.

Y puse una voz tan desesperada, que hasta el abuelo se echó a reír.

—No, querida —dijo la abuela, acariciándome a contrapelo la cabeza, como hacía con la gatita Melitona—. ¡A ti te queda aún mucho tiempo en las montañas!

—¿Cuánto tiempo? —pregunté, con la esperanza de que dijeran: «Hasta que seas una mujer.»

Pero la abuela dijo:

—Yo creo que cuando te marches, te peinarás trenzas.

¡Eso era ya bastante! Porque, hay que decirlo todo, mi cabello era muy fino y crecía poquísimo.

Cuando Susana se levantó, me besó en la mejilla y dijo:

—¡Sé buena, Paulina! Procura enmendar tus defectos (que no son pocos, ni pequeños). Y vete haciendo a la idea de que ya pronto dejarás de ser una niña y hay cosas que deberías hacer.

—¿Qué cosas? —pregunté, aunque sin entusiasmo.

—Elegir las amistades, por ejemplo —dijo.

Y miró de reojo a los abuelos. Eso quería decir que la frase iba para ellos, pero el abuelo fumaba tranquilamente mirando al fuego, y la abuela cogió de nuevo su labor. Casi juraría que ni suponían que Susana hablaba para ellos.

—También —dijo Susana— convendría que repasaras tus libros, de cuando en cuando. Creo que no te vendría mal ponerte un poco al corriente de todo... ¡Que cuando vuelvas al colegio no hayas olvidado, por lo menos, lo que ya sabes!

En eso reconocí que tenía razón.

—Con tu papel de maestra, se te olvida que aún eres alumna —añadió—. ¡Procura que no se te suban los humos a la cabeza! ¡Aún te quedan muchas cosas que aprender!

—Bueno, Susana —dijo el abuelo—. ¡No le reproches lo bueno que hace, también!

—Tío, me parece que la mimas demasiado —estalló al fin ella, que era lo que buscaba—. ¡No vayan a sentarle peor estos meses de cura, que los de enfermedad!

Y como lo que a ella le gustaba era terminar las conversaciones con frases sentenciosas y llenas de presagios, nadie contestó. Porque, bien mirado, aquello podía ser su regalo de Nochebuena.

Luego volvió a besarme, y esta vez lo hizo con más cariño (porque yo creo que en el fondo me quería bastante, y al fin y al cabo lo único que le gustaba era decir cosas llenas de amarga sustancia, y lo demás, nada). ¡También me pareció que, por fin, la iba yo a ella comprendiendo! Bien mirado, no se había portado demasiado mal en aquellos dos días. ¿O es que tenía yo cosas más importantes de que preocuparme? Sí, verdaderamente, yo crecía y el tiempo se notaba, como decían todos, desde la abuela a Lorenzo, pasando por Marta.

Apenas se había alejado el auto de línea, carretera adelante —lo vimos desaparecer desde el balcón, entre la nieve—, le pedí al abuelo permiso para bajar a ver el potrillo. ¡Qué vacío me parecía el día, sin ver ni hablar a Nin! Porque, en cuanto me desperté, fue lo primero que pregunté a María:

—¿Y Nin? ¿Está mejor?

—No —dijo ella, moviendo la cabeza—. Ni mejor ni peor... ¡Ay, no sé qué tiene, pero quiera Dios que el médico no se haya equivocado! Es algo aquí dentro —y señaló el pecho— lo que le enferma. Algo del corazón adentro.

Yo no dije nada, pero bien sabía lo que quería decir María, y que no se equivocaba.

Pues, como dije, le pedí permiso al abuelo para bajar a ver el nuevo potrillo. El establo estaba apenas unos metros más allá de la casa.

—Bien —dijo el abuelo—. Pero abrígate, que hace mucho frío.

Me puse el abrigo, con la capucha y todo, porque se notaba que debía de hacer mucho frío. Lorenzo, que venía de la leñera, traía la nariz como una remolacha y resoplaba.

—Lorenzo, ¿puedes acompañarme al establo, a ver el potrillo nuevo?

—¡Ay, ahora, con este tiempo! ¡Y qué no se te ocurriría! —dijo, haciendo que se quejaba pero sonriendo. Porque, en el fondo, le gustaba mucho lo que le pedía.

Me dio la mano y salimos. El sol andaba escondido por algún lado y sólo nos llegaba un resplandor blanco, extraño, brillando sobre la nieve. El camino estaba resbaladizo y la nieve muy dura. Menos mal que Lorenzo me daba la mano, porque, si no, fácilmente me hubiera dado una buena caída.

—Yo creo que hoy nevará otra vez —dijo él.

—¿Cómo lo sabes, Lorenzo? —le pregunté. Porque me había fijado en que cuando él decía algo del tiempo casi nunca se equivocaba.

—Ah, eso lo aprenderás si te quedas con nosotros —me dijo, apretándome la mano.

Y yo noté que él también me había tomado cariño.

—¡Ojalá fuera verdad! —dije yo—. ¡Quién pudiera quedarse aquí siempre!

—¿De verdad que te gustaría? —me dijo. Y parecía orgulloso—. Yo eso digo: que no me apartaran de estas montañas, que me moriría. Pero ya ves: hay quien se aburre en el campo.

—¿Y quién puede ser?

—¿Quién?... Ay, hija, tantos y tantos. Tus mismos tíos, por ejemplo. Nadie quiso vivir aquí. Todos se fueron. Y no vienen nunca. Nunca. Nadie se acuerda de esta casa, ni de los viejos.

Si Susana hubiera oído decir *los viejos*, refiriéndose a los abuelos, se hubiera horrorizado. Pero yo bien comprendía el cariño que ponía Lorenzo en aquella palabra.

—Pues yo —dije—, por poco que pueda, estaré siempre en

las montañas. Porque, ¿sabes una cosa, Lorenzo? Yo he *notado* que soy de aquí. Dicen que estas cosas se notan y es verdad: yo *lo siento* aquí dentro, y de verdad.

A Lorenzo le parecía muy bien lo que yo decía:

—Sí, muchacha. Es lo mismo que me digo yo.

Parecía mentira: esto que Susana (y tal vez otros muchos) no me habrían comprendido nunca, Lorenzo, que apenas sabía leer y escribir, lo entendía a la maravilla. ¡Claro que también sabía leer en el cielo el frío, la lluvia, la hora y la nieve! ¡Si casi estoy por decir que era más sabio que nadie!

Llegamos al establo, que estaba todo cubierto de una capa blanca. Enseguida se notó el olor a madera mojada, que tanto me gustaba. Estaba hecho de troncos de árbol y era muy largo.

Dentro olía muy bien. Había un calorcillo especial, mezclado al vaho de los caballos y de las vacas. El potrillo era de color rojizo y tenía los ojos redondos, brillantes y muy dulces. Al momento me robó el corazón. Tenía un trotecillo especial, desgarbado y gracioso, de sus patas largas y finas.

—¿Cómo se llamará? —le pregunté a Lorenzo, que lo miraba con tanto mimo como yo misma.

—Aún no se ha pensado —dijo él—. Pero ya buscaremos.

Estábamos en esas, cuando por la ventana del establo vimos caer de nuevo copos de nieve.

—¿No te lo he dicho? —dijo Lorenzo—. Mira, ya vuelve la señora del manto blanco.

Con aquello de la nieve, creyó Lorenzo que era mejor esperar a que «calmara» (como él decía) para salir otra vez del establo. Como hacía frío, encendió enseguida una lumbrecita, debajo del cobertizo, y nos sentamos en un banco de madera que, a falta de una pata, tenía puesta en su lugar una piedra.

—Esto me recuerda mis tiempos de pastor —me dijo.

Me contó entonces que él había sido pastor del abuelo mucho tiempo. Cuando tenía doce años se pasaba el día entero en la montaña, con el ganado, y apenas si veía a nadie. Dormía en chozas, o en cuevas, y bajaba sólo cada quince días a la aldea. Entonces le daban pan y viandas, y volvía a la montaña. Así vivió hasta los quince años, en que el abuelo lo tomó en la casa. Entonces conoció a Marta, que tenía su edad y estaba cogiendo fresas en el fondo de la huerta.

Me acordé de lo que había contado Marta, y daba una rara dulzura oírselo también a Lorenzo.

En estas cosas pasamos la mañana como un soplo. Era ya la hora de comer, y como que la nieve había «calmado», y sólo caían unos copos finísimos y suaves, como plumón de paloma, fuimos hacia la casa. Entramos por la puerta de la cocina y sólo entrar, nos dio en la nariz el olor de la comida: el asado, el pan recién hecho, el café. ¡Qué apetito tenía yo! ¡Y qué extraña alegría me daba la hora de comer en invierno, nevando y con frío, junto al fuego! Sólo aquel día una cosa lo empañaba todo: la ausencia de Nin y su enfermedad (que, aunque todos decían que no tenía importancia, a mí me preocupaba mucho).

El abuelo me preguntó qué tal me había parecido el potrillo.

—¡Qué bonito, abuelo! ¡Qué bonito es!

—¿De veras te gusta?

—Mucho, muchísimo.

—Pues bien: tuyo es —me dijo.

Me quedé como quien ve visiones. ¿Pero era posible? ¿Era posible que fuera para mí aquel caballito tan precioso y saltarín? ¡Por algo me había mirado con sus ojos de color de miel, como un niño juguetón!

Creo que por poco ahogo al abuelo, a fuerza de abrazos. Él se reía y me apartaba, porque ya dije que no era amigo de besos ni cosas así. La abuela entró, preguntando a qué venían aquellas efusiones.

—¡Abuela, que me ha regalado el potrillo! ¡Que me ha regalado el potrillo recién nacido!

La abuela se quedó muy asombrada, aunque se le notaba que la hacía también muy feliz aquel regalo del abuelo.

—¡Puedes estar orgullosa! —me dijo—. El abuelo no suele regalar caballos a nadie. Quiere más a los caballos que a muchas personas.

El abuelo encendió su pipa y dijo:

—Se lo regalo porque sé que lo merece. Un caballo no se puede regalar a cualquiera. Y estoy muy orgulloso de su Sistema Braille... ¡o como se llame el suyo!...

La abuela entonces me acercó a ella y me cogió de la barbilla.

—Es verdad lo que dice el abuelo —me dijo. Y añadió algo que me dejó sorprendida—: Yo también estoy muy contenta de ti. ¿Y sabes por qué? Porque me pediste que regalara aquellos juguetes a Valentín, Bibiana y Mateo. Sí, es verdad, ardillita. Estoy muy contenta de haberlo hecho. Ahora entro en aquella habitación, abro el armario y siento mucha paz. ¡Mucha paz y ninguna tristeza! Te lo aseguro. Me gusta hablarte así, Paulina, porque sé que ya no eres una niña.

Era la primera vez que los abuelos me hablaban así, y sentí una emoción muy grande. Escondí la cara en el brazo de la abuela, el corazón me hacía: tap, tap, tap. ¡Cuántas cosas buenas amanecían en aquel día! ¡Y qué poco nos figurábamos todos, en aquel momento en que nos sentíamos tan felices, las cosas que se avecinaban!

18

La fuga

La comida transcurrió feliz y tranquila, hablando los tres de muchas cosas. Y yo, cosa extraña, sentí aquel día a los abuelos muy cerca de mí: tanto como nunca antes los había sentido, a pesar de lo cariñosos y buenos que eran conmigo. Y como yo aún tenía dentro del corazón muchas cosas de que hablarles —cosas que se habían quedado dentro de mí y que el día de

Nochebuena no había dicho, a pesar de proponérmelo—, comprendía que me iba a ser más fácil hablar con ellos de todo aquello que, aún, me daba un poco de miedo.

Estaban los abuelos tomando ya el café, al lado de la chimenea, y yo me entretenía jugando con la gata Melitona (que estaba de lo más malhumorada y soñolienta), cuando oímos que alguien subía con mucha precipitación la escalera. El abuelo levantó los ojos del periódico y miró hacia la puerta, con curiosidad. También la abuela interrumpió su labor, y hasta Melitona se dignó abrir uno de sus ojos alargados y chatos, del color de lumbre y partidos por una raya negra.

Entró en la sala María. Pero era una María distinta, sofocada, descompuesta, sin aquel aire de paz y mansedumbre que la distinguía siempre. Estaba agitada, respiraba deprisa y cruzaba y descruzaba las manos sobre el pecho.

—¡Ay, señor, señora! ¡Ay, señores, qué gran desgracia, qué gran desgracia!

Cosa extraña en ella, se dejó caer sobre una silla y, tapándose la cara con el delantal, empezó a llorar. Los hombros se le movían deprisa y no se oían sus sollozos. Igual que cuando Nin lloró, al enterarse de que había nacido, al fin, su hermano. Así era —lo iba viendo yo— como lloraban las gentes de las montañas. Sin ruido, con el rostro oculto, como avergonzado, y sacudidos los hombros como si tuvieran frío.

—Pero ¿qué ocurre, qué ocurre? —decían, asustados, los abuelos.

Se habían levantado los dos y la abuela le pasaba el brazo a María por los hombros. Yo estaba tan asustada que ni siquiera me podía levantar del suelo, al lado de Melitona. Sentía un dolor extraño y repentino en las rodillas y el desfallecimiento de quien ha perdido el dominio de sus piernas, como un inválido. Miraba y miraba a la pobre María, tan consternada, a los abuelos, que se afanaban en hacerle explicar lo que ocurría, y sólo pensaba en una cosa, una cosa que adivinaba cierta y terrible: «Nin, Nin. Algo le ha pasado a Nin.»

Y, efectivamente, a poco se abrió la puerta y asomó la cara angustiada de Marta. Por primera vez habían desaparecido los robustos colores de su cara. Tenía los ojos muy abiertos y la boca como una rayita blanca.

—Dios mío, Dios mío —dijo—. Señores, Dios nos asista: el pajarillo ha volado.

El abuelo se volvió a ella y parecía ya furioso. La cogió por el hombro y casi gritó:

—¡Pero estas mujeres...! ¡Dejaos de eufemismos! ¿Qué ha pasado, cielos santos, qué ha pasado?

Marta recuperó su energía para decir, juntando las manos:

—El muchachín..., el muchachín, que ha desaparecido. Se ha ido, se ha ido sin dejar rastro. ¡Ay, señores de mi alma, qué gran desgracia!

—¿Que ha desaparecido? —dijo el abuelo.

Y nos quedamos todos como helados.

Notaba yo que un frío me iba subiendo, despacio y terrible, por las manos, los brazos y el cuello.

—Así es..., ha desaparecido... Entró María a llevarle la comida, y no estaba. No estaba, señor. ¡Su camita vacía y la ventana abierta! Abierta, por donde entró la nieve a la habitación. ¡Ay, señor, señor!

El abuelo estaba anonadado. Se pasó la mano por el cabello, mirando al suelo.

—Pero, vamos a ver... —empezó a decir.

Y entonces María y Marta, quitándose la palabra la una a la otra, se desbordaron en explicaciones.

El caso era éste: que Nin había desaparecido. Parecía algo extraño, algo de leyenda, o de romance, de los que tantas veces nos cantara Marta, al amor de la lumbre. ¡Nin había desaparecido! Dormía en una pequeña habitación, habilitada para él, junto a la leñera. Su ventana daba al tejadillo de ésta, y apoyada al tejadillo había siempre una escalera de mano. Por ella era por donde podía haber escapado Nin hasta el suelo. Muchas veces nosotros la habíamos visto, y hasta trepado por ella, jugando. La recordaba muy bien. Nin, que tenía una maravillosa memoria para recordar dónde estaban todos los objetos, fácilmente habría huido por allí. ¡Podía haberse caído, de todos modos! Aunque la altura no era muy grande, y un hombre podría saltar desde el tejadillo al suelo, sin gran dificultad. Pero Nin era débil y no muy alto. Faltaba su ropa. La cesta aparecía vacía. También había descolgado las botas, que tenía en la pared, como hacía Lorenzo, pendientes de un clavo por los cordones. Lo peor de todo era que no había huellas en la nieve reciente, todavía blanda. Y eso quería decir que Nin huyó antes de la nevada, y que la nevada nueva le había cogido por el camino. ¡Y estaba débil, y tenía fiebre!

Todos estaban consternados. Y yo... ¿cómo podría explicar lo que sentía yo? No, nunca podré. Ni una lágrima me salía. ¡Cuánto quería a Nin, Dios mío, cuánto le quería! ¡Nunca hasta aquel momento me di cuenta de lo que yo le necesitaba! Bien cierto es que yo le había enseñado a leer. Pero bien poca cosa era, comparándolo con lo que Nin me había enseñado a mí: que ser fea y desmedradilla no era una gran desgracia, que había niños y niñas muy desgraciados en el mundo, y otros que, sin serlo, vivían desde muy temprano como hombres y mujeres, llenos de trabajos y responsabilidades. Que la vida era muchas veces injusta y cruel, y que muchos, siendo buenos, no se daban cuenta del bien que no hacían y podían hacer. Que no todo en el mundo era no hacer mal: sino también, no dejar de hacer bien. Eso era todo lo que Nin me había enseñado a mí, y por lo que yo le quería tanto. Porque yo no tenía hermanos «de sangre», como decía la tía Rosalía, pero los tenía del corazón, que eran tanto o más.

Estas cosas sentía y pensaba yo, siguiéndolos como una sonámbula a todos, que subían y bajaban, y hablaban consternados. Y hacían conjeturas. Y suposiciones de dónde habría ido, si al río —¡Dios bendito, Nin ahogado en el río, que bajaba crecido y malo!—, si a la montaña, empujado por su fiebre que le hacía soñar despierto. Pero, ¿tan ciegos eran? ¿Tan ciegos?

—¡Nin ha ido a su casa! ¡Estoy segura de que ha ido a su casa! —dije. Y por fin noté que me caían lágrimas y que algo se deshacía dentro de mí, como la nieve al sol—. ¡Estoy segura de que él no soñaba, sino que sólo quería ir a su casa, porque ya no podía más!

El abuelo me miró, muy fijamente. Entonces yo no me podía contener: lloraba y lloraba, como desde hacía mucho tiempo no había llorado. Como desde una vez, hacía años, perdido el recuerdo casi, en que lloré mucho, mucho, y alguien —no sé quién— me cogió en brazos y me ocultó la cara en su hombro.

—Ven conmigo, Paulina —dijo el abuelo. Y me lo dijo muy suavemente, cogiéndome de la mano—. Ven conmigo y dime todo lo que sepas de Nin.

Marta se tapó la cara con el delantal, y María miraba el suelo, suspirando. Lorenzo también estaba allí, al pie de la escalera. Miraba hacia la pared, y tenía las mandíbulas muy apretadas.

La abuela se había sentado en el sofá, y se tapaba la cara con las manos. Todo tenía un aire tan triste, tan desesperado, que hasta los árboles desnudos, más allá del río, tras los cristales de la ventana, parecía que gritaban todos, a lo lejos.

El abuelo y yo entramos en la salita. El abuelo me tendió su pañuelo, sin decir nada, y yo procuré serenarme. Lloraba con bastante aparato; aún no sabía hacerlo como los de las montañas. Pero, por dentro, me juré que aprendería, porque no es bueno dar espectáculos con nuestras penas, cuando se trata de solucionar cosas más importantes, como encontrar a Nin, por ejemplo.

—Cálmate —dijo el abuelo con dulzura—. Cálmate, hija mía.

Era la primera vez que alguien me decía hija mía. Le miré y vi entonces, claramente, que era bueno, y que podría encontrar en él todo aquello que tanto deseaba, desde hacía tiempo. Le cogí la mano entre las mías —aquella mano tan grande, con el anillo de bodas que me hubiera servido, casi, de pulsera— y dije:

—Abuelo, estoy segura de que Nin se ha ido a su casa.

—¿Y cómo estás tan segura? ¿Acaso él te lo dijo a ti, en secreto?

—No —dije—. Son otros secretos los que me dijo... Otros, que están muy ligados con esta escapada. ¡Sí, abuelo, yo estoy segura de que si vamos a buscarle por el camino del bosque, hacia la ladera, le encontraremos!

—Si es así —dijo el abuelo—, lo encontraremos, es seguro. ¡Ojalá no sea demasiado tarde!

Se puso de pie y llamó a Lorenzo:

—Lorenzo, prepara el caballo.

Lorenzo asomó su cara, que estaba pálida, del color de la arcilla.

—¿Cuál, señor? —dijo—. ¿El bayo?

—El mío —dijo el abuelo. Y añadió—: Y el tuyo, también.

Todos levantaron la cabeza, y le miraron. Porque hacía ya mucho tiempo, mucho, que el abuelo no había vuelto a montar.

19

La voz del abuelo

Me acuerdo de que eran apenas las tres de la tarde, y de que el sol, de pronto, había salido, aunque débil y lejano. Miraba yo desde la puerta cómo ensillaban los caballos, que era uno de color negro, con una mancha blanca en la frente, y el otro rojizo.

—Yo iré hacia la ladera —dijo el abuelo—. Y tú, Lorenzo, por el otro camino, el que rodea el bosque. O el uno o el otro ha debido coger, puesto que no hay otros por ese lado de la casa.

Lorenzo asintió. Antes, habían bajado al prado, y al río. No había huellas de Nin por ninguna parte. Tan asustadas estaban Marta, la abuela y María, que no decían una sola palabra. Y yo misma lo miraba todo como si fuera un sueño y de un momento a otro me fuera a despertar creyendo que todo era una pesadilla. Yo ardía de impaciencia, pensando en qué horribles momentos íbamos a pasar, las mujeres, esperando en la casa a que ellos volvieran. Al fin, no me pude contener y me abracé al abuelo.

—Por favor —le dije—. Por favor, abuelo, llévame contigo...

—No es posible —me dijo—. No debemos cargar el caballo, porque Nin lo montará en cuanto lo encontremos.

—¡Por favor, déjame ir, abuelo! Iré andando, te lo juro: te juro que iré andando y no me cansaré...

Pero no me hicieron caso. Luego he comprendido que así fue mejor, porque de nada más que de estorbo podía servir yo en aquellos momentos. Pero entonces no podía reflexionarlo, y sólo sentía unas horribles ganas de llorar y de ir yo también camino adelante, pidiendo a Dios que no fuera demasiado tarde y que halláramos a Nin sano y salvo.

María calculaba que Nin debió de escapar poco después de que ella le entrara el desayuno. Explicó que habían hablado esto:

«—¿Cómo estás, Nin? ¿Cómo has dormido esta noche?

»—Bien —dijo él—. Estoy mucho mejor.

»—Veremos si mañana puedes levantarte.

»Él tomó con apetito el desayuno, y luego dijo:

»—María, déjame solo: quiero dormir.

»—Así me gusta —dijo ella—. Ha dicho el médico que debes descansar y dormir lo más posible.»

A María le llamó un poco la atención, porque hasta aquel momento Nin había estado muy nervioso y desasosegado, pidiendo que le dejaran vestirse e ir a la cocina conmigo. Pero no le dio más importancia y salió, después de cerrar la puerta con cuidado, para que no le llegaran a Nin los ruidos de la cocina, que estaba al final del corredor. Después, en vista de que no le oyeron más, ni su voz, llamándolas, creyeron que dormía. Hasta que María le entró la comida, y vio la ventana abierta, y todo el suelo junto a la ventana lleno de nieve derretida. Y la cama vacía.

—Daba la misma impresión que una jaula vacía —decía Marta (que en todo sacaba sus comparaciones de cuento o de romance)—. Igual que una avecilla que ha huido...

El abuelo hizo poner varias mantas en su caballo, y otras tantas en el de Lorenzo. Antes de marchar, me acarició la cabeza con la mano y dijo:

—No te preocupes, Paulina, que yo te juro que lo traeré sano y salvo.

Los vimos marchar, por los caminos de nieve: el uno hacia la derecha, el otro hacia la izquierda. ¡Qué pena y qué gran melancolía nos dio verles desaparecer en el recodo!

—Vamos arriba —dijo la abuela. Y se volvió a Marta y María, que estaban de pronto encogidas, como dos pajarillos—: Vamos, venid. Estaremos juntas, y rezaremos...

Subimos, y María atizó el fuego de la sala. Luego nos sentamos las tres, mirando los leños. Cada una rezaba por dentro, lo mejor que sabía, pidiendo a Dios que Nin estuviera a salvo. De vez en cuando, mirábamos hacia el balcón, sin decir nada. Estoy casi segura de que las tres pensábamos lo mismo: «¿Le habrán encontrado ya? ¿Le habrán encontrado?»

No puedo ahora recordar cuánto tiempo estuvimos así. Sólo sé que, de pronto, nos habíamos quedado a oscuras, en la sala, y que el fuego casi se había apagado. Sólo quedaban los leños, como piedras rojas, brillantes, en la ceniza, medio deshechos. Y un resplandor anaranjado que nos daba en las caras. María se levantó y fue a encender las lámparas. Trajo una y la puso encima de la mesa, en silencio. Las tres la mirábamos hacer. La lámpara tenía una pantalla de porcelana verde, y al encenderse parecía un gran caramelo de menta.

—Ay, Dios mío, tardan mucho... —dijo al fin la abuela.

Era lo que todas pensábamos. Claro que en invierno oscurecía pronto, pero ya eran cerca de las seis, y no había noticia.

—Con la nieve hay que andar despacio por los caminos —dijo Marta, tímidamente.

Ya, no sólo temíamos por el pobre Nin, sino también por el abuelo y por Lorenzo. Los caminos eran estrechos y empinados y con la nieve resbaladiza se hacían peligrosos. El abuelo hacía mucho que no había montado por aquellos parajes, y Lorenzo ya iba siendo viejo, aunque no le gustaba que se lo recordaran.

María preguntó a la abuela si quería merendar, pero la abuela dijo que no tenía ganas, que no podía probar nada, con aquella angustia. Con la luz de la lámpara, se veía que teníamos todas unas caras muy pálidas.

Al fin, y cuando menos lo imaginábamos, oímos abrirse la puerta de allá abajo, junto a la explanada.

—¡Dios sea bendito! —dijo Marta.

Y echó a correr escaleras abajo. Oímos la voz de Lorenzo, que llamaba, y salimos al rellano.

Lorenzo estaba allá abajo, rojo de frío. Traía una de las mantas sobre los hombros, y la boina calada hasta los ojos.

Apenas vio a Marta, preguntó:

—¿Hay noticias? ¿Qué se sabe?

Se nos cayó de pronto el corazón. Eso mismo parecía: que se caía el corazón, allá abajo, a un pozo muy oscuro.

—¡Ninguna noticia! ¡Ninguna! —dijo Marta, casi sollozando—. ¡Si no las traes tú, cuitado...! ¡Ay, Señor, Señor, qué desgracia tan grande!

Lorenzo lanzó una palabra fuerte (y eso que estaba la abuela delante).

Pero nadie le dijo nada, y pareció como si no la hubiera dicho.

—¡Así que no aparecieron! ¡Yo anduve todo el camino, rodeando el bosque, y no apareció! ¡Supuse que el señor lo habría ya encontrado!

La abuela se apoyó en el brazo de María.

—¡Dios mío! —dijo—. ¡Dios mío!

—¡Allá vuelvo! —dijo Lorenzo, entonces—. Voy por ellos, al camino de la ladera...

María bajó y le dio un vaso de vino. Lo bebió de un trago.

—No apurarse —dijo—. Vaya, no apurarse: ya aparecerán...

Salió otra vez, y lo vimos montarse de nuevo en el caballo. Al caballo le brillaban las grupas, rojizas y húmedas. Marta había encendido un farol, y se lo entregó.

Apenas había avanzado unos metros, camino arriba, cuando se oyó la voz del abuelo, que llamaba.

—¡Ya están aquí! —gritó Lorenzo—. ¡Ya están ahí, oigo la voz del señor!

Y se lanzó más aprisa, camino arriba, hacia los árboles, desnudos y negros, en la tarde de invierno.

20

Una promesa

Traían a Nin envuelto en una de las mantas, completamente inmóvil y blanco, con los ojos cerrados. María empezó a llorar al verlo, y también la abuela, pero no yo: no yo, porque dentro de mí había una voz que decía que Nin estaba vivo, que Nin estaba salvado. No sé por qué lo sabía. Sólo de verlo, cuando lo dejaron sobre la cama (lo habían subido a una de las habitaciones de arriba, una de las que estaban siempre cerradas), y ver su carita pálida, y el cabello, tan liso y tan suave, cayendo hacia atrás, blando y rubio, como oro fino, sobre la almohada: sólo de verlo, de ver su cabeza hermosa (y me acordaba, como un estribillo, del romance de Marta «*más hermoso que el sol bello —déjale que entre— se calentará*»), yo, digo, *sabía* que estaba vivo, como *sabía* que *era* de las montañas.

—Que venga el médico enseguida —dijo el abuelo—. Encended aquí un buen fuego.

Eran las primeras palabras que decía. Estaba muy serio, y muy pálido. Era extraño, no le conocía yo aquella mirada. Parecía un hombre distinto, y como lejano: no parecía mi abuelo.

¡Y qué extraño era que abrieran aquella habitación! Porque yo sabía bien que aquella habitación no se abría nunca, porque fue de mi padre, y que de allí salió para no volver. Y ni a mí, siquiera, me habían instalado en aquella habitación. Claro que tal vez lo hacían porque estuviera más cerca de la alcoba de la abuela. Pero de todos modos era sorprendente. Y aquellas paredes olían a frío, y a encierro, y en el papel de la pared, donde había hojas y flores, todas del mismo color, y en los muebles, y en las cortinas, había algo extraño, como si volviera un tiempo lejano, un tiempo que se ha perdido, o más bien eso: que se ha quedado encerrado, sin poder escapar, dentro de una habitación.

—¿Qué tiene? —preguntó al fin la abuela—. ¿Cómo ha sido, Señor?

Poco a poco, fuimos sabiéndolo todo. Bien claro estaba: Nin había escapado a su casa, camino arriba, entre la nieve. Llevaba debajo del brazo el hatillo de su ropa. Tenía fiebre, tal vez iba delirando —decían—, pero le guiaba su instinto de ciego. Él conocía el camino, porque lo recorría muchas veces, todos los años. Unas, a caballo, y otras, andando, junto a sus padres. Él quería volver allá, a la casa de la ladera. Iba guiado por un deseo muy grande, y tal vez hubiera llegado, si no fuera por la nevada. Había caído, medio helado, sobre la nieve, sin conocimiento. El abuelo lo había encontrado, yerto, al borde del camino.

Sin saber por qué, me acordé de nuestro Nacimiento, allá en el huerto, sepultado por la nieve. Esto me dio una congoja dulce y rara. Marta me sacó de la habitación, y de la mano bajamos la escalera. Ella se iba secando los ojos, con la punta del delantal.

—No le pasará nada, ¿verdad, Marta? ¿Verdad que no le pasará nada?

Pero ella no me contestó, y me apretaba la mano mucho, dentro de la suya, callosa y regordeta.

Lorenzo ya había salido a por el médico. Era muy tarde cuando volvieron. Estuvieron mucho rato allí arriba, en el cuarto de Nin. Luego los oímos bajar la escalera, y Marta y yo salimos a escuchar. Lorenzo nos hizo una seña con la cabeza:

—Id adentro, id adentro...

Comprendí que no quería decir lo que pasaba, por mí. Marta me apretó más la mano, y se mordía los labios, para que no la viera llorar. Sentí que el corazón se me quedaba frío y seco. Tuve entonces miedo, un miedo horrible.

¡No, no podía ser lo que temía!

Tanta desesperación me entró, que me solté de la mano de Marta y salí corriendo. Ni siquiera podía llorar, porque una cosa muy dura me cubría los ojos, como si fueran de cristal o de piedra. «No será, no será», me iba diciendo. Y hasta me parece que iba hablando sola. Subía deprisa la escalera, y casi no sentía que subía. Era como si algo o alguien me fueran empujando.

Entré en la habitación de Nin. Habían encendido un buen fuego en la chimenea, como ordenó el abuelo. Al lado de la cama estaba la abuela, sentada a la cabecera, mirando hacia Nin. Al pie, el abuelo. Les daba a los dos el resplandor del fuego, y en la habitación había un olor fuerte, parecido al del alcohol de romero.

—Paulina —dijo el abuelo, al verme—. Paulina, ven conmigo.

Cuánto agradecí, de pronto, su mano, grande y fuerte, donde se escondía la mía, como un pájaro.

Sentí que temblaba.

—Paulina —volvió a decir el abuelo—. Escúchame...

Pero yo no podía decir nada. Estaba quieta, mirando hacia Nin, a sus ojos cerrados, a su cabello rubio, que brillaba con el resplandor de las llamas.

Suavemente, el abuelo me sacó de allí. Y, cosa extraña, al salir, siguiendo dócilmente al abuelo, como si yo no tuviera ni fuerza ni voluntad para nada, una idea solamente me llenaba la cabeza: una idea tonta, que en aquel momento no servía, desgraciadamente, para nada, pero que, sin saber cómo, me consolaba: «Si Nin se salva...», iba pensando. «Si se salva, juro que le regalaré el potrillo nuevo. Lo juro, que se lo regalaré.»

21

La tierra todo lo da

El abuelo se sentó en su sillón de la sala, frente a mí. Apenas había un resplandor rojizo en el hogar, porque habíamos dejado morir el fuego. Yo no podía sentarme. Estaba frente a él, mirándole tontamente a la cara, llena de frío de pies a cabeza. Él me cogió las manos, y me miraba a los ojos, muy fijo. Tenía los ojos azules, claros, con una luz lejana dentro, como la de una casita perdida en el bosque, de esas de los cuentos que nos cuentan cuando somos muy pequeños.

—Paulina —me dijo—. Escúchame, Paulina.

Asentí con la cabeza, y el abuelo me apretó más las manos entre las suyas.

—No tengas miedo —me dijo—. Nin está bien...

Entonces empecé a llorar. Lloré muy despacio, sin ruido, de un modo como no lo había hecho nunca. Me caían las lágrimas por las mejillas, calientes y despacio. Y yo las sentía casi con agradecimiento.

El abuelo tuvo paciencia con mis lágrimas y estuvo esperándome. Cuando poco a poco fui serenándome, me hizo sentar en una sillita baja, frente a él.

—Tienes que ser valiente —me dijo—. No creo que le suceda nada malo a Nin, pero si le sucediera, deberías ser valiente.

—Sí, lo seré —le dije. Pero no soportaba ni la idea de que le pasara algo que no tuviera remedio.

—El médico dice que posiblemente es pulmonía —dijo el abuelo—. Pero haremos todo lo posible por él.

Yo dije que sí con la cabeza; estaba segura de que lo harían.

—Ahora —me dijo entonces el abuelo—, quiero que me digas *por qué* se fue Nin de esta casa. Necesito que me lo digas, Paulina, porque es muy importante.

Yo miré al abuelo, llena de agradecimiento. ¡Tantas veces hubiera querido decírselo! No por qué se había marchado, sino todo aquello que le empujaba dentro.

—Nin es muy desgraciado —le dije entonces—. Es tan desgraciado, que nadie lo sabrá nunca bastante.

—¿Por qué? —dijo el abuelo—. ¿Por su ceguera?

—En parte... —dije yo—. Pero mucho más por no ser útil a sus padres. ¡Abuelo, aquí los niños trabajan desde muy temprano! Todos ayudan a sus padres, porque son gente que lleva una vida muy dura...

Me quedé callada otra vez, porque me daba cuenta de que aquello acaso no estaba bien decirlo, puesto que los hombres de que yo hablaba eran aparceros del abuelo. Pero el abuelo me apretó más la mano y dijo, suavemente:

—Dime, no te detengas.

Y yo se lo dije. Le conté el secreto de Nin, lo que oyera decir de él a su tía Rosalía. Lo triste que era para él no vivir junto a sus padres en la casa de la ladera. La vida que llevaba siempre, como decía Marta, «cara a la tierra, que todo se lo lleva»...

—Abuelo —dije—. Es triste eso: «La tierra, que todo se lo lleva.» ¡Ellos quieren a la tierra, pero, por lo visto, la tierra les hace mucho daño! Siempre están de cara a ella y se hacen viejos luchando con ella.

—Es cierto lo que dice Marta —dijo, muy despacio. Y la voz en aquel momento era baja y un poco ronca, como la de María—. La tierra se lo lleva todo.

—¿Tú quieres a la tierra? —dije yo.

—Sí —me contestó—. La quiero mucho, mucho. Desde niño la quise.

—Tú tienes mucha —le dije entonces, y el corazón me latía de pronto muy deprisa—. Muchísima...

—Sí —dijo—. Alguna.

Y añadió:

—Siempre había mirado a la tierra y la había querido. Cuando era niño, mi padre me llevaba a través de los campos. Me llevaba montado en su caballo, delante de él, y pasábamos por el camino alto. Me señalaba allá abajo y me decía: «Mira la tierra.» Yo estaba orgulloso de ella. Porque la tierra lo da todo, también.

—Sí —dije yo—. Todos lo dicen... Si se trabaja, la tierra es muy agradecida.

—Pero el tiempo pasa —dijo el abuelo. Y parecía que no me había oído—. El tiempo pasa y los hombres cambian. Mis hijos no quisieron a la tierra. A veces yo he pasado, ya viejo, por el mismo camino por donde me llevaba mi padre, siendo yo niño. Y he vuelto a mirarla, allá abajo, y me he encontrado muy solo. Estaba solo, encima de la tierra.

De pronto levantó la cabeza y me miró de frente:

—¿Entiendes de lo que te estoy hablando, Paulina?

—Sí —dije—. Te entiendo muy bien, abuelo.

—La tierra es para el que la ama —dijo entonces el abuelo—. Para el que sufre y trabaja en ella. ¿No es eso lo que piensas tú también?

Dije que sí con la cabeza. Casi no podía hablar.

—Tú eres como yo —me dijo entonces. Y me puso la mano en el hombro—. Es extraño. Tú eres como yo, Paulina. Al cabo de tantos años, te he encontrado.

Esto último me pareció un poco raro. Pero, sin embargo, muy dentro de mí sentía que era verdad lo que decía.

—Bien —dijo el abuelo—. ¿Me echarás en cara, cuando seas una mujer, que les devuelva la tierra a ellos?

—¿A ellos? —dije yo. Y me parecía tan grande aquello que decía, y tan bueno, que casi sentía miedo.

—Sí —dijo él—. A los que la trabajan y necesitan a sus hijos para que les ayuden.

—Nunca te lo echaré en cara —le dije. Y para que más se

convenciera, añadí—: Y si es verdad que cambio, abuelo, como dice Lorenzo que cambia la gente, con los años... si es verdad que cambio, más aún: hazlo pronto, antes que sea tarde. Y si lo siento, cuando sea mayor, me estará bien empleado. ¡Sí, abuelo, porque es como ahora, como yo quiero ser siempre!

Y aunque nadie se iba de viaje, ni él ni yo, el abuelo me besó en la frente.

22

Cara al futuro

Nin se agravó mucho, durante aquel día y al siguiente. Todos en la casa andaban muy despacio, en silencio. Yo me estaba casi todo el tiempo en la sala, al lado de la habitación de Nin. Alguna vez me dejaban entrar y mirarle desde la puerta. Nin estaba ahora sofocado y respiraba muy fatigosamente. No reconocía a nadie.

El abuelo mandó a por sus padres. Llegaron los dos, montados en el caballo, con el pequeño en brazos. Venía ella llorando, y cuando entró yo la vi cómo subía la escalera, apoyada en el brazo de su marido. Y ni veía a nadie, y yo sólo la oía respirar, tan fuerte como el mismo Nin. Para entrar en la habitación dejó en brazos de María al pequeñito. Yo me acerqué a mirar. Allí, arrebujado entre mantas y toquillas, había una caruja chiquita y encarnadita, durmiendo. Tenía manitas chiquitas y rosadas, que se metía en la boca. Abrió los ojos, azules y grandes, y miraba como un conejillo.

—Pobre golondrina —decía María.

Y por primera vez, desde que desapareció Nin, la vi que sonreía. ¡Cómo sabía ella tratar a los niños! Como la madre de Nin ya no se apartó de la cama de su hijo, ella lavaba al pequeño, lo vestía y lo tenía en brazos. Yo pensaba entonces a cuántos niños habría tenido así, uno a uno, en su vida. Y todos se habían ido, de ella como de la tierra, y sólo le dejaron allí, en el fondo de la huerta, su estatura en el chopo. Pero yo no sería así. No, yo no sería así. De eso estaba segura.

El padre de Nin era un hombre alto y delgado, que se parecía a Valentín. Estaba serio y callado. Comía en la cocina, en silencio, y una vez le vi con las botas de Nin entre las manos, mirándolas.

El abuelo le llamó, al segundo día. Yo estaba también en la sala y el abuelo no me hizo salir. Al contrario. Me dijo:

—Cierra la puerta, Paulina, y siéntate junto al fuego.

Así lo hice y oí cómo el abuelo le decía a Ricardo —que así se llamaba el padre de Nin— que pensaba repartir la tierra entre los aparceros.

—Yo soy viejo —le dijo—. Y mis hijos no aman a esta tierra.

Entonces se volvió a mí:

—La única que podía ponerme reparos es mi nieta. Pero está de acuerdo conmigo. ¡Y es mi única nieta!

Sonreía, mirándome, y yo también le sonreí. Me di cuenta también de que era la primera sonrisa, desde hacía dos días.

—Deberemos revisar la casa de la ladera —dijo el abuelo—. Creo que la tendremos que reparar a conciencia. Hace muchos años que no la veo.

Ricardo estaba tan sorprendido, que solamente sabía mirar al abuelo, con los ojos muy abiertos. Entre las manos, estrujaba la boina.

—Esperemos al deshielo para meternos en esos trabajos —añadió el abuelo—. Hasta entonces, podéis vivir en esta casa. Es muy grande y hay sitio para todos. Comprendo que Nin no quería separarse de vosotros. Por eso se fue en vuestra busca.

Ricardo, entonces, miró de frente al abuelo y dijo, con voz ronca:

—¿Es verdad, señor?

—Verdad —dijo el abuelo, encendiendo su pipa, sin mirarle.

—¿Verdad que él iba a buscarnos?

—Así dice Paulina —dijo el abuelo, señalándome—. ¡Y le conoce bien!

Entonces yo le dije:

—Siempre estaba pensando en sus padres. Siempre. Y tuvo una pena muy grande el día de Nochebuena. ¡Él esperaba tanto ese día!

No le dije que ya sabía las letras, porque esperaba que Nin se pondría bueno y podría darles la sorpresa él mismo.

—¿Y es verdad... que labraremos la tierra *nuestra*? —dijo entonces Ricardo, poniéndose rojo.

—Verdad —dijo el abuelo, muy despacio—. En cuanto Nin se recupere, firmaremos los documentos. Tuya será la que tú labras. Suya, la que labren los otros. ¡Para un par de viejos —añadió, con voz que se me antojó algo triste— nos basta con todo lo demás! Vosotros sois jóvenes y tenéis hijos al mando. Hijos que salen a buscaros por los caminos de nieve. Cuando Nin se recupere, miraremos de buscarle un maestro adecuado que le instruya. Hay buenos sistemas para los que no ven.

Me miró el abuelo y me pareció que sus ojos sonreían. Seguramente que se acordaba de mi Sistema.

Oyéndole, me despertó una alegría suave, dulce, dentro de la pena que sentía.

—¿De verdad, abuelo? —dije yo entonces, sin poderme contener—. ¿De verdad? ¡Eso sería lo mejor de todo! ¡Porque Nin sufre más que todo porque se cree que no sirve para nada! De este modo, él sabrá que puede ser, un día u otro, alguna ayuda para sus padres...

—No lo dudo —dijo el abuelo—. Es muy inteligente. Mucho. Creo que si quiere puede ser algo muy grande en esta vida.

Ricardo nos miraba al uno y al otro, como si no entendiera. Al fin, sólo pudo decir:

—Gracias. Se lo digo de veras, señor: muchas gracias.

Cuando salió parecía que soñaba.

Pasaron unos días más y al fin, poco a poco, Nin fue recuperándose. Una mañana me reconoció. Estaba yo asomada a la puerta y dijo:

—¡Paulina! ¡Paulina! ¿Has visto? ¡Ha venido mi madre!

Yo corrí hasta su lado y le cogí de la mano. Su madre nos miraba con mirada oscura y brillante, una mirada que sólo tienen las mujeres de las montañas.

—Paulina —dijo—. Paulina, ¡cuánto te nombra mi hijo!

Aquello era lo mejor que me podía decir. Y yo supe, por fin, que Nin estaba salvado. Sentí una alegría tan fuerte, tan grande, que me quedé como sin habla. Y luego, de repente, noté mucho calor en la cara y en el cuello, y sólo supe decir:

—¡Nin, te regalo el potrillo recién nacido! ¡Te lo juro, Nin, que te lo regalo!

¿He de decir que, sin saber cómo, sin darnos cuenta, una mañana extraña, que amaneció distinta, con otra luz, con otro olor, llegó al fin la primavera? Han pasado tres años desde entonces. Ahora estoy escribiendo esto desde mi habitación de la casa de las montañas, en mis vacaciones de verano. El sol brilla fuera, y dentro de un rato yo bajaré al prado e iremos juntos, Nin y yo, a sentarnos a la orilla del río. Han pasado tres años, pero aún me acuerdo de aquella primavera.

Todo el campo se había cubierto de hierba, una hierba fina y dulce, de un verde tan oscuro que a trechos parecía azul marino. En la ladera crecían margaritas grandes y estaban los espinos llenos con la flor blanca de la endrina. Subían gritando, hacia el alero del tejado, los vencejos. Nin —un Nin muy alto, con su traje azul de hombre— montaba en el caballo, camino de la casa de la ladera. Ya hacía más de quince días que una brigada de obreros trabajaban en su casa, para que no entrara en ella el frío del invierno. Antonio, el hermano pequeño, gritaba en brazos de María, que le ponía en alto, como si lo fuera a dejar caer. Antonio tenía el cabello rizado y negro, y los ojos redondos, como los pájaros. Nin se reía oyéndoles. También yo iba a la ladera. También yo iba a conocer la casa de Nin.

Han pasado tres años, como digo, desde entonces. Pero todos los veranos espero con la misma ilusión volver a la casa de la ladera. Casi se puede decir que paso allí mis vacaciones. La madre de Nin nos da tortas de azúcar, ciruelas y miel silvestre. Nos sentamos en el banco, a la puerta de la casa, y hablamos. Del campo, de nuestros libros y de cuando seamos (como decía Marta, «en un abrir y cerrar de ojos») un hombre y una mujer. Todos los años nos medimos en el chopo. ¡Y hay que ver cuánto hemos crecido!

Me doy cuenta de que he escrito que *hablamos de «nuestros libros»*. Y es porque, ahora, Nin también se va en el otoño, igual que yo, a la ciudad. Allí estudia en un colegio especial para muchachos ciegos y es uno de los alumnos más brillantes. ¡Si ya lo sabía yo que era muy listo! Nin está muy ilusionado, pues quiere estudiar mucho y ser un hombre muy importante. Y el abuelo, y yo, y todo el que le conoce, estamos muy seguros de que lo será. Ahora ya no sufre pensando que de nada sirve, pues puede ayudar mucho a sus padres. Siente mucho tener que separarse de ellos, pero ahora lo hace pensando que su ausencia es provechosa, y esto le sirve de consuelo.

En este momento el sol brilla y zumba una abeja, cerca de la ventana. Hace calor y oigo allá, detrás de los chopos, el rumor del río. Es verano, apenas el principio del verano, y tengo aún muchos días de vacaciones. Mi potrillo creció y, como lo juré, se lo regalé a Nin. Pero hay que reconocer que, en el fondo, sigue siendo un poco mío. Cada vez que me ve, me mira con sus ojos de color de miel y parece que se ríe.

Oigo la voz de Nin, en el prado. También allá lejos, hacia el río, la risa de Marta, gordita y llena de historias, como siempre. María sigue llamándome «Paulinita» y «golondrina», y creo que cuando tenga veinte años seguirá llamándome igual. Hoy es un día hermoso. Abajo está todo lleno de sol y huele muy fuerte a hierba recién cortada. Yo amo la tierra, y sé muy bien, muy bien, que no cambiaré nunca, aunque pase el tiempo. Porque yo *soy* de las montañas.

Ahora, cuando aún no se ha terminado del todo la primavera, y después, en el otoño, es cuando se siente más la tierra. Desde aquí veo cuántas y cuántas clases de verdes hay en ella, y las extrañas hojas de color de rosa; cuadrados amarillos, rojos y otros de un azul oscuro y misterioso, que hace pensar. Miro y miro la tierra, y cuanto más la miro creo que comprendo mejor a todos los que me rodean. Cuando me marcho de aquí, sigo llevándome a la tierra dentro de los ojos, y me digo que es difícil, quizás imposible, vivir lejos de ella. La quiero cuando llueve y forma charcas como trozos de espejo, quieto y brillante, y bajan a beber los pájaros, de sopetón, como un grito; cuando se seca bajo el sol, y allá lejos se levantan nubecillas de humo. He visto cómo la trabajan los padres de Nin, sus tíos, sus primos y todos los hombres y todas las mujeres de la aldea. Me gusta ver la reja del arado, hundiéndose, y oír los gritos de los vencejos y las golondrinas, que quieren devorar la simiente. El sol, allí arriba, se pone redondo y encarnado, y los campesinos saben si hará frío o calor, si helará o bajará la nieve. Están siempre muy preocupados con el cielo, porque todo lo de la tierra depende de él.

El País de la Pizarra

En el país de Cora-Cora se preparaban grandes festejos. Faltaban sólo ocho días para el cumpleaños del rey, y el carpintero real estaba muy ocupado terminando los hermosos caballos de madera para el gran tiovivo que todos los años, por aquellas fechas, se instalaba en el parque de palacio. Los años que el rey de Cora debía de cumplir no pasaban de cuatro, pero esto no importaba para que en el país todos los habitantes fueran muy felices.

Todas las mañanas, el carpintero real sacaba al huerto de su casa los caballos recién pintados, para que el calor del sol los secase. La tapia del huerto se llenaba entonces de cabezas que curioseaban. Los más felices eran los hijos del carpintero, un niño y una niña llamados Moncho y Felpa, que ya empezaban a ayudar a su padre en aquel trabajo. Esperaban con gran ilusión el día del cumpleaños del rey, pues en aquella fecha se abrían las puertas del jardín real para todos los niños de la ciudad, que podían montar en el tiovivo, comer helados de color de rosa, jugar a la pelota y pasearse en la barca de oro del estanque. Además, verían al rey y a su hermana la princesa, que ya tenía seis años, y era la princesa más princesa que se pueda imaginar. Tan ilusionados como ellos, esperaban la fiesta sus vecinos Pelusa y Caracol. Éstos eran una niña y un niño, hijos del real profesor, que todas las mañanas se dirigía a palacio para enseñar el abecedario al rey y la tabla de multiplicar a la princesa. Pelusa y Caracol se asomaban muchas veces a la tapia del huerto, para contemplar el trabajo del carpintero y de sus hijos. Los caballos aparecían recién pintados, y brillaban mucho al sol.

Todo marchaba muy bien, hasta que una mañana, la misma víspera del cumpleaños del rey, Pelusa asomó la cabeza por la tapia y llamó a sus amigos con una voz muy triste.

—Mi padre está en un gran apuro —les dijo—. Esta mañana, mientras daba la clase, la princesa desapareció y nadie sabe dónde está. Mi padre no ha podido explicar cómo fue, porque no lo sabe y, hasta que no aparezca, todos le echan la culpa de haberla raptado. ¡Es horrible!

—¡No puede ser! —dijo Moncho, muy alarmado—. ¿Es verdad eso?

—¡Y tan verdad! —respondió Pelusa, dando un gran suspiro—. Fue algo rarísimo. Seguro que cosa de magia o de brujas. Mi padre le había mandado resolver una suma muy larga en la pizarra. Se puso a mirar un libro y, cuando volvió la cabeza, ¡la princesa había desaparecido! Allí estaba la suma intacta, pero la princesa no estaba. Y todas las puertas y las ventanas estaban bien cerradas, os lo juro. Mi pobre padre está hecho un lío. ¡No sé qué va a pasar, si la princesa no aparece! Todos andan muy serios por palacio.

Felpa, que era un poco egoísta, dijo:

—¡Si no aparece pronto, ni habrá fiesta de cumpleaños ni nada!

Pero Moncho era el más sensato de todos.

—¿Han detenido al real profesor? —preguntó.

—Sí —dijo Pelusa, tapándose la cara con las manos—. Lo tienen encerrado en la sala de los billares. Todos dicen que él es el culpable, puesto que desapareció cuando iba a enseñarle a multiplicar por nueve.

—¡Qué desastre! —suspiró Moncho.

Y los tres miraron al suelo, muy preocupados. Caracol no decía nada, porque no sabía hablar, pero escuchaba con mucha atención.

—Pues esto no puede quedar así —dijo Moncho al fin—. ¿Sabéis qué os digo? ¡Nosotros buscaremos y encontraremos a la princesa!

—¿Y cómo? —preguntó Pelusa, con desaliento.

—¡Dejadme pensar!

Moncho se fue a dar una vuelta por el huerto, con las manos en los bolsillos.

Todas las hojas le miraban en silencio, las mariquitas se paraban a contemplarle, y las flores cuchicheaban, porque lo sabían todo y estaban muy preocupadas. Todo el país de Cora-Cora quería mucho a la princesa, y estaban muy orgullosos de que fuera la princesa más princesa de todas las princesas. ¡Qué horror si desapareciese para siempre! No lo soportarían. Pero tenían mucha confianza en Moncho, porque era un chico muy listo y algo tozudo. Cuando Moncho dio tres vueltas al huerto, volvió a la tapia donde le esperaban Felpa y sus amiguitos.

—¿Estáis dispuestos a seguirme? —les preguntó, solemnemente.

—¡Sí, sí! —dijo Pelusa.

—Bueno —dijo Felpa.

Caracol no dijo nada, pero les miró uno a uno, y eso quería decir: «Yo también voy, si me llevan.»

—¡A palacio! —dijo Moncho—. Lo primero que debemos hacer es examinar el lugar donde desapareció la princesa. ¡Ahí estará el misterio, y la pista!

—Para hacer estas cosas es necesario que sea de noche —apuntó Pelusa, que era muy reflexiva.

—Claro. Esta noche, cuando el cucú de las doce, nos reuniremos aquí —dijo Moncho.

Y sacando un trozo de yeso trazó una cruz en el suelo.

Aquella noche salió la luna, redondísima. Daba gusto verla, asomada a la ventana. Moncho saltó de la cama y se pasó un cepillo por la cabeza. Luego se calzó y se puso los pantalones y el jersey. Le costó mucho trabajo despertar a Felpa que, al parecer, se había olvidado de todo. Tuvo que esperarla un ratito, porque era muy presumida y se hacía el lacito de la cabeza hasta cuatro veces, antes de encontrarlo a su gusto.

Al fin bajaron la escalera muy despacio, para no despertar al carpintero real y a su esposa. (Que, naturalmente, eran su papá y su mamá.)

Cuando llegaron a la tapia del huerto, ya les estaban esperando Pelusa y Caracol, con las mejillas rojas de impaciencia.

—¡Creí que no veníais! —dijo Pelusa.

—¡Qué cosas tienes! —dijo Moncho—. Vamos, aprisa.

Cuando llegaron a la gran verja del jardín real, se quedaron pensativos. ¿Cómo abrirla? Era muy grande y estaba cerrada por el otro lado. Entonces Caracol sonrió, se puso el chupete en la boca —cosa que le daba valor— y, como era pequeñito, pasó entre los barrotes. Luego descorrió el cerrojo y todos entraron, muy contentos.

—¡Esto empieza bien! —dijeron los cuatro niños.

Buscaron el caminito entre los rosales, y llegaron justamente al muro de palacio adonde daba la ventana de la sala de estudio. Miraron hacia arriba y la ventana estaba muy oscura.

De pronto oyeron un ruidito entre las hojas, y se volvieron.

—Cuidado —dijo Moncho—. Fijaos, ahí detrás hay alguien escondido.

Pelusa y Felpa se cogieron de la mano, y miraron. Era verdad: escondido, detrás de las margaritas, estaba un tipo misterioso y encapuchado, que les vigilaba.

—¿Qué hacemos? —dijo Pelusa.

Moncho reflexionó.

—Bah, no parece muy alto —dijo—. Debe de ser un espía o algo así. Si no se mete con nosotros, lo mejor es no hacer caso a ese Capucha.

Y era verdad. Capucha no hacía nada más que espiarlos. Lo mejor era hacer que no lo veían. ¡Y además era un pequeñajo, más pequeño que Felpa!

—Lo peor será subir hasta la ventana —dijo Moncho—. Hay que idear algo. Bueno, de momento yo traje una lupa, pero para subir no sirve.

Entonces oyeron una vocecita muy lejana, que les llamaba: «¡Moncho! ¡Pelusa! ¡Felpa! ¡Caracol!» ¿Quién sería? La vocecita venía muy lejana, del cielo. Miraron hacia arriba. Encima de su cabeza había una estrellita verde, que pestañeaba mucho.

—¡Ah! —dijo Pelusa—. Es la Estrella Marianita, que ayuda a los niños valientes en las noches de luna redonda.

—¡Estrella Marianita! —dijo Moncho muy contento—. ¡Tienes que ayudarnos! Somos unos niños valientes que queremos salvar a la princesa. ¿Cómo podremos subir hasta la sala de estudio?

La Estrella Marianita pestañeó dos veces y dijo:

—Os mandaré un rayito de plata. Hacéis unos nudos bien fuertes y echadlo a la ventana. Luego subís por él. Pero, ¡ay de aquel que tenga miedo! Si alguno es miedoso, el hilo de plata se romperá, y caeréis al suelo.

—¡Gracias, Estrella Marianita! ¡Somos muy valientes y no se romperá!

Moncho y Pelusa le enviaron un beso y, al poco, Estrella Marianita les echó el rayo de plata, que fue desovillando de una de sus siete puntas.

Pero cuando ya lo tenían bien sujeto, Felpa empezó a llorar. Se volvieron a mirarla, y estaba muy colorada.

—¡Yo no soy una niña valiente! —dijo—. ¡Soy una cobardica, y tengo hambre y sueño! ¡El hilo se romperá si subo yo!

—¡Vamos! ¡No os apuréis! —dijo entonces una vocecita que, esta vez, venía del suelo.

Todos se agacharon a mirar, y a la luz de la luna vieron a una hermosa mariquita con un paraguas verde.

—¿Quién eres tú? —dijo Moncho.

—Soy la Mariquita del Paraguas —dijo ella—. Yo me encargo de proteger a la reina de las rosas, los días de lluvia. ¡No hay nadie más valiente que yo! Defiendo a la reina de las rosas a paraguazos, cada vez que se le acercan el Gusano Malo y el Escarabajote. ¡No te apures, Felpa! Sois unos niños tan buenos que no quiero abandonaros. Yo me subiré al hombro de Felpa, y de este modo se sentirá más valiente que nadie.

—¡Gracias! —dijo Felpa—. Si tú subes a mi hombro, estoy segura de no tener miedo ni nada parecido.

Capucha asomó la cabeza por entre las margaritas, para ver cómo subían todos por el hilo de plata.

—No le hagáis caso a ese espía —dijo Moncho—. No vale nada.

Y empezaron a trepar hacia la ventana. Capucha se sujetó al final del hilo, y subió detrás de ellos. «¡Qué descaro!», pensó Moncho. «Pero sin duda es muy valiente, porque, si no, el hilo se rompería.»

Y el hilo no se rompió. Llegaron felizmente a la ventana, y saltaron adentro de la sala de estudio.

—¡Moncho! —llamó la Estrella Marianita—. Enrolla bien el hilo, no sea que se pierda.

—Bueno —dijo Moncho—. Pero eso es cosa de las niñas. Mientras, yo tengo que investigar con mi lupa.

Capucha se ocultó detrás de una silla, pero asomaba la borla de color rojo que colgaba de la punta. Pelusa y Felpa empezaron a enrollar el hilo de plata, y Mariquita señaló con el paraguas hacia la pizarra:

—Aquí mismo, exactamente, fue donde desapareció la princesa. Yo lo vi, porque estaba asomada a la ventana.

—¿Y cómo fue? —dijo Moncho.

—Pues no lo sé —dijo Mariquita del Paraguas—. Yo la estaba mirando cuando, de pronto, pareció que se hundía o algo así. El caso es que desapareció del todo.

Caracol se metió debajo de la mesa y encontró un cuaderno. Lo cogió y se lo llevó a Moncho.

—Un cuaderno lleno de números —dijo Moncho, examinándolo con su lupa—. No veo ningún misterio, la verdad.

Entonces oyeron una algarabía de vocecitas menudas, que salía del estante de los libros.

Los cuatro niños y Mariquita se acercaron.

—¡Ah! —dijo Mariquita del Paraguas, descubriéndose respetuosamente—. Es el libro del rey. Escuchemos qué dice.

—¡Ellos tienen la culpa! —decían aquellas vocecillas, irritadas y agudas.

Moncho cogió el libro del rey, con manos respetuosas. En la tapa se leía: «ABECEDARIO REAL.» Lo abrió, y todas las letras saltaron, nerviosas, encima de la mesa. Chillaban tanto, que no se entendía nada.

—¡Orden, orden! —dijo Moncho—. ¡Que hable la A, que es la primera! Que se callen las otras.

La A se adelantó, muy orgullosa. Tenía una voz muy solemne, de campana.

—Escuchadnos —dijo—. Nosotras lo sabemos todo. ¿Veis esos malvados?

Y señaló a los números del cuaderno, que se ruborizaron de rabia.

—¡Ellos son los culpables de todo!

—¡Sí, sí, sí! —chillaron todas las letras.

Las voces que más sobresalían eran las de las vocales, pero la de más ruido era la R, que parecía una carraca. La O parecía un poco boba, y la I chillaba como un tren muy largo. La U estaba muy asustada, y la E escupía desprecio por los cuatro costados. La S mandaba callar a todas, pero no le hacían caso, y la pobre T era tartamuda.

—¡Silencio! —dijo Moncho, gritando con toda la fuerza de sus pulmones y tapándose los oídos—. ¡Que hable otra vez la A!

La A avanzó otros pasitos más y carraspeó:

—Voy a contarlo todo tal como sucedió. Los malditos números han robado a la princesa. El real profesor no tiene culpa de nada. El real profesor le había puesto una larga suma en la pizarra. Su Alteza la Princesa salió a resolverla y, dicho con todos los respetos, no sabía hacerlo, porque no le gustan los números ni pizca. Su Alteza Real la Princesa cumplía hoy seis años, y el jardín estaba lleno de margaritas que la llamaban, de pensamientos, de mariquitas, de grillitos y de arena calentita. Su Alteza Real se asomó al borde de aquella suma con miedo, porque aquella suma era larga y honda, como un pozo. Y al fin pasó lo que tenía que pasar. ¡Su Alteza Real se cayó dentro!

—¿Dentro? —dijo Moncho, rascándose la cabeza de color de zanahoria—. No lo entiendo.

—Es muy sencillo —dijo la A—. ¡Se cayó dentro de la suma, y se la llevaron los números dentro del País de la Pizarra, quién sabe si a la horrible ciudad de la Tabla de Multiplicar! ¡Un país donde no hay margaritas, ni estrellas, ni arena, ni caballos de madera!

Entonces los números del cuaderno saltaron furiosos y avanzaron hacia la A con los puños crispados.

—¡A saber qué ciudad será la del Abecedario! —chilló el nueve, que parecía el de cabeza mejor sentada—. ¡Ciudad de pobretones y de poetas, sin saber cuánto son dos y dos!

—¡Atrás, malvado materialista! —dijo la A, abriendo los brazos—. Nosotras sabemos todas las palabras, las hermosas y las feas, y sabemos todas las ciudades, las buenas, las malas, las falsas y las verdaderas.

—¡Y todas las mentiras! —chilló el siete, con su gran nariz amoratada por la ira.

—Bueno —dijo la A—, pero a veces son bonitas.

—¡Silencio! —dijo Moncho—. Con peleas, nada se gana. Los dos tenéis cosas buenas y malas. ¿Qué sería de los unos sin los otros? ¡Da vergüenza veros pelear así, cuando debíais ser tan amigos! Lo mejor que podéis hacer es ayudarnos.

—Nosotros no tenemos la culpa de que la princesa se cayera al pozo de la suma —dijo entonces el nueve, con voz dolida—. La verdad es que lo hicimos sin mala intención. Fue ella la que se cayó dentro. ¿Qué culpa tenemos nosotros?

¡Bien seguro es que en nuestras hermosas ciudades, con sus rectas calles, no sabrán qué hacer con la princesa! No nos comprendemos bien con ella. Fijaos si no qué torcidos nos ha trazado y qué equivocados. ¡Nadie desea más que nosotros devolverla a su lugar! Allí, dicho con todos los respetos, no hará más que interrumpir el tráfico con sus equivocaciones y sus tachaduras, la pobrecilla.

—Bien, bien —dijo la A—. Entonces devolvédnosla.

—Nosotros no podemos. Es ella la que muy pronto debe volver.

—¿Y cómo? —preguntaron Moncho, Pelusa y Felpa, a un tiempo.

Caracol los miró con mucha intensidad.

—Pues cuando logre resolver la suma que le puso el real profesor.

—¡Pero si no sabrá! —dijo Mariquita del Paraguas—. ¡Tardará muchos años, la pobrecilla; y entretanto, el cumpleaños de Su Majestad el Rey está en puertas! ¡Qué desastre, qué desastre!

Moncho dijo entonces:

—¡No hay que preocuparse! ¡Nosotros iremos a ayudar a la princesa! ¡Poco seremos, si entre todos no sumamos deprisa y la libertamos!

—¿Y cómo podemos llegar hasta ella? —dijo Pelusa—. ¡Yo sumo muy bien!

—¡Y yo! —dijo Moncho.

Felpa calló, porque comprendía a la princesa con toda su alma.

—Preguntaremos a la Estrella Marianita —dijo Mariquita del Paraguas—. Ella no abandona a los niños valientes, en las noches de luna redonda. ¡Y esta noche la luna parece una naranja!

Salieron todos a la ventana y, poniendo las manos como un altavoz al lado de la boca, gritaron:

—¡Estrella Marianita!

La Estrella Marianita se asomó enseguida a la ventana. ¡Qué bonita estaba! Era más verde que el agua, que las hojas, que el mar y que los caramelos de menta. Y brillaba como si fuera de fuego.

—¿Qué queréis? —dijo, con su vocecilla lejana.

—¡Ayúdanos a entrar en el País de la Pizarra, porque la princesa está perdida en la ciudad de la Tabla de Multiplicar!

La Estrella Marianita pestañeó tres veces, y al fin dijo:

—Os mandaré polvillo de oro de mis alas, y volaréis dentro del País de la Pizarra, cogidos fuertemente de la mano.

—¡Gracias, gracias! —gritaron todos, hasta los números.

Y, muy contentos, extendieron las manos. Al poco, les caían en las palmas montoncitos de polvillo de oro. Se frontaron la espalda con él y se sujetaron las manos.

—Adiós —dijo Mariquita del Paraguas—. Yo os espero aquí.

Capucha salió de detrás de la silla y cogió un poco de polvillo que cayó al suelo. Se frotó con él la espalda y se dispuso a seguirles.

«¡Si será pesado!», pensó Moncho. Pero hicieron como que no lo veían.

—¡Una, dos y tres! —dijo Mariquita del Paraguas.

Y los cuatro niños, seguidos del espía Capucha, se chapuzaron en el negro País de la Pizarra.

—Adiós, valientes, buena suerte —dijo Mariquita del Paraguas.

Y sacando un pañuelo de cuadros, se sonó ruidosamente.

El País de la Pizarra era noche cuadrada y grande, negra como un túnel. Moncho, Pelusa, Felpa y Caracol, seguidos de lejos por Capucha, volaron durante un ratito. Al fin, brillaron unas letras blancas delante de ellos. Cuando se acercaron, vieron que estaban escritas con tiza. Eran tres letreros que señalaban tres caminillos. En uno decía: A la ciudad del Abecedario. En otro: A la ciudad de la Tabla de Multiplicar. Y en el tercero más pequeñito: A la ciudad de los Monigotes.

—Este camino es el nuestro —dijo Moncho, señalando el de la ciudad de la Tabla de Multiplicar.

Felpa miró con nostalgia el camino de la ciudad de los Monigotes. Pero el deber era el deber.

Y lo dejaron atrás.

Al cabo de unos momentos les llegó una lucecilla blanca, y un polvillo de yeso que les hizo estornudar. Luego oyeron un rumor monótono, y a poco comprendieron que unas vocecillas agudas cantaban la Tabla de Multiplicar. Felpa se tapó los oídos disimuladamente.

Al fin salieron a la luz. La ciudad de la Tabla de Multiplicar era una ciudad eminentemente comercial. Las calles eran rectas y ordenadas, las casas altas, construidas con sólidos y lógicos números, y por todas partes llegaban sonidos de máquinas de calcular. Por las calles circulaban sensatos nueves de bien formada y altiva cabeza, sietes de nariz orgullosa, ceros redondos y triunfales con aspecto de financieros. Los cincos y los ochos se dedicaban al transporte, y los cuatros se ofrecían muy a menudo como escaleras y sillones, pues allí todos son muy prácticos y sencillos, y a nadie rebaja cualquier trabajo. Allá a lo lejos pasó con mucho cuidado el largo tren de los millones, con tantos ceros que daba un poco de mareo verlos.

—¡Qué hermosa ciudad! —dijo Moncho.

—A mí me gustaría más si no fueran todos tan serios —dijo Pelusa—. Parece que estén todos muy preocupados.

Felpa prefirió guardarse sus opiniones.

—¡Oh, mira! —dijo Pelusa—. ¡Un teatro!

Todos se volvieron a mirarlo.

Moncho se acercó a la taquilla, donde un ocho con dos redondas cabezas se dedicaba a vender localidades.

—¿Querría decirme, por favor, qué obra se representa? —dijo Moncho.

—Es una magnífica Compañía de Decenas —dijo el ocho, examinándole de pies a cabeza—. Una función extraordinaria. Se representan multiplicaciones y divisiones de minorías.

Moncho volvió con sus amigos.

—No tenemos tiempo para entretenernos —les dijo—. Vamos a buscar a la princesa.

En aquel momento oyeron un gran tumulto, voces irritadas y un choque violento de cincos, seises y ochos en medio de la calle.

—¡La princesa no debe de andar lejos! —dijo Pelusa con alegría.

Echaron a correr y, verdaderamente, al final de la calle estaba la pobre princesa, con un trocito de yeso en la mano, intentando salir del fondo de la suma. Sus terribles equivocaciones obligaban a chocar los taxis de los cincos, las carretillas de los seises, las bicicletas de los ochos. Atropellaban a los reflexivos nueves, desvalorizaban a los ricos ceros, colocándolos a la izquierda de los estúpidos unos, y desequilibraban de este modo la economía de la ciudad. Los que más gritaban eran los ceros, que aparecían congestionados de rabia. Los únicos que aparecían indiferentes eran los unos, que seguían atusándose el bigote y sonriendo.

La princesa derramaba de cuando en cuando una lágrima, que la ayudaba a borrar sus equivocaciones.

—¡Princesa! —gritó Moncho, asomándose al pozo de la suma—. ¡Princesa, valor, que venimos a libertaros!

La princesa levantó los ojos y le miró con desaliento.

—... y cinco treinta y cinco, y llevo tres... —dijo.

—Muy bien —dijo Moncho—. Ahora bajamos a ayudaros.

Con gran agilidad empezó a descender. Apoyaba con facilidad los pies en los sietes y en los cuatros, pero en los treses resbalaba espantosamente. Pelusa le siguió, y Felpa y Caracol se quedaron arriba, animándoles, porque, verdaderamente, su ayuda hubiera sido muy pobre.

—Empezaremos por abajo —dijo Moncho, cuando llegaron al fondo—. Pelusa, ayúdame.

La princesa les miró con tristeza.

—¿También os caisteis? —preguntó con su vocecita—. Es

horrible. Nunca podremos salir de aquí. ¡Y mañana es el tan esperado cumpleaños de nuestro rey!

—No os preocupéis —dijo Pelusa—. No nos hemos caído, hemos venido a salvaros. ¡Sumamos muy bien!

Moncho y Pelusa empezaron a sumar con toda su alma. Verdaderamente, la suma era muy larga. Al cabo de un rato les caían por la frente gotas de sudor, pero la princesa sacó su pañuelo bordado y les secó la frente. Esto les daba muchos ánimos.

Al fin, después de gastar cada uno un par de trozos de tiza, llegaron al final. La suma estaba acabada y sin una sola equivocación. Moncho y Pelusa dieron la mano a la princesa y la ayudaron a subir.

—¡Ay, cómo pagaré esto! —les dijo la princesa—. ¡Qué buenos habéis sido conmigo!

Y les dio un beso a cada uno.

En aquel momento apareció, tras un carro de cincos, el misterioso Capucha.

—¿Qué vienes a hacer tú aquí? —dijo Moncho—. ¡Ea, lárgate, pesado!

Pero entonces, ¡menuda sorpresa!, el espía se quitó la capucha que lo cubría y, ante el asombro de todos, apareció ¡nada menos que Su Majestad el Rey!

—Me cubrí con esto para que no me conocierais —dijo—. Pero yo también quería salvar a mi hermanita.

Moncho se puso tan rojo como sus cabellos, y Pelusa, Felpa y hasta Caracol se inclinaron con gran respeto.

—Yo no sabía... —dijo Moncho—. Perdón si dije...

—No tiene importancia —dijo el rey—. ¡A palacio todos, y a celebrar el cumpleaños! Este año seréis los invitados de honor.

Todos los números les rodeaban, sin comprender nada en absoluto.

—Majestad —dijo un nueve urbano, acercándose—, lo sentimos, pero están entorpeciendo la circulación.

Todos se encaminaron de nuevo al final de la calle. Cogidos de la mano atravesaron la noche de la pizarra.

—¡Ya están aquí, ya están aquí! —gritaron llenos de alegría la Mariquita del Paraguas, los números del cuaderno y las letras del ABECEDARIO.

A todas estas el sol ya había aparecido, redondo y encarnado, por una esquina de la ventana.

—Vamos a sacar al real profesor de la sala de los billares —dijo el rey—. ¡Y a celebrar el día de mi cumpleaños!

Así lo hicieron, y el real profesor salió muy contento, comiendo una manzana.

Por la tarde, todos los niños de la ciudad subieron a palacio. Abrieron las grandes verjas del jardín, y el real carpintero instaló su gran tiovivo, con los hermosos caballos de madera.

Sólo un pie descalzo

1

Hace muchos años, tantos que no vale la pena contarlos, existió una niña llamada Gabriela, que solía perder muy a menudo un zapato. Sólo uno, no los dos.

En ocasiones, alguno de sus hermanos o primos había perdido las sandalias. Pero durante las vacaciones, en correrías, y muy pocas veces. Ocurría esto por algún accidente, o suceso fuera de lo común. Y perdían los dos zapatos, no *sólo uno*.

Por ejemplo, una vez, bañándose en el río, alguien robó a la prima Fifita los dos zapatos. La Gente de la Casa lo comprendió muy bien, y la prima Fifita fue consolada, e incluso mimada, por lo menos durante una semana. Otro día, Rafael, el hermano mayor de Gabriela, se cayó al río en un lugar muy peligroso, cerca de la cascada. El río venía muy crecido, porque acababa de salir de la tormenta, y, a pesar de que Rafael era buen nadador, se necesitó mucho esfuerzo por su parte y por la de todos los niños y niñas —los hermanos y los primos— para que no se ahogara. Cuando el agua se enfurece, es terrible.

El que Rafael perdiera las dos sandalias (y quizás alguna prenda más que ya no se recuerda) no sólo fue comprendido y disculpado, sino que se interpretó como una buena prueba de cuántos peligros había corrido y del valor que había demostrado al salir vivo de semejante trance. Rafael fue el gran héroe del día. Mamá, papá, los tíos y tías, las criadas, el chico de los recados y, en fin, toda la Gente de la Casa se desvivieron para cuidar y alabar a Rafael (mucho más tiempo aún que cuando le robaron los zapatos a la prima Fifita). La cocinera Tomasa hizo un postre especial y el cartero, cuando trajo las cartas, le dio la mano. Las luciérnagas encendieron sus mejores luces durante toda la noche; los grillos cantaron hasta la madrugada las *Grandes Hazañas* de Rafael. Un poco exagerado, quizás. Así pensó Gabriela, pero, como de costumbre, no dijo nada.

Estas cosas ocurrían en la Casa de las Vacaciones, durante el verano. Era una casa enorme y muy bonita, rodeada de prados, huertas, árboles frutales y una hermosa chopera, tan frondosa y apretada como un bosque. El río cruzaba las tierras de la casa y, cuando no se enfadaba —cosa que ocurría pocas veces—, lucía verde y oro bajo el sol; azul plata bajo la luna; negro y brillante y lleno de voces misteriosas durante las noches oscuras. Gabriela lo escuchaba con un escalofrío placentero, desde su cama en el último piso. Y pensaba que le gustaría ser amiga del río.

Porque para Gabriela todas las cosas eran diferentes. ¿Quién podría acordarse de cuándo perdió la primera sandalia? Quizá fue en la playa —donde la familia de la casa pasaba unos días, antes de trasladarse a las montañas—, pero también era posible que esto ya ocurriera mucho antes, en la Casa de la Ciudad. En todo caso, ella lo recordaba muy confusamente. Tan sólo le quedaba una inquietud, la sensación de que esto le había ocurrido desde el primer día de su vida, y se preguntaba si continuaría ocurriéndole hasta el último.

Poco a poco, sin que nadie —y ella menos que nadie— supiera cuál fue el primer día en que la miraron con desconfianza, Gabriela empezó a ser considerada por todos como la niña «que perdía un solo zapato». Pero en su caso no cabía la posibilidad de que se tratara de un accidente, y a nadie se le pasó por la cabeza felicitarla ni consolarla, como había ocurrido con Rafael y la prima Fifita. Al contrario, cualquier error que cometiese, cualquier tropezón que diera, enseguida era catalogado entre «las tonterías de Gabriela». A fuerza de ver y oír estas cosas, ella misma llegó a sentirse y a creerse una «niña aparte». La mayoría de cuanto ella hacía o decía resultaba «fastidioso», «insoportable», o pasaba a formar parte de «las cosas raras de Gabriela». Se sentía entonces como una criatura marcada y extraña. Cada vez le costaba más esfuerzo hablar: no se atrevía a preguntar ni explicar nada, y esto la hacía equivocarse más aún. Se sentía tan insegura que se volvió cada día más tímida, y no osaba hacer ni decir nada que señalara su presencia. Pero no se puede vivir entre mucha gente refugiándose como en una cabañita dentro de uno mismo, limitándose a mirar el mundo por una ventanita. Por todo esto cometía muchas torpezas, y se oía llamar a menudo «distraída» y «desidiosa». Aunque, esta última palabra, nunca supo lo que significaba.

Pensaba que por ser como era, y por ocurrirle las cosas que le ocurrían, nadie la quería, y probablemente no la querrían jamás. Y se sentía muy sola, y muy triste.

Cuando Gabriela nació había, además de Rafael, dos niñas en la casa. Y quién sabe por qué, mamá, a quien nadie se atrevía a contrariar —era algo caprichosa y estuvo toda su vida muy mimada—, esperaba que en lugar de una niña nacería un niño. Cuando vio que no era así, se sintió defraudada y hasta mortificada. En aquel momento llegó hasta su corazón un feo insecto llamado Resentimiento, se posó en él y tardó mucho tiempo en abandonarlo.

Gabriela creció bajo el influjo de aquel insecto, y sus primeros años fueron bastante desolados. Además, sus hermanas mayores eran muy bonitas, alegres y bien educadas y tenían la edad suficiente para que les fuera posible mostrar todas aquellas gracias. Gabriela era aún demasiado pequeña para lucir las suyas (que sin duda tenía). En cambio, por contraste, resaltaban mucho sus defectos (que, como todo el mundo, seguramente también tenía).

A medida que crecía, Gabriela iba apartándose más y más de los otros niños y niñas. Como si creyese que en el mundo existieran varias clases de niños: de Primera, Segunda, Tercera... Y ella pensaba ser, sin la menor duda, de Última Clase.

Algunas mañanas de domingo sus hermanas pasaban al Cuarto de Mamá, que era una habitación donde jamás se podía entrar sin ser llamado. Junto al dormitorio, había una especie de gabinetito, con un tocador y un armario de espejos, que levantaban luces por todas partes. Luces misteriosas y fugaces: de mar, de río escondido, de fuego... Los frasquitos de cristal, con tapón de plata reluciente, que se alineaban en el tocador despedían aquellos destellos movibles. Aquí y allá estallaban por donde menos se esperaba. Cada vez que se abría una puerta de espejo del armario lanzaba pequeños rayos, de colores cambiantes, que huían por el techo, las paredes y la ventana. Corrían por el suelo, bordeando la alfombra, y llegaban hasta la puerta entreabierta, donde Gabriela, asomada a la rendija, miraba lo que ocurría allí dentro. Únicamente en estas ocasiones —cuando mamá dejaba por descuido la puerta entreabierta—, Gabriela «asistía» —si así puede llamarse— a aquellas reuniones, y, desde luego, sin que mamá ni sus hermanas lo supieran. Aspiraba con deleite el perfume que inundaba la habitación y llegaba por la rendija hasta su nariz. Era el mismo que se percibía ciertas noches en que mamá iba al teatro; se acercaba a sus camitas, las besaba y rozaba el embozo de la sábana con su largo collar de perlas. Durante mucho rato, allí quedaba el recuerdo de su perfume.

Pero Gabriela no era admitida en el Cuarto de Mamá, ni en los secretos de las niñas. Desde la rendija las veía cuchichear, hacerse mimos, contarse cosas al oído, el brazo de una alrededor del cuello de la otra... Allí dentro, las hermanas de Gabriela jugaban a «señoras», y mamá les dejaba probarse sus brazaletes, sus collares... Incluso, a veces, se ponían un camisón de mamá y fingían vestir largos y bellísimos trajes de noche. Las tres se divertían mucho con estas cosas. Sus risas hacían bailar los pendientes en las orejas de las niñas —unos pendientes largos, de señora— y, viéndolos, Gabriela creía percibir un leve tintineo de cristal. Alguna vez —Gabriela no sabía si de verdad o de mentira—, mamá les dejaba ponerse aquel perfume (una gotita sólo) detrás de las orejas. Hasta que mamá, de repente, con ojos de pensar en algo muy distante, las besaba deprisa, daba unas palmaditas en el aire y las despedía.

En estas salidas precipitadas sorprendieron alguna vez a Gabriela, tratando de esconderse tras la puerta. Eso molestaba terriblemente a sus hermanas. La empujaban, enfadadas, y decían:

—¿Qué vienes a hacer tú aquí...? ¡Márchate, eres pequeña...!

Gabriela comprendió que el mundo del Cuarto de Mamá, con sus luces, sus frasquitos, espejos y perfume, con sus curiosos y misteriosos juegos, les pertenecía sólo a *ellas*. Allí tampoco había lugar para Gabriela. Regresaba al Cuarto de Juegos —ahora se llamaba Cuarto de Estudio, porque en él los niños de la casa hacían los deberes del Colegio— y, sentándose en un rincón, sentía su corazón estrujado. Apoyada en la ventana, desde donde se podía ver los árboles del parque, veía caer sobre su mano gotas brillantes que recordaban, en pequeño, alguno de los maravillosos destellos del Cuarto de Mamá.

Algunas tardes de invierno, Gabriela iba a refugiarse en el Cuarto de la Plancha. Se deslizaba debajo de la mesa —aunque allí nadie se ocupaba de rechazarla— y se dejaba flotar en un runruneo de conversaciones, punteado por el golpe de la plancha. Aquellos sonidos, y aquellas voces, llegaban a Gabriela como una suave lluvia que borrase las gotas caídas sobre su mano: era como un chaparrón que las barriera, y con ellas la tristeza. Le gustaba mucho el olor de la ropa limpia, que Micaela rociaba de agua. También aquella pequeña lluvia apartaba los nubarrones que oscurecían sus pensamientos.

Micaela servía la mesa, atendía el teléfono, cosía, zurcía montones de calcetines que se apilaban en una cesta, pegaba botones y, sobre todo, se ocupaba de los Niños de la Casa. Ella los acompañaba al Colegio, ella los iba a recoger. Y, cuando llovía, los protegía bajo dos grandes paraguas: uno en cada mano. Los niños estaban deseando siempre que lloviera. Micaela preparaba los desayunos y las meriendas, disponía el agua del baño —del que ninguno escapaba, quisiera o no, todas las noches—; les frotaba con una toalla y, una vez acostados, recogía las ropas esparcidas, cepillaba los abrigos, les raspaba con la uña alguna cosita pegadiza que descubría en la solapa, en una manga... Cuando los Niños de la Casa aún no iban al Colegio —a Gabriela le quedaba todavía este pedacito de felicidad—, Micaela, con una gran bolsa al brazo llena de calcetines por zurcir y otra que contenía la merienda, los llevaba al Parque de los Juegos. Eran tardes de primavera, o de principios de otoño, con abejas zumbantes en el aire o el suelo cubierto de hojas encarnadas, amarillas y castañas, que el jardinero barría minuciosamente, y a las que, una vez apiladas en montones, prendía fuego. Micaela era muy regañona y muy seria. Pero todos los niños la adoraban. Ella era el único cariño verdadero de Gabriela. Pero Micaela no sabía contar cuentos. Para eso, nadie como la cocinera Tomasa. Las tardes en que había reunión en el Cuarto de la Plancha, Tomasa también estaba allí. Pero Tomasa no planchaba, ni cosía, ni zurcía calcetines. Se dedicaba, sentada en una silla, a lo que ella llamaba «sus cosas». Estas cosas resultaban tan variadas, que nunca podía saberse a ciencia cierta cuántas eran. Lo mismo podía frotarse las rodillas con un ungüento contra el reuma —sin importarle las quejas de Micaela, que no soportaba aquel olor (olor que la nariz de Gabriela aspiraba con deleite)—, como, provista de un montón de cartas de su pueblo (cartas muy antiguas, según decía Micaela), leerlas en voz alta, haciendo caso omiso de los comentarios que suscitaban. Tomasa era el ser más respetado de la casa, sin lugar a dudas. Era tan vieja que había conocido la Casa de los Abuelos, pero no lo parecía. Se diría que pasaba por el Tiempo Sin Edad. Tal vez fuera ésta la razón de que nadie se atreviera a contradecirla ni disgustarla.

Además era una cocinera extraordinaria, que —según decía mamá— «le» envidiaban todas sus amigas. Por nada del mundo había que disgustar a Tomasa (que, sin duda, hacía lo que le daba la gana). En la casa se comía lo que Tomasa quería, y como quería, y nadie osó jamás pedirle que cambiara los menús por ella establecidos. La voluntad e independencia de Tomasa era algo que incluso mamá —o quizás ella más que nadie— aceptaba sin chistar. Que se supiera, Tomasa sólo tenía un amigo: el grillo que cantaba en su jaulita, suspendida al borde de la ventana. Colocaba hojitas de lechuga en los barrotes de la jaula y mantenía misteriosas conversaciones con él. Intercalaba, entre los cri-cri del grillo, sus propios sonidos churruscantes.

Tomasa iba al mercado con el mismo aire con que un general acude al campo de batalla. Tardaba mucho en regresar, pero nadie como ella conocía las mejores piezas, ni las conseguía a precios tan irrisorios. Las iba colocando sobre la mesa de la cocina, como un guerrero sus trofeos. Micaela, en aquellas tardes de plancha, solía decir a Tomasa que en el mercado debían de temerla tanto como en la misma casa. «No confundas el miedo con el respeto», era lo único que contestaba ella. Pero, sobre todas estas habilidades, existía una todavía más extraordinaria: Tomasa poseía la llave de un cofre maravilloso: lo abría y de él salían Todos los Cuentos del Mundo. Cuando estaba de humor para ello, llamaba a los niños, los reunía a su alrededor y empezaba a contarlos. Sabía tantos, que no se hubieran terminado aunque viviera cien años. Los niños sentían una admiración tan profunda por Tomasa que, aun después de que hubieran transcurrido muchos años desde que ocurrieran estas cosas (cuando todos eran hombres y mujeres, e incluso cuando llegaron a ancianos), ningún otro ser despertó jamás en ellos una admiración igual.

En cuanto a Elisa, era muy jovencita, había entrado en la casa hacía muy poco tiempo, según se decía, para «ayudar en todo». Esto, según se apreciaba sin esfuerzo, consistía en obedecer ciegamente a las otras dos. Era muy tímida, parecía siempre asustada, y no tenía ocasión de manifestar nada: tenía suficiente con oír lo que decían las otras dos.

Tomasa quería mucho a los Niños de la Casa, pero sentía predilección por las niñas mayores. Gabriela, que la admiraba tanto como sus hermanas, no había tenido aún el menor indicio de que Tomasa apreciase su existencia. Pero esto no la hacía sufrir demasiado, porque Tomasa solía portarse así con todo el mundo. Por otra parte, Tomasa no se oponía a que, escondida o no, asistiese a sus extraordinarias sesiones de cuentos. Sólo había un punto negro en los sentimientos de Gabriela hacia la cocinera. Dos veces a la semana, Tomasa hacía croquetas para la cena de los niños. Las croquetas de Tomasa eran famosas, deseadas, y hasta diría que amadas, por todos ellos. Incluso la prima Fifita, que rechazaba cualquier plato, aún antes de verlo, se sentía arrebatada ante la corteza dorada y crujiente que las cubría. ¿Qué tenían las croquetas de Tomasa para no parecerse a ningunas otras? Tal vez, como ella, llevaban o guardaban en su sabroso interior todos los cuentos del mundo. Tomasa era adorada por ambas cosas: las croquetas y los cuentos. Pero a veces —éste era el punto negro que ensombrecía los sentimientos de Gabriela hacia ella—, Tomasa se asomaba a la puerta de la cocina (como puede aparecer un rey en la torre más alta de su castillo), ponía la mano en forma de trompeta alrededor de su boca y emitía un especial «¡Chaaattt!». Aquel sonido llegaba al Cuarto de Estudio —antes Cuarto de Juegos—, donde a esta hora los Niños de la Casa repasaban las lecciones y hacían los deberes del Colegio. Inmediatamente las dos niñas mayores levantaban la nariz, apartaban las sillas con gran ruido, y salían corriendo hacia el final del pasillo, donde, a la puerta de la cocina, esperaba Tomasa.

Era una costumbre muy antigua —es decir, anterior a que naciera Gabriela—. Cuando las niñas llegaban, Tomasa partía una croqueta en dos pedazos exactamente iguales, y los colocaba delicadamente en sus bocas abiertas. Pero, por más que Gabriela hubiera acudido igualmente corriendo, y a su vez abriera la boca cuanto le era posible, Tomasa la ignoraba. Una vez repartida la croqueta entre sus hermanas, Tomasa daba media vuelta y regresaba a sus ollas y pucheros, sin decir una palabra. Y Gabriela se decía que, sin duda, ella había llegado al mundo demasiado tarde. Nunca se vio que Tomasa anticipara una croqueta entera a nadie y, como no era amiga de despilfarros, no iba a dársela a ella. Esto se decía Gabriela, para dispersar la amargura que la invadía después de esta escena. La hermosa «Ceremonia de la Croqueta Partida», tan caliente que hacía saltar a sus hermanas una frente a otra, con la boca abierta, estaba negada a Gabriela.

El tiempo iba pasando. Los días sucedían a los días, y al fin amaneció uno que llenó de esperanzas a Gabriela. Se había decidido que ya tenía edad suficiente para acudir con sus hermanas mayores al Colegio.

Fue una espera llena de ansiedad. Y se decía: «Ahora, acaso, podré estar donde están todos.» Entrar en el mundo de las niñas vestidas de uniforme azul y cuello de piqué blanco, de las niñas mayores y guapas —que regresaban a casa mascando chicle, hablando de madame Saint Marcel, de madame Saint Maur y de alguien (al parecer muy regocijante) llamado la Oliscona—, de las niñas que se sentaban con desgana a la gran mesa del Cuarto de Estudio y descargaban ruidosamente las carteras, vaciándolas de libros y cuadernos, de lápices que caían y rodaban por el suelo hasta el rincón más lejano... significaba, sin duda, entrar y ser admitida en el mundo en general, y en el de las niñas en particular.

Siempre le despertó mucha curiosidad el Colegio. Cuando tenía cuatro años, acercaba cautelosamente un taburete a la mesa donde sus hermanas hacían los deberes, se encaramaba en él, y sin hacer ruido contemplaba los garabatos misteriosos que hacían en sus cuadernos. Luego trataba de imitarlos y reproducirlos. Usaba entonces los lápices de colores que le regaló papá. (Papá era el único de la familia que no la apartaba, pero por desgracia lo veía muy poco.)

Un día sus hermanas descubrieron lo que ella suponía era hacer los deberes, y se rieron tanto de ella que no volvió a intentarlo. Por lo menos, en su presencia. Ya empezaba a saber moverse escondida de todo el mundo. Desde entonces, además de tristeza y temor, Gabriela comenzó a sentir vergüenza de mostrar cualquier cosa que ella hiciera. Y escondía todas «sus cosas», con la misma naturalidad con que exhibía las suyas la imponente Tomasa.

Apenas hacía unos días, pasó algo parecido. Gabriela guardaba las pieles de naranja que cortaba Micaela al mondarlas en forma de barquitas. Le gustaban mucho, aspiraba con deleite su delicado olor, y se acordaba de los días que pasaban en la playa, antes de ir a la Casa de las Vacaciones. No sabía aún que las pieles de naranja no conservan ni su olor ni su color ni su forma de barca. Tuvo una gran decepción, y hubo de soportar los lamentos indignados de Micaela, que las encontró cuando limpiaba y ordenaba su cajón. Las barquitas de naranja se habían convertido en unos miserables despojos, de color oscuro, que recordaban vagamente la hojarasca del otoño, al ser barrida por el jardinero del Parque de los Juegos. Como las hojas caídas, las echaron al fuego. Aquella noche Gabriela las lloró en su cama. A pesar de su aspecto, eran *suyas*, y ella las *quería*. Y además Micaela la regañó, con una voz tan potente que acudieron sus hermanas. Y lo que era peor: la prima Fifita estaba con ellas, y se encargó de propagarlo (con añadidos) a todo el que quiso escucharla. Las burlas duraron mucho tiempo.

Escarmentada, Gabriela decidió no llorar nunca, al menos delante de los demás. Pensaba que, al dejar de llorar, dejaría de sufrir. Sólo alguna noche, en su cama, cuando toda la casa dormía, se tapaba la cabeza con la sábana (como para ocultarse de sí misma) y vertía unas lágrimas tan dolorosas, que las veía arder en sus mejillas. Sus hermanos despreciaban a los llorones, y las niñas se burlaban de ellos. «Porque ellos no tienen *por qué llorar* —se decía Gabriela—. En cambio yo...» Ella, desde luego, coleccionaba demasiados «por qué». Mas, ¿para qué ir explicando sus cosas? ¿Quién la habría, además, escuchado...?

Las lágrimas que no vertía ante los demás fueron rodeando poco a poco su corazón, puesto que caían hacia dentro. Formaron una cobertura, como una urna de cristal, que lo separaba y protegía. Y fue alejándolo, también cada vez más, de cuanto la rodeaba.

Así llegó la noche víspera de su primer día de Colegio. Gabriela apenas durmió. Llena de asombro, dudas y esperanza, vio la luz del amanecer tras los visillos, por primera vez en su vida.

2

El corazón le golpeaba deprisa cuando Micaela entró en la habitación, descorrió las cortinas y anunció: «Como ahora sois tres, hay que darse más prisa que un relámpago.» Si no, el desayuno se perdería, o llegarían tarde al Colegio. «Donde, entérate tú, pequeña, no se andan con remilgos con las tardonas.» Pero ella no era tardona, más bien hubiera querido ser primera en algo.

Al llegar al Colegio, todas las niñas parecían conocerse, y se daban empujones cariñosos, o abrazos y besos, y se contaban a gritos o en secreto cosas de las vacaciones. Ella procuraba no apartarse de sus hermanas, pero pronto vino una señora alta —con un vestido negro, de larga cola recogida a la cintura—, dando palmadas. El silencio lo llenó todo, como llena el agua una copa. La apartaron de sus hermanas, y Gabriela se sintió de pronto tan sola y tan pequeña, que la voz —si hubiera querido hablar— no hubiera salido de su garganta. Fue alineada en una fila de niñas más o menos de su edad. Pero ella era, sin duda alguna, la más bajita. O quizá la más pequeña, porque aún no había cumplido seis años, y todas las demás tenían siete: ésa era la edad que se necesitaba para ingresar en el Colegio. Mamá le había dicho que «gracias a sus hermanas» sería admitida «casi un año antes». Mamá había hablado entonces en un tono muy solemne, y por primera vez la había llamado a su cuarto. Pero a solas, y sin pruebas de collares ni nada por el estilo.

Otra señora parecida a la primera se subió a una tarima donde había un pupitre más grande que los demás, y les pidió por turno sus nombres y la edad. Al llegar a ella, y oír los años que tenía, se quedó mirándola muy fijamente, y al fin dijo con voz helada:

—Tú me darás trabajo. Todas las niñas saben el abecedario, y tendré que *apartarte* hasta que lo aprendas.

Sin embargo, copiando y mirando a hurtadillas, Gabriela había aprendido sola todo el abecedario.

«Aparte», pensó ahora, «siempre aparte.»

La colocó al final de la clase en la última hilera de pupitres. Luego manifestó a toda la clase que se llamaba madame Saint Marsal. Aquel nombre sonaba como una campana. Pero un rumor de risas sofocadas recorrió los pupitres del último tramo. Y alguien deslizó al oído de Gabriela:

—No hagas caso. Se llama la Oliscona.

Al oírlo, Gabriela se sintió algo confortada; este nombre era la única cosa familiar que le llegaba.

Durante mucho rato la Oliscona estuvo hablando de cosas que ella no entendió. Usaba palabras que Gabriela no había oído nunca, ni podía imaginar lo que significaban.

Algo después, la Oliscona se acercó por detrás de su pupitre y, con aires de armarse de paciencia, dijo que iba a enseñarle el abecedario. Pero Gabriela lo conocía perfectamente. Al comprobarlo, la Oliscona quedó tan sorprendida que incluso sonrió, o por lo menos Gabriela vio aparecer un poco sus dientes entre los labios. A partir de aquel momento y hasta la hora de recreo, la estuvo mirando todo el tiempo. Gabriela sentía sus ojos: la mitad asombro, la mitad sospecha.

A las doce del mediodía sonó un largo timbre. Todas las niñas se levantaron precipitadamente de los pupitres y se alinearon otra vez en una larga fila. Se oyeron nuevamente palmadas, órdenes. Al fin, en fila y en silencio, descendieron hasta el jardín del recreo. Una vez allí, como empujadas por un resorte, las niñas se dispersaron dando gritos. Sacaron de alguna parte una enorme pelota, se dividieron en dos bandos y comenzó un extraño espectáculo, que consistía en lanzarse pelotazos por turno. Gabriela se notó aún más pequeña y más bajita de lo que era. Jamás se le había ocurrido —ni hubiera podido— alcanzar en el aire una pelota ni ninguna otra cosa. Se apartó de allí, llena de temor y desconcierto. Poco a poco y procurando pasar inadvertida, como estaba acostumbrada a hacer, Gabriela se fue pegando al muro del jardín del recreo.

Estaba mirando cómo avanzaba una hilera de hormigas desde unas piedras hasta un arbusto, cuando algo la golpeó en la espalda y la tiró al suelo. Enseguida se vio rodeada de risas burlonas: la pelota, desde el suelo, la miraba con verdadera malignidad. No se sabe quién fue la primera, pero una tras otra todas las niñas por turno empezaron a lanzarle la pelota a la cabeza, de forma que ella no se podía levantar. Intentó reírse, y hasta lo consiguió. Pero después del cuarto pelotazo, la risa ya no venía, por más que lo deseara. Y, cuando sonó la campana que daba fin al recreo y llegó la Oliscona dando palmadas con la nariz fruncida, Gabriela ya había perdido un zapato.

La Oliscona la miró con mucha seriedad y le ordenó buscarlo. Pero no lo encontró, y tuvo que ir al comedor con sólo un pie descalzo. Al verla y oír las risitas burlonas de sus compañeras de clase, además de lo enfadada que estaba la Oliscona (que de paso le daba empujones en el hombro con un dedo, tieso y duro), sus hermanas se pusieron encarnadas de rabia y de vergüenza. Gabriela, que las quería y las admiraba mucho, comprendió que estaban pasando un mal rato por su culpa. Después de comer, se dirigieron a lo que oyó llamar «reposo». Volvieron al jardín, pero esta vez no había que darse pelotazos. Cada una hacía lo que quería (o, por lo menos, lo que la Oliscona permitía que se quisiera). Las niñas se reunían en grupitos y contaban cosas. Pero cada vez que Gabriela intentaba acercarse, las conversaciones cesaban, la miraban fijamente, y al final alguna levantaba la barbilla y le decía:

—¿Qué vienes a hacer aquí?

Pronto desistió de unirse a ellas y, acurrucándose junto a la tapia, se dijo que en aquel Colegio, donde creyó sería admitida por fin en el «mundo de las niñas», tampoco había sitio para ella.

Volvió a sonar el timbre, y nuevamente en fila regresaron a la clase. Era la hora de «Sumas y Restas».

Pero se sentía tan triste que no podía fijar su atención en nada de cuanto la Oliscona estaba explicando y escribiendo en la pizarra grande. Además, ¿por qué, cuando explicaba algo, hablaba en una lengua que ella no entendía, ni había oído jamás...? Como todas las niñas de aquel tiempo, Gabriela tenía una pequeña pizarra, de la que colgaba, sujeto por un cordel, un pizarrín. Supuso que debía copiar allí —y entender— lo que la Oliscona decía y escribía en la pizarra grande.

Por lo visto la Oliscona había terminado, puesto que se calló de golpe y limpió cuidadosamente sus dedos manchados de yeso. Luego sacó del bolsillo un relojito de plata que parecía una cebolla, miró al frente como solía, es decir, a nadie, y manifestó:

—Tenemos una hora para sumar.

Para entonces Gabriela ya había abandonado toda esperanza de comprender alguna cosa, pero le faltaba valor para acercarse a la Oliscona y decírselo. No se le puede reprochar: el aspecto de aquella señora no invitaba a acercarse, ni a preguntar, ni en general a nada.

Pero sentía la mirada de sus ojos negros, de modo que agachó la cabeza y empezó a garrapatear en su pizarrita. Se le oprimía el corazón, pensando en la ilusión y la alegría que había sentido cuando se la compraron. Era preciosa, negra y lisa, con su marco de madera barnizada. Y el pizarrín, que parecía de plata... En fin, copiando un poco por aquí, un poco por allá, los números que había en la pizarra grande, fue alejándose poco a poco de cuanto la rodeaba, como tenía por costumbre. Y empezó a dibujar hombrecitos con los números. Sólo había que ponerles caritas, brazos, piernas... Los cuatros y los sietes tenían que resultar de perfil. Los doses podían ser cisnes o barcos. Con los treses, no sabía qué hacer... Cada uno puede imaginar lo que quiera con los números, sobre todo si los números no se comprenden.

Pero cuando la Oliscona se acercó despacito y vio aquello, no pensó que Gabriela no entendía sus números alistados en sumas; creyó que era una burla. De modo que se enfureció, y volvió a empujarla con su duro dedo en el hombro (sin darse cuenta de que Gabriela estaba sentada y por más que la empujara no podía andar). Dijo muchas cosas en voz fuerte y vaga, como si hablara con alguien que estuviera muy lejos, y en aquel idioma que Gabriela había perdido totalmente la esperanza de alcanzar a comprender. Se sentía tan desdichada que se levantó para decirle que, por más que le hablase en aquella lengua, esa lengua era desconocida para ella. Pero su intento no pasó de las primeras palabras, puesto que comenzó así:

—Por favor, señora Oliscona...

La Oliscona se volvió del color de las cerezas, apretó la boca, respiró tres veces por la nariz y la dejó *toda la semana sin recreo*.

Todas las niñas se reían tapándose la cara con las pizarras, y ella no sabía por qué. Cuando llegó a casa, sus hermanas estaban muy enfadadas. La mayor había encontrado su zapato y lo traía en la cartera. Se lo tiró a los pies y gritó con rabia:

—¡Eres idiota y nos avergüenzas! ¡Procura que nadie se entere de que eres nuestra hermana...!

A partir de aquel momento, Gabriela supo que su vida no iba a mejorar en el Colegio. La Oliscona (ahora entendía que no había que llamarla así) procuraba castigarla por cualquier cosa. Puede decirse que sus días transcurrían escribiendo en la pizarra —porque, eso sí, aprendió a leer y a escribir muy pronto— todo cuanto se esperaba que ella NO HARÍA. Pero nadie le dijo lo que se esperaba que DEBÍA HACER.

Quedarse sola en la clase cuando todas bajaban al jardín para darse de pelotazos unas a otras era ya para Gabriela cosa muy corriente. De manera que, como en casa, continuó viviendo sola. Pero ahora ya sabía leer y, disimulados entre los lápices y los cuadernos, empezó a llevarse al Colegio alguno de los libros de cuentos que sus hermanas habían abandonado. Cuando ya no quedaba ninguna niña en la clase llamada Aula Primera, Gabriela descubrió por primera vez un mundo ancho, libre y hermoso que se llamaba LIBROS DE CUENTOS. Y en ellos empezó a vivir, dentro de sus páginas y sus ilustraciones, ya que en el mundo corriente la rechazaban por todas partes.

Algún tiempo después, Gabriela había leído todos los libros de cuentos de sus hermanas, y pidió a mamá que le comprase a ella otros nuevos. Mamá estaba enfadada.

—¿Más cuentos aún? —dijo—. Lee los de cuando tus hermanas eran pequeñas, ¡y aplícate más en el Colegio!

Sus hermanas se los regalaban, porque ya los habían leído hacía tiempo. Pero nadie sabía que Gabriela los conocía todos, de cabo a rabo, por haberlos leído no una, sino muchas veces. Como lo hizo a escondidas, no se atrevía a confesarlo, y andaba siempre buscando algo nuevo para leer.

Así fue como empezó a fabricar sus propios cuentos: para leerlos con la imaginación y cerrando los ojos.

Lo hacía así. Primero, se arrebujaba en un rincón donde sabía que nadie podía encontrarla. A través de sus párpados cerrados, nacían lentamente paisajes y criaturas. Al principio eran paisajes y criaturas conocidas: princesas, príncipes, ogros, hechiceras, pastores, trasgos, brujos, gnomos, islas, castillos, barcos... También cascadas encantadas, luces, plantas y árboles con vida propia. En fin, muchas cosas leídas en los libros abandonados de sus hermanas mayores; y otras parecidas, aunque no completamente iguales. Algo más tarde, empezó a oír, y las voces y sonidos correspondían uno a cada cosa. Y, al fin, ella misma formó parte de aquellos cortejos, y puede decirse que entró en sus vidas. Se dio cuenta de que esta vida secreta empezaba especialmente cuando la regañaban por haber perdido un zapato. Empezó a decirse que acaso le era posible entrar en aquel mundo suyo, secreto, precisamente por lo que parecía irritar más a los demás. Cuando se sentía triste, empezó a tomar la costumbre de quitarse un zapato y esconderlo. Creía que esto la ayudaría a crear y ver sus propios cuentos, a vivir una vida y en un mundo donde podía, finalmente, sentirse feliz. Así fue como llegó un día en que las cabalgatas y cortejos, los paisajes y criaturas más o menos conocidas, fueron transformándose, y se convirtieron en personajes y lugares que la misma Gabriela inventaba y conducía a su antojo. Aquellos ensueños llegaron a ser algo tan verdadero, tan real, que, aun después de haber abierto los ojos y acudir presurosa a la irritada voz que la llamaba, seguía ahora viviendo todavía mucho rato —como antes dentro de las páginas de los libros de cuentos— dentro de sus propios sueños.

Una tarde de sábado, en que, como de costumbre, se quedó sola en el Cuarto de Estudio, empezó a rebuscar en el cofre que había en un rincón de la habitación. Era allí donde se guardaban los viejos juguetes de sus hermanas que ya no servían, porque habían crecido demasiado para jugar con ellos. A pesar de que no era la primera vez que curioseaba su interior, encontró algo que antes no había visto: un muñequito de madera, al que le faltaba una pierna. Lo estuvo contemplando entre sus manos, y al fin pensó que aquel muñeco y ella eran, en cierto modo, parecidos. Lo cogió y lo guardó en su cajón. Desde ese día, empezó a fabricar cosas para él: así tendría también su *mundo secreto*, como lo tenía ella. Escondió todas estas cosas —para que nadie pudiera fisgar en ellas, ni destruirlas, ni burlarse— en rinconcitos y agujeros, que sólo ella era capaz de descubrir en la casa. El muñeco tuvo así un esparcido hogar, distribuido por lugares muy dispares, donde sin duda se debía de encontrar muy a gusto. El muñeco sin pierna tuvo su cocina, fabricada con una caja vacía de cigarrillos, multitud de enseres y de alimentos: cajas de cerillas convertidas en muebles, platos, botones de nácar... Y lo que no podía fabricar lo dibujaba Gabriela con sus lápices de colores. Tanto dibujó, que se gastaron, hasta quedar de ellos tan sólo los extremos. Entonces los guardó en su caja, y los escondió celosamente, para que, con sus limpiezas y afán de poner orden, no los tirase Micaela a la basura. También ella encontraba para sí misma refugios confortables. Debajo de las mesas, medio envuelta en cierta cortina roja, por la que la luz se filtraba, dando un color especial a todo... Y también solía tender una colcha vieja entre dos sillas, convertida en una magnífica tienda de campaña, una misteriosa cuevecita o el interior de un roble donde habitaba un gnomo.

A fuerza de buscarla por toda la casa —para ir al Colegio, a comer, al baño— y no recibir respuesta, ni encontrarla, los demás empezaron a mirarla todavía con mayor desconfianza.

A veces Gabriela creyó distinguir algo parecido al temor en sus voces. Micaela lo comentó en el Cuarto de la Plancha:

—Esta niña, la pequeña, es muy rara...

Explicaba que la había estado buscando inútilmente, y que había pasado tres veces por donde ella estaba sin verla, hasta que la propia Gabriela había decidido salir. Al contar esto, lo hacía en voz baja, y Elisa abría la boca con susto y pasmo. Tomasa, en cambio, no hizo ningún comentario, ni pareció impresionarse lo más mínimo. Tomasa siempre fue distinta.

Gabriela pensó: «¿Por qué soy *rara*? ¿Qué es lo *raro*?» También a ella le parecían raros *los demás*. Sobre todo cuando la rechazaban sin motivo y decían: «Vete, tú eres pequeña.» Y aún peores cosas, que prefería olvidar. Pero notaba cómo aumentaba, día tras día, el recelo que despertaba en *los demás*. Apartada por ellos, hiciera lo que hiciera, sería siempre la niña de «sólo un pie descalzo». Ya no le cabía duda: para huir a sus refugios debía quitarse un zapato. Lo que había empezado en sospecha se convirtió en una certeza y, después, en una mágica ley. No sólo lo perdía sin saber cómo: ahora, además, lo perdía por su propia voluntad.

Aumentó el subir y bajar de las criadas entre los pisos altos y los bajos, con un zapato de Gabriela en la mano: lo habían encontrado en sus macetas, o en sus ventanas... Un día el portero lo encontró barriendo en el patio. Y hasta el propio cartero trajo el famoso zapato de Gabriela.

Esto fue una verdadera sorpresa para ella. ¿Quién le devolvía «por correo» su barquita de ensueños? Gabriela estuvo tres días sin atreverse a soñar, pero al cuarto ya lo había olvidado.

3

Pasaron tres años. Una tarde de invierno, Gabriela llegó del Colegio con la cabeza pesada y mucho calor. Le dolía la garganta, la cabeza y el borde de los ojos. Micaela le puso la mano en la frente y dijo:

—Esta niña tiene fiebre.

La llevó a la cama y llamó a mamá. Mamá llamó al médico. El médico dijo que tenía la gripe.

Los dos días siguientes los pasó Gabriela en la cama, muy inquieta y sin enterarse de nada. Amodorrada, dolorida, no distinguía ni el día ni la noche. Tanta fiebre tenía.

Al cuarto día la fiebre pasó o, por lo menos, una gran parte de ella. Pero el médico dijo que aún debía quedarse en casa, y en cama, durante una semana por lo menos.

Gabriela ya sabía de memoria todas las flores de las cortinas, también los dibujos chinos del armario y el vaivén de la lámpara cuando, por las mañanas, abrían la ventana para limpiar la habitación. Conocía las sombras, las luces. Conocía la llegada del sol y la de la noche, por el color que teñía los visillos. Se sentía aún débil, y no tenía fuerzas para provocar sus ensueños, porque para eso necesitaba esfuerzo y concentración. Buscó su muñequito sin pierna —solía ponerlo bajo la almohada— y descubrió, con desespero, que había desaparecido. Reflexionó dónde podría estar: acaso en el Cuarto de Estudio. Con sigilo se deslizó fuera de las sábanas, y salió de la habitación. Pero en el Cuarto de Estudio tampoco estaba. Lo buscó entre los libros, en el fondo de su cartera de colegio; incluso volvió a mirar en el cofre de los juguetes olvidados. No aparecía. Con un gran desaliento, regresó a la cama. «¡Si al menos tuviese algún libro para leer!», pensó. «Aunque sólo fuera para mirar las ilustraciones.»

De pronto se acordó de que en la casa había una habitación llamada «la Biblioteca», donde sólo entraba papá. Por dos veces la había llevado allí, poco después de haberle regalado la caja de lápices de colores. ¡Qué lástima que papá estuviera siempre tan ocupado en cosas que le tenían lejos!

En la Biblioteca había muchísimos libros, además de papel, plumas, lápices... Gabriela recordó el olor de la madera barnizada y de los libros. Era un olor especial. Sólo en aquella habitación olía así. Y sintió un gran deseo de volver a ella. Además, aquellos libros... Aguzó el oído, saltó nuevamente de la cama y se asomó con precaución al pasillo. No había nadie, y corrió hacia la puerta de vaivén encristalada que lo dividía en dos partes. Al otro lado de esta puerta, el suelo aparecía encerado y cubierto con una alfombra. Empujó la puerta, y se detuvo con la espalda pegada a los cristales. Todo estaba en silencio, y solitario. A los dos lados de la alfombra, dos tramos del parquet al descubierto brillaban suavemente. Como si navegara, se deslizó por ellos hasta la puerta de la Biblioteca. La manija cedió bajo sus dedos, empujó el batiente, y el olor a madera, libros y lápices llegó a su nariz.

Todas las lámparas de la Biblioteca estaban apagadas, pero un resplandor blanco y azul llegaba a través de las cortinas. Gabriela reconoció esa hora especial que brota sólo un momento —como algunas flores misteriosas—, cuando el día aún no se ha ido y la noche no ha llegado todavía. El momento justo en que la luna va a aparecer por algún lado. Bajo aquel resplandor, destacaban los libros, alineados uno junto a otro. Gabriela se acercó de puntillas. Dentro de la cristalina urna que guardaba su corazón, creyó oír un tintineo, como si en algún desconocido lugar entrechocasen dos copas. Trepó a una silla y, alzando la mano, la dejó correr sobre los libros, de tantos colores como el arco iris. De pronto sintió que una fuerza desconocida empujaba su mano, y esa misma fuerza la detuvo sobre el lomo de un libro muy grande, encuadernado en tela roja, con letras doradas. Lo atrajo hacia sí, el libro cedió y, con un salto de bailarín, cayó en sus brazos.

Era un tomo voluminoso y, sin embargo, casi no pesaba. Gabriela lo apretó contra ella, abrazándolo como haría con ese amigo que deseaba tener y no tenía. Bajó de un salto de la silla y salió de la habitación. Rápidamente se deslizó —o, mejor dicho, navegó— hasta su cuarto, y se zambulló entre las sábanas. Seguía oyendo el tintineo cristalino.

Ahora su corazón latía de tal forma, que parecía una campana. Estuvo abrazada al libro, con la sábana sobre la cabeza —como en el interior de una cabaña rosa y oro—, hasta que el tintineo de las remotas copas que chocaban desapareció. Entonces tuvo la confusa sensación de que con ellas se alejaba todo el mundo conocido.

A través del resplandor que transparentaba la sábana podía leer perfectamente. En grandes letras doradas, sobre fondo rojo, Gabriela no sólo leyó sino que oyó: «El País del Pie Descalzo». Debajo, en letras más pequeñas —seguramente, se dijo, será el nombre del autor—, había escrito: «Y su guía Homolumbú.»

Con gran emoción abrió el libro y pasó la primera página. Los dedos le temblaban. Entonces, con sorpresa, vio que de aquellas páginas brotaba una espesa niebla, y, entre la niebla, flotaban palabras que no entendía. Era otra lengua, que ella desconocía. Tuvo una gran desilusión. Pero pasó una nueva página y quedó deslumbrada.

En lugar de palabras incomprensibles, había allí una preciosa ilustración, de colores suaves y resplandecientes a la vez. No era una ilustración corriente, como acostumbraba a ver en los libros corrientes. Allí todo parecía bañado en niebla, y luz dorada, azul, rosa, blanca... y cambiante. Como la que entraba por la ventana de la Biblioteca, cuando había encontrado el libro.

Gabriela distinguió y reconoció en esta luz una música que se encendía en su mente y en su corazón cada vez que ella se descalzaba y entraba en sus sueños. Allí había un bosque, y en el bosque un Viejo Roble. Y, como otro libro, el Viejo Roble se abrió y ella vio su interior. Dentro la niebla se espesaba: creyó ver moverse criaturas, como sombras; y oír confusos rumores. Al fin distinguió, fugaz, un pedazo del mar que ella tanto amaba, luego una isla que ella conocía por haberla soñado o quizá sólo por haberla deseado. Y al fin, entre voces confusas que no podía retener, brotaron olas de viento y de música. Luego reconoció el vuelo de muchos pájaros de colores. Tantos colores como el arco iris, o como los libros que se alineaban en la Biblioteca de papá.

Las voces desaparecieron y sólo una creció. Primero creyó que era como el viento lejano que azota las copas de los árboles. Luego le pareció reconocer una antigua canción, oída no sabía cuándo. Hasta que logró distinguir, cada vez más claro, el significado de los signos que al principio no entendía: «Has entrado en el País del Pie Descalzo. ¡Bienvenida! Desde ahora nadie —salvo tú misma— podrá expulsarte de él.»

«¡Yo no!», gritó Gabriela. O creyó gritar, porque lo había dicho muy bajito, apenas moviendo los labios. Pero una gran voz resonaba dentro de ella, se unía a la voz que oía, como si fueran una sola voz. Y se repetía, y repetía, y agrandaba, como regresaba ahora el sonido de copas de cristal dentro de la campana que rodeaba su corazón.

Entonces el Viejo Roble creció frente a ella, y en el fondo vio al muñeco sin pierna, mirándola y sonriendo. Gabriela creyó que su corazón podía estallar, la niebla se espesó todavía más ante sus ojos, y ya no pudo ver ni recordar más. Es decir, había llegado el día siguiente, y pensó que seguramente, en el momento en que había encontrado a su muñeco, había quedado dormida.

Pero el muñeco no estaba allí. En cambio, debajo de la almohada encontró el libro.

4

Durante muchos días Gabriela, cada vez que despertaba, pensaba en el roble del libro. El libro estaba a su lado, pero seguía sin entenderlo, y no había roble alguno en él. Desalentada, se decía que acaso todo había sido cosa de la fiebre. Pero algo la obligaba a pensar que no; porque el libro estaba allí, con su misterioso título estampado en oro sobre tela roja. Decidió esconderlo en el cajón del armario, entre su ropa.

La gripe pasó, Gabriela volvió al Colegio, y la vida seguía sin interés para ella. Pero una noche en que daba vueltas en su cama sin poder dormir, decidió de pronto sacar el libro del cajón y llevarlo con ella, bajo las sábanas. «Tal vez ahora», pensó, «sin fiebre, lo entenderé.» Todos los niños estaban ya acostados. Micaela les deseó a todos buenas noches, y poco a poco se apagaron las luces de la casa. Entonces, bajo las sábanas, Gabriela encendió su lamparita de pila y abrió el libro.

Todo ocurrió como la primera vez. Sólo que ahora el muñeco estaba a su lado, frotándose los ojos como si despertara.

—No me olvides tan fácilmente —dijo—. La próxima vez no tendría remedio.

—No te he olvidado —dijo Gabriela—. He pensado en ti todo el tiempo. Pero creía haber soñado...

—Para que las cosas sean ciertas, tienes que creerlas —dijo él—. De lo contrario, todo desaparece. Ahora dime: ¿estás dispuesta a visitar alguna región del País del Pie Descalzo? Me llamo Homolumbú.

Cogidos de las manos, Homolumbú y Gabriela se deslizaron suavemente por uno de los bordes del parquet no cubiertos por la alfombra. Pero ahora iban mucho más aprisa que cuando fue ella sola a la Biblioteca. Ahora navegaban realmente, dentro de un barco de papel. Un papel de periódico, atrasado, con noticias que ya nadie volvería a leer. Gabriela se dio cuenta de que Homolumbú era tan alto como ella. ¿Había crecido? En todo caso, no lo había notado. Pero no sabía si es que él había crecido mucho, o era ella quien se había achicado.

—¿Qué región visitaremos? —preguntó.

Habían llegado al punto en que el suelo no estaba encerado: la zona donde el pasillo quedaba cortado por unas puertas de cristal que se abrían en vaivén. Allí comenzaba el lugar donde vivían Micaela, Elisa y Tomasa; donde estaban el Cuarto de la Plancha, el de los Armarios, el de Estudio y de Jugar, la cocina...

—La Región de las Alacenas —dijo Homolumbú.

Cogidos de la mano, atravesaron la puerta de cristales. Los muelles gimieron blandamente y los batientes se cerraron de nuevo a sus espaldas. Llegó a la nariz de Gabriela un conocido olor a tostadas con mantequilla, porque en esa parte de la casa preparaba Micaela las meriendas y los desayunos. A medida que avanzaban hacia la puerta de la cocina, llegaba a los oídos de Gabriela una especie de tintineo. Era una gotita de agua que caía, desde un grifo mal cerrado, hasta la pila del fregadero. Primero creyó que era sólo eso. Pero, cuando entraron en la cocina, pudo distinguir claramente en él una voz; y entre la voz unas palabras se abrían paso.

—Aquí debo soltar tu mano —murmuró a su oído Homolumbú—. Mi tarea consiste en conducirte hacia las regiones del País del Pie Descalzo. No eres tú la única: existen muchas criaturas que andan por la vida o quedaron en ella mal calzadas. Las vas a reconocer, como me reconociste a mí, cuando me encontraste olvidado en el cofre...

La voz de Homolumbú estaba ya muy lejos, se extinguía. Y Gabriela comprendió que a partir de aquel momento debía navegar sola.

Era verdad: navegaba, aunque no sabría decir en qué elemento, si en algún mar, o viento o cielo. Pero era distinto de cualquier cosa conocida.

Estaba encaramada en lo alto de la alacena donde Tomasa guardaba ollas, cazuelas, sartenes... En fin, parte de las enormes familias que componían por aquellos tiempos los enseres de cocina. Llegó a Gabriela un aroma tibio y dorado. Olor a croqueta: o precisamente de aquella que compartían sus hermanas y ella nunca recibió. La voz de la gota de agua decía:

—Soy media croqueta que quedé olvidada porque Tomasa no se la dio a Gabriela... Me arrojaron al cubo de la basura, y he navegado por canales y vertederos, donde encontré muchos desperdicios. Era el mismo camino que recorrió cierto Soldadito de Plomo al que le faltaba una pierna. Pero yo sabía que Gabriela me quería, y eso me consoló.

Apenas la voz se extinguió, Gabriela se sintió empujada hacia el interior de la alacena. Su cuerpo navegaba o volaba de tal manera que le permitía atravesar las paredes y las maderas, con tanta naturalidad que ni siquiera se sorprendió.

Dentro de la alacena, la voz de la gota de agua fue introduciéndose por turno en el interior de algunos cacharros. Sólo de aquellos a quienes faltaba un asa o habían perdido la tapadera, o estaban tan viejos y abollados que Tomasa los había amontonado allí dentro. Por lo visto llevaban tanto tiempo olvidados que nadie se tomaba la molestia de deshacerse de ellos. La Olla Grande sin Tapadera dijo:

—Cuando vivía en la Casa de las Vacaciones, yo era joven, nueva, reluciente. Todos los pucheros, cazos y peroles hubieran querido ser mis novios, y las cazuelas me admiraban o me tenían envidia, porque sabían que en mí se hacían los mejores y más sustanciosos caldos para la Gente de la Casa. Tomasa me quería más que a ningún otro de sus cacharros. Pero un día mi tapadera se abolló, tiempo después se perdió, pasó más tiempo... y yo me hice vieja. Tomasa dijo: «No sirve para nada», porque le habían traído una olla joven y nueva... Por entonces los Niños de la Casa se habían ido, quién sabe adónde. No se les veía ni se les oía por ninguna parte, y se les echaba de menos. Un día llegó un buhonero, estuvo haciendo tratos con Tomasa y se llevó muchísimos compañeros (de los viejos y rotos, claro está). Cuando me vio, quiso enseguida llevarme con él y meterme en su horrible saco... Yo temblaba de miedo...

Del grifo de la cocina escapó un resoplido, porque la Olla Grande había suspirado. Y continuó:

—No quería irme. A pesar de estar arrinconada, no quería abandonar la casa, ni la cocina, ni, sobre todo, a Tomasa. ¡Tantos guisos habíamos hecho juntas, tantos años trabajando y sudando a la par, ella y yo...! Estaba tan desesperada que quise gritar, y me dejé caer rodando, haciendo mucho ruido (es nuestra forma de llamar la atención de los humanos), y procuré, dando tumbos, llegar al cuadradito de sol que había visto en el suelo, bajo la ventana. El sol me entendió enseguida, dejó resbalar su brillo sobre mí y me devolvió (aunque sólo unos segundos) el brillo de los buenos tiempos. Así conseguí que Tomasa se fijase en mí. Me recogió del suelo, y estuvo contemplándome pensativa, hasta que por fin dijo: «No, de ésta no me quiero separar. Me ha ayudado mucho, durante años y años. Siempre se ha portado bien. A pesar de su aspecto...» Y, en voz muy baja que sólo yo pude oír, añadió: «Conoce tantas historias, sabe tanto de mí, y de la casa...» De modo que me quedé en la alacena y, cuando la Gente de la Casa regresó a la ciudad, Tomasa me envolvió en uno de sus delantales y me trajo aquí. Claro está que ya no me utiliza, y por eso estoy donde estoy... Pero, cuando llegan jóvenes cazos presumidos, o inexpertas y débiles cazuelas nuevas, Tomasa aprecia la diferencia que va de ellos a mí. ¡Yo podría enseñarles muchas cosas todavía a esos necios engreídos!... Como soy panzuda y nadie guisa en mí, mi voz resuena como una campana en el silencio de la noche, y puede oírme toda la cocina: desde el grillo de Tomasa, en su jaula de la ventana, hasta la última escoba. Yo tengo la esperanza de que Tomasa no se olvidará nunca de mí...

Las últimas palabras de su voz se hicieron más débiles y temblorosas, como apagadas por la lluvia. Gabriela supuso que tal vez echaba de menos a su vieja amiga, la tapadera. Y comprendió por qué Tomasa sabía tantas historias. Tantas, que parecía nunca iban a terminar. Nadie sabía dónde las había aprendido, pero ahora estaba claro: muchas de ellas se conservaban en el interior panzudo de la Olla Grande. Tal vez, cuando Tomasa llamaba a sus hermanas, y a ella parecía no verla, ocurría algo parecido a lo que sucedía con la vieja olla: que se creía olvidada y no era cierto. «También Tomasa es muy vieja», pensó. «Y me parece que ha perdido algo muy importante. Tan importante para ella como la tapadera para la Olla Grande.»

De nuevo Gabriela descendió: bajaba al estante siguiente. Había allí una algarabía parecida a cuando, en las tardes de lluvia, las niñas del Colegio no podían jugar a la pelota y tenían que pasar el recreo en el patio cubierto. Todas aquellas mezcladas voces fueron bajando de tono, aplacándose, hasta convertirse en un susurro confidencial. Ahora se parecían a las voces que salían de la salita, donde, algunas veces, mamá tomaba el té con las tías o las amigas.

Gabriela se había acostumbrado a ver en la oscuridad. ¿O tal vez siempre fue así? Los cuartos oscuros no la atemorizaban, como a la prima Fifita y a sus mismas hermanas. En aquel momento, distinguió con claridad de dónde partían las voces susurrantes. A su lado se apilaban teteras, jarritas, tazas y platillos. Pero muy diferentes entre sí: eran, sin duda, restos de antiguas familias de porcelana-vajilla. Al que no le faltaba un asa, lucía un mordisquito en el borde. Los dos azucareros habían perdido las correspondientes tapaderas hacía mucho tiempo. La mayoría de ellos tenían grietas, rajaduras y descascarillados. Tal vez era ésa la razón por la que sus voces sonaban cascadas. A pesar de todo, se notaba que habían sido muy bonitos, de finísima porcelana. Además —ahora Gabriela ya empezaba a entender sus voces—, no paraban de comentar su buena calidad y envanecerse de su magnífico pasado. Pero también se lamentaban de haber sido relegados al estante de los desechos, y lo que les parecía aún peor, sustituidos por otros más bastos, por el único mérito —según decían— de ser nuevos y no haber perdido nada todavía.

La de mayor autoridad entre ellos era la Vieja Tetera Desportillada (que, a pesar de ello, no había perdido su dignidad y buenas maneras). Al parecer, había abandonado muchas de sus pasadas vanidades. Entre el barullo que armaban todos, tratando de apabullarse unos a otros con sus viejas glorias, la tetera emitió un pequeño silbido e impuso silencio.

—¡Dejad ya tantos lamentos inútiles! ¿No os dais cuenta de que esta noche tenemos la suerte de que haya venido aquí Gabriela, a demostrarnos qué cosa tan buena puede ser (al contrario de lo que creen los necios) ir por el mundo con sólo un pie descalzo?

Gabriela comprendió que, para ellos, el «pie descalzo» podía ser la falta de un asa o de una tapadera; un desportillado en el borde o una grieta.

—Es verdad —dijo la Jarra de Leche, que según se veía, era la que seguía en autoridad a la tetera y, además, parecían viejas parientas—. Mejor será que hablemos de nuestros recuerdos. ¡Es nuestra única forma de volver a vivir!

Uno por uno, contaron sus historias. La Jarra decía:

—¡Qué tiempos aquellos! ¿No es verdad, prima Tetera? ¿Te acuerdas de cuando llegaba yo a la mesa, llena de leche caliente y espumosa...? Todos los niños me querían. Había uno al que le divertía mucho que dejara verter un poquito en el mantel... Y me empujaba un poco, con disimulo. En aquellos días, había muchos niños en la casa. Cuando llegaba yo a las meriendas, todos alargaban las manos hacia mí, todos querían ser el primero en servirse de mí... Sí, eran muchos, muchos más que ahora. Siempre tan alegres, contándose tantas cosas los unos a los otros. Eran un poco embusteros, eso sí. Querida prima Tetera, si tienes buena memoria, no habrás olvidado nuestra llegada a la mesa de las meriendas... ¡Era un cortejo triunfal! —Lanzó un cascado suspiro, pues, aunque no se veía, lo cierto era que su fondo estaba rajado—. ¿Recuerdas cómo mezclaban nuestros dos contenidos en sus tazas? De aquel vaho nacían todos los sucesos, todos los cuentos que allí se oían...

—Es verdad —murmuró la Vieja Tetera Desportillada con voz temblorosa, porque a su pesar la conmovían aquellos recuerdos—. A medida que se vaciaban y volvían a llenar las tazas, sus voces se animaban, subían de tono, se quitaban las palabras los unos a los otros... Yo les provocaba; era muy fácil para mí. Como todo el mundo sabe, yo llevo en mi vientre, bullendo en un precioso aroma, historias de China, Ceilán... ¡Leyendas tan antiguas como leones dormidos!

—¿Por qué «leones dormidos»? —murmuró, al oído de su compañero, el Azucarero de los Dibujos Azules, que, a juzgar por sus delicados dibujos, pertenecía a la misma familia que la Vieja Tetera y la Jarra de Leche—. Me parece que la abuela chochea...

El otro azucarero, único superviviente de una familia más modesta, le mandó callar. Sentía mucho respeto y admiración por la Vieja Tetera.

—¿Por qué no venís también a nuestras meriendas...? —preguntó Gabriela tímidamente—. ¡Tendría con quien hablar, tendría algunos amigos...!

—Ay, bien a la vista está... en lo que se refiere a mi caso particular. —La Vieja Tetera hablaba despacio y con solemnidad—. Un día, el más pequeño de los Niños de la Casa (un niño muy travieso, aunque simpático) disputaba su turno con el hermano mayor. Tirón por aquí, tirón por allá... Entre los dos, me dejaron caer al suelo. Ya ves: me rajé de arriba abajo y, desde entonces, perdía todo el té por la ranura. Y no sólo el té... También mi hermosa voz, que todos admiraban. ¡Tan sólo darme un golpecito con una cucharilla, y parecía sonar una campana!... ¿No es cierto, prima Jarra de Leche?... Pero, en estas condiciones, no puedo asistir a ninguna merienda, hija mía.

Un aroma a té se esparció por el estante de los arrinconados: los recuerdos tienen, cada cual, su perfume particular.

Entonces el Azucarero de los Dibujos Azules comentó:

—¡Qué hermosura aquellos tiempos, es verdad!... Los niños metían las manos en mi interior, buscando los terrones... Entonces no existía el chicle, casi nunca les daban caramelos y los pasteles estaban reservados al día de Navidad o el cumpleaños. Pero eran muy golosos, y por eso siempre andaba yo entre ellos viajando de mano en mano. Me divertía mucho. Yo procuraba que mi tapadera quedara ladeada: así les resultaba más fácil meter los dedos... ¡Precisamente esto me perdió! Uno de los niños tiró la tapadera, cayó al suelo, y la pobrecilla se hizo añicos. En cuanto la niñera me vio, dijo: «¿Qué hace aquí este azucarero sin tapadera?» Si tenéis memoria, recordaréis que fui el primero en ser apartado de la familia Porcelana-Vajilla. Soy el que lleva más tiempo en este lugar... Después, claro, fueron llegando otros: un día, uno; otro día, otro...

—Así es —intervino una taza—. De forma muy parecida, perdí yo a mis hermanas tazas y a mis sobrinos platillos. Me acuerdo muy bien de ti, Azucarero: de cuando vivías aún con tu familia. Pero entonces, la verdad, eras muy orgulloso... Me alegra que estés aquí. Eres muy instruido y además sabes muchos cuentos, y no es raro, porque anduviste en manos de los niños más que ningún otro. Además, ahora ha desaparecido tu vanidad. Me gustas más así, sin tapadera, que antes con ella. ¡Si quieres que te diga la verdad, era un poco ridícula! No te merecía...

Gabriela notó que en su voz había un poco de celos, y comprendió que estaba enamorada del Azucarero de los Dibujos Azules.

En aquel momento, un puñado de cucharillas —todas distintas— que vivían metidas en un tazón como un ramo de flores en un florero tomaron parte en la conversación.

—¡Qué suerte tienen ésos! —suspiró una de ellas—. Toda la alacena sabe que son novios, y pueden vivir felices uno junto a otro. En cambio, nosotras perdimos a nuestros compañeros, los pequeños tenedores. ¿Cuánto tiempo hace que nos separaron de ellos? Y no sólo porque se perdieran... Recuerdo bien cómo alguno de ellos, de espíritu aventurero, se lanzaba al cubo de la basura para viajar por los Canales de la Ciudad. Y más de una vez ocurrió que una mano descuidada y zafia nos colocara indebidamente en los cajones. Equivocaba nuestras familias y compañeros, nos mezclaba y desbarataba y, sin consideración hacia nuestros sentimientos, nos abandonaba entre desconocidos.

La más pequeña de las cucharillas —una muy fina y delicada— dijo, alzando mucho su plateada vocecita:

—¡Eso es muy cierto!... ¡Ay, sí! Yo tenía un precioso novio, un tenedor pequeño y reluciente, con las iniciales en el extremo del mango, iguales a las mías: era la señal de nuestro compromiso, porque estábamos comprometidos desde que nacimos. Pues bien, un día alguien lo colocó por descuido en un compartimento que no le correspondía, junto a una cucharilla descarada y totalmente desconocida. Se enamoraron y decidieron escapar juntos, antes de que alguien notara el error, y a él lo devolvieran a su lugar, es decir, a mi lado. ¡Aquel mismo día se lanzaron juntos desde el fregadero hasta la cesta de la compra!... No he vuelto a verlo jamás.

Tal vez la habían secado deprisa y mal; lo cierto es que Gabriela creyó distinguir, resbalando a lo largo de la cucharilla, el brillo de una gota de agua. Su voz se había hecho húmeda y confusa, como la lluvia que se aleja. Y, en lugar de sus palabras, Gabriela sólo oía, ahora, el clic-clic del grifo mal cerrado.

Nuevamente descendió, y se detuvo al fondo de la alacena, en el estante más bajo y oscuro. Allí sólo había una sartén pequeña y muy negra. Apenas la vio, empezó a agitarse, porque había escuchado todo lo que habían contado en los estantes superiores, y al parecer ella también quería decir alguna cosa.

Gabriela no tardó en oír su voz. Hablaba muy bajo, como si quisiera que únicamente ella oyera lo que tenía que decir. Gabriela se agachó y puso mucha atención en lo que oía.

—Te voy a decir una cosa: a mí, Tomasa no me ha olvidado. Sólo en mí puede freír sus riquísimas y famosas croquetas. Pero me tiene escondida aquí, porque le han comprado otras sartenes, mucho más jóvenes y modernas, y yo le parezco muy fea, a su lado. Pero ella sabe bien que, si no es conmigo, sus croquetas no serían iguales... ¡Tantos y tantos años he vivido con ella, mucho más que ningún otro! Ya ves, sin embargo, aunque me sigue utilizando, se avergüenza de mi aspecto y me esconde donde nadie me vea. ¡Quién lo hubiera imaginado! ¡Después de una amistad tan larga, tan grande... verme arrinconada en lo más oscuro de la alacena! ¡Para que nadie pueda saber que aún se tiene que servir de mí! Si tuvieras ocasión, dile que no se avergüence de su vieja amiga. Ya sé que soy negra, pequeña y vieja, pero llevo mucha sabiduría conmigo... El día en que me vuelva a colocar bien visible, donde siempre estuve, cerca de la ventana y el grillo, Tomasa recobrará el trocito de memoria que perdió (y que tanta falta le hace, como tú sabes...).

El clic-clic del grifo mal cerrado ya no sonaba como la gota de agua al chocar contra el fregadero. Ahora se parecía mucho al tic-tac del reloj, y la voz de Micaela, despertándola para ir al Colegio, hizo abrir los ojos a Gabriela. Durante mucho rato, estuvo dudando si aquel sonido la había adormecido, o si, por el contrario, la despertó.

Aquel mismo día, cuando ya todos los niños estaban en el Colegio, Tomasa abrió la alacena, y sus ojos tropezaron con la Pequeña Sartén Negra. Quedó un momento pensativa, y poco a poco sus ojos se suavizaron. Ya no se avergonzaba de ella, al contrario, ¡no comprendía por qué la tenía allí, como si fuera un trasto viejo! «Cuánto tiempo juntas, tú y yo», murmuró para sí (Tomasa casi siempre hablaba hacia sus adentros), «¡Cuánto hemos vivido juntas! Por muchas sartenes jóvenes y relucientes que lleguen a esta cocina, ninguna sabrá dar a mis croquetas esa corteza dorada y crujiente que tú sabes...»

Se agachó, la sacó de allí y la colgó en el lugar más visible, muy por encima de todos los cacharros de la cocina (junto a la ventana y la jaula del grillo), que la miraron con admiración. Y allí la conservó siempre.

Pero no ocurrió sólo esto. Desde entonces, Tomasa varió algo sus costumbres, o, al menos, una sola. Cuando freía croquetas, reservaba una entera (no la mitad) para Gabriela. La más curruscante y sabrosa. La llamaba aparte, y se la daba sin que ningún otro niño o niña lo viera. Era una especie de secreto que sólo ellas dos compartían. Luego le hacía un guiño (quién sabe por qué razón). Sólo Tomasa —y acaso, también, la Pequeña Sartén Negra— hubieran podido decirlo.

5

La Oliscona primero, madame Saint Denis después, habían quedado atrás. Ahora le tocaba el turno a madame Saint Sulpice. Pero nada había cambiado. Las tres tenían mucho en común, especialmente una cosa: cuanto ellas decían resultaba absolutamente incomprensible para Gabriela. Las tres hablaban igual; incluso tenían la misma voz. Las tres usaban, sin distinción, una lengua que Gabriela había ya abandonado la esperanza de entender. Y ninguna de las tres aceptaba preguntas de Gabriela. Esto, durante las clases.

Por el contrario, se expresaban con gran claridad para comunicar a Gabriela que, aquel día, *también* estaba castigada. Esto último seguía ocurriendo con exacta puntualidad.

Gabriela regresaba del Colegio cada vez más entristecida y preocupada por aquellos deberes que *debía hacer*, sin entender *cómo los debía hacer*. Tal vez por eso pasó bastante tiempo sin que se diera cuenta de que Homolumbú había desaparecido.

Por más esfuerzos que hiciera y mucho empeño que pusiese, Gabriela no podía pronunciar «Saint Sulpice», y esto complicaba las cosas de día en día. Madame Saint Sulpice aparecía cada vez más exigente, más impenetrable y más alta: asistir al Colegio empezó a ser para Gabriela algo muy parecido a una dura ascensión cuesta arriba, de la que no atisbaba la cima.

Cuando al fin, por la noche, se acurrucaba entre las sábanas, con la cabeza embotada y el corazón cada vez más pesado, Gabriela lloraba (sin lágrimas, como solía). La urna de cristal que rodeaba su corazón la alejaba cada día más de todo.

Un sábado al mediodía regresó a la casa arrastrando los pies y con la cabeza baja. Sentía zumbidos dentro de los oídos. Aquella tarde, como todos los sábados, no había Colegio, y sus hermanas —con la prima Fifita— estaban invitadas a casa de unas amigas, cosa que les ilusionaba mucho. Todo el tiempo, hasta que se fueron, charlaron sin parar de lo que harían, lo que dirían y cómo se vestirían, de modo que el vago dolor de cabeza de Gabriela creció de una forma desmesurada.

Rafael había ido al cine con los primos, y la casa, por fin, quedó en silencio, sólo interrumpido por la charla de Tomasa, Micaela y Elisa, que llegaba hasta el Cuarto de Estudio, junto con los golpes de la plancha. A ella nadie la había invitado, entre otras cosas porque no tenía una sola amiga. Por añadidura, debía escribir cien veces en el cuaderno DEBO SER MÁS ATENTA, aunque nadie le había aclarado qué clase de atención se esperaba de ella. Cuando levantaba la mano —sólo al principio, ahora ya sabía que no valía la pena—, para preguntar alguna cosa, la dura mirada y los labios fruncidos de madame Saint Sulpice, junto a las risitas mal sofocadas de las burlonas niñas, la dejaban sin voz. No había cambiado nada desde los tiempos del Aula Primera. Se volvía a sentar, en silencio, y no tardaba en llegar el correspondiente «Gabriela se queda sin recreo y escribirá cien veces...» Etcétera, etc., etc.

Ahora estaba sola, y escuchaba los rumores que llegaban del cercano Cuarto de la Plancha. Pero ya no podía refugiarse allí, como antes. Apenas aparecía en la puerta, las conversaciones cesaban, cortadas de raíz. Y Gabriela oía las frases conocidas hasta el aburrimiento:

—¿Qué vienes a hacer aquí...? Vete a hacer los deberes, éste no es sitio para ti...

¿Dónde estaba su sitio? ¿Existía realmente un «Lugar para ella»? Gabriela apoyó la cabeza sobre los brazos cruzados. En el cuaderno, los primeros DEBO SER MÁS ATENTA resaltaban, torcidos y temblorosos, en la parte superior de la página. Suavemente fue deslizándose de la silla hasta quedar bajo la mesa, y murmuró en voz baja:

—Homolumbú... Homolumbú...

Ahora se daba cuenta de que hacía mucho tiempo que no le veía, y él mismo le había dicho que sólo acudiría si verdaderamente lo deseaba mucho. Eso es lo que estaba ocurriendo en aquel momento. Por eso no tuvo nada de extraño que, apenas levantó la cabeza, lo viera en el suelo, justamente debajo de la ventana. Corrió hacia él y lo apretó contra su cara, cerrando los ojos.

Homolumbú decía junto a su oído:

—Esta noche visitaremos la Región de los Ausentes.

—¿Qué región es ésa...? Tiene un nombre muy raro.

—Digamos que, por ejemplo, puede ser el Aula Primera... Pero tú sólo la conociste llena de niños. Ahora la conocerás cuando ya no están. De modo que podrás oír lo que dicen aquellos que callan cuando todo el mundo habla y hablan cuando todo el mundo duerme.

Homolumbú no dijo nada más, y Gabriela regresó a la parte superior de la mesa. Su ánimo había cambiado completamente; abrió la cartera y se dispuso a hacer los deberes. Ya tendría tiempo de escribir las tonterías con que debía llenar una página del Cuaderno de Castigos.

La tarde pasó bastante más aprisa de lo previsto, porque a través de la espesa nube que le impedía llegar a buen término con sus deberes —una confusa mezcla de cosas oídas sin quedar aclaradas jamás—, una lucecita de esperanza se había encendido: «Esta noche iremos a la Región de los Ausentes, Homolumbú, Homolumbú...»

Así sonó el timbre que anunciaba la llegada, primero de su hermano y luego de las hermanas. Micaela se llevaba los abrigos; llegaban ruidos de cazuela desde la cocina, junto a los primeros olores de la cena. Las niñas hablaban a un tiempo, Rafael estaba cansado. Cenaron en el Cuarto de Estudio. Rafael y las niñas se pelearon un poco. Luego se reconciliaron y se fueron a acostar. Entre todas estas cosas, ella, como era habitual, quedó aparte. Ahora ya había aprendido a cenar entre ellos como si estuviera sola. De vez en cuando, Rafael le preguntaba algo, pero enseguida dejaba de escucharla.

Pero ahora se disponía a vivir sus secretos, y se metió en la cama deprisa. Todo estaba en silencio, las luces de la casa fueron muriendo una a una. Entonces, Homolumbú regresó.

Navegaban otra vez. Pero esta noche no se quedaron dentro de la casa. Llegaron hasta la puerta de la calle y atravesaron, como era habitual, toda clase de muros y obstáculos. Bajaron la escalera y salieron a la noche exterior. Era una noche intensamente azul, con la luna en forma de barca.

Al borde de las aceras se alzaban los faroles de gas, y sus

llamitas verde plateado despedían un resplandor parecido al de la luna, que hacía temblar las sombras de los árboles. Durante sus correrías, ellos no tenían sombra. Gabriela ya lo había observado. Por encima de las rejas del Parque de los Juegos asomaban las copas de los álamos y los castaños. Gabriela recordaba el olor de la tierra caliente, de la Fuente de la Merienda, aquellas tardes —ahora le parecían tan lejanas— en que la llevaba allí Micaela, cuando era la única niña de la casa que aún no iba al Colegio. Sola, pasaba entre los arbustos de adelfas y miraba cómo regaba el césped el jardinero municipal. Cuando sonaban las cinco en el reloj del Museo de Historia Natural, Micaela sacaba la merienda. Gabriela comía pan, chocolate y un plátano. Luego, en el vasito de plata que tenía las iniciales de sus hermanas —unas veces era el de la mayor, otras el de la segunda, pero con sus iniciales no había ninguno—, bebía agua de la fuente, que tenía un surtidor y un pájaro de piedra. Era entonces muy pequeña, aún no sabía lo que significaba sentirse desgraciada, pero, eso sí, de vez en cuando, entre la hierba, bajo los arbustos, o quién sabe si robado por un vencejo, perdía un zapato. Micaela se enfadaba con ella. Pero no iba a contárselo a mamá, como hacía ahora la prima Fifita y, de cuando en cuando, también alguna de sus hermanas.

Gabriela suspiró con nostalgia. Cuando se siente nostalgia por primera vez, las cosas parecen distintas, como si estuvieran debajo de la luna. Y la luna estaba allí, en forma de barca, navegando como ellos, pero por encima de los faroles de gas, los árboles de la calle y los del Parque de los Juegos. Gabriela deseó decirle a Homolumbú estas cosas, secretamente, con voz tan baja que ni siquiera era preciso mover los labios. «En el Parque de los Juegos había una abeja amarilla, con rayas negras, que parecía de terciopelo. Era una abeja que siempre quería comerse la mermelada de mi merienda.» «Yo sé quién es, me acuerdo muy bien de ella», dijo, en su oído, la voz de Homolumbú. «Ahora aquella abeja no siente ningún interés por las mermeladas: está demasiado atareada. Recorre una y otra vez los caminillos del parque, porque está buscando las sombras y las huellas de los *niños que no están.*» «¿Adónde fueron?» «¡Quién puede saberlo!» Y Gabriela comprendió que Homolumbú no diría nada más sobre este punto. Y perdió toda curiosidad por saber más.

Ahora navegaban por la calzada, junto al bordillo de la acera. Como había llovido aquella tarde, descendía por allí un riachuelo, y Gabriela divisó varios barcos de papel de periódico atrasado, como aquel que se cruzó con ellos en el paseo, y agitó la mano, saludándoles como a viejos amigos. Arriba, los faroles de gas silbaban suavemente; los barcos pasaron junto a ellos, cargados de noticias que ya nadie leería, y se perdieron en la noche.

Sin saber exactamente cómo, Gabriela se encontró en el alféizar de una de las ventanas del Aula Primera. Homolumbú había soltado su mano: ya no estaba allí. Y la luna curioseaba por entre los visillos, bastante intrigada. Gabriela advirtió que la luna la miraba con sospecha, y procuró adoptar un aire de naturalidad. Empujó el cristal de la ventana, que cedió sin esfuerzo: parecía que despertara con un largo bostezo, y Gabriela pensó que el chirriar de los goznes era muy parecido a los sofocados gemidos que ella y sus hermanos proferían cuando Micaela los despertaba para ir al Colegio.

El Aula Primera apareció, a oscuras. Poco a poco, Gabriela fue distinguiendo los pupitres de las niñas, y en la última fila reconoció el que ella había utilizado cuando llegó. Saltó desde el alféizar hasta el interior y, al llegar al suelo, sus pies no chocaron contra la dureza de las baldosas; más bien parecía haber caído sobre un edredón. Incluso cuando Homolumbú la soltaba de la mano, seguía sintiéndose ágil y flotante, como si careciera de peso.

Ahora el Aula Primera no parecía la misma que la había recibido en su primer día de colegio. La luz de la luna lo cubría todo, como bajo una neblina transparente. Algo parecido a como se ven las cosas en sueños: aun siendo las mismas que conocemos despiertos, tienen otro color, otra sombra, o se mueven en un espacio que las hace distintas. Pero Gabriela sabía que ahora no estaba soñando, sino viviendo verdaderamente cuanto le ocurría.

Se dirigió hacia la última fila y abrió su pupitre. El resplandor que solía encenderse bajo las sábanas, y las convertía en un escondrijo rosa y oro —el mismo que brotaba de las páginas del libro, y especialmente de su Viejo Roble—, se encendió allí dentro, creció e inundó enteramente el Aula Primera. Allí estaban todos sus objetos del Primer Día de Colegio. Gabriela vio, asombrada, el cambio que se había producido en su pequeña pizarra, donde un día borró con sus lágrimas los números. Allí estaban, nuevamente, ante sus ojos. ¿Era posible que fueran las torpes cifras que ella trazó aquel día? Todos ellos habían regresado, y recuperado la figura que les dio, cambiándolos de mal conformados números en hombrecitos saltarines. Eran los mismos, aquellos que tan poco gustaron a la Oliscona, y que ahora se paseaban, charlaban y jugaban alegremente por entre sus lápices y cuadernos, por entre la Cartilla N.º 1 y el plumier... Podía oír con toda claridad sus canturreos y conversaciones. Parecía que celebraban una fiesta. Un ocho bailaba al compás de un alegre vals que un nueve, utilizando un cuatro como acordeón, y un siete, manejando un seis como guitarra, interpretaban con verdadero talento. Un cinco, seguido de muchos cuatros y ceros, formaba un tren; les vio rodar y les oía silbar largamente por los túneles de su plumier; pasaban sobre los puentecitos formados con los dormitorios de sus lápices, y por fin atravesaron el lado descosido de un guante allí olvidado. Entonces un cero la vio y, desprendiéndose del tren, lo hizo descarrilar. Aunque, al revés de lo que ocurre con los trenes de verdad, aquello no significó una catástrofe. Por el contrario, hubo una explosión de risas y bromas por todas partes. Corrieron todos hacia su cara, que asomaba, asombrada, por el abierto pupitre. Los oyó llamándose unos a otros, al parecer llenos de emoción. Por fin, un ocho regordete, que tenía la cabeza más grande que el cuerpo, y al que la Oliscona había despreciado públicamente, se aproximó hacia su cara y, empinándose sobre la punta de los piececitos, gritó:

—¡Mirad quién ha venido! ¡Venid todos corriendo! ¡Es Gabriela, es Gabriela...!

Por lo visto, aquel ocho no se sentía descontento de su aspecto; al contrario, parecía enormemente satisfecho de sí mismo. ¡Qué alivio para Gabriela que lo había trazado! Mirándolo bien, no era para menos: en su ancha y redonda carita, lucían mejor que en ningún otro los expresivos puntos de sus ojos. Y la sonrisa de su boca, extendida de mejilla a mejilla, tenía la forma de la luna aquella noche.

Se llamaban los unos a los otros a voces. Un cero algo torcido lanzó un silbido, un siete y un cuatro se reunieron para dar palmadas; y, al poco rato, no sólo estaba rodeada por sus números-hombrecitos, sino por las letras y los dibujos de la Cartilla N.º 1. Y también por sus propias letras y dibujos, que ella había trazado en la última página del cuaderno (donde nunca miraba la Oliscona). Y no sólo eso: de todos los rincones llegaban corriendo los pizarrines, el lápiz largo (con su contera mordisqueada), el sacapuntas, las dos gomas de borrar, la pluma estilográfica heredada (su hermana ya no la usaba, porque llenaba los dedos de tinta y no podía enroscarse bien). Venían varios papeles, que en tiempos envolvieron caramelos de limón y de fresa, y sus brillantes colores relucían igual que los adornos de Navidad. Y... ¿cuántas cosas más? Todo lo que se puede guardar o esconder en un pupitre escolar. El guante que tenía un dedo descosido se infló como si contuviera una mano y no estuviera roto, y cada uno de sus dedos lucía en el extremo una carita, y avanzaban todos juntos (eran cinco hermanos muy unidos). Gabriela reconoció enseguida aquellos pequeños rostros: eran iguales (o los mismos) que ella había pintado en sus uñas durante un solitario «reposo». ¡Y ella creía que ya no existían, borrados por el jabón unos, otros por sus lágrimas, los demás destruidos y ultrajados por el desprecio de la Oliscona o las risas de las niñas! ¡Qué ignorantes podemos ser los humanos! Casi sin voz —tanto le latía el corazón y tanta era la emoción que sentía—, Gabriela metió más y más la cabeza dentro del pupitre y murmuró:

—¿Cómo es posible que aún estéis vivos? ¡Tantas veces os eché de menos! ¡Qué contenta estoy de volveros a encontrar...! Habían caído tantas lágrimas encima de vosotros...

—Precisamente tus lágrimas nos dieron esta vida... —dijo alguien entonces—. Tus lágrimas nos han dado vida, nos darán vida siempre que...

De pronto *se oyó* el silencio. Fue apenas un instante, pero *se oyó*. Se parecía al doblar de las páginas en el libro aquella vez que oyó su voz. Y el silencio pasó, y la voz continuó:

—... siempre que ¡te acuerdes de nosotros!

Casi enseguida, en un rincón del pupitre se encendieron los colores del arco iris. Se oyó música de armónica y, a sus acordes, Gabriela vio avanzar, entre aplausos y uno por uno (como salen los actores al escenario, al final de una función) sus lápices-enanitos de colores. Ahora vivían; verdaderamente eran doce enanitos —sin dejar de ser lápices—, cada uno de un color distinto. Hicieron una graciosa reverencia, y luego iniciaron un bailecito, mientras, con la punta de su capucha, escribían uno a uno sus nombres. No eran nombres originales: se llamaban simplemente Enanito Rojo, Enanito Verde, Enanito Amarillo, etcétera. Pero su baile sí lo era, y lo eran sus caritas, y sus voces.

Al poco rato, todas aquellas criaturas habían salido del pupitre, y danzaban sobre la madera barnizada de los bancos y al borde de los tinteros (en aquel tiempo, cada pupitre llevaba un tintero empotrado en su parte superior). Un par de plumillas (no estilográficas) y sus correspondientes novios, los manguilleros, hundían traviesamente sus cabezas en la tinta.

La Estilográfica Heredada quiso imitarles, pero no estaba acostumbrada y se mareó. Gabriela supuso que la tinta era, para ella, como el vino para ciertas personas.

La luna ardía de curiosidad, y al fin empujó con fuerza los visillos. Entró, creció todavía más dentro del Aula Primera, y Gabriela pudo contemplar el gran baile que suele organizarse cada noche en la Región de las Niñas Ausentes.

Gabriela se encontró bailando entre ellos. Formaba parte de su fiesta, como un número más. La diferencia de tamaño no se notaba. ¿Quién podría saber por qué no tenía ninguna dificultad para darles la mano, pasearse de su brazo, correr detrás del tren o sobre él?... Tal vez esta diferencia había desaparecido, o no había existido jamás... En todo caso, en aquellos momentos eso no tenía importancia, ni le impedía formar parte de la fiesta sobre el pupitre.

Al cabo de un rato, tan agotada como si hubiera subido corriendo una empinada cuesta, Gabriela se dejó caer, rendida, en su antiguo banco de la última fila. Todos la rodeaban: alisaban su pelo alborotado, enjugaban el sudor de su frente acalorada. Y el Ocho de la Cabeza Grande gritaba:

—¡Por fin, por fin ha perdido de nuevo una zapatilla...!

«¿Por qué una zapatilla?», se dijo Gabriela.

Pero, sin duda, la había perdido (la noche anterior o quién sabía cuándo), porque la voz de Micaela que les daba prisa —para el desayuno primero, y para el Colegio después— la estaba regañando:

—¿Se puede saber dónde has metido la zapatilla del pie derecho...?

Gabriela estaba sentada en la cama, bostezando; tras las cortinas había aparecido el sol pálido y resignado de los *días corrientes*. Acababa de sonar el despertador.

Pero aquella mañana las cosas no fueron tan mal para Gabriela. Más aún, a partir de aquel día, y sin que pudiera decirse exactamente la razón, Gabriela empezó —poco a poco, desde luego— a desenmarañar el espeso ovillo en que consistía el idioma de madame Saint Sulpice. Y no pasaron muchos días hasta llegar uno en que Gabriela —sin apenas notarlo— aprendió a multiplicar (... casi correctamente).

Estaba a punto de afrontar el Mundo de las Divisiones, cuando llegó el anuncio del verano.

Lo propagaron las abejas del parque, los quioscos de refrescos del paseo hacia casa, las hormigas y los vencejos. Después llegó el gran calor y, tras él, el Primer Día de Vacaciones.

6

Toda la casa estaba alborotada. Llovían las llamadas, se entrecruzaban ires y venires, encargos y órdenes. Se vaciaban unos armarios y se llenaban otros. Se contradecían disposiciones, se enfadaban, se alegraban. Mamá llegaba con grandes paquetes, y luego los hacía cambiar. Todos se contagiaban de aquel trajín, y sentían que la rutina de los días corrientes había dado una voltereta en el aire. ¿Dónde iría a caer?

Los hermanos de Gabriela preparaban sus maletas. Todos los años sucedía igual: desde que comenzaban esta importante tarea, que al parecer los absorbía completamente, las hacían y deshacían varias veces. Unas, porque sobraba espacio, y había que inventar inmediatamente alguna cosa, sin duda importantísima, con que llenarlo. Otras, por el contrario, faltaba (y de una forma increíble, pues lo que aguardaba turno era tres veces más de lo que ya había hallado acomodo). Así llegaba el día del viaje, y en el último momento, a puñados y apretujones y de cualquier manera, metían en ellas cuanto al parecer les era imprescindiblemente necesario. Las maletas, llenas de bultos y magulladuras, se alineaban en el Cuarto de Estudio, como un pelotón de soldados que regresa maltrecho de una batalla. Entonces llegaba el momento de cerrarlas. Por lo general, para entonces, las cerraduras estaban abolladas o rotas. Parecían volverse enemigas, y en ocasiones saltaban, destrozadas, hartas de soportar malos tratos. A menudo varias maletas acababan atadas con un simple cordel, que liaba Micaela acompañándose de toda clase de lamentos, regañinas y muestras de mal humor. Claro está, estas cosas sólo les ocurrían a las maletas del Cuarto de Estudio, y no a los equipajes de la Gente de la Casa —de las personas mayores, se entiende—, que correspondían a la categoría de Habitaciones de la Zona Parquet-Encerado (al otro lado de la puerta de muelles que dividía el pasillo). Aquellas maletas y baúles se llenaban en orden y silencio, y sus cerraduras eran la docilidad misma. En lugar de cordeles anudados, lucían correas con hebillas, y el olor acre que solía impregnar las maletas del Cuarto de Estudio era sustituido por un suave aroma de cuero de Rusia y lavanda. Salían de casa en la más estricta disciplina, casi misteriosamente. Las del Cuarto de Estudio, en cambio, más de una vez rodaban escaleras abajo, dando tumbos y perseguidas por sus desesperados dueños.

Con gran cuidado y un orden que hubiera dejado estupefacta a madame Saint Sulpice, y admirado a Micaela —si no se hubiera hallado demasiado ocupada en otras cosas—, Gabriela apiló sus calcetines y sus pañuelos, entre los que ocultaba —cálido y amigo— el libro de tapas rojas y letras doradas: su amado Libro del País del Pie Descalzo, patria de Homolumbú (su conductor y guía). Pero... Gabriela no tenía maleta. Nunca, hasta aquel momento, se le había ocurrido que podía necesitarla. La soledad, los ensueños y la tristeza ocupan muy poco espacio, tanto si se trata de viajes como de la vida corriente. Cualquiera, por minúscula que sea su apariencia, puede llevarlos consigo.

Ahora era necesario llevar a la Casa de las Vacaciones el libro y la caja de lápices-enanitos. Si no, ¿cómo podría vivir?

Estuvo rondando el Cuarto de Mamá y, cuando le pareció que estaba sola, entró corriendo (sabía, por experiencia, que el tiempo es especialmente valioso en estos casos) y dijo, casi sin respiración:

—Todos-tienen-maleta-y-yo-no-pero-quiero-una.

Mamá la miró con ojos ausentes, hasta que pareció despertar. Dejó de pulirse las uñas (con un aparatito que las niñas siempre querían utilizar y que, según la prima Fifita, se llamaba «polisuar»), balanceó el índice sobre la nariz de Gabriela y comenzó:

—Eres demasiado pequeña para necesitar una maleta. Yo he dispuesto ya las cosas que una niña de tu edad...

Gabriela se desinteresó rápidamente de cuanto mamá suponía necesario a las niñas de su edad. Giró sobre sus talones y se fue.

En el Cuarto de Estudio, Micaela luchaba ferozmente con una cerradura.

Gabriela esperó a que terminase el duelo. Cuando, al fin, la vio sentada sobre la maleta, arreglándose el pelo, respirando fuerte pero más calmada, le rodeó el cuello con el brazo y le murmuró al oído:

—Yo no tengo maleta, Micaela...

Micaela se hizo rogar un poco; era la costumbre, no se otorga nada a la primera, se debía insistir. Pero los niños conocían esas costumbres y su escasa consistencia, de modo que habían aprendido a ejercitar la paciencia y la espera.

Micaela sólo pudo ofrecerle una caja de metal, con flores amarillas en la tapadera, que, según dijo, había utilizado anteriormente como costurero. Allí guardaba los hilos, las agujas, hasta que hubo tal cantidad de calcetines por zurcir que fue necesario buscarles otro acomodo. La caja gustó enseguida a Gabriela. Incluso tenía un cierre que, si no podía considerarse propiamente como cerradura, tampoco causaría tantos problemas. El único inconveniente era su tamaño: no creía que cupiese dentro el Libro del País del Pie Descalzo. Sin mucha esperanza, fue a comprobarlo. Sacó de bajo los pañuelos el tomo rojo y, al colocarlo sobre la caja, el mismo libro se introdujo dentro, con la mayor facilidad y dulzura. Se diría que se había recogido sobre sí mismo, sin perder nada de su misteriosa belleza. Y aún más: con un gesto de suprema cortesía, dejó un huequecito a su lado, justo del tamaño de los lápices-enanitos. Gabriela se apresuró a colocarlos dentro, y luego los contempló ensoñada. Estaba segura de que entre las páginas, en el lomo, o en cualquier parte del libro, estaba reservado un lugar. *Alguien* viajaría también a la Casa de las Vacaciones sin dificultad ni apreturas. No sabía dónde estaba en aquel momento —ya no se angustiaba por sus ausencias—, pero no tenía la más pequeña duda sobre esto. Cerró cuidadosamente la tapa, encajó el pequeño broche —que, pese a su aspecto, resultó firme y seguro— y lo guardó todo en espera del día del viaje. Homolumbú no era alguien a quien preocuparan los cierres, tapaderas, paredes o tableros de alacenas.

Días más tarde, toda la Gente de la Casa —grandes y pequeños, los del tramo encerado y los del piso restregado con lejía— entró una vez más, y tan ruidosamente como de costumbre, en la Casa de las Vacaciones.

Las habitaciones de los niños estaban en lo alto de la casa, debajo del desván. La de Gabriela tenía una ventana, bordeada de enredaderas en flor, desde la que podía divisar el prado y el río. Más lejos, se alzaba la silueta oscura y compacta del bosque, adonde no había ido nunca, por más que lo deseaba.

Al día siguiente, Micaela no vino a despertarla para ir al Colegio. ¡Ahora estaban en vacaciones! En su lugar, Rafael la zarandeaba alegremente y gritaba:

—¡Levántate, dormilona, que nos vamos al río...!

Gabriela los alcanzó casi en el último peldaño de la escalera. Podía vestirse más rápidamente que nadie, pero también su aspecto era muy diferente del de las otras niñas, y en particular del de la prima Fifita.

Todos corrían hacia el río, como si el río fuera a escapar antes de que llegaran. Agitaban en el aire, sobre las cabezas, los trajes de baño y los albornoces, las toallas... Parecían banderas, o velas hinchadas por el viento. Gabriela corría todo lo que podía, detrás de ellos. Procuraba no perder nada en el camino: ni el traje de baño, ni la toalla, ni, claro está, una sandalia.

Cuando llegaron a la orilla del río, los juncos y las matas de jabón, los viejos árboles que se inclinaban sobre el agua, las piedras lisas y mojadas les dieron la bienvenida. No era difícil advertir su satisfacción. Se acordaban de todos ellos, uno por uno, sin duda alguna. Y no sólo de ellos: aquellos árboles y aquellas piedras habían conocido a otros Niños de la Casa, a otros y otros... tiempo y tiempo atrás. Sin duda, eran tan sabios como viejos.

Los niños empezaron a corretear por las orillas. Saltaban sobre las rocas y las matas, se quitaban los vestidos y se ponían los trajes de baño, se descalzaban y probaban la temperatura del agua, metiendo el dedo gordo del pie. El río nacía en las montañas aún nevadas, y su agua bajaba casi helada. La prima Fifita se cortó con una piedra afilada, y sus gemidos recorrieron toda la orilla de árbol en árbol, hasta perderse a lo lejos. Como tenía por costumbre, toda ocasión era buena para centrar la atención en su persona.

Al fin, uno tras otro, después de muchas salpicaduras y persecuciones, se lanzaron al agua. Nadaban en un remanso ancho y profundo. Todo resplandecía: el agua, la sombra de los árboles, el liquen de las piedras, las salpicaduras y los gritos. El agua saltaba aquí y allá. Y los Niños de la Casa gritaban, se sumergían aquí, aparecían un poco más allá, se alejaban, regresaban.

Todos, menos Gabriela, que no sabía nadar. Nadie le había enseñado y, por más que lo pidiera, no le hacían caso. Cuando lo pedía a las niñas, le contestaban que lo hicieran los chicos, y, cuando iba con su petición a los chicos, ellos le decían que «mañana». Pero «mañana» se convertía para Gabriela en eso mismo: siempre era «mañana». La verdad era —y al fin lo comprendió— que no querían perder tiempo con ella. Parecía como si las vacaciones fueran a terminarse enseguida y no pudieran desaprovechar un solo minuto, enseñando a nadar a una criatura tan torpe y tan *pequeña*.

Al poco rato, Gabriela estaba sentada en la orilla, y sola. Hubiera querido, por lo menos, meterse en el río cerca de la orilla, donde el agua no llegaría más arriba de su cintura. Pero no lo hizo, porque sabía que, en cuanto la viese, la prima Fifita empezaría a burlarse de ella, y detrás todos los demás. Prefirió sentarse en aquella roca, donde, de vez en cuando, un pequeño golpe de agua le mojaba las piernas: parecía invitarla, decirle que no tuviera miedo. Acaso él la habría enseñado a nadar, con mejor voluntad que sus primos y sus hermanos. Les veía salir del agua, tenderse en las piedras. Se alejaban nadando, regresaban, buscaban ranas, intentaban pescar una trucha, escurrían su pelo mojado, se perseguían. Allá arriba, alto y redondo, el sol les contemplaba. Por dos veces, una riachera voló aguas arriba. Era negra, con el pecho blanco; se parecía a madame Saint Sulpice.

De pronto divisó, al fondo del agua, muy cerca de donde ella estaba, un grupo de piedras verdes y brillantes: parecían un puñado de esmeraldas. «Se las regalaré a Homolumbú...», pensó. Alargó el brazo para cogerlas, pero resbaló y cayó de cabeza. Era más hondo de lo que creía y, aunque logró salir, rasguñada y torpe, enseguida vio que había perdido una sandalia. ¿Cómo era posible? No lo sabía: se había descalzado, como todos, y la había dejado allí cerca, entre las matas de jabón... y ahora no estaba. Aquello no era, de todos modos, algo que pudiera sorprender a nadie, ni siquiera a ella.

Había llegado la hora de volver a casa, y los niños se vestían apresuradamente, porque lo que más irritaba a la Gente de la Casa era la impuntualidad, sobre todo a las horas de las comidas. Tomasa tampoco perdonaba los retrasos. Debía cocinar para todos, y la menor tardanza podía desbaratar la minuciosidad de sus menús.

—¡Date prisa, corre! ¡Nos van a castigar por tu culpa...!

—¡Siempre has de ser tú, pesada!

—¡Ha perdido otra vez una sandalia! ¡Búscala de una vez, tonta...!

La prima Fifita arrugaba la nariz:

—¡No se puede ir a ninguna parte con pequeños! ¿Por qué no te quedas en casa y nos dejas en paz...? ¡Ni siquiera sabes nadar...!

La sandalia, por supuesto, no apareció. Regresaron a la casa, presurosos. El sol iba secando sus cabellos, por el camino. Gabriela ya no intentó alcanzarles. Le daba igual llegar la última, le daba lo mismo llegar tarde a la hora de la comida: de todos modos, la iban a castigar...

Cuando llegó, mamá —que nunca aparecía cuando se la necesitaba, sino al contrario— ya estaba informada, como era de esperar:

—En cuanto termines de comer, sube al Cuarto de los Castigos, y no se te ocurra bajar hasta que yo lo ordene.

Cuando terminó de comer, Gabriela, desentendida de *los demás*, sumida en *sí misma*, subió despacio la escalera. Ahora, por lo menos, nadie la molestaría hasta la hora de cenar. El llamado Cuarto de los Castigos estaba debajo del desván, algo más alto que los dormitorios de los niños. No le producía la menor desazón, sino al contrario. Era un cuarto bastante oscuro, con una ventana que no se abría, entre otras cosas porque estaba llena de grietas y rendijas. ¿Para qué iban a componerla si nadie iba nunca allí...? Sólo se utilizaba —aparte de los castigos— para guardar cosas que no servían y de las que, por olvido o alguna otra razón, que nadie explicó nunca, no se habían deshecho. Colgados en la pared, estaban los viejos arneses, adornados de campanillas, que en otro tiempo —cuando no existían aún los automóviles— servían para enjaezar los caballos a la Berlina Roja, de la que Gabriela había oído hablar, pero nunca vio. Al parecer, servía para visitar las fincas de los vecinos, durante las Fiestas Navideñas... El Cuarto de los Castigos olía a cuero, a polvo, a hierro. También a musgo, a humedad y sobre todo a *Otros Tiempos*. Gabriela empujó la puerta. Los goznes chirriaban como quejándose de algo, y pensó: «También huele aquí a los cuentos de Tomasa.»

Se sentó en un rincón, y movió los dedos de su pie descalzo, al tiempo que la oscuridad cedía ante sus ojos, como acostumbraba a sucederle. Pensaba que debía dibujar también en las uñas de su pie unas caritas simpáticas. A su lado, se alineaba una familia de planchas de hierro de varios tamaños. Pero no eran como las que usaba Micaela, sino mucho más antiguas, y de forma distinta. Más que planchas, parecían casitas, o esas chozas perdidas en el bosque donde, tal como había leído en los libros de cuentos, habitaban brujos, enanos, hechiceras... Incluso tenían en la parte superior una especie de respiradero, parecido a una chimenea... y una puertecita en la barriga.

Una vez Tomasa contó que las planchas de aquella especie eran tan viejas como ella misma. Para planchar con ellas, según Tomasa, debía meterse antes por la puertecita un puñado de brasas encendidas. Brasas rojas y cristalinas, como las que quedaban en los rescoldos de la chimenea. Parecían piedras preciosas, y le hacían pensar en el bosque que tanto deseaba conocer, y en cocinas apagadas o dormidas como historias de invierno... Gabriela imaginó el humo pequeño, sutil como vapor, que saldría de aquellas pequeñas chimeneas. Mirándolas, la invadió una suave pereza, donde flotaba un nombre. Cerró los ojos, y murmuró:

—Homolumbú...

7

Un resplandor rojizo iba tiñendo los muros y las sombras, y en él Gabriela reconoció el instante en que el sol se despide de las casas y los objetos que en ellas habitan. Luego, casi enseguida, oyó el cri-cri de las mariposas cantoras y de los grillos. Había llegado la hora del ensayo, antes del primer concierto de verano. Les había oído muchas veces, desde la ventana de su cuarto. En cambio, ahora los pájaros se escondían o dormían; y, al mismo tiempo, junto a la pared trasera del huerto despertaban los dondiegos de noche. Desperezándose, abrían sus pétalos azules y amarillos, y la noche se llevaba su perfume. Gabriela sabía que durante la noche, cuando la mayoría de la gente cree que todo duerme, muchos seres despiertan y comienzan su vida.

Del piso bajo de la casa subían, escaleras arriba, ruidos conocidos: entrechocar de vasos y platos, los murmullos de Elisa y Micaela, el ruido de las patas de unas sillas arrastradas sobre el suelo. Todo indicaba que Micaela y Elisa disponían las mesas para la cena, la cena de los mayores y la de los niños. «No bajaré a cenar», pensó. «Aunque se pongan roncos llamándome, no iré. Y no me podrán encontrar, aunque pierdan los ojos buscándome...»

Por la rendija de la puerta entreabierta, un rayo de luz lejana entraba, adelgazándose, y estiraba las sombras en el suelo. Sombras fugaces, apenas visibles para otros ojos que no fueran los suyos. «No son sombras corrientes, son las sombras de los ruidos, de las voces y rumores que no oye la *gente...*»

Precisamente de ellas surgieron y penetraron en el Cuarto de los Castigos sus lápices-enanitos.

—¡Despierta, Homolumbú nos envía...! Esta vez, nosotros seremos tus guías.

—¿Dónde está Homolumbú?

—Tiene mucho trabajo: prepara el lugar del otoño.

—¿Cuál es este lugar?

—No te preocupes, antes de que llegue octubre lo conocerás. Ahora apresúrate a seguirnos. Vamos a la Región del Olvido y Otro Tiempo.

—¿Qué es esa región, y dónde está?

—En el desván.

Salieron de puntillas, corriendo, y se detuvieron en el último descansillo, donde tres escalones llevaban a la puerta del desván. Estaba cerrada, con un largo pasador, y hacía mucho tiempo que nadie la abría. Nadie subía al desván.

Ahora la casa estaba en silencio. Todos dormían. A coro, y tan bajo que apenas podía oírles, los lápices-enanitos murmuraban una especie de canturreo, cuyas palabras no pudo comprender. Sin que nadie descorriera el pasador, la puerta del desván se abrió con un débil gemido. Se parecía a los que lanzaba Tomasa, cuando le atacaba el reuma. «También la puerta del desván ha bostezado... Es de los que despiertan cuando los otros duermen.» Gabriela se dijo, con satisfacción, que acaso comenzaba ella a pertenecer al mundo de las misteriosas criaturas nocturnas. Tal vez era así, puesto que las personas de su propia especie la rechazaban.

Los lápices-enanitos se precipitaron por el hueco de la puerta, y ella se apresuró a seguirles.

Desde allí partía una escalera de caracol, muy empinada. «Éste es el camino hacia el desván», pensó Gabriela. Sentía una gran expectación. Empezaron a subir los escalones muy empinados. En la oscuridad, Gabriela distinguió un revuelo de lucecitas, parecidas a partículas de polvo, encendidas por el rayo de sol. Se agitaban, flotantes, sobre su cabeza, por la estrecha escalera, que a Gabriela le recordó el negro tubo de la chimenea.

Cuando llegaron a lo más alto, una especie de cortina transparente, de tonos plateados, se balanceaba allí, como mecida por una brisa muy tenue. Tal vez era una telaraña, pero en todo caso se trataba de una telaraña que no repugnaba. O quizá no fuera una telaraña, sino niebla, tan frágil y transparente como la había visto brotando del río, en la madrugada, asomada a la ventana de su cuarto. A través de ella iba transparentándose la Región del Olvido y Otro Tiempo.

No era una región triste, como por un momento había creído. Inspiraba un sentimiento parecido al que despierta oír, a lo lejos y en la noche, la sirena de un barco que se adentra en el mar. El aire de aquella región estaba invadido por miles de chispas luminosas, que se encendían y apagaban sin cesar, como misteriosos guiños, de acá para allá. Flotaban en el aire y, aunque se encendían y apagaban casi al mismo tiempo, había tantas, que todo estaba lleno de su inquieto centelleo. Todo brillaba y, a la vez, permanecía en la penumbra. A Gabriela le vino el recuerdo de aquellos destellos, igualmente fugaces y deslumbrantes, que en el Cuarto de Mamá despedían los frasquitos de cristal, los espejos y las piedras de sus brazaletes y collares. Era como si allí habitaran millares de minúsculas mariposas de luz, danzando en el aire, persiguiéndose, chocando unas con otras. Cuando sus ojos fueron habituándose al torbellino de aquel enorme enjambre, Gabriela distinguió un gran espejo, redondo, bordeado por un marco. Pero la superficie del espejo no brillaba: estaba enteramente cubierta por una capa de polvo, y nada se reflejaba en él. Ni siquiera las nubes de chispas luminosas que casi la habían cegado lograban arrancarle un destello.

Los lápices-enanitos patinaban ahora sobre la superficie llena de polvo, donde sus huellas comenzaban a marcarse, como las estrías que van dejando tras sí los trineos, los patinadores o los esquiadores. Pero éstas eran caminillos brillantes, despedían luz, y el polvo que brotaba tras ellos se levantaba alto, y a su vez se convertía en una especie de niebla dorada. Gabriela se dio cuenta entonces de que los lápices-enanitos no trazaban caminos caprichosos, ni patinaban sólo para divertirse, sino que escribían algo. Poco a poco fue descifrando aquellas palabras, y al fin pudo leer cómodamente que los lápices-enanitos traían recuerdos al espejo de parte de Homolumbú, anunciaban la visita de Gabriela y por último se presentaban ellos mismos. Para esto, cada uno escribía su nombre, como era su costumbre. Después ya no pudo entender nada más, porque, con tanto ir y venir, el polvo había desaparecido casi completamente. Entonces, los lápices-enanitos, que todo lo hacían a un tiempo, y muy rápidamente, se precipitaron sobre un paño que había en el suelo y con él terminaron de limpiar la superficie del espejo. Ahora se veía lo hermoso que era; parecía un lago, y tenía el mismo resplandor del agua bajo la luna llena.

Precisamente, aquella noche la luna aparecía completamente redonda en el cielo. Acababa de asomar tras la única ventana abierta (porque tenía un batiente medio desprendido), y por un momento Gabriela no supo quién era la luna y quién era el Espejo. Casi se confundían. Pero no tardó mucho en distinguirlos: en lugar de las conocidas manchas de la luna, el Espejo estaba cruzado de arriba abajo por una larga cicatriz.

La voz del Espejo se abrió paso entre el polvo y los destellos. Era una voz transparente, parecida al eco, de montaña a montaña. Gabriela aguzó el oído, hasta que pudo entender sus palabras. Decía:

—Alguna gente cree que, cuando un espejo se rompe, trae mala suerte a los que se miran en él. Yo tuve la desgracia de que me ocurriera eso, hace ya mucho tiempo. Desde entonces, nadie volvió a asomarse a mí, me relegaron al desván, y aquí estoy, cubierto de polvo y de añoranza.

—¿Cómo te rompiste? —preguntó Gabriela, apenada.

—Es una historia tan antigua, que ya no puede interesar a nadie.

—¡Cuéntala, cuéntala, por favor! —gritaron al mismo tiempo muchas vocecitas.

Gabriela escudriñó en la penumbra salpicada de luces, y al fin descubrió otros muchos seres. Todos los relegados del desván. Uno por uno iba adivinando su forma: la mecedora desfondada; sillas a las que faltaba una pata o el respaldo; jaulas vacías; una extraña rueda única, separada de sus tres hermanas; un cofre desvencijado, con la tapa rota, por donde asomaban, como deseando escapar, los encajes rotos y amarillentos de un antiguo vestido de baile. El suelo estaba cubierto por deslucidos despojos, que habían sido adornos del árbol navideño. También había allí una estufa muy vieja, a la que faltaban algunas piezas... En fin, ¡eran tantas las cosas que había allí! Unas podían reconocerse, otras apenas daban una remota idea de lo que fueron. Finalmente descubrió, tendida en el suelo, una muñeca muy grande, con un vestido de brocado hecho jirones. También ella tenía la cara cubierta por el polvo, su cabello rubio estaba apolillado, pero lo más triste era que le faltaba un ojo. Las vocecitas de todos ellos eran quienes pedían al Espejo que contara la historia de la cicatriz. Gabriela distinguió a dos curiosas mariposas de luz.

—¡Cuéntala, por favor, cuéntala...! —seguían suplicando, ansiosos.

El Espejo suspiró. Ahora parecía más que nunca un lago: el suspiro había hecho vibrar su redonda faz, como la brisa hace temblar la superficie del agua.

—Cierto día —dijo el Espejo—, una niña lanzó un zapato por el aire. No iba destinado a mí, precisamente, pero ocurrió que vino a chocar conmigo, y me partió en dos mitades. Era un zapato de charol, con botones de plata, muy lindo... Pero para mí resultó muy cruel.

—¿Por qué hizo eso aquella niña? —quiso saber Gabriela.

—Estaba resentida, dolida... Ya ves, se figuraba que nadie la quería.

De lo alto del desván se desprendió un cascote, arrastrando una nube de polvo, o cenizas, o quién sabe qué, que cayó sobre ellos. Por un momento, pareció que todo iba a desaparecer, enterrado en el silencio que lo había apagado todo.

Gabriela deseó detener la huida de las voces, la desaparición de los guiños luminosos, retener la vida de todos aquellos seres. E insistió apresuradamente:

—¿Quién era esa niña?

—No lo recuerdo... ¡Hace ya tantos años de todo esto! Quizá tú puedas reconocerla.

—¿Yo...? —se extrañó Gabriela.

—Sí, mirándola a ella... y a todo lo que la rodeaba, a todo lo que en el Otro Tiempo reflejó mi superficie. ¿No sabes que retengo cuanto se ha asomado a mí? Aunque, naturalmente, no todo el mundo puede verlo...

—¿Y yo sí puedo?

—Para ti será fácil. Siéntate frente a mí y procura no perder ningún detalle.

Oyendo estas cosas, la Luna estaba muy intrigada. Apoyó la barbilla en el borde de la ventana que tenía desprendido uno de los batientes. Durante las noches de viento, se oía el golpear contra el muro, y aquel ruido la atraía. Ahora prefería enterarse de las cosas que sucedían dentro del desván. No pudo resistir más tiempo callada, sin participar en lo que se decía, y manifestó:

—Hermano mío, Espejo. Puedo asegurarte que me han ocurrido bastantes cosas, además de cuanto se me atribuya, falso o verdadero. Pero jamás he podido retener nada, ni pasado ni presente...

Ya nadie la escuchaba. Todos tenían puesta su atención en el Espejo, y, al notarlo, la Luna calló, mortificada. Si no fuera por la enorme curiosidad que sentía —todo el mundo sabe que ésa es su mayor debilidad—, hubiera desaparecido altivamente. Pero marcharse sin conocer el final de aquellas cosas resultaba para ella un sacrificio excesivo. De modo que se quedó, aunque ofendida. Observaba con gran atención al que había llamado su «hermano»: visto estaba que, cuando menos, pertenecían a la misma familia.

Gabriela se sentó en el suelo frente al Espejo, de la misma forma en que hoy se sientan los niños frente al televisor. Pero entonces la televisión no existía, ni podía imaginarla nadie. Gabriela abría los ojos cuanto le era posible. Aunque el polvo había cubierto durante años y años la superficie del Espejo, no era un polvo corriente. Se parecía a la niebla que a veces se posa sobre algunos lagos. Como en ellos, en su fondo permanecían todas las cosas. Y no sólo las imágenes: también la brisa, la lluvia, los olores, e incluso las sombras de los seres desaparecidos.

Algo emborronados al principio, más claros y mejor definidos después, fueron apareciendo en el Espejo voces, ecos, criaturas y paisajes sucedidos hacía muchos años. Las imágenes se fueron dispersando, hasta centrarse en la figura de una niña.

Gabriela se sobresaltó, porque ella conocía a aquella niña, aunque no podía imaginar cuándo la había visto antes. Además, era una niña muy antigua. Su vestido, de terciopelo marrón, llevaba cuello y puños de encaje. Las puntillas de sus enaguas asomaban bajo el ruedo de su ancha falda, y tenía unos cabellos muy largos y rubios, recogidos en la nuca con una cinta. Lo que más llamó la atención de Gabriela fueron las mangas de su vestido. Eran muy complicadas, y pensó que debían de resultarle muy incómodas. Pero a ella no parecían molestarle porque se movía con mucha soltura. Gabriela empezó a buscarla en su memoria. Buscó y buscó tanto, que al fin la encontró. Sí, no cabía duda, era la misma que había visto en una fotografía ovalada, de color marrón, que mamá guardaba con gran respeto y a la que llamaban daguerrotipo. El mismo vestido, idénticos rizos recogidos en un lazo, y aquellas mangas abullonadas... Era la niña a quien todos llamaba «la abuelita», aunque resultaba muy difícil asociar aquella imagen a la palabra «abuela». La única abuelita que conoció Gabriela —y de esto hacía bastante tiempo— era una anciana. Alguna que otra vez fue a visitarles, durante las fiestas de Navidad y Año Nuevo, porque vivía en otra ciudad. Gabriela apenas la recordaba; sólo guardaba retazos de aquellas escenas. Una tarde invernal, en que llovía mucho, la abuelita había reunido a los niños junto a la chimenea encendida, en el Salón de las Visitas (donde, por lo general, no eran admitidos). Les preguntó muchas cosas, y ellos iban contestando. Cuando ninguno de los niños tenía ya más cosas que contar, la abuelita explicó una historia que, según dijo, le pertenecía. Ahora, a Gabriela le resultaba muy difícil recuperar la cara, o la voz, de la abuelita. Tampoco recordaba casi nada de aquella historia que les contó. Sólo sabía que de alguna manera trataba de un trineo y de muchos niños... ¿Serían sus hermanos? Gabriela no lo sabía. También creía recordar que contó algo referente a unos caballitos y a una muñeca. Pero estaba todo muy confundido en su memoria, y, sobre todo, tan lejano, que más parecía oído que vivido. Después de aquella visita, la abuelita no volvió más. Durante cierto tiempo, mamá, papá, los tíos y las tías vistieron de negro, y a los niños les cosieron un brazal del mismo color en los abrigos. Luego, también esto pasó, y nadie había vuelto a hablar de ella.

De pronto, en el Espejo apareció un trineo, y, al verlo, Gabriela lo reconoció enseguida. ¡Ahora sí recordaba! Era tal como lo había descrito la abuelita: pintado de rojo, azul y amarillo, y adornado con cascabeles. La niña-abuelita y otros niños estaban montados en el trineo, y descendían velozmente por una pendiente cubierta de nieve. Llevaban gorros con borlas, que el viento echaba hacia atrás —igual que las orejas del perro Fabián, cuando veía nadar a los niños en el río y corría como una flecha por la orilla—. Bajo el trineo, la nieve saltaba, pulverizada, y parecía que el trineo se deslizaba entre nubes. Alguna vez se inclinaba demasiado hacia un lado, volcaba, y todos caían rodando pendiente abajo. Pero no parecían asustarse; al contrario, les divertía mucho, y el silencio de la nieve estallaba en mil pedazos entre sus carcajadas. Arriba, más allá de las copas de los árboles, el sol, muy pálido pero fosforescente, aparecía rodeado de un fulgor verdiazul. No parecía el sol, con los contornos difuminados, en el cielo casi blanco. «¿Es la luna o el sol?», se preguntó Gabriela. Y, sorprendida, escuchó la misma pregunta, dentro del Espejo. Porque al mismo tiempo que ella lo pensaba, la niña-abuelita había dicho también: «¿Es el sol o la luna...?»

Vio cómo los otros niños se reían de ella y de su pregunta. Le tiraban bolas de nieve y la imitaban burlones. «¿Es la luna o es el sol...?», repetían, con voces falsas que intentaban imitar la voz de la niña-abuelita.

El trineo desapareció, y Gabriela vio nuevamente a la niña-abuelita y a los otros niños, en el Cuarto de Juegos. Jugaban a un juego antiguo; ella lo conocía, porque se lo había enseñado Micaela, y se llamaba el Juego de las Prendas. Pero la niña-abuelita era muy torpe, y muy distraída. Se equivocaba continuamente, y los demás niños se enfadaban con ella. «Vete, tú no juegas, ¡no sabes hacer nada...!», oyó Gabriela. La niña-abuelita sentía vergüenza por haberse equivocado, y se ruborizaba. Entonces los niños se burlaron aún más, y le decían: «Te has puesto colorada hasta los pendientes: ahora ya no tienen el color de perla, se han vuelto encarnados...» La niña-abuelita, asustada, se tapó las orejas con las manos... Al verla, los demás reían aún más, a carcajadas. Los niños le daban tirones del cabello; las niñas la empujaban, le sacaban la lengua y le decían: «¡Ni siquiera sirves para jugar...!»

Gabriela se mordió los labios. Dentro de ella parecía hincharse la vela de un barco, empujada por el viento.

A continuación apareció en el Espejo la mesa de la merienda. Sobre el mantel destacaban —más nuevos y relucientes— los miembros de la familia Porcelana-Vajilla. Eran sus amigos, los supervivientes de la Región de las Alacenas. Sólo que en el estante quedaban muy pocos de ellos..., unos perdidos, otros rotos, alguno con la voz cascada... En cambio, en el Espejo aparecía la familia completa, cada cual con su correspondiente pareja: las tazas con sus platillos, la Tetera junto a su prima y compañera la Jarra de Leche, las cucharillas con sus novios, los pequeños tenedores... Y el Azucarero —que al parecer era el nieto mayor de la Tetera— lucía flamante su sombrero-tapadera, graciosamente ladeado. La familia Porcelana-Vajilla había sido mucho más numerosa, según se veía en el Espejo. Podían comprenderse mejor sus lamentaciones en la alacena, contemplando su antiguo esplendor. ¡Cómo lucían en la mesa de la merienda, tan refinados, con sus impecables dibujos azules, distintivo de la familia! Lo que había contado la Tetera en la alacena, al explicar la vida de Otros

Tiempos, era verdad. En la casa había muchísimos más niños que ahora, y en aquel momento estaban todos alrededor de la mesa. Gabriela pudo ver cómo vertían en sus tazas, que despedían nubecillas de aromático vapor, las famosas historias que la Vieja Tetera guardaba en su interior. Historias de China y Ceilán, antiguas como leones dormidos, con sabor a té. Como si se hubieran puesto de acuerdo —cosa que no era cierta—, todos los niños tendían a la vez las manos hacia la Jarra de Leche, todos a la vez querían meter los dedos en el Azucarero. Y hablaban, también, a un tiempo. A Gabriela le recordaron, en este aspecto, a sus lápices-enanitos. ¡Cuánto hablaban, parecía que no podían parar...! Se peleaban un poco, hacían las paces, se decían cosas al oído. Al parecer iban juntos a todas partes, y lo sabían todo los unos de los otros: primos y primas, hermanos y hermanas, y el niño de la casa del vecino, tan amigo suyo que se confundía entre ellos como si fuera de la familia.

Poco después, los vio jugar al escondite: se ocultaban bajo las camas, en los armarios, se enrollaban en las cortinas, el más pequeño se metía en un arca... Unas veces se buscaban de verdad, otras fingían no encontrarse, otras acechaban en un rincón oscuro para darse sustos. Luego, al final del día, cuando se despedían, fatigados, estallaba una lluvia de besos, de citas para el día siguiente, de encargos, de secretos, con el brazo del uno sobre los hombros del otro.

Súbitamente, el Espejo regresó a la mesa de la merienda. Alguien acababa de volcar una tetera, y el té se vertió sobre el mantel; una tapadera cayó al suelo y saltó en pedazos; uno de sus cascotes vino a dar contra el borde de una taza y le arrancó un pedacito, como un mordisco... Gabriela contempló, asombrada, una «pelea general». Todos arrojaban cosas, pero no podía saberse quién se peleaba contra quién, ni dónde estaban los bandos, si es que los había.

Entonces, una muchachita pelirroja acudió corriendo. Era la más joven de las criadas, la verdad es que era casi una niña.

Llevaba un delantal que le venía muy grande, y tan largo que, sin querer, lo pisaba.

Rápidamente recogió los destrozos, puso orden en la mesa y en los niños, y recomendaba calma. No debían armar alboroto —decía—, para que no se enteraran las «personas mayores» de lo que allí ocurría. Era una muchachita muy simpática, y los niños parecían quererla, porque la obedecían sin esfuerzo, incluso de buena gana.

Gabriela pensó que también ella se parecía a alguien, pero no acertaba a saber a quién... Uno por uno, la muchachita arregló los desperfectos en las ropas de los niños: estiraba una chaqueta, enderezaba un cuello torcido, subía unas medias o unos calcetines, alisaba los mechones rebeldes... Todo volvió a la calma, y las niñas se pasaban el dedo índice por las cejas y las pestañas, después de humedecerlo con la lengua.

Todas las niñas, menos una. Tenía una manga del vestido descosida y había perdido la cinta del pelo. Estaba en un rincón, ceñuda, desgreñada, y, a pesar de su gesto huraño, se notaba que tenía ganas de llorar. Una de las niñas que se acababa de atusar las pestañas le dedicó disimuladamente, desde el otro extremo de la habitación, una mueca burlona. En aquel momento, la niña ceñuda —que era la niña-abuelita— se quitó un zapato y, ¡zas!, lo lanzó con fuerza contra la burlona (que a Gabriela le recordó terriblemente a la prima Fifita). Pero la niña que se parecía a la prima Fifita se agachó, y el zapato fue a estrellarse contra el Espejo. De él fluyeron infinidad de partículas, como salpicaduras de agua, junto a cascotes de taza rota, y gritos de niño, tan lejanos, tan perdidos, que no se entendían... Cuando cesaron, sobre la superficie del Espejo sólo quedaban, ensanchándose hacia el marco, círculos y círculos, cada vez más amplios —como cuando Rafael arrojaba piedras redondas en el remanso del río—, hasta perderse completamente en las orillas. La voz que se parecía al eco repetía una pregunta: «¿Qué habéis hecho, niños? ¿Qué habéis hecho...?»

La Región del Olvido y Otro Tiempo se borró ante Gabriela, el eco partió hacia otras tierras. Sólo quedaba el desván, lleno de polvo y oscuridad, a su alrededor.

«¡Ya sé quién es la criadita pelirroja!», se dijo Gabriela. «Es Tomasa, cuando era pequeña y ya se había marchado de su pueblo.»

Acaso tenía razón.

La Luna se había apartado de la ventana. Sólo asomaba un poco, un trocito apenas —parecía una taza rota—, lo suficiente para decir, de modo que todos la oyeran claramente:

—Este Espejo no puede ser hermano mío... ¡Ni siquiera pariente lejano! A nadie de mi familia le han tirado nunca un zapato a la cara...

De nuevo el polvo tapaba la superficie del Espejo. Aunque tal vez, mirándolo bien, no fuera polvo, sino rocío, como el que cubre las plantas en la madrugada. Gabriela sintió pena por el Espejo, por sus historias guardadas, o sepultadas, en la niebla remota del Otro Tiempo. Se acercó a él y le dio un beso, que dejó la huella de un pequeño círculo brillante.

Seguramente la luna estaba arrepentida de haber dicho tonterías. Asomó como al desgaire por una rendija y dijo:

—Vendré algunas noches, a lavarte la cara, querido Espejo... Claro está que no eres el mejor de mis parientes, pero, después de todo, la familia es la familia.

En aquel momento, el viento sopló con fuerza sobre el batiente desprendido, y éste golpeó con tal fuerza contra el muro que la luna se precipitó de un salto tras las nubes. «Qué grosero», comentaba. «Si no me aparto, me aplasta la nariz.»

El sol regresaba. Se anunciaba su resplandor en las paredes, en los desconchados, en el contorno de todos los objetos y criaturas silenciosas. Gabriela bajó corriendo las escaleras, hasta su habitación. Ya no se veía nada especial en el desván. El sol no acostumbra a ser cómplice de estas aventuras.

8

El verano se acababa y, como era costumbre en la Casa de las Vacaciones, se organizó la tradicional Excursión Familiar. Esta excursión tenía lugar una sola vez, y precisamente se consideraba como una despedida de las vacaciones. No tenía nada que ver con las cotidianas correrías y excursiones de los Niños de la Casa. No era «una excursión», sino LA EXCURSIÓN, y, para nombrarla, la Gente de la Casa usaba una voz y entonaciones diferentes de lo habitual.

La Excursión era obligatoria para todos los habitantes de la Casa de las Vacaciones, sin excepción. Desde los importantes papá y mamá, pasando por los tíos, tías, criados y criaditas, hasta el mozo Julián —que se ocupaba de las cabalgaduras—, nadie escapaba a ella. Y, menos que nadie, los niños. Incluso arrastraba a la indomable Tomasa. Pero aquel año la cocinera manifestó que su reuma no le permitía semejantes lujos, y se negó rotundamente a acompañarlos. Esto era algo inaudito, que sólo Tomasa podía permitirse. Pero ya se sabe que contradecir a Tomasa era algo que ni siquiera mamá consideraba prudente.

El lugar escogido como meta para la Excursión variaba de año en año. Pero esto era lo único que variaba. La Excursión debía tener como final de trayecto un paraje situado a gran distancia, y cuesta arriba. Todo el mundo sabía que, en el transcurso de la inmensa caminata-cabalgata organizada, se atravesaban parajes extraordinarios y poco conocidos, y mucho más cercanos. Pero el final, la meta, era lo único importante. Solía tratarse por lo general de un paraje igualmente desconocido —parecía imposible que aún quedara alguno, pero así era—, aunque también maravilloso y mucho más arduo de alcanzar.

Todo se llevaba a cabo tras muchas fatigas y opiniones encontradas, nervios, discusiones, y preparativos que duraban una semana o más. Sin contar con la abundancia de chichones, picotazos, indigestiones y caídas con que se coronaba aquel gran día. El proyecto se estudiaba minuciosamente, de antemano, y los preparativos y previsiones eran discutidos por todos —naturalmente, en este caso, *todos* eran papá, mamá, y los tíos y tías—; según decía tío Enrique, se pesaban *los pros y los contras*. Lo que nunca se le ocurrió a nadie fue informarse de si *precisamente aquel día señalado*, TODA la gente de la casa, y no solamente unos cuantos, sentía verdaderos deseos de caminar largas horas por parajes abruptos (aunque maravillosos) y de montar en mula. Por lo común, el entusiasmo de la Excursión se ceñía a papá, mama, los tíos y tías. Pero los organizadores no habían meditado sobre este punto.

La Excursión no había coincidido jamás —que se tenga memoria— con los planes y deseos de los Niños de la Casa. Por maléfica casualidad, el día fijado para llevarla a cabo coincidía con otros proyectos, llevados a cabo con menos rigor, pero con más entusiasmo.

Era un día cruel. Después de horas de camino —si no eran horas lo parecían—, a lo mejor veían surgir una pendiente suave cubierta de césped verde, blando y mullido como una alfombra. Nada podía resultar más oportuno y consolador que abandonarse a los propios deseos, dejarse caer en el suelo y rodar pendiente abajo, dando vueltas sobre uno mismo. Era un deporte —o merecía serlo— al que los Niños de la Casa eran muy adictos. Pero cualquier intento en este sentido era inmediatamente aplastado. Durante el trayecto, se pasaba mucha sed. Nadie entendía por qué razón les prohibían beber agua antes de haber alcanzado la lejana y extenuadora meta. A veces, y como excepción, al llegar a determinado arroyuelo o fuente —cuando los había—, se permitían algunos «buchecitos», rigurosamente controlados. Durante la Excursión se llamaba «buchecitos» a los sorbos de agua.

Los organizadores, en cambio, estaban convencidos de que la Excursión era algo anhelado por todos. En ella, se suponía, todo ocurriría de la manera más divertida y alegre.

Pero la verdad era que los únicos que se divertían en la Excursión eran los organizadores, y sobre todo mientras la organizaban. Porque, observando las cosas con atención, una vez la Excursión se llevaba a cabo, no era ni un pálido reflejo de cuanto se esperaba de ella. Cuando —ya casi de noche o noche total— regresaban a la casa, la ruidosa animación con que habían partido parecía arrastrarse ahora tras ellos, como un manto sucio y desflecado. Entraban en la casa con pocas ganas de hablar, serios, despeinados, con el estómago apelmazado y la piel enrojecida a trechos desiguales, repartida entre las quemaduras y los picotazos. En las narices se apreciaban todos los signos del ultraje llevado a cabo allí por la flora y la fauna campestres, y en su interior todavía conservaban, mezclados, el olor de las mulas y las tortillas. Amén de los cogotes definitivamente achicharrados. Y los pies, que habían entrado en contacto con toda clase de ortigas, piedras, aulagas y espinos, después de tanto sentir, ya no sentían nada. Magullados, descontentos consigo mismos, sin poder consolarse descargando en otro la causa de estas miserias, se precipitaban sombríamente en busca de bicarbonato, aspirinas y toda clase de remedios caseros antiquemaduras y antipicotazos. Luego, como una bandada de grajos hacia sus cuevas, desaparecían en sus dormitorios. Más que un regreso, parecía una derrota.

La víspera de la Excursión, Gabriela llegó a casa con un solo zapato. Esta vez lo había perdido a propósito, pero temía que, entre el jaleo de agitaciones y preparativos que hervía entre las paredes de la casa, su gesto pasara desapercibido.

Fue precisamente la prima Fifita quien la favoreció, al ser la primera en advertirlo. Le faltó tiempo para salir corriendo en busca de mamá: «Gabriela ha vuelto a perder un zapato, ni siquiera ha ido al río, ni sabe dónde lo ha perdido, ni lo nota ni nada, sólo a una tonta como ella le puede pasar...» Pero el resto de los niños la miraban ahora pensativos y en silencio. Quizá más de uno empezaba a preguntarse si acaso Gabriela no era tan tonta como creían.

Esta vez mamá se mostró más asombrada que enfadada. De todos modos, no podían cambiar las costumbres establecidas. Mamá confiaba en las severas normas y en las leyes —por ella misma fabricadas— que aplicaba a la conducta de los niños. De modo que dijo:

—Tú no vendrás a la Excursión. Quedas castigada todo el día en el cuarto de arriba. (Esta vez, quién sabe por qué, no dijo Cuarto de los Castigos.) Y no saldrás de allí hasta que regresemos, y si yo te doy permiso.

La Casa de las Vacaciones había quedado en silencio. Parecía imposible que se tratara de la misma casa.

Todos habían partido temprano, aunque mucho más tarde de lo que habían decidido. No era una novedad: todos los años ocurría lo mismo.

Desde su ventana, con una mezcla de alivio y regocijo, Gabriela contempló la salida de la Excursión. Las señoras de la casa, provistas de sombrillas y grandes sombreros de paja contra-el-sol, necesitaron mucho tiempo para encaramarse debidamente en las mulas, que se mostraban mucho menos animosas que ellas. A su vez, llegó a los señores el turno de montar sus respectivos animales. Parecían convencidos de hacerlo mejor que las señoras. Pero el tío Ernesto, que tan bien había medido *los pros* y *los contras* de la Excursión, debió de olvidarse de medir algo a la hora de montar, puesto que subió por un lado, se balanceó y cayó por el otro. No hubo más incidentes. Casi todos llevaban colgado al cuello un vasito de metal con funda de cuero. Llegado el *momento indicado*, servían para beber de la *fuente indicada*. Pero, cuando ese momento llegaba, los niños se estaban ya abrasando de sed. A menudo, la *fuente indicada* sabía a barro, porque alguna mula, tan sedienta y desesperada como ellos, se había adelantado a beber, chapoteando en ella y enturbiando sus aguas. Nadie tiene ganas de hacer «buchecitos» en tales condiciones. Mamá —que, en los días corrientes, se despreocupaba bastante de los niños— durante la Excursión los tomaba bajo su cuidado, controlando y a menudo prohibiendo cada sorbo de agua que por pura casualidad llegara hasta ellos. La sola idea de que unas inoportunas anginas estropearan los últimos días de las vacaciones la volvía implacable.

Gabriela evocaba el sudor, el calor lleno de zumbidos, la sed que acompañaban el camino por el *maravilloso paraje*. El paladar se les pegaba a la lengua, y las piernas se les entumecían: de dos en dos, a ratos montaban en las mulas, y a ratos caminaban. Sólo este día (y ninguno más) mamá intentaba sustituir respecto a ellos a Micaela, que, cargada con una enorme cesta de mimbre, los miraba en silencio. Pero los silencios de Micaela eran mucho más expresivos que sus palabras.

Los señores llevaban bastoncitos de bambú, con los que, de cuando en cuando, hacían molinetes. Muchas veces, durante el camino, se secaban la frente con sus grandes y blanquísimos pañuelos.

Desde su refugio, Gabriela contemplaba a sus hermanos, a sus primos, a Elisa, Julián, Micaela y las criadas de las tías. El mozo Julián era el único que no aparecía ni ilusionado ni deprimido. Julián era la imagen de la indiferencia. Los hermanos y primos, agrupados y extrañamente silenciosos, parecían, vistos desde la ventana, un grupo de patos salvajes en un corral. Habían soportado ya el implacable madrugón, de todo punto inútil, puesto que no partían hasta cuatro horas más tarde. Seguían soportando aún, sobre sus personas, la imposición de las más variadas prendas, con que las respectivas mamás suponían se debía ir de excursión. Y quién sabe cuántas cosas más soportarían durante todo el día. Y la expresión de Micaela —Gabriela la observaba, desde la ventana, como si la viera por primera vez— se parecía en aquel momento extraordinariamente a la de los niños.

Cuando en el recodo desapareció la última mula, seguida del mozo Julián, Gabriela se apartó de la ventana y suspiró. Pero no de pena, como puede suponerse.

Era la primera vez que Gabriela conocía el gran silencio

que estalla en una casa habitualmente llena de ruidos, pisadas y voces, cuando sus habitantes desaparecen. En la casa, sólo quedaban Tomasa y ella.

Tomasa había dedicado íntegramente la víspera a la confección de tortillas, bocadillos, empanadas, fiambres; en fin, todas esas cosas que se llevan en las excursiones y que tan felices hacen a las hormigas. Ahora, nada de todo aquello quedaba en la cocina. Habían partido con todo, dentro de las grandes cestas de mimbre que cargaban las criadas. Ni siquiera quedaba en el aire el olorcillo de las empanadas y de las tortillas. En el último momento, Tomasa salió a la puerta, para verlos marchar. Alguien le gritó, con acento festivo:

—¡Vamos, Tomasa, decídete! ¡Aún estás a tiempo, no te pierdas este día...!

Ella contestó:

—Nunca he sabido montar en mula.

Los niños volvieron la cabeza, para mirarla con una mezcla de asombro y comprensión. (Guardaban en su memoria aquellos bonitos días del final del verano, en que algunas tardes, antes de anochecer, se reunían en la cocina y rodeaban a Tomasa. Ella desgranaba judías, o pelaba patatas, y le pedían cuentos. Apiñados a su alrededor, como los pequeños pucheros en torno a la Olla Grande, todos querían cobijarse debajo de su delantal, aunque sólo fuera un pedacito. Qué bien se estaba allí, sobre todo si soplaba el viento o llovía, escuchando los cuentos de Tomasa. Los cuentos que hablaban de *su pueblo.* No lo habían olvidado: Tomasa les contaba muchas cosas de cuando ella era pequeña y aún vivía en *su pueblo, y montaba en la mula Serafina...*)

«De todos modos», pensó Gabriela, «no todas las mentiras son verdaderamente mentiras.» Sintió deseos de ver a Tomasa, y corrió hacia el huerto, donde era casi seguro que la encontraría.

Efectivamente, allí estaba. Gabriela se detuvo, contemplándola de lejos. Tomasa se había tendido en el suelo, entre las varas verdes y amarillas del alubiar, los tomates, las patatas y las lechugas. Había cruzado las manos bajo la nuca y miraba el vuelo, ya muy lejano, de los últimos pájaros.

Entre sus muchas habilidades, Tomasa podía colocarse los ojos en el cogote, si así le placía. Era imposible que no viera las cosas que ocurrían a su espalda. Así que, sin volverse a mirarla, dijo:

—Seguramente la pequeña está castigada. Casi seguro que sí... Pero a mí nadie me ha encargado que la vigile.

Gabriela giró rápidamente sobre sus talones, regresó a la casa, subió de dos en dos los escalones y entró en el Cuarto de los Castigos, donde nadie se sentía menos castigado que ella.

La oscuridad desaparecía, al tiempo que pronunciaba el nombre de su guía y amigo. En la pared, los arneses resaltaban de un modo particular. Las campanillas temblaban suavemente, y oyó un leve tintineo. Ahora cada vez tardaba menos en comprender las palabras que brotan ocultas de cada sonido: el agua, el chisporroteo del fuego, el viento en las rendijas, los goznes de las puertas... «Todas las voces hablan», pensó, «todas las voces explican algo, o piden algo.»

Las voces de los arneses, en el tintineo de sus campanillas, llamaban su atención:

—Es una gran suerte que, entre toda la Gente de la Casa, seas tú, y no otro, quien ha subido aquí, porque tú puedes revivir las *otras voces*. Los humanos no saben que no morimos, sólo estamos cubiertos por el tiempo y el silencio. Pero aquí seguimos vagando de un lado para otro, deslizándonos por las paredes, pegados al quicio de las puertas, en el crujido de la vieja madera... Cada voz sigue viviendo en el lugar donde ha nacido; allí permanece. ¡Por fin, has venido...! Oímos decir que sabes abrir la puerta de los años: abre la nuestra, para que podamos salir de nuevo a la superficie, respirar y revivir.

Gabriela se sentía feliz. En todo caso, nunca se había sentido igual. Notaba que estaba llegando al borde de algo (no sabía qué, pero sin duda importante). No sentía temor, ni inquietud. Acaso sólo un poco de impaciencia.

El tintineo de las campanillas se hizo más vivo, y Gabriela escuchó sus palabras, que tenían ahora un tono más firme y claro:

—Es un alivio para nosotros ver que nos comprendes. Tú sabes que somos los Antiguos Arneses, que ya no utiliza nadie. Pero nuestra voz no ha muerto: continúa vibrando en las campanillas con que nos adornaron. Míranos, colgados de la pared. Aunque ahora parecemos mudos, no lo somos: basta que alguien nos descuelgue de la pared, y las campanillas empezarán a sonar, todas a la vez.

La voz se apagó, y Gabriela escuchaba el lento discurrir del silencio sobre todos los objetos, sobre el suelo, las paredes, el techo... De pronto, allá arriba, en el desván, el batiente desprendido empezó a golpear.

«Qué raro, ha venido el viento», pensó Gabriela. «Hace unos minutos, en el huerto, todo estaba en calma; no se movía apenas una hoja.»

Y de nuevo hablaron los arneses:

—Íbamos enjaezados a los Caballitos Gemelos. ¡Qué bien tiraban de la Berlina Roja, qué jóvenes y fuertes eran, qué alegres y veloces! Nuestra música cantarina los animaba; y corrían, corrían por los caminos, por el prado, por los pastos... Íbamos muy contentos, cuando la Berlina Roja se llenaba de niños y de muchachos. ¡Qué bien nos comprendíamos los Caballitos Gemelos y nosotros, sus arneses! No podíamos vivir los unos sin los otros, nunca imaginamos que alguien pudiera separarnos un día. Cuando la berlina pasaba cerca de las casas de la gente, todos salían a vernos... Ya ves, el tiempo de las berlinas pasó, el tiempo de los caballos y de los arneses pasó. Y aquí nos ves, colgados en la pared, esperando, esperando que alguien nos devuelva aunque sea un pedacito, o un minuto, del Otro Tiempo. ¡Cómo te hubieran gustado los Caballitos Gemelos! Si cierras los ojos, como tú sabes...

Gabriela los cerró a medias.

—Un día, quién sabe por qué razón, uno de los gemelos se quedó cojo, y desde entonces su hermano corría por los dos. Corría, corría más y más, con todas sus fuerzas. En verdad, arrastraba él solo la Berlina Roja, para que nadie notara lo que le había ocurrido a su hermano. A pesar de todo, un día se dieron cuenta y, tal como temía su gemelo, lo desengancharon de la berlina. Pobre caballito cojo, no lo volvimos a ver nunca más. Su hermano fue poniéndose cada día más triste y remolón. Ya no corría como antes. Sentía una tristeza inmensa. Y así llegó un día en que también a él lo desengancharon. Y nosotros... ¿para qué servíamos, ya? Éramos unos trastos inútiles... La ingratitud de los humanos es inmensa. Nos subieron aquí, nos colgaron de la pared y nos olvidaron. Pero nosotros no olvidamos. Sentimos añoranza de la Berlina Roja, de los Caballitos Gemelos, de los niños que se asomaban a las ventanillas... También ellos desaparecieron. Todos los niños desaparecen, misteriosamente. Cuando menos lo espera uno, un día, los niños se han ido, y no vuelven más.

»En esta habitación hay rendijas por todas partes. Por eso penetran la niebla y el viento, especialmente en el otoño. También el rocío de las madrugadas. Ésas son nuestras lágrimas. ¿No ves cómo han dejado sus huellas en la pared, justo debajo de nosotros? ¡Nos acordamos de tantas cosas! De cuando todos nos querían y estaban orgullosos del sonido alegre de nuestras campanillas, del crujido especial que tenían las ruedas de la Berlina Roja cuando rodaba sobre la nieve... Sobre todo en aquellas noches de invierno, cuando íbamos a hacer las visitas de Navidad por las casas vecinas, cargados de regalos... La Gente de la Casa llevaba sus regalos a los amigos de la vecindad, y a su vez recibían los regalos de los otros. Luego, todos regresábamos, cantando, y veíamos, al doblar el recodo, las luces de la casa encendidas, y el olor del pavo asado nos salía al encuentro, llegaba con el viento de la noche. Nos limpiaban, sacaban brillo a las campanillas... ¿Quién podía pensar que todo iba a acabarse? No lo hubiéramos creído, éramos tan inocentes, y tan felices... En cambio, ahora, ¡qué silencio tan grande, cuánta soledad!

»Alguna vez, de tarde en tarde, nos parece oír un galope... y pensamos que es el de los Caballitos Gemelos, porque no viene de la hierba, ni del prado: ahora galopan en la lluvia. Los reconocemos porque se distingue claramente el caminar desacompasado del caballito cojo. Ellos, en cambio, no nos oyen, no saben dónde estamos.

»Querríamos hablarles, decirles que, cuando los oímos galopar, nos llenamos de alegría y de tristeza. Sólo en una ocasión el viento penetró ahí arriba, por la ventana rota del desván, y se coló hasta aquí dentro. Agitó las campanillas y les llevó nuestra voz. Fue el mismo viento que, a fuerza de soplar y empujar, rompió el batiente de la ventana. Al menos, el desván tiene el viento. Pero aquí, en este cuarto abandonado, sólo entró una vez... Por eso es un consuelo que hayas venido...

Iba llegando hasta Gabriela aquella somnolencia que aligeraba sus movimientos y hacía que se sintiera como el diente de león empujado por la brisa. Se tumbó en el suelo, cruzó las manos bajo la nuca, tal como había visto hacer a Tomasa, en el huerto.

Todo estaba lleno de polvo, pero ni siquiera se daba cuenta. Ni se le ocurría que podría ensuciarse y que luego la regañaría Micaela. Nada de eso veía, pero, si lo hubiera visto, tampoco le habría dado importancia. Nada le importaba ahora, como no fuese la claridad rosa y oro; no oía otra cosa que la voz de las campanillas, de los arneses, despertando en el Otro Tiempo.

Alguien más estaba llamando su atención, o por lo menos lo intentaba. Al fin distinguió, a través del tintineo de los arneses, un sonido muy distinto. Era un golpear rítmico, que le resultaba familiar, que devolvía algo a su memoria. El nuevo sonido fue dominando la voz plateada de las campanillas, y Gabriela reconoció los golpes de la plancha sobre la ropa (ella, debajo de la mesa del Cuarto de la Plancha). Aunque estos golpes eran más pesados y lentos.

Cautelosamente, entreabrió un ojo. Allí estaban, como las había visto el primer día, las viejas planchas de hierro que semejaban casitas. Parecían muy agitadas, saltaban de un lado para otro, y, detrás de sus golpes, se oía un barboteo, que Gabriela supuso también deseaba decir algo. Una a una, fueron abriéndose las puertecitas, y una delgada cinta de humo —parecido a un chorrito de vapor— surgía de las pequeñas chimeneas. Por las puertecitas abiertas, pudo ver que en el interior de las planchas brotaba un resplandor, entre naranja y encarnado, que crecía en intensidad. Cerró de nuevo los ojos, y, de este modo, la voz de las planchas —una mezcla acompasada de golpes rotundos y del pequeño silbido que escapaba por las chimeneas— se aclaró en sus oídos y distinguió las palabras.

La plancha más grande dirigía aquella conversación, puesto que el golpe de sus pisadas era el más fuerte. Sin duda también se dirigía a ella, como lo habían hecho los arneses. Decía:

—Tú adivinaste que no somos vulgares planchas. Aunque no nos ofende ser llamadas así, puesto que en el Otro Tiempo, planchábamos. ¡Y mejor que las de ahora, tan ligeras y petulantes...! Demasiado ligeras, sí. ¿Viste con qué indiferencia dejan quemar la ropa almidonada? Nosotras jamás hemos cometido un error semejante. Somos más pesadas, y por eso nos manejan con más cuidado, con mucho más respeto y atención. Pero la verdad es que, más que planchas (como nos llaman los humanos), somos casitas: las Casitas de la Lumbre. ¡La Vieja Lumbre del Otro Tiempo! Alguien (no voy a decir su nombre, no merece ser recordada), al relegarnos al Cuarto de los Castigos, como si esto fuese poco, no vació de nuestro interior las cenizas todavía calientes. Aquel fuego vive y nos abrasa. No de la misma manera en que abrasaría a los humanos, puesto que es del fuego donde brota nuestra espléndida forma de vivir. Lo que ocurre es que estas cenizas fueron brasas, las brasas que nos comunicaban vida. Ahora, frías, no sirven para nada. Desde que nos relegaron a este cuarto, apagadas y encerradas, suspiran por regresar al lugar de donde fueron arrancadas... No es difícil comprender que sus quejas y suspiros son nuestras quejas y suspiros. Esa lumbre es nuestro corazón; su rojo resplandor, nuestra alegría. Sólo tú puedes llevarnos a *ese lugar*... ¡Queremos regresar a él!

—¿Al País del Pie Descalzo? —preguntó Gabriela en un susurro.

Y, al oírla, la plancha más pequeña comentó para sí: «Qué criatura más inteligente... ¡y la llaman tonta!» Ella creía haberlo dicho en voz baja, pero su voz ascendió al desván, y los mirlos que picoteaban en el cerezo —justamente debajo de la ventana rota— dejaron de chismorrear y levantaron la cabeza. El más curioso de ellos voló hasta el batiente desprendido, no vio nada dentro y bajó al alféizar de la ventana del Cuarto de los Castigos. Estaba cerrada, pero tenía tantas rendijas que se podía —siendo mirlo— curiosear un poco. Enseguida regresó al cerezo —la glotonería de los mirlos es mayor que su curiosidad— y comunicó: «Ahí arriba está La del Pie Descalzo. ¡Y pensar que los necios de la casa creen que es tonta!» Un gusano verde, que dormitaba en el envés de una hoja, murmuró: «Con los humanos, ya se sabe...» (Aunque el pobrecillo no sabía nada.)

—¡Vamos allí, enseguida! —Ahora era la voz de Gabriela la que suplicaba—. ¡Quiero ir allí, llevadme con vosotros!

En el desván entró una ráfaga de viento, y el batiente golpeó una vez más. Luego el viento descendió hasta el Cuarto de los Castigos, y los mirlos gritaron desde el cerezo, con su algarabía ininteligible. Al ver la ráfaga de viento, las planchas golpearon el suelo con fuerza; los arneses sintieron agitarse sus campanillas y se oyó de nuevo su tintineo. Desde alguna parte del mundo, les llegó el galope de los dos Caballitos Gemelos. Uno de ellos —se notaba muy bien— cojeaba.

Gabriela abrió los párpados. Pero allí había algo —o niebla o humo de cenizas— que se introdujo en sus ojos y veló su mirada. No se inquietó, porque en aquel humo o niebla crecía el tintineo de las campanillas, hasta dominar todos los otros ruidos. Un viento luminoso, que igualmente podía ser música o el fragor de una cascada, la rodeó. Era tan poderoso —aunque no brusco— como la ráfaga que había penetrado a través del desván. Alzándola del suelo, la arrebató, y se la llevó volando.

Mejor dicho, no volaba, más bien se diría que flotaba. No sentía el vacío bajo sus pies, ni le habían crecido alas. Como si fuera una pompa de jabón, atravesó la pared del Cuarto de los Castigos, y continuó alejándose. Más alto que las ramas del cerezo, más alto que los álamos. Cada vez más arriba y más lejos, se perdía ya tras ella el grito de los mirlos, que levantaban la cabeza asombrados.

No sentía miedo, ni mareo: simplemente viajaba, como viajan las plumas, las hojas desprendidas de los árboles, las cometas y las canciones.

Huía, o quizás iba al encuentro de un lugar desconocido que —lo sabía bien— estaba aguardándola en alguna parte.

9

Cuando, a través de sus cerrados párpados, le llegó una luz blanca y muy intensa, Gabriela abrió los ojos. Casi estuvo a punto de caerse, llena de asombro. Se hallaba sobre el trineo que había visto reflejado en el Espejo del desván. Sin duda alguna, era el mismo: pintado de rojo, azul y amarillo. Los cascabeles sonaban en el tono especial que adquieren todos los sonidos cuando brotan en el silencio de la nieve.

Pero el trineo no avanzaba sobre la nieve. O quizá se trataba de *otra nieve*. Gabriela extendió las manos y tocó la niebla. Pero tampoco era niebla. Parecía una transparente cortina de copos, ligeros como gotas de rocío. En aquella cortina luminosa y resbaladiza, empujada por el misterioso viento que entró por el desván y la había arrebatado del Cuarto de los Castigos, el trineo se deslizaba vertiginosamente. El viento jugaba con su cabello, le silbaba en los oídos. Y ni siquiera hacía frío. El centelleo de la nieve cubría los abedules, que ya empezaban a distinguirse abajo, muy abajo.

Gabriela volvió a cerrar los ojos, y notó la lluvia de nieve que golpeaba suavemente sus labios. Abrió la boca: aquellos copos, ligeros como espuma, sabían a helado de vainilla.

La Luna terminaba en aquel momento de acicalarse para emprender sus visitas nocturnas. Llevaba una corona resplandeciente, que aureolaba su rostro, dándole un resplandor difuso, que disimulaba sus lunares. Estaba asomada sobre el lago para echar el último vistazo, cuando oyó el rumor del trineo, los cascabeles, y vio la cortina de nieve-luz. Ante aquel ruido que no estaba previsto, apartó sobresaltada las nubes a manotazos, y vio por fin el trineo, que avanzaba a gran velocidad, por la zona que a partir de aquel momento pertenecía ya a sus dominios.

—¿Un trineo entre nubes...? ¿Cómo pueden ocurrir estas cosas sin mi permiso?... ¡Y, además, se dirige al bosque!

Aquello desbarataba su programa. Precisamente aquella noche, debía entrar en el bosque deslizándose sobre la nieve, para comprobar las recientes plantaciones de frambuesas, que debían brotar en primavera, dar un bañito de luz a las nuevas luciérnagas y avisar al bosque en general que el otoño adelantaba su llegada unas dos semanas.

—¡Esto lo trastorna todo! ¿Cómo se puede trabajar y curiosear al mismo tiempo?

Estaba tan agitada que su voz resonó hasta lo más hondo del bosque. Dos pequeñas luciérnagas que la esperaban impacientes —esa noche se celebraba la ceremonia que debía introducirlas en el Museo de la Hierba— la oyeron.

—Es buena —cuchicheó la menor al oído de su hermana—, pero un poquito cursi.

El trineo dio un brusco viraje. Tan veloz como lo vio Gabriela en el Espejo, deslizándose vertiente abajo y cargado de niños, ahora se precipitó hacia abajo. Las nubes pasaban raudas a su lado, y Gabriela vio acercarse rápidamente las copas de los árboles. Cerca, más cerca, cada vez más grandes. No parecía que ellos descendieran, parecía que el bosque saltaba hacia ellos. La cortina de nieve luminosa quedaba cada vez más alta y lejana, hasta desaparecer. La niebla que flotaba sobre el bosque, allá abajo, iba descorriéndose despacio como las cortinas de un teatro. Ahora ya se veían claramente los árboles, muy juntos; salpicados de rojo y amarillo, los unos; de un verde muy oscuro, los otros. Era el mismo color verde que, al atardecer, tenía el remanso del río. El recuerdo del río, con los niños nadando, y de ella misma sentada a la orilla sin participar en sus juegos, ensombreció un instante su felicidad. Pero, no, aquí iba a ser todo muy diferente. Lo sabía: aquí se podía todo, lo que se deseaba desde siempre y lo que no se sabía que se deseaba. «¡El bosque!», se decía, tan emocionada, que por primera vez en aquel vertiginoso viaje creyó que iba a desmayarse.

Pero no se mareó. O quizá no tuvo tiempo, porque ya el trineo frenaba su velocidad, y fue a detenerse con extraordinaria precisión sobre la copa de un árbol frondoso y altísimo. Estaba lleno de hojas escarlata, y parecía despedir una luz dorada desde el interior del tronco, como si fuera una lámpara.

«También en el bosque tienen un faro», pensó Gabriela. Y luego se dijo que por lo visto el otoño ya había llegado allí. Siempre había deseado ir al bosque, pero no lo había conseguido. Dominadas por la prima Fifita —a quien sólo gustaba imitar a las señoras, jugar a las visitas y acusar—, sus hermanas no querían ni oír hablar de él. Alguna vez, su hermano Rafael y alguno de sus primos habían ido allí, pero a escondidas, porque precisamente «ir al bosque» constituía uno de los muchos «prohibidos» de la Casa de las Vacaciones. Y Rafael y su primo tampoco la dejaban acompañarles: «Tú no puedes venir... ¿No ves que eres pequeña?»

Desde la primera vez que leyó la palabra «bosque» en un libro de cuentos de sus hermanas, quedó fascinada. ¡Cuánto había soñado con él! Tanto había leído sobre el bosque, tantas veces lo había imaginado, tantas veces lo contempló desde su ventana alta: lejano, oscuro y lleno de misterioso atractivo, en el confín del atardecer... En aquellas mañanas de la orilla del río, cuando los otros nadaban y ella sólo sabía perder un zapato, ¡qué no hubiera dado por escapar al bosque, lejos de todos, y no regresar jamás! Pero ni siquiera conocía el camino. ¡Ni siquiera podía escaparse! Sólo hubiera conseguido perderse estúpidamente. Perderse ella misma, además de su zapato.

Ahora sabía una cosa, que hasta aquel momento sólo había sido un presentimiento. Aquél era *su lugar*, el que la aguardaba desde hacía tiempo, mucho tiempo. El bosque era el lugar que también añoraban las cenizas que olvidaron dentro de las planchas-casitas. Sintió un deseo irresistible de llamarle, de hablar con él y, rodeando la boca con las manos, gritó: «¡Bosque...!» El eco de su voz se ensanchó y creció, en ondas, sobre el agua. Y se volvía del color de las hojas: rojo, dorado, malva, amarillo, rosa y violeta. «Por fin estoy donde siempre quise estar», se decía. Cualquiera de las muchas cosas extraordinarias que le habían ocurrido, desde que encontró el Libro del País del Pie Descalzo y a su guía Homolumbú, palidecía comparada con ésta. Lo había deseado desde hacía... ¿cuánto tiempo? ¡Quién podría saberlo! La memoria salta, a veces, hacia delante y hacia atrás: del mismo modo como teje y desteje el tiempo.

Las ondas de su voz se habían alejado, hasta desaparecer, repitiéndose en los innumerables ecos que vagan, errantes, por el mundo; el eco desprendido de la nieve, de los cauces de los ríos, del batir de ciertas alas, de la felicidad... Nadie los conoce todos, nadie los puede contar.

Como un enorme pájaro de plumaje rojo, azul y amarillo, el trineo descendió desde la copa del árbol luminoso hasta el suelo del bosque, entre helechos de color rosa y malva. Estaba en la parte más profunda y escondida, en el puro corazón del bosque.

A pesar de haberlo leído, imaginado y soñado; a pesar de haberlo contemplado tantas veces en las ilustraciones de los cuentos, no sabía que el bosque era así, tal y como se alzaba ahora ante sus ojos. El bosque la rodeaba enteramente, advertía Gabriela. No sólo en torno a ella, también sobre su cabeza y bajo las plantas de los pies. Ahora sabía que la oscuridad brilla —más aún: resplandece—, que los vuelos de los pájaros escriben en el aire antiquísimas leyendas (de donde han brotado todos los libros de cuentos), que existen rumores y sonidos totalmente desconocidos por los humanos: el canto del bosque entero, donde residen infinidad de historias que jamás se han escrito, ni tal vez se escribirán. Todas aquellas voces, sin oírse, se oían; en el temblor de cada hoja, detrás de cada tallo, en el balanceo de las altas ramas, en la profundidad de las raíces que buscan el Corazón del Mundo. Gabriela presentía, descubría, minuto a minuto, la existencia de innumerables vidas invisibles, percibía el rumor de sus secretos, de tallo en tallo, de gota en gota de rocío, conducidos, a través del bosque, por los diminutos habitantes de la hierba.

Gabriela abandonó el trineo, e, inmediatamente, la inundó el resplandor que brotaba de los helechos y las matas de frambuesa, de las semillas del arzadú, las flores del escalambrujo y la oscura maraubina. Y percibió claramente el curso de ríos escondidos que descienden —como antiguas canciones olvidadas o jamás oídas— en busca del fondo del mar. Incrustadas en las cortezas de los viejos troncos, y aún fosforescentes, dormían las tormentas apagadas. El aire del bosque entero aparecía sacudido, vibraba, se cruzaba de relámpagos fugaces; los gritos de todos los pájaros heridos, el último lamento de los ciervos asesinados, la sombra de los niños perdidos en la selva. Y de todos y de todo brotaba el resplandor rosa y dorado que Gabriela tan bien conocía.

Por sobre las ramas más altas, encima de su cabeza, oyó el

grito del milano, el de la lechuza, el del pequeño pájaro del frío. Miles y miles de gritos, todos los gritos vagabundos del bosque y los que anidan en los troncos huecos de los árboles. Y parecían uno solo, y todos a la vez. Era la antiquísima voz del bosque, elevándose en torno a ella y dentro de ella.

El trineo había desaparecido. Gabriela miró hacia las copas de los árboles. Eran tan tupidas que apenas dejaban pasar al sol y a la luna; apenas les permitían asomarse, entre el balanceo de las ramas y el temblor de las hojas.

A su alrededor fueron encendiéndose, una a una, doce lucecitas de colores. Allí estaban, otra vez, sus lápices-enanitos, asomando por entre los helechos. Como aquella noche en el Aula Primera, volvió a confundirla el intercambio de estaturas, ¿quién había crecido, quién había disminuido? Estaban allí (esto era lo único que importaba), dándose la mano, tendiéndosela a ella, y no había ninguna dificultad para verse, hablarse y comprenderse.

—Tenemos mucho trabajo, Gabriela: hay que devolver las cenizas-ascuas a su lugar de nacimiento.

Las capuchas de los lápices-enanitos iluminaban los arbustos y la hierba, a medida que cambiaban, con los colores del arco iris. Abriéndose paso entre ellos, avanzó una lucecita, aún más pequeña, de tono muy suave, verde pálido. Gabriela reconoció el farolito de una luciérnaga, que dijo, presurosa:

—¡Daos prisa, no os retraséis más! ¡Hace tanto tiempo que os estábamos esperando...! Yo soy la encargada de iluminar el camino.

Corrieron, pues, tras el farolito verde, hasta que se detuvo frente a un roble muy viejo. Gabriela no necesitó que la luciérnaga le explicara nada. ¡Era ÉL! Allí estaba, inconfundible, el Viejo Roble que vivía en la primera página de su libro. Se alzaba ahora frente a ella, vivo, más bello que ningún otro. Gabriela conocía bien su tronco ancho y oscuro, recorrido por las lluvias y las tormentas, por el viento y las voces. Sus ramas, muy altas, se mecían suavemente, y entre las hojas verde oscuro, casi negras, penetraban, como estrellas, los rayos del sol y de la luna a la par. En el envés de cada hoja, en cada brizna, en cada baya, en todos los rumores que invadían la espesura, Gabriela presentía infinidad de miradas diminutas, contemplándola con la misma expectación con que ella contemplaba al Viejo Roble.

Gritó un pájaro, luego otro y otro. Gabriela creyó reconocer al mirlo, al vencejo, al tordo, a la abubilla, al grajo... Todos los pájaros del mundo habitaban en las ramas del Viejo Roble. Y todos los pájaros perdidos: los rezagados en las emigraciones, los caídos del nido, cuando aún no sabían volar, y los pájaros errantes y solitarios de la nieve. Cada uno por separado, y todos juntos, habitantes también del País del Pie Descalzo. Y entendió sus voces, que decían: «¡Adiós, Gabriela, adiós!» «¿Por qué *adiós*?», se extrañó.

Pero olvidó esta pregunta porque, acostumbrando más y más sus ojos, fue descubriendo entre las ramas y las hojas —como si hubieran ido transparentándose hasta hacerse visibles— infinidad de criaturas. Criaturas que ella conocía muy bien, que había conocido o que esperaba conocer. Y oyó decir —quién sabe a quién (quizás al viento, quizás a los arroyos, o acaso a la sutil vibración del suelo, donde nacían y se elevaban, desde las entrañas de la tierra y las raíces de los árboles, a través de la savia y las semillas de todas las flores y de todas las plantas)—: «Aquí estamos todos.»

«Aquí estamos todos», decía aquella voz. O aquellas voces, pues más que una voz era la reunión de muchísimas voces dispares, que hablaban cada una su lengua, y, al hacerlo juntas, surgía la única lengua que nunca se ha hablado, ni se hablará, la única que todos entienden, y todos olvidan. Era verdad, estaban todos: viejas teteras rotas, tapaderas perdidas, cucharillas abandonadas, todos los niños que crecieron, el Pequeño Príncipe Cisne, el Impávido Soldadito, la Pastora y el Deshollinador, las planchas-casitas, los arneses de campanillas, los Caballitos Gemelos... y tantos y tantos más... Todos ellos, multitud entre las ramas, aguardándola. Y decían, sin embargo: «Adiós, Gabriela...» «¿Por qué adiós?», iba a preguntar. Pero otro pensamiento alejó su pregunta. Porque alguien faltaba allí. Alguien a quien había estado buscando desde que llegó, ahora se daba cuenta. Gabriela se acercó al Roble, apoyó la cabeza en su tronco y asomó los ojos a uno de sus agujeros (agujeros que horadan los troncos de los robles, antiquísimos túneles que conducen al interior del árbol).

En aquel momento la luna descendía, rama a rama, como podría bajar una reina los peldaños de una escalera. El bosque se transformó en una noche blanca y fosforescente, y el túnel, que descendía hasta el fondo del Roble, se inundó de luz. Ante los ojos de Gabriela se agitaba una lucecita tenue, verde pálido. La llamaba, invitándola a seguirla, y Gabriela reconoció nuevamente a la pequeña luciérnaga que había iluminado su camino. Detrás de ella, dentro del túnel, rebullían las doce capuchitas de colores.

—No te distraigas, hemos de visitar la Última Región —oyó.

«¿Por qué la última?», se inquietó nuevamente Gabriela. Pero ya descendían por el túnel.

A tramos, el interior se encendía de colores distintos. Aún estaban allí sus enanitos-lápices. Por el interior del tronco, pequeñas lucecitas y farolitos de luciérnaga seguían apareciendo y desapareciendo.

En lo más hondo del Viejo Roble, junto a las raíces que se hundían en el suelo, Gabriela contempló los famosos tesoros subterráneos: los cementerios de luciérnagas y mariposas, las esmeraldas, rubíes y diamantes que tallaban los gnomos en las gotas de rocío, y las estrellas caídas, los hijos de la lluvia que duermen en las raíces de los bosques... Todo el Mundo del Subsuelo cabía, al parecer, en el interior del Viejo Roble. Y el suelo de aquel interior era una alfombra tejida por todos los sueños, adivinaciones, deseos y esperanzas de la tierra. En fin, cuantas cosas vivieron y vivirán más allá de las raíces de los árboles y de los hombres. Todo lo que está más allá del olvido y del tiempo. Por eso, Gabriela no se extrañó de ver allí —cada una en el lugar que le correspondía— todas las cosas que ella había creado para Homolumbú: las cocinitas que fabricó con cajas de cigarrillos vacías, los dibujos, los muebles de caja de cerillas, aquellos trocitos de pan y chocolate que le reservaba de su propia merienda, un dedal viejo de Micaela convertido en tacita de té... Todos habían salido de sus escondites, los que ella recordaba y los que ya no podía recordar. También vio allí cuantas cosas, en el curso de sus pocos años, le habían arrebatado o arrojado al cesto de los papeles, e incluso a la basura. Aquella casita que había fabricado con el forro de la Cartilla N.º 1, y que tanto había irritado en su día a la Oliscona; las pieles de naranja en forma de barquita, ahora frescas, lozanas y llenas de su delicado perfume. Miles y miles de papelitos donde dibujó cuanto se le ocurría, durante los primeros castigos, cuando aún no conocía a Homolumbú... Y, naturalmente, los hombrecitos-números, el guante roto con sus caritas pintadas, e incluso —quién podría creerlo— aquellas piedras verdes que intentó alcanzar en el fondo del río, para regalárselas a Homolumbú. Pero nada de esto la sorprendía; todo era allí natural. Sólo la sorprendió ver a la muñeca del desván: allí estaba también; pero lucía unas galas nuevas, limpias, y en su cara brillaban dos ojos, como dos zafiros. Nadie había muerto, nadie era olvidado, a nadie lo habían quemado o arrojado al cesto.

Entre las bocas de los túneles que conducían a la corteza exterior del Roble, había uno muy redondo y brillante. De momento, Gabriela creyó que era el Espejo del desván. Pero alguien —quizá la voz que conducía sus pensamientos— le advirtió que se trataba del Ojo del Mar. Y allí estaban —no podían faltar— los ojos azules de la Sirenita. Un golpe de espuma marina borró su imagen. «Ahora sé», pensó Gabriela, «que el fondo de los robles conduce al mar.»

Pero seguía buscando a alguien.

Empezaba a sentirse inquieta, cuando por fin lo vio, de espaldas, sentado con las piernas cruzadas (las dos, no sólo una). Tallaba una gota de madrugada, que despedía los colores del arco iris. O quizá tallaba una lágrima larga, como la que había visto en la pared del Cuarto de los Castigos.

—Homolumbú —murmuró, sin mover los labios.

Homolumbú se volvió hacia ella.

Algo ocurrió, entonces, dentro de Gabriela. Un barquito de papel, cargado de antiguas noticias que ya no interesaban a nadie, se ladeó, y se hundió para siempre. ¿Qué ocurría? ¿Por qué todo había callado? No se oía nada, ni siquiera el respirar de la tierra.

O ella había recuperado su tamaño, o él se había vuelto muy, muy pequeño. Sí, aquél era su rostro... Pero, más que el rostro del muñeco que encontró en el cofre olvidado, aquél era el rostro de un viejo gnomo. Sin que, por ello, hubiera dejado de ser Homolumbú. ¡Pero estaba tan pálido! Casi transparente; más se asemejaba a una hoja seca, arrancada por el viento. Sí, era Homolumbú, pero no se parecía al que la llevaba de la mano, cuando navegaban juntos. Homolumbú —o su recuerdo— habló con su voz de escarcha quebrándose bajo las pisadas, su voz de eco rodando sin fin de montaña en montaña, su voz que era como las ondas que se abren en el agua, cuando alguien arroja una piedra, ensanchándose cada vez más, huyendo hacia las orillas, hasta desaparecer.

—Has llegado al final del viaje —decía—. ¡Que tengas un regreso feliz...!

«¿Un regreso? ¿Adónde? ¿Para qué?», quiso decir Gabriela. No sabía qué significaban aquellas palabras, pero, en cualquier caso, ella no quería regresar a ninguna parte, estaba bien allí, quería estar siempre allí. Iba a decirlo, pero no lo hizo. La voz no respondía a su voluntad, y además, de pronto, hacía tanto frío allí dentro... Se estremeció. Por todos lados, escapaban jirones de niebla huidiza, hacia no sabía dónde. Pero también arrastraban cosas, se diría que se lo llevaban todo.

Ya sólo quedaba el eco del propio silencio, voces que nadie sabía a qué o a quién pertenecían, voces que nadie entendía, hojarasca otoñal barrida por el viento.

Sólo el viento seguía diciendo algo que ella no podía, o no quería comprender:

—¡Adiós, Gabriela! ¡Adiós...!

10

Gabriela se incorporó. El batiente desprendido golpeaba, arriba, en la ventana del desván. Abrió los ojos y pensó: «¡Cuánto polvo hay aquí...!»

En aquel momento llegaba la voz de Tomasa, llamándola. Gabriela sacudió el polvo que manchaba su vestido, y corrió escaleras abajo.

Al pie de la escalera la esperaba Tomasa, y, a su lado, había un niño desconocido. Era algo más alto que ella, tenía ojos azules y el cabello muy rizado.

Pero lo que llamó su atención fue que el niño llevaba en la mano un zapato. Y, además, era el de ella. Era *su zapato* perdido.

—Este niño vive en la finca del vecino —decía Tomasa—. Nunca había venido aquí, es la primera vez, y no conoce a nadie de su edad. Ha venido porque, según dice, encontró *esto* a la orilla del río.

El niño de la finca del vecino le entregó el zapato y preguntó:

—¿Es tuyo...?

Gabriela asintió con la cabeza, y el niño la ayudó a calzarse.

Tomasa los miraba.

Dijo, como hablando consigo misma:

—¡Quién lo hubiera dicho! Como la Cenicienta y el Príncipe... En fin, la historia se repite, los niños crecen...

Y se alejó hacia la cocina.

Gabriela y el niño del vecino se miraban, sin saber qué decir. Pero, al poco rato, ya sabían el uno del otro algunas cosas. Y bastante sorprendentes: tenían la misma edad, él se llamaba Gabriel y ella Gabriela. Sin embargo, ellos no se extrañaron demasiado de tanta casualidad.

—Más tarde vendrán los de la Excursión —dijo Gabriela—. Mis primos, mis primas... Bueno, todos los niños. Quédate, así los conocerás... Me parece que mañana iremos al río...

—Si tú vienes...

—¿Yo...? Bueno, si vienes tú...

Estaba claro que se bastaban el uno al otro. Era como una especie de pacto.

En aquel momento, el famoso «¡chsssssttt!» de Tomasa llegó a sus oídos. Corrieron a la cocina. La sartén despedía un aroma apetitoso, su famoso olor dorado. En el reloj del comedor se abrió la puertecita del cucú, y cantó nueve veces.

—Vamos, corre —dijo Gabriela, de pronto muy impaciente—. Ya no tardarán en venir... los de la Excursión.

—También los de mi casa han ido a una excursión —dijo Gabriel, pensativo. Y añadió vagamente—: A mí me dolía la garganta..., pero ahora ya no me duele.

—Cuando lleguen, estarán cansados y de mal humor, pedirán aspirina, bicarbonato... y no cenarán.

—Igual, igual —dijo el niño—. Lo mismo... Prefiero quedarme aquí.

Tomasa le hizo sentarse a la mesa de la cocina, donde solían comer Micaela, Elisa y el mozo Julián. Ella comía cuando y donde se le antojaba: las comidas de Tomasa eran un misterio para todos. Contraviniendo sus leyes, ahora no trajo media croqueta para cada uno, sino una fuente llena. Gabriel y Gabriela las contemplaron con ojos soñadores. Eran tan crujientes, olorosas, doradas...

—Si queréis hacerme caso, no os arrepentiréis —decía Tomasa—; comed todo lo que queráis. Luego, cuando la casa se llene de gente y todo el mundo sólo piense en irse a dormir, nadie querrá cenar y nadie se acordará de vosotros... De modo que seguid mi consejo. Comed ahora, que podéis. Después, quién sabe...

—Quién sabe —repitió el niño del vecino, llenándose la boca con fruición.

Gabriela le imitó. Los dos aceptaron de buena gana el consejo de Tomasa. Comieron tanto como podían resistir, y a la vista estaba que podían resistir mucho.

Como final, Tomasa colocó un cestillo de fresas entre los dos.

—Las he cogido esta tarde en el huerto... ¡Se diría que os esperaban!

Cuando terminaron, Tomasa les hizo sitio junto al fuego, en el banco de madera que rodeaba el hogar. Se sentaron mirando cómo Tomasa manipulaba entre los cacharros. A Gabriela le pareció que veía aquella cocina por primera vez. Nunca le había parecido tan bonita, tan acogedora. Los cacharros de cobre, alineados en sus estantes, o colgados de la pared, brillaban al resplandor del fuego. Un leño estalló, brotó una llama azul, luego verde. Y una columnita de humo se perdió en el caño de la chimenea. En la ventana se mecía la mata de perejil. Encima, colgada del marco, la jaula del grillo estaba vacía.

—¿Y el grillo, Tomasa...?

—Se fue —dijo ella.

Gabriela sabía que Tomasa quería mucho al grillo, porque, según decía, era el único que sabía comprenderla.

—Si quieres, te traeremos otro. En el prado hay muchos.

—Sí, vamos —dijo Gabriel. (Al parecer en todo estaban de acuerdo.)

—¿Para qué...? —dijo Tomasa—. Ya estoy acostumbrada a estas cosas. Un día u otro, todo el mundo se va... Pero otros llegan.

Aquella noche se levantó un viento muy fuerte. Arrancó

muchas hojas de los árboles, arrastró con él infinidad de briznas y, en resumen, se llevó todo lo que pudo. Seguramente preparaba el camino del otoño, o tal vez el otoño había llegado ya, aunque todavía no lo indicase el calendario.

Los Niños de la Casa aceptaron enseguida a Gabriel. Pero Gabriel sólo quería estar con Gabriela. No se separaban casi nunca, iban juntos siempre, unas veces cogidos de la mano, otras chocando hombro contra hombro. Y, si caminaban por un sendero demasiado estrecho, uno delante del otro, nunca se alejaban tanto que no pudieran oírse, aun hablando en voz baja, o darse la mano.

Ya no importaba ser la última, porque ahora eran «los últimos», ni tampoco ser «la más pequeña», porque los dos tenían la misma edad y, en todo caso, eran «los más pequeños». Pero estas cosas habían dejado de tener importancia para los otros niños. Se habían acabado las burlas. Ahora todos eran iguales, tanto en los juegos como en las confidencias, como en las discusiones. La prima Fifita se despreocupó totalmente de Gabriela.

Pasaron días y días. Un día junto a otro día. Y parecían uno solo.

Aún pudieron bajar al río, algunas mañanas. De cuando en cuando, el sol les devolvía un trocito de verano. Justo para que Gabriel enseñara a nadar a Gabriela.

Pero, al siguiente día, llegó definitivamente el frío de octubre. Salieron a relucir las chaquetas de punto y los calcetines, con olor a naftalina.

Gabriel y Gabriela bajaron a la orilla del río, para despedirse de él. Cuando se asomaron al remanso, el sol se había colocado detrás de sus cabezas juntas, y pensaron que eran muy guapos. Pero no solamente lo pensaban el uno del otro, también lo pensaba cada uno de sí mismo. Les pareció que habían crecido, que algo parecía crecer dentro de ellos.

Ya se comenzaban los preparativos para el viaje de regreso a la ciudad. Los niños hablaban del Colegio, se acordaban de sus amigos del invierno, y Tomasa los medía en el quicio de la puerta de la leñera, haciendo pequeñas muescas con el cuchillo. Todos se quedaban sorprendidos, porque ninguno de ellos sabía que había crecido tanto. Entonces se dieron cuenta de que los pájaros habían desaparecido, y la mayoría de las flores se habían muerto.

Una tarde de lluvia, los niños se reunieron para jugar a las prendas. Cuando empezó a anochecer, mamá entró en la habitación y encendió las luces. Luego, como hacía a veces —no muchas—, fue de uno en uno: colocaba en su lugar la medalla, aislaba un mechón rebelde, preguntaba alguna cosa... Sus ojos se detuvieron en Gabriela, y ella se dio cuenta de que mamá la miraba de una forma distinta: como si la viera por primera vez.

—¿Habéis visto cómo ha crecido Gabriela este verano...?

Le acarició el cabello, se lo echó hacia atrás, se inclinó y la besó. Cuando se iba, murmuró:

—Qué bonita se ha hecho esta niña...

Entonces, aquel feo insecto llamado Resentimiento, que un día —ya lejano— se posó en su corazón, emprendió el vuelo y se alejó para siempre.

En el mismo instante, el cristal que rodeaba y aislaba el corazón de Gabriela estalló, y saltó en miles y miles de pedazos. Desapareció, como un enjambre de pequeños destellos, entre la lluvia. Pero los grillos y las luciérnagas aseguran que los vieron volar, hacia el Corazón del Bosque. Quizás aún están allí.

Llegó el último día de vacaciones, y Gabriela y Gabriel se despidieron. Pensaban escribirse muchas cartas. Porque vivían en ciudades diferentes, y quién sabe cuándo volverían a verse.

En la casa los preparativos del viaje de vuelta se sucedieron con la misma agitación tumultuosa con que se llevaron a cabo, en la ciudad, los preparativos del viaje de ida.

La víspera del viaje, por la noche, estalló una gran tormenta. Gabriela despertó, sobresaltada. Tenía sed, y sentía una rara inquietud, sin saber exactamente por qué razón. En aquel momento, en el desván, el batiente desprendido comenzó a golpear contra el muro. Un relámpago, seguido de un trueno, pareció sacudir la Casa de las Vacaciones. La habitación se llenó de una luz intensa y blanca. Gabriela saltó de la cama, conteniendo un grito.

Entonces recordó al Viejo Roble.

Ya no había relámpagos, ni truenos, ni tormenta. Sólo silencio; y la noche tenía color de perla, o de lluvia, a través de un cristal esmerilado. Gabriela se levantó, despacio, y salió de la habitación. Después huyó. O, por lo menos, así lo creía.

Había vuelto al bosque, a la húmeda hierba, a los gritos de los pájaros. No sabía cómo había llegado allí, sólo sabía que buscaba un roble, que creía encontrarlo en cada árbol, para enseguida ver que se equivocaba. No sabía cuánto tiempo había pasado así, errando entre los árboles, que se le aparecían, ahora, negros, opacos y absolutamente desconocidos. Tan altos, que no se adivinaban sus ramas. Al fin, el resplandor de la luna atravesó la espesura, y Gabriela vio el Roble.

O creyó que lo veía, porque ya no se parecía al que ella conoció. Lo había atravesado un rayo, y sólo quedaba de él un tronco partido, quemado. En el interior no había nada, no contenía nada. Acaso nunca hubo nada.

Con un cansancio desolado, Gabriela emprendió el regreso hacia la casa. Antes de alejarse de allí, todavía volvió la cabeza tres veces, para mirar el Viejo Roble.

La primera, distinguió una silueta, muy borrosa, como apagándose en la niebla.

La segunda, estaba ya muy lejos, y no lo reconoció.

La tercera y última vez, ya no supo hacia qué, ni por qué, había vuelto la cabeza.

El día del viaje amaneció espléndido. El cielo, de un azul intenso y reluciente, parecía lavado por la tempestad de la noche. Ya se había perdido el eco de la última voz: la Gente de la Casa se había ido. Cerradas las ventanas, como se cierran los párpados, la Casa de las Vacaciones regresaba una vez más al silencio que cubría, como una capa de polvo, cuanto guardaba y vivía entre sus gruesos muros.

Pasado un tiempo, Gabriela se acordó un día del libro que había cogido, sin permiso, de la Biblioteca de papá. Sintió remordimientos, y lo buscó para volver a colocarlo en su lugar. Pero no lo encontró. Por más que revolvió, buscó y lo puso todo patas arriba, el libro no aparecía. Se decidió, entonces, a decírselo a papá.

Pero papá se extrañó de lo que oía.

—¿Un libro? Me parece que te equivocas, no me falta ninguno. Llevo muy buena cuenta de ellos. ¿Cómo dices que se llama?

Y al oír el nombre se echó a reír:

—Nunca he tenido un libro con semejante título, ni creo que exista.

Pasó el tiempo, y tiempo sobre el tiempo. Los años borran los años, se pierden los días, los minutos huyen de los minutos. Los Niños de la Casa habían desaparecido. Cada uno tomó su camino, y nunca regresó. Como todos los niños del mundo.

Alguna vez, a lo largo de su vida, Gabriela perdió un solo zapato. Entonces acudían a su memoria ráfagas, retazos de un país y de unas criaturas que ella conoció y a las que creyó pertenecer. Porque todo lo que se vive permanece de alguna manera en quienes lo vivieron y donde se vivió. En esos momentos, Gabriela sentía una rara añoranza, aunque sin saber de qué. Y enseguida lo olvidaba.

Porque el corazón humano es un desconocido, del que sólo se sabe que siempre anduvo —y acaso siempre andará— con sólo un pie descalzo.

El verdadero final de la Bella Durmiente

PRIMERA PARTE

El Príncipe y la Princesa

1

Todo el mundo sabe que, cuando el Príncipe Azul despertó a la Bella Durmiente, tras un sueño de cien años, se casó con ella en la capilla del castillo y, llevando consigo a la mayor parte de sus sirvientes, la condujo, montada a la grupa de su caballo, hacia su reino. Pero, ignoro por qué razón, casi nadie sabe lo que sucedió después. Pues bien, éste es el verdadero final de aquella historia.

El reino donde había nacido el Príncipe, y del que era heredero, estaba muy alejado del de su esposa. Tuvieron que atravesar bosques, praderas, valles y aldeas. Allí por donde ellos pasaban, las gentes, que conocían su historia, salían a su paso y les obsequiaban con manjares, vinos y frutas. Así, iban tan abastecidos de cuanto necesitaban, que no tenían ninguna prisa por llegar a su destino. No es de extrañar, pues aquél era su verdadero viaje de novios y estaban tan enamorados el uno del otro que no sentían el paso del tiempo.

Cuando acampaban, los sirvientes levantaban tiendas, disponían la mesa bajo los árboles y extendían cojines de pluma de cisne para que reposaran sobre ellos.

Así, poco a poco, y sin que apenas se dieran cuenta, fueron pasando los días, los meses, y la Princesa comunicó al Príncipe que estaba embarazada y que su embarazo ya era bastante avanzado. Entonces comprendieron cuánto estaba durando aquel viaje, viaje que luego recordarían como una de las cosas más hermosas y felices que les habían ocurrido. Algunas veces, cuando el paraje que atravesaban era propicio, el Príncipe Azul, que era muy aficionado a la caza —como casi todos los hombres de aquella época—, organizaba cacerías, ya que llevaban con ellos a todos los monteros y ojeadores que también habían acompañado en su largo sueño a la Princesa, gracias a lo previsores que habían sido sus padres. Aunque todos parecían un poco amodorrados, porque uno no está durmiendo durante cien años para luego despertarse ágil y animoso. La Princesa parecía una rosa recién cortada pero, naturalmente, el beso del Príncipe que la despertó no se repitió en cuantos la acompañaban. Bastante tuvieron con despertarse por su cuenta, una vez roto el maleficio de la perversa hada, que les encantó de forma tan injusta como estúpida.

Así, iban quedando atrás los bosques umbríos donde gruñía el jabalí; las praderas verdes donde pacían las ciervas con sus cervatillos; las fuentes donde, según decían, de cuando en cuando solían aparecerse las hadas, y los misteriosos círculos de hierba apisonada, aún calientes —el Príncipe Azul y la Bella Durmiente los palpaban con respeto y un poco de temor—; donde, a decir de sirvientes y aldeanos, danzaban las criaturas nocturnas —silfos, elfos, hadas y algún que otro gnomo— en las noches de luna llena.

Fueron haciéndose cada vez más raros los pájaros alegres, ruiseñores y petirrojos, abubillas y riacheras, y aquellos otros, de nombre desconocido, que parecían flores errantes. Desaparecieron las bandadas de mariposas amarillas, las aves emigrantes que volaban hacia tierras calientes; se apagó el cristalino vibrar de las libélulas sobre el silencio de los estanques. Día a día, iban adentrándose en tierras oscuras, donde el invierno acechaba detrás de cada árbol. Los bosques se hacían más y más apretados y oscuros, más largos y difíciles de atravesar. Las hojas se habían teñido de un rojo amoratado, y aunque bellísimas, si el sol cuando llegaba hasta ellas les arrancaba un resplandor maravilloso, la Princesa sentía un oscuro temblor, y se abrazaba al Príncipe.

Al cabo de unos días, se adentraron en una región sombría y pantanosa. Ya no acudían gentes a recibirles con presentes y músicas. Entre otras razones, por la muy poderosa de que no aparecían por ninguna parte pueblos, aldeas o villas. El otoño estaba muy avanzado, pero no se veían ya hojas doradas, ni rojas, ni atardeceres de color púrpura. Las nubes tapaban el cielo, árboles desnudos alzaban sus brazos retorcidos contra el cielo, y sólo páramos y roquedales salían a su encuentro. Los sirvientes y monteros estaban bastante inquietos. Incluso alguno de ellos huyó durante la noche. De modo que el séquito era cada vez menos numeroso. Aparecieron aquí y allá esqueletos de animales, y aves lentas, oscuras y de largos gritos planeaban en círculo sobre sus cabezas.

Al fin, entraron en un bosque tan espeso y oscuro que los rayos del sol, débiles y escasos, apenas se abrían paso en él. No se parecía en nada a los bosques que la Princesa recordaba de su niñez, ni a los que había conocido durante la primera etapa de su viaje. Era un bosque salvaje, obstruido por raíces gigantescas, donde abrirse camino requería gran esfuerzo. Las noches pobladas de gritos de lechuzas sobresaltaban su sueño, y apenas volvían a dormirse, amanecía. Lejos quedaban las noches cálidas bajo las estrellas, cuando, en la tienda de seda roja que habían armado los sirvientes, se abrazaban y amaban el joven Príncipe y la joven Princesa. Ahora también se abrazaban, pero su abrazo estaba dividido entre el amor y el miedo.

Aquél era, sin duda alguna, un bosque diferente de todos los conocidos. Y, cuando menos se esperaba, el largo aullido de algún animal desconocido lo atravesaba y dejaba su eco colgando de las ramas que, luego, el viento sacudía y esparcía.

«Acaso», pensó la Princesa, «sea un bosque embrujado.» Porque, en ocasiones, pudo distinguir entre los helechos, las ortigas y la alta hierba, carreras veloces o huidas de diminutas e inquietantes criaturas que ella jamás había visto antes, y de las que sólo su nodriza le había hablado en su infancia. Dos o tres veces creyó distinguir sus caritas, que a primera vista parecían traviesas, para inmediatamente traslucir una refinada maldad. Luego desaparecían entre las altas hierbas, y ella no sabía decirse si fueron verdaderas o las había imaginado o confundido con insectos, pequeños animales o diminutas criaturas del fondo de la maleza.

Cuando por fin decidió preguntar al Príncipe el porqué de aquellas apariciones, se dio cuenta de que él no parecía haberlas notado. Es más, no se mostraba inquieto, ni temeroso, sino más bien tranquilo y confiado.

—Estamos ya en las tierras de mi padre —dijo.

Y parecía satisfecho.

Al fin, penetraron en un tramo del bosque donde todo aparecía tan oscuro, apretado y retorcido como ella jamás pudo imaginar. Los árboles, las ramas y hasta los helechos se contorsionaban de tal manera que, más que un bosque, parecía un nido de pulpos gigantescos.

—¿Éste es tu reino...? —le preguntó, llena de inquietud, al Príncipe Azul.

Pero él la abrazó y dijo:

—Mi reino eres tú y yo soy tu reino.

Tras lo cual, ella no supo qué contestar, y sus pensamientos se desviaron hacia otros asuntos mucho más placenteros.

Día a día, mientras avanzaban por aquel bosque que parecía no iba a terminar nunca, los caballos se asustaban, se encabritaban, y los servidores, incluso los monteros, huían. El séquito de la Princesa se había reducido, casi, a menos de la mitad. Ni siquiera había permanecido a su lado una sola de las doncellas. Encantadas por el clima de amor y felicidad de los primeros tiempos, se habían enamorado, ora de este palafrenero, ora de aquel paje, ora de este montero... y habían desaparecido con ellos, hacia quién sabe dónde.

Un día, la Princesa, que sentía ya en sus entrañas los juguetеos del niño que llevaba dentro, preguntó:

—Cuando me despertaste con un beso, los árboles y los arbustos florecían, y la hierba, y hasta las ortigas, despedían un maravilloso perfume, que nunca olvidaré... ¿Qué ha pasado? ¿Por qué han desaparecido el canto de los mirlos, y las flores, y el sol?

—Es que entonces era primavera —contestó el Príncipe— y ahora se acerca el invierno... Pero, a nosotros, ¿qué nos importa?

Y se abrazaron, y se amaron, y todo lo demás desapareció a su alrededor.

Desapareció en su mente, pero no en la realidad que les rodeaba. Ellos pensaban que ni la oscuridad, ni la perversidad que se ocultaba tras el tallo de cada hoja, ni los aullidos de los lobos que acechaban a su paso existían realmente. Claro que ninguno de los dos había alcanzado eso que las gentes llaman edad de la razón.

Y a pesar de todo, a medida que se adentraban más y más en el bosque, más y más iba encogiéndose el corazón de la Princesa, ovillándose en sí mismo, como uno de aquellos animalitos tan suaves y confiados, que caen atrapados en la primera trampa tendida a su paso.

Y por fin, un día, salieron del bosque y dejaron atrás el último de sus árboles.

Sobre un montículo rocoso, rodeado de niebla, apareció la silueta de un castillo. Parecía formar parte de la niebla, era en sí mismo como una figura hecha de niebla aún más oscura, de contornos imprecisos.

—¿Es éste tu castillo? —preguntó tímidamente la Princesa.

Pero claro, cuando se han pasado cien años dormida, es natural que cuanto se presente a tu mirada resulte un poco raro.

—Y el tuyo —dijo alegremente el Príncipe, que no parecía acusar lo tenebroso del ambiente.

A fin de cuentas, había nacido y crecido allí, y uno permanece apegado a su infancia y, cuantos más años pasan, menos advierte los defectos que pudiera tener el entorno donde transcurrió.

—¿Qué es esa cosa negra y viscosa hacia la que vamos? —preguntó la Princesa.

Pero el Príncipe Azul parecía tan feliz, que no entendió del todo la pregunta y sólo dijo:

—Es el castillo donde tú serás reina, mi reina, algún día.

Los enamorados dicen a veces cosas así, y es mejor no hacer demasiado caso. Pero quien las oye se siente muy satisfecho, y así se sintió la Princesa.

Cuando ya se hallaban frente al castillo, la Bella Durmiente pudo ver que de su foso surgía una especie de neblina muy oscura, y que un olor a fango y raíces podridas brotaba de él, mezclándose al chapoteo de animales que ella no conocía. Como desconocía tantas cosas, y era consciente de su ignorancia de cien años, no dijo nada. Pensó que las costumbres habían evolucionado bastante desde el día en que ella se pinchó con el fatídico huso.

Bajaron el puente levadizo, chirriaron las cadenas, y dos heraldos vestidos de color verde musgo anunciaron su llegada. Apenas pudo distinguirlos entre los vapores que surgían del foso, pero sí pudo ver claramente, sobre su cabeza, por encima de las torres, los vuelos de dos grandes milanos que trazaron un círculo, como observándoles, y luego remontaron el vuelo y desaparecieron tras las almenas.

La Princesa atravesó los umbrales del castillo y el patio de armas, y llegó ante la pequeña escalinata de piedra que conducía al torreón principal. Esperaba que, por fin, encontraría algo, o alguien, que alegrase o dulcificara su llegada. «Las apariencias engañan», solía decirle su nodriza, cada vez más añorada... Pero las nodrizas, o las madres, o las viejas tías se equivocan o aciertan como cualquiera.

Al pie de la escalinata, su cortejo, ya muy escaso, se detuvo. Era una escalinata de piedra gris, húmeda y cubierta de musgo, como si nadie la cuidara, porque en las junturas crecían malas hierbas y se veían hojas podridas. Entonces la Princesa comprendió que la primavera había muerto hacía tiempo, mucho tiempo, y, que ella apenas se había dado cuenta.

Pero no sólo la primavera, sino el verano, con su tienda de seda roja, su mesa de manteles de lino y copas de plata bajo los almendros. Y también el dulce otoño, que hacía de cada árbol una lámpara, y convertía en música las fuentes, los arroyos y los manantiales. Habían muerto las flores, las espigas y los membrillos dorados, y sólo quedaban ellos dos, de pie ante una larga escalinata de invierno y viento. Oyó piafar a los caballos y un frío desconocido se apoderó de su corazón.

Los goznes de la gran puerta de entrada al torreón chirriaron, se abrieron las dos hojas lentamente, y pareció que una manada de lobos se hubiera puesto a aullar, en alguna parte, no muy lejos de allí. En el marco de la puerta se alzaba una silueta entre la luz de las antorchas. Era alta y delgada y, por supuesto, majestuosa.

La Princesa comprendió casi enseguida que se trataba de su suegra, la Reina Madre, que se llamaba Selva, pero no acertó a ver su rostro, ya que las sombras de la tarde lo ocultaban, y sólo había luz, luz roja y temblorosa, a sus espaldas. Tal como le habían enseñado desde niña, la Princesa inició una reverencia, pero el Príncipe rodeó con su brazo su cintura y la ayudó a subir los escalones. No parecía intimidado, sino más bien alegre, y acercándola a su madre, dijo:

—¡Abandona los protocolos! Ésta es mi madre y, desde ahora, también será la tuya. Abrazaos, y nada de reverencias ni cosas parecidas.

Algo como un leve temblor, como un vientecillo helado que inesperadamente nos estremece y nos obliga a abrigarnos al final del verano, llegó hasta el corazón de la Princesa. Pero el Príncipe ya la había empujado hacia su madre, y se sintió estrechada por unos brazos tan fuertes y duros como cadenas de hierro.

Entonces oyó por vez primera la voz de la Reina Madre, dándole una sucinta bienvenida. Era una voz baja, algo ronca, pero que parecía despertar ecos de cueva en cada rincón, aunque fuese al aire libre. Arrastraba las eses, como un silbido.

Más tarde, cuando al fin pudo ver su rostro a la luz de las antorchas, velas y fuego de la gran chimenea del lugar donde cenaron, y que la Reina llamaba refectorio, la Princesa pudo ver un rostro delgado y apenas sin arrugas, muy pálido, coronado por cabellos —los que escapaban de una especie de cofia muy adornada que cubría su cabeza— tan negros como los podría tener una muchacha de veinte años.

Tenía ojos grandes, en forma de pez, y con el contorno muy oscuro, como si los hubieran reseguido con un pincel de humo. Y sus pupilas, también muy grandes y brillantes, tanto que apenas si dejaban ver la córnea, tenían un color cambiante, indefinido. A la sombra de los párpados, parecían negras, pero a la luz de las llamas —el sol no entraba nunca en ellas, como pudo comprobar más tarde— lucían amarillas y fosforescentes, como el azufre. Sus manos eran largas, con dedos muy delgados, con la piel tan fina que transparentaban las venas. La Princesa recordó, viéndolas, algunos riachuelos que había visto, siendo niña o en el viaje que la condujo hasta allí. Al extremo de sus dedos tenía uñas largas, bien cuidadas y limpísimas, que se curvaban levemente como caparazones de crustáceos. Según pudo comprobar luego, la Reina Madre era vegetariana. Pero no despreciaba el vino. Todo lo contrario, vaciaba su copa una y otra vez, durante las largas comidas que tenían lugar en el castillo. Entonces podía descubrirse en aquellas pupilas una llama medio oculta, capaz de prender fuego a cuanto mirase.

Respecto al Rey, padre del Príncipe Azul y esposo de la Reina Selva, se encontraba muy lejos de allí, ocupado en alguna de sus continuas guerras. Ni siquiera se había enterado de la aventura nupcial de su hijo.

La Princesa tuvo la sospecha de que el Rey se hallaba muy

a gusto fuera del castillo y de sus tierras, peleando con vasallos rebeldes y condes levantiscos; o emprendiéndola con algún país vecino del que, por una u otra razón, decía tener derecho o simplemente deseaba apoderarse.

Así pasaron los días, y los meses. El Príncipe Azul y la Bella Durmiente parecían vivir en continua luna de miel, y la Reina Madre, por su parte, no se inmiscuía para nada en sus vidas. De manera que todos parecían felices.

Alguna que otra vez, la Princesa vio deambular a su suegra por el jardincillo que rodeaba el torreón donde ellos habitaban. Siempre seria, muy seria, deteniéndose aquí y allá para observar con cuidado alguna cosa que llamaba su atención y que la Princesa no atinaba jamás a descubrir. Una vez, o quizá dos, sí pudo darse cuenta de que mandaba a su pajecillo, un muchacho que más parecía un enano que un niño, atrapar un pájaro. El ave desaparecía entre las manos de la Reina Madre, como si se esfumara. La Princesa supuso que lo guardaría en alguna jaula, porque no los mataba, ni los ordenaba matar. Pero nunca vio jaula alguna, ni pájaro, grande o pequeño, por parte alguna del castillo.

Tal vez los amaestraba y les dejaba volar por sus habitaciones, tal y como vio hacer antaño a su niñera con un par de periquitos rosa y azul. Y estos recuerdos enternecían su corazón, y se decía: «Seguramente la Reina es una buena mujer, y parece tan seria porque el Rey anda por ahí peleando con todo el mundo, en lugar de estar aquí, dándole todo su cariño, como hace el Príncipe conmigo.» Y no volvía a preocuparse más por ella, del mismo modo que ella no se preocupaba por ellos dos.

Algunas noches, sobre todo al principio, cenaban los tres juntos, y pronto se dio cuenta la Princesa de que cuando su suegra veía servir platos de aves o caza —el Príncipe seguía siendo tan aficionado a las cacerías como su padre a las guerras—, o simplemente empanadas rellenas de liebre, jabalí, ciervo o cualquier otro animal comestible, palidecía hasta el punto de que su piel casi podía transparentar su calavera.

Aparte de que tamaño espectáculo le hacía perder el apetito, pensó que no había por qué ofender a su suegra con semejantes cosas, y ordenó que cuando ella presidiera su mesa sólo les fueran presentados platos de hortalizas y verduras. Poco después la Reina Madre renunció a honrarles con su presencia durante las cenas.

Al poco tiempo, la Princesa dio a luz una niña tan hermosa como la primera luz de la mañana, y, quizá por eso, la bautizaron con el nombre de Aurora. Como recordaban las vicisitudes que había acarreado el bautizo de la Princesa, decidieron, de buen acuerdo, bautizarla en la más estricta intimidad, sin invitaciones a hadas ni cosa parecida. Por otra parte, no resultó difícil, porque no conocían a ninguna hada ni a nadie que se le pareciera. En aquellas soledades, raro era que se presentase siquiera un triste barón de poca monta a rendirles homenaje, puesto que, caso de que quedara alguno por los alrededores, el Rey se había encargado de dar buena cuenta de él.

La pequeña Aurora crecía tan bonita como su madre y tan simpática como su padre. Cuando cumplía apenas un año, la Bella Durmiente quedó nuevamente embarazada. No era extraño, puesto que los Príncipes, aparte de la caza, los juegos y las comidas, no tenían mejor cosa que hacer que amarse, y no era poco. De modo que, pasado el tiempo de rigor, la Princesa dio nuevamente a luz, esta vez un niño. Y era muy hermoso, incluso más que su hermana, que ya es decir. Y por eso decidieron ponerle por nombre Día.

Cuando Día tenía tres años, cierta mañana en que el sol doraba los trigales lejanos, el vigía lanzó desde su torre una larga llamada de su cornamusa.

Los soldados del castillo, gentes que el Rey, por una u otra razón, no había llevado consigo, eran hombres de avanzada edad, o tan poco duchos en el manejo de las armas que casi nada podían hacer en caso de alarma. Por alguna razón, el Rey sabía que nadie atacaría ni su castillo, ni sus tierras. Pero ésta es una cuestión que ya se verá más adelante. En el caso que nos ocupa, aquellos soldados eran gentes dicharacheras y dadas a la cerveza, los dados y las largas siestas.

La llamada de la cornamusa les cogió de improviso, y como pudieron, y mal pertrechados, formaron bajo las órdenes de su capitán. Era éste un hombre tan viejo que se necesitaban otros tres para montarlo en su caballo, y algunos más para que no se cayera luego de él. Aunque debe decirse que más por causa de la cerveza que por la edad.

Estaban tan poco acostumbrados a estas cosas, que hubo mucho barullo y desconcierto antes de descubrir que, efectivamente, alguien se aproximaba al castillo. Y era alguien que venía acompañado de nutrida tropa, a tenor de la polvareda que levantaban y del brillo que los pálidos rayos del sol encendían en sus cascos y armaduras.

Pero no tardaron en saber lo que ocurría. Aquello que les había parecido una tropa agresiva no era más que un maltrecho resto de tropas, entre las cuales el que no llevaba vendada la cabeza iba con el brazo en cabestrillo. Y si aquél iba apoyado en muletas, aquel otro sufría tantas contusiones como si le hubieran pasado por encima cuatro caballos salvajes. Pero no era esto lo peor. El Rey venía derrotado y malherido, tendido en un carro arrastrado por bueyes, envuelto en pieles y con el rostro tan blanco que poco bueno podía esperarse de él.

Cuando le trasladaron a sus aposentos, el Príncipe y la Princesa lloraban desconsolados. El Rey, aunque maltrecho, parecía un hombre animoso y aún tenía ganas de bromear. Pero no preguntó por la Reina, ni ella se presentó a él o se acercó a su lecho.

Al día siguiente, después de que el físico le hubiera aplicado algunas sanguijuelas, cosa que aún pareció dejarlo en peor estado, el Rey llamó a su hijo a su lado.

—Hijo mío —dijo con voz débil pero bien audible—, me alegro mucho de que te hayas casado con una princesa de linaje tan claro... aunque pobre, porque, tras los cien años en que estuvo dormida, hoy día su reino está que da pena. Pero es muy bella y te ha dado hijos sanos, fuertes y hermosos.

Al llegar a este punto de su discurso, el Rey vaciló, porque sus fuerzas se acababan.

De todos modos, aún tuvo arrestos para continuar:

—Tú eres mi hijo y, en cuanto yo muera, cosa que ocurrirá de un momento a otro, serás el rey de este país. Por tanto, te ordeno que prosigas la lucha que yo he interrumpido momentáneamente... ¡Y que venzas a mi enemigo Zozogrino! Hasta que no consigas esto, no podrás ser coronado rey. Y no regresarás a este lugar ni hallarás reposo en la tierra, si no lo haces así. Mi fantasma y mi rencor te perseguirán, a ti y a tus hijos, y a los hijos de tus hijos, y a los hijos de...

Cuando llegaba a sus tataranietos, la voz y el corazón le fallaron, y el Rey murió como muere todo el mundo y como moriremos nosotros algún día.

El Rey fue enterrado en el cementerio real, detrás del monasterio donde, por cierto, sólo quedaban el abad y cuatro frailes, además del cocinero y de los legos que cuidaban del huerto. «¿Por qué hay tan poca gente en este reino?», se preguntaba la Bella Durmiente. Pero luego se decía: «En cien años, cambian tanto las costumbres...»

Enterraron, como queda dicho, al viejo Rey, y el joven Príncipe debía cumplir las órdenes dadas por su padre, si quería ser coronado. Y sí quería, porque, ¿quién no lo quiere? Sobre todo si no se tiene mejor cosa que hacer, como era su caso.

Llovió mucho, cayeron las hojas de los árboles. El Príncipe seguía con pocas ganas de guerrear por causas que desconocía, contra gentes que conocía todavía menos. Y los bosques pasaban del incendio rojo y dorado del otoño al viscoso frío y los barrizales que anunciaban el invierno. De modo que, entre unas cosas y otras, empezaba el deshielo cuando, empujado por la Reina Selva, que le recordaba la promesa hecha a su padre, el Príncipe Azul se despidió de la Princesa, de sus hijitos y de su madre (que, por cierto, parecía poco llorosa). Aunque, claro está, una reina como es debido no llora jamás en público.

El Príncipe había reunido, un poco por allí, y un poco por allá, con pocas ganas y mucha amargura en el corazón, un ejército más o menos decente. Es tan bonito ser príncipe, cuando se tiene una princesa como la Bella Durmiente por esposa, y tan pocas obligaciones como cazar, jugar al ajedrez o juguetear entre las flores, que cualquiera de nosotros hubiera sentido lo mismo que él, en su lugar. De modo que, una tarde triste y dorada, partió con sus hombres y sin tener la menor idea de lo que era una contienda, ni de lo que eran el odio o la ambición, hacia los lejanos campos de batalla donde, al parecer, le aguardaban las huestes del feroz Zozogrino, al que jamás había visto ni en pintura.

El día después de la partida de su hijo, la Reina Madre, que hasta el momento había vivido en una discreta sombra, apareció súbitamente en todo su esplendor.

Mandó llamar a la Princesa, acompañada de sus hijos, a sus habitaciones.

Cuando les tuvo delante, dijo:

—Querida niña, este castillo es demasiado triste y oscuro para una criatura tan linda y alegre como tú, y para unos nietecitos tan llenos de vida y alegría. Mientras dure la ausencia de mi hijo, vamos a trasladarnos a una hermosa finca, donde poseo una gran casa y sus alrededores, llenos de verdor, flores y pájaros. Allí tú y los niños disfrutaréis de la naturaleza, y viviremos felices, esperando el regreso de mi hijo, el que será nuestro amado rey.

Parecía contenta y, por primera vez, la Bella Durmiente vio su sonrisa. Pero, en lugar de alegrarla, aquella sonrisa la estremeció. Dos largos, aunque, eso sí, blanquísimos colmillos, la flanqueaban. Luego, tan rápidamente como habían aparecido, desaparecieron.

La Reina Madre palpó con suavidad, uno tras otro, los carrillos de manzana de sus nietos, pasó el dedo índice por la barbilla de la Princesa, muy delicadamente, y su uña larga, pulida y muy cuidada, lanzó destellos.

—Estas caritas están pálidas, demasiado pálidas. Allí donde os llevaré, florecerán rosas en vuestras mejillas, crecerán y se desarrollarán vuestros cuerpecitos, y la carne de vuestros...

Y aquí enmudeció, porque su voz se había vuelto ronca, como ocurre con la de los que están dominados por la gula ante una buena empanada.

La Princesa sintió aquel dedo en su barbilla como el paso de un lagarto, y, aunque pensó que su suegra decía cosas bastante cursis, se guardó de hacer comentarios.

Al día siguiente, cuando la Princesa despertó, los preparativos de la mudanza ya estaban en marcha. El castillo entero parecía sacudido desde las almenas de la torre vigía hasta las mazmorras. Algo, sin embargo, entre tanto barullo, llamó la atención de la Princesa: ninguno de los sirvientes que les habían sido fieles aparecía por ninguna parte. En su lugar, una turbamulta indefinible se afanaba de aquí para allá, sin que ella pudiera reconocer a nadie entre ellos.

—Señora —dijo, en cuanto le fue posible alcanzar a su suegra (se le hacía muy difícil llamar madre a quien no fuera aquella que recordaba con amor y ternura)—, ¿dónde están mis servidores, aquellos que me han acompañado tantos años...?

—Niña —contestó la Reina Madre—, ¿no crees que después de ciento y pico de años merecen algún día de descanso? No te preocupes, he dispuesto que nos acompañen cuantos necesitemos y que nos sirvan como debe ser. Allí donde vamos reinan la paz y la tranquilidad. Sólo las ardillas cuando roen nueces, o el paso de los caracoles sobre las hojas, podrán romper el silencio que nos rodee. Disfrutaremos de una soledad tan hermosa y profunda como la de los bosques que nos rodean.

La Princesa, al principio, sintió un escalofrío. Luego, a medida que la Reina Madre hablaba, quedó prendada de su voz y, sobre todo, de su sonrisa. Era la segunda vez que la veía sonreír. Pero cuando quedaron al descubierto aquellos largos, blanquísimos y relucientes colmillos que casi parecían más propios del jabalí que de una humana criatura, una creciente timidez la hizo enmudecer.

Después, la sonrisa de la Reina Madre desapareció con la misma rapidez con la que había asomado. Y cuando la Bella Durmiente se retiró a sus habitaciones, sólo guardaba de aquella sonrisa y de aquellas palabras lo que puede guardarse de un solitario rayo en medio de una tormenta de verano.

Por más que la Reina Madre dijera que el lugar adonde se dirigían estaba «no muy lejos», la verdad es que llevaban ya tres días de camino a través de valles y bosques casi desiertos.

Les acompañaban únicamente los soldados de la guardia personal de la Reina Selva —era la primera vez que la Princesa les veía—, su montero mayor y una anciana muda que la Reina había nombrado doncella personal de la Princesa. Sólo se notaba que estaba viva por la mirada, fija y brillante, de sus grandes ojos de lechuza. No parecía mala persona, pero la Princesa pronto se dio cuenta de que no podía contar con ella para nada que no fuese vestirla, preparar su baño y atender a sus necesidades más primarias, porque ni oía, ni hablaba. Y esto la inquietó bastante, porque se hallaba sola con sus hijitos aún tan pequeños, en manos de su suegra. Y, a pesar de que no tuviera motivos fundados para desconfiar de la Reina Madre, se adueñaba de su corazón, día a día, una inquietud creciente, aunque no conociese el porqué.

Al cuarto día de viaje, después de atravesar el bosque más espeso y oscuro, aunque bello, que ella conocía, apareció un claro tan grande que podía contener una gran casona de cuatro pisos, con tejadillos de pizarra y buhardillas de color azul oscuro. Varias chimeneas sobresalían de éstas, y la Princesa quedó muy admirada, porque, en su tiempo, no existían casas como aquélla.

Se guardó muy bien de decirlo, porque era orgullosa y no

quería pasar por anticuada ante una mujer que, en apariencia, con creces hubiera podido pasar por su abuela.

Las cinco chimeneas desprendían humo, y la casa estaba rodeada de un jardín muy grande. Aunque, según pudo comprobar la Princesa a medida que lo atravesaba, muy descuidado y lleno de malas hierbas.

Si se alzaba la mirada, sólo altas y lejanas montañas, y oscuros y apretados bosques, se ofrecían a su alrededor. Y tan espesos que, a buen seguro, la luz del sol apenas podía atravesar las ramas de sus árboles.

Cuando la Reina Madre descendió de su carroza, la Princesa comprobó que las había seguido y acompañado hasta allí un cortejo muy especial, nunca visto por ella hasta entonces. No lo componían propiamente enanos, ni pajes de corta edad. Eran criaturas de apenas dos o tres palmos de estatura, piernas cortas, grandes cabezas que en ocasiones carecían de cuello y eran simplemente continuación del torso. Le recordaron algunas plantas cucurbitáceas —como melones, calabazas y calabacines...—, pero dotadas de movimiento. En sus caritas pálidas relucían pequeños ojos de un negro tan brillante como los abalorios que adornaban el vestido de la Reina Madre. Parecían sacudidas casi todo el tiempo por alguna especie de risita interior, maligna, recóndita, astuta y vieja como el mundo. El mundo que ella, dormida a los quince años, para otros cien, no había tenido oportunidad de vivir. Y pensó si no se trataría de una raza por ella desconocida, de enormes y mediohumanos insectos. «Después de mi sueño de cien años, cuántas cosas han cambiado en este mundo», pensó. «Calla y no reveles tu ignorancia.»

Aquellas criaturas emitían chillidos y murmullos, parecidos a los que produce el viento al filtrarse por las rendijas de una vieja casa, durante las noches invernales.

Pero lo que a oídos de la inocente Princesa eran únicamente crujidos de maderas y viento era en realidad un lenguaje que sólo entendía la Reina Madre. Escuchándolo, reía tan alegremente y sin rebozo como nunca la había visto reír antes la Princesa. Y como a aquella hora el sol empezaba a ocultarse tras las altas montañas y encendía cuanto tocaba, los largos colmillos de la Reina se iluminaron súbitamente y se volvieron, por unos instantes, rojos como la sangre.

El adusto caserón era, sin embargo, bastante confortable por dentro, y esto levantó el ánimo de la Bella Durmiente. Incluso le pareció bello. De sus paredes colgaban tapices que representaban escenas de cacerías, y había alfombras en la gran sala. En la chimenea central ardía un buen fuego que caldeaba el ambiente, y grandes candelabros esparcían su luz dorada por todas partes.

Una larga mesa, cubierta con manteles de lino, les ofreció, en lugar de las frugales y resecas viandas del camino, suculentos manjares que, en grandes fuentes, esparcían aromas apetitosos. Dos de aquellos extraños sirvientes que acompañaban a la Reina Madre les ofrecieron, en aguamaniles de plata, agua perfumada, para lavarse las manos. Y una vez hecho esto, las secaron cuidadosamente con finos paños de lino, primorosamente bordados. La Princesa se tranquilizó un tanto, puesto que allí, según veía, todo era distinto del lóbrego castillo que habían dejado atrás. Por primera vez, desde que su Príncipe la dejó sola, sonrió.

Pero aún le aguardaban otros descubrimientos.

2

La primera de las variadas sorpresas que le aguardaban fue comprobar, aquella misma noche, que la Reina Madre había dejado de ser vegetariana. No faltaron las hortalizas y legumbres en la suculenta cena que les fue servida, pero sólo como acompañamiento de asados y empanadas, tanto de carne como de pescado. Todo ello exquisitamente cocido y en su punto. El vino, por supuesto, no fue escatimado, ni siquiera a los niños, por lo que Día se mostró muy contento y, al final de la cena, les obsequió con unas cuantas cabriolas y volteretas que merecieron, en lugar de una reprimenda de su severa abuela, como temía la Princesa, unos ligeros aplausos benevolentes. Luego, la Reina Madre le ordenó aproximarse y, tomando con mucha delicadeza un pedacito de carrillo de su nieto entre los dedos, murmuró:

—Delicioso, delicioso...

Tras lo cual dio por concluida la velada, y todos se fueron a la cama.

Cuando la Princesa llegó a su aposento, lo halló tan confortable y bien amueblado como el resto de las habitaciones. También ardía allí un buen fuego, y se sintió suavemente adormecida por el bienestar que se respiraba, en contraste con lo que había vivido tras la partida de su marido hacia las tierras de Zozogrino. Incluso le recordaba sus días de infancia en el castillo de sus padres, y el calor de su amada nodriza. La dulzura y la ensoñación de los recuerdos, junto a los vapores del abundante vino de la cena, iban apoderándose de ella, mientras la anciana de ojos de lechuza la desnudaba.

Estaba a punto de acostarse en el gran lecho, cubierto de sábanas perfumadas de espliego, cuando se dio cuenta de que una espesa cortina de yedra tapaba casi completamente sus ventanas. No dijo nada, entre otras razones porque hablar con la vieja doncella hubiera sido igual que hacerlo con un muro, pero se acostó con una mezcla de bienestar, curiosidad y desasosiego, que pronto el sueño desvaneció.

Era muy tarde cuando el sol, abriéndose paso con un gran esfuerzo entre las hojas de yedra, consiguió penetrar en la habitación de la Bella Durmiente. Hacía rato que los pájaros revoloteaban en el jardín y en los bosques que les rodeaban. Por primera vez, la Princesa prestó atención a sus parloteos, puesto que vinieron a su memoria las lecciones que su nodriza le había impartido sobre el lenguaje de los pájaros.

Y lo que les oyó decir, cada vez más claramente, fue:

—Niña, niña, escapa de este lugar...

Aunque pronto se extinguió el parloteo de los pájaros, y la vieja doncella entró para bañarla y vestirla, la Princesa quedó con cierta inquietud dentro del corazón.

Pero lo que creía entender por la mañana lo desechaba más tarde, pues todo en la casa parecía apacible y agradable. Sus hijos estaban contentos, el sol doraba sus mejillas, y correteaban felices por el jardín, como no habían podido hacerlo en el viejo castillo.

Un día, contemplando la yedra, que tapaba sus ventanas de tal forma que a duras penas podía ver el jardín ni los bosques, dijo:

—Yedra, amiga yedra, ¿por qué cubres como una cortina mis ventanas?

Y entonces, por vez primera en su vida, entendió las voces de la yedra, a través de la brisa que se filtraba entre sus hojas:

—Niña, querida niña, cubrimos tus ventanas para que nadie, ni los pájaros, ni los bosques, ni las altas ramas del jardín vean lo que ocurre dentro de estos muros.

Un frío viento se levantó, de pronto, allí fuera.

—Yedra, querida yedra, yo era tu amiga cuando, siendo niña, trepabas tú por la muralla del castillo de mis padres... ¿Es que no te acuerdas de mí?

—Niña, querida niña, cuando tú jugabas en el castillo de tus padres, y contemplabas la yedra con sus flores moradas, que tanto te gustaban, no era a mí a quien veías, sino a la abuela de mi bisabuela. Y ella contó a su hija y su hija a su hija y su hija a su hija, hasta llegar a mí, quién eres tú. Y por eso te queremos y conocemos, y por eso nuestras hojas están llenas de lágrimas.

La Bella Durmiente tocó las hojas de la yedra, y notó en sus dedos una humedad fresca y reluciente, como el llanto de un niño.

Pasaron algunos días, y una tarde los niños Aurora y Día jugaban en el jardín, bajo las ventanas de su abuela.

La Reina Madre les veía ir y venir, oía sus risas y su parloteo. Aquellos días al aire libre les habían sentado muy bien, su piel había tomado un tinte suavemente dorado, sus mejillas se habían sonrosado y sus ojos brillaban de alegría. Día, especialmente, había engordado bastante, y sus rubios rizos brillaban al sol de la tarde como un casco de oro.

La Reina Madre estuvo contemplándole largo rato.

Cuando llegó la noche y todos en la casa estaban ya acostados, la Reina hizo llamar a sus aposentos a Rago, el cocinero.

Rago era un buen hombre y un excelente cocinero. Habitaba en las buhardillas de la casa, junto a su mujer y sus hijos de cinco, tres y un año. No hacía mucho tiempo que había entrado al servicio de la casa, y estaba muy contento de tener aquel trabajo, porque, entre guerras y abusos, corrían malos tiempos, y contar con un empleo que le daba alojamiento y comida para él y su familia era una gran suerte. Por tanto, estaba dispuesto a defender su trabajo en aquella mansión a costa de cuanto le fuera posible soportar. Pero después de oír a su señora, comprendería que aquello que iba a tener que soportar rebasaba todo lo imaginable.

Ya cuando uno de aquellos personajes que rodeaban a la señora le vino a buscar para llevarlo a presencia de su ama, un extraño presentimiento le llenó de angustia. Y, al quedarse a solas con su mujer, se miraron con la misma sospecha, algo que no se atrevían a decir, ni siquiera en la más estricta intimidad. No se dijeron, pues, nada, pero la mujer de Rago, que se llamaba Erina, le rodeó el cuello con los brazos y le miró con tanta zozobra, que el pobre iba temblando camino a las habitaciones de su señora.

Cuando al fin se halló frente a ella, sólo acertó a hacer una reverencia y a mirar al suelo. Los amarillos ojos de la Reina Madre se mostraban en todo su esplendor: despedían llamas.

—Rago, debes cumplir una orden mía sin la más pequeña vacilación. De lo contrario, el castigo que recibirás será horrible: no sólo para ti, sino también para tu mujer y tus hijos.

Rago, pálido y tembloroso, sentía como si sus piernas no pudieran sostenerle. Creyó que, de un momento a otro, caería al suelo y rodaría por él miserablemente.

Así que, como le fue posible, y con una voz tan débil que parecía más propia de un niño que de un hombre, murmuró:

—Sí, Majestad. Vuestras órdenes serán obedecidas tal y como mandéis.

La Reina Madre guardó silencio, mientras se desplazaba lentamente de un extremo a otro de la estancia. Cuando, al fin, se detuvo, clavó los ojos en los del cocinero —cosa que nunca hacía con un sirviente— y en voz clara, aunque no muy alta, dijo:

—Rago, eres un excelente cocinero. Por tanto, deseo que mañana por la noche me ofrezcas un plato muy especial.

—Como desee Vuestra Majestad —farfulló el pobre Rago, que estaba temiendo lo peor.

—Pues bien —dijo la Reina—, deseo que mañana por la noche me presentes, bien guisado, con nabos y berenjenas, en esa salsa de vino y comino que tú tan bien preparas, a mi nietecito Día. De lo contrario, tus hijos, tu mujer y tú mismo seréis la comida de mi jauría. De modo que ahora, y sin decir palabra, desaparece de mi vista y afánate en cuanto te he mandado... Excuso decirte que ni una palabra debe salir de tus labios y que únicamente Silo, mi montero mayor, sabe lo que te acabo de ordenar.

Tras lo cual, le indicó con un gesto que se retirara de sus habitaciones, cosa que Rago hizo con gran diligencia.

Pero cuando el pobre cocinero subía las escaleras que conducían a la buhardilla, las piernas le temblaban tanto que estuvo a punto de caer rodando.

Su mujer le estaba esperando a la puerta de su vivienda. Los tres niños dormían plácidamente, y sólo cuando su mujer, la bondadosa Erina, le tendió los regordetes brazos, él pudo, por fin, romper a llorar con toda su alma, y con frases mal hilvanadas, pero perfectamente entendidas por Erina, le contó la horrible orden que acababa de recibir.

Al principio, Erina se quedó muda de puro espanto. Sólo sabía acariciar la cabeza de su marido y, como él, llorar y llorar.

Los niños dormían tranquilos, el fuego del hogar ardía cálido y apacible, y el mundo, sin embargo —o por lo menos su pequeño mundo que con tanto esfuerzo mantenían—, se estaba hundiendo. La verdad era que durante años los dos habían temido que ocurriera lo que estaba ocurriendo ahora, ya que los rumores, que viajan rápidos como el viento, habían llegado desde los burgos, aldeas y villorrios hasta sus oídos. Y eran rumores que se referían a la historia de la Reina Madre y llenaban de pavor el corazón de aquellos que los escuchaban.

SEGUNDA PARTE

Historia de la Reina Madre y algunas cosas más

1

Hemos de remontarnos muchos años atrás, cuando el difunto Rey se casó con la Reina Madre. En aquellos tiempos se propagó por el reino un rumor bastante sombrío: la prometida del joven Rey, una princesa extranjera, procedía de una estirpe misteriosa de la que sólo podía hablarse en la más estricta intimidad, al abrigo de oídos indiscretos o traidores, junto al fuego del hogar y en voz muy baja.

Lo cierto es que el padre de la novia era el Príncipe de los Abundios, un dominio vasto y rico, tan rico que permitía vivir con mucha holgura a sus habitantes, cosa que, en los tiempos en que estas cosas ocurrían, era verdaderamente rara.

Aquel príncipe tenía fama de buen cazador, era jovial y generoso, y estas cualidades, además de sus enormes riquezas, habían atraído al padre del príncipe que despertó a la Bella Durmiente.

Era un rey no muy poderoso, llamado Risco, aficionado, como sabemos, a las guerras y a las escaramuzas fronterizas. Entre batallas por aquí y cacerías y festejos por allá —además de tener una cabeza de chorlito—, había conseguido empobrecer su pequeño reino de tal forma que sus gentes estaban muy revueltas e indignadas.

Las riquezas del Príncipe Abundio, entre las que se contaban minas de oro y de diamantes, tenían un origen tan oscuro e insondable que aparecían rodeadas de un halo de misterio, y aun de temor. Si se hablaba de ello, era en voz baja, no sólo en sus dominios, sino más allá de sus fronteras.

Al parecer, el Príncipe Abundio, años atrás, no era precisamente rico ni hermoso. Sin embargo, cierto día salió de viaje, con rumbo y destino desconocidos, acompañado de un pequeño séquito de su más absoluta confianza. Llevaba una escolta armada de únicamente veinte soldados, pero todos tenían fama de valientes y esforzados.

Al cabo de un tiempo —ni demasiado corto, ni demasiado largo—, el Príncipe Abundio regresó a sus tierras. Y traía con él a una princesa de tierras lejanas, con la que se casó inmediatamente.

La nueva princesa era una joven menuda, de cabellos largos y rizados, que recordaban racimos de uvas negras. Tenía ojos dorados y largas y oscuras pestañas. Se llamaba Floresta, y hablaba muy poco, pero su sonrisa era muy dulce, aunque un poco triste.

En un principio, los súbditos de Abundio no sintieron ninguna simpatía por la nueva princesa. Más bien se diría que les atemorizaba o que, por lo menos, desconfiaban de ella. Sin embargo —y con más rapidez de lo que pueda comprenderse— el pequeño principado de Abundio, tan arruinado, prosperó. Casi a flor de tierra se descubrieron minas de oro, plata y diamantes, allí donde antes sólo cardos, ortigas y pedruscos la cubrían. En colinas y valles antes resecos y de mala tierra, brotaron pastizales y manantiales insólitos, hasta el momento desconocidos, que regaron todo el valle con sus aguas cristalinas, e hicieron fértiles las riberas a su paso. Los bosques, escuálidos y ralos, se tornaron en poco tiempo frondosos, y la caza, que antes brillaba por su ausencia, los pobló en abundancia. Ciervos, jabalíes, liebres y toda clase de animales abastecían a sus moradores. Los rebaños, antes famélicos y escasos, se reprodujeron con rapidez increíble y lucían hermosos y rozagantes, como jamás se viera. La lana de sus ovejas se hizo famosa en poco tiempo, y aparecieron y medraron los telares y el comercio de tejidos. Viñas repletas de uva proporcionaban vino para dar y vender sin tasa. Con todas estas cosas, las gentes se enriquecieron. Llegaron sastres, tintoreros, tejedores, carniceros y viñateros a los poblados, y el principado prosperó. La vida parecía haber dado una voltereta alegre, para bien de todos. Las vacas parían magníficos terneros, los huertos producían legumbres y hortalizas tan exquisitas que pronto se hicieron famosas, no sólo en la comarca, sino más allá de las fronteras: incluso un viejo olmo a punto de secarse ofreció el milagro de unas peras jugosas y doradas, que llenaron de estupor a cuantas personas las vieron y las comieron. Claro que ocurrió semejante maravilla una sola vez, pero las gentes del lugar que pudieron apreciarlo recordarían hasta su muerte aquella mañana de primavera en que las ramas del viejo olmo aparecieron cubiertas de flores blancas y, más tarde, de suculentas peras. Sin duda, esta anomalía fue un pequeño error de quien, a no dudar, se ocupaba aquellos días de semejantes transformaciones.

En los primeros tiempos de todos estos cambios y maravillas, las gentes estaban locas de alegría, y, si alguien se preguntó por su origen, no lo hizo en voz alta, ni públicamente. Pero poco a poco, a medida que fue pasando el tiempo y las gentes empezaron a considerar su riqueza como algo natural, llegaron días en que, un poco aquí, un poco allá, rumor viene, rumor va, se extendió la creencia de que la Princesa Floresta era en realidad una poderosa bruja extranjera, y de que toda la abundancia que había llegado con ella era pura cosa de magia. Que, tal y como había aparecido, podía cualquier día esfumarse y dejarles nuevamente en la miseria.

Mas pasaban los días, los meses y los años, y los frutos no se secaban, terneros y cabritos triscaban alegres y lozanos por las praderías, ahora siempre verdes y cubiertas de flores, y el oro y los diamantes de las minas no desaparecían al tocarlos, como anunciaran los agoreros. Todo lo contrario. Abundio (que tenía muchísimos defectos pero no era tacaño) procuraba que todo su pueblo se beneficiara en forma justa de cuantas riquezas daba el reino, y las hambrunas y miserias que habían hecho estragos tiempo atrás eran sólo un mal recuerdo para las gentes de aquel vasto dominio. De modo que las murmuraciones que se habían levantado como un susurro como un susurro desaparecieron.

Pasó aún más tiempo sobre tiempo, y un buen día la Princesa Floresta dio a luz una niña. Hubo grandes festejos para celebrarlo, con las consiguientes fuentes de vino blanco y vino tinto para el pueblo, y raciones extraordinarias de carne y trigo para los más pobres, que no eran muchos, ni lo eran tanto.

Las fiestas duraron casi treinta días y, al final, un nuevo rumor se extendió:

—La princesita ha nacido con toda la dentadura. Y, para más señas, es tan blanca y afilada que no se ha podido encontrar en todo el principado una nodriza capaz de amamantarla.

Y esto, en verdad, no eran sólo rumores. La princesita lucía una dentadura que bien hubiera querido para sí mismo su propio padre. Así que, después de comprobar cómo la niñita rechazaba con muestras de profundo asco cualquier clase de leche y papilla, fue alimentada con carne picada y casi cruda.

Pero también, como en tiempos pasados, los murmullos fueron desapareciendo y aquellas voces de alarma se apagaron como se habían encendido.

Y la niña creció. Se llamaba Selva.

2

Cuando la pequeña Selva tenía catorce años, empezaron a ocurrir cosas bastante extrañas. Ya tenía edad de contraer matrimonio y, como era la única hija de Abundio y Floresta, sus padres se preocuparon mucho por encontrar un marido adecuado, que pudiera darles más herederos y seguir con ellos gobernando su patrimonio. Pero a Selva todo esto parecía importarle muy poco. Se mostraba díscola y rebelde a toda costumbre establecida, y su carácter y voluntad eran tan fuertes que llegó a tener amedrentados, no únicamente a sus padres, sino a cuantos la rodeaban. Se burlaba de sus maestros, como hizo antes de las niñeras y nodrizas que habían intentado imponerle. Sólo le gustaba cazar y galopar sobre su caballo. Tomó a su servicio un montero, llamado Silo, que la seguía a todas partes como un perro fiel. Era un hombre de edad madura, completamente calvo, y de ojos tan negros que parecían no tener fondo. La seguía a todas partes, como los dos lebreles que la escoltaban día y noche, e incluso dormían a los pies de su cama.

Existía, algo apartada de su residencia, una vieja casona casi olvidada. Selva la hizo restaurar y a menudo pasaba largas temporadas en ella, rodeada de sus cazadores, su montero Silo y los lebreles. Los bosques que la rodeaban parecían ser de su agrado, y sus padres no se atrevían a impedirle aquellas retiradas, que empezaban a llenar de sospechas y murmuraciones a las gentes del entorno. Porque fue entonces, precisamente, cuando empezaron a ocurrir cosas extrañas.

Primero uno, luego otro, más tarde dos o tres, los niños que se adentraban en el bosque que rodeaba el caserón desaparecían sin dejar rastro. Y las madres empezaron a prohibir a sus hijos que fueran allí, en busca de frambuesas o moras, aunque fuera el lugar donde más grandes, jugosas y aromáticas crecían.

Al principio nadie relacionó estas desapariciones con las visitas de Selva. Pero, poco a poco, volvieron a extenderse viejos rumores relacionados con la brujería de su madre y su extraña conducta, además de recordar la rareza que había acompañado su nacimiento: la dentadura completa y, en lugar de lactancia, bolas de carne picada y casi cruda. Los rumores, como los mitos, se parecen mucho a la niebla, que va extendiéndose de pueblo en pueblo y acaba medio borrando la realidad, aunque no su origen.

Así que un día aquellos rumores y aquel temor llegaron a oídos de Abundio y Floresta. Se miraron a los ojos, y en sus miradas estaba encerrado, como en un cofre de cien llaves, un antiguo secreto.

Tuvieron una larga conversación a solas y, para poner fin a los misterios que tenían soliviantado el castillo y sus alrededores, anunciaron que la Princesa Selva debía contraer matrimonio enseguida. Floresta, encerrada en su habitación, lloró mucho. En efecto, era bruja, pero tanto ella como su marido sabían que su brujería era más blanca que la nieve; y no sólo no había hecho daño a nadie jamás, sino todo lo contrario, pues repartía sus benéficos poderes allí por donde pasaba. Y bien claro estaba cuánto había favorecido al país que la había acogido, transformándolo en un lugar rico y feliz, allí donde sólo había encontrado miseria y desolación. Si esto obedecía a artes de brujería, o a ensoñaciones o fantasías colectivas, era algo que nadie tenía ganas de poner en claro.

Así estaban las cosas cuando, cierto día, tras perderse durante una cacería, apareció por aquellas tierras un joven rey, belicoso y ligeramente estúpido, aunque bastante agradable e incluso atractivo. Se había extraviado durante una cacería y pidió asilo en el castillo de Abundio. Fue acogido con todos los honores, porque la aureola de su rango le acompañaba allí donde fuese, y, durante el banquete con que Abundio y Floresta le obsequiaron el primer día, ya constataron todos los presentes cuánto le gustaba el vino, del que daba buena cuenta. Afortunadamente, las muchas libaciones no le convertían en una bestia, o en una masa de carne ridícula, sino que antes bien todos comprobaron que podía contenerse y no perder sus buenos modales, cosa que, como sabían Abundio y Floresta, denota la buena clase de la gente. Todo lo más, permanecía en silencio y con una mirada estupefacta que, rápidamente, era bien comprendida por los que le rodeaban, y sin dilación lo llevaban a la cama.

Pero al mismo tiempo que las gentes del castillo pudieron darse cuenta de su afición a las libaciones, hubieran estado ciegos de no percibir cuánto, y hasta qué punto, le había impresionado la belleza salvaje y misteriosa de la princesita Selva. Ella permanecía en silencio, como de costumbre, y apenas si dirigía la mirada, de tanto en tanto, al joven rey.

El joven rey, que se llamaba Risco, retrasó su partida del castillo cuanto le fue posible. Acompañaba a Selva en sus cacerías, y le mostraba, cuando le era posible, el amor que, día a día, iba llenando su corazón. Y Selva se limitaba a mirarle lentamente y en silencio. Por todo lo cual Risco creía que la muchacha estaba de acuerdo con sus pretensiones. Las suyas y, por supuesto, las de sus padres. Tan bien fue manejada la situación por Abundio y Floresta, que al cabo de poco tiempo se anunció la boda de los dos jóvenes.

Se casaron en la capilla del castillo y fueron invitados cuantos vasallos y señores tenían derecho a ello. El pueblo lo celebró por todo lo alto, las fuentes de vino blanco y tinto corrieron en abundancia, y la carne y el pan fueron distribuidos generosamente. Los bailes se prolongaban hasta bien pasada la madrugada, y todo era, al parecer, alegría y jolgorio. Al fin, una mañana, los jóvenes esposos partieron, con séquito verdaderamente fastuoso, hacia el reino del joven Risco.

Pasaron los días, los meses, y la joven Reina Selva dio a luz un hijo. Era una criatura bellísima. Creció fuerte y robusto, y no tardó en dar muestras de una gran imaginación. Al contrario que su padre, que sólo estaba contento si se preparaba alguna guerra o escaramuza vecinal, el joven príncipe abominaba la violencia, y se sentía atraído por la poesía, la música y las aventuras románticas. Leía o escuchaba con emoción toda clase de leyendas y canciones de poetas errantes, a los que acogía en el castillo y cubría de honores y halagos.

Tenía los ojos tan azules como jamás se habían visto en aquel reino. Y, por estar éste muy alejado del mar y soñar sus habitantes en él, le pusieron el nombre de Azul. Y es así como, con el nombre de Príncipe Azul, ha permanecido en la leyenda. En ésta y en otras muchas.

Y fue también así como, llevado por su afición a las historias fantásticas, tuvo conocimiento de que una bellísima princesa llamada Bella Durmiente llevaba cien años encerrada en un castillo, sumida en un larguísimo sueño.

Y así también fue como, un buen día, llegó el Príncipe Azul hasta el castillo de la Bella Durmiente, y con un beso de amor la despertó, no sólo a ella, sino a cuantos la rodeaban.

Pero ésta es una historia de todos conocida, y no vamos a detenernos en ella.

3

Estaban Rago y su mujer llorando, tras conocer la orden de la Reina Selva, cuando oyeron llamar suavemente a su puerta. Con manos temblorosas, Erina la entreabrió, y casi se desmaya cuando vio que se trataba del montero Silo.

El montero Silo era una criatura tan misteriosa y, aún más, tenebrosa, que en el castillo y en la mansión era casi tan temido como su ama.

Silo procedía de lejanas tierras y, por tanto, hablaba una

lengua desconocida para todos. Sin embargo, había algo que les llenaba de curiosidad: a veces hablaba con Berro, el hijo mayor de Rago, que sólo tenía cinco años, pero que, al parecer, le entendía perfectamente. Y no sólo le entendía, sino que eran amigos. Silo le traía del bosque pájaros vivos, sin la menor herida, y les acostumbraban a volar sin miedo junto a ellos. También solía traerle fresas silvestres, grosellas y zarzamoras, y, en cierta ocasión, un pequeño ciervo cuya madre había muerto y que vagaba perdido por el bosque. Así que, dado su natural hosco y terrible, aquella amistad con el pequeño Berro llenaba de asombro a Rago y Erina, que por un lado le temían, como todo el mundo, y por otro no sabían qué pensar del cariño que el niño le profesaba.

Silo entró sigilosamente en la vivienda del cocinero y murmuró algunas palabras, pero ninguno de los dos le comprendió. Entonces Silo buscó la camita donde dormían los hijos de Rago y Erina y, acercando sus labios al oído de Berro, murmuró unas palabras.

Berro se incorporó y, como sonámbulo, empezó a traducir las palabras del montero:

—Yo, Silo, no deseo más muertes. No quiero matar al Príncipe Día. Dile a tu padre que mataré un cabritillo tierno y gordito, lo traeré y él lo guisará con nabos, como quiere la señora, y lo servirá a su mesa. Y esconded al chiquillo Día allí donde la Reina Selva no lo encuentre, o todos moriremos.

Silo salió tal como había llegado, lo más silenciosamente que pudo. Berro volvió a recostar su cabecita en la almohada y continuó durmiendo. No se había enterado realmente de nada.

Rago y Erina se abrazaron, aliviados. Pero, en cuanto amaneció, todas las preocupaciones y angustias volvieron a ellos. Ahora venía lo más triste y difícil. ¿Quién se sentía capaz de decirle a la Princesa lo que iba a suceder? La verdad es que ninguno de ellos. Y así fue como, nuevamente, Silo les alivió de sus deberes. Día dormía plácidamente junto a su hermana

Aurora. Silo le despertó y, con su rara habilidad para hacerse entender a través de Berro, les explicó, a él y a su madre, que le llevaba a cazar, según había dispuesto la Reina Madre. Día se vistió, muy contento, sus altas botas, su sombrerito adornado con una pluma roja, y tomó la pequeña jabalina que le había regalado su padre, el Príncipe Azul, antes de partir para la guerra. Aún no la había estrenado y, como casi todas las cosas que no conocía, le llamaba mucho la atención. Su madre, la Princesa, estaba muy asombrada, pero, cuando le dijeron que eran órdenes de su suegra, no dijo nada, ya que tampoco lo hubiera podido impedir, de haberlo querido. Así que besó a su hijo con más cariño que de costumbre, porque un raro presentimiento la invadía, y le dejó partir con el montero.

Y cuando Silo montó al pequeño Día en su caballo y salió con él de la casa para internarse en el bosque, la Reina Madre los vigiló desde su ventana, hasta verles desaparecer en la oscuridad de la espesura.

Sin embargo, al poco rato, Silo regresó con el pequeño Día y entró sigilosamente en la casa, por la puerta que daba a la cocina. Allí le esperaban Rago y Erina. Envolvieron al niño en una manta, para que nadie oyera sus gritos de protesta, y lo subieron hasta las altas buhardillas. Una vez allí, le recomendaron silencio, si quería salir vivo de aquel trance. Día era un muchachito travieso y revoltoso, pero de ninguna manera tonto. Así pues, comprendió lo fundamental de aquella advertencia y acató las órdenes del cocinero y su mujer. Lo instalaron como mejor pudieron en la buhardilla contigua a la vivienda de Rago. Le rodearon de sus juguetes preferidos, le habilitaron una cama lo más mullida posible y taparon las rendijas de la puerta con cuantos trapos encontraron, para que no se escaparan por ellas ni el resplandor de las velas, ni los ruidos que el niño pudiera hacer.

Cuando llegó la noche, Rago cocinó un cabritillo tierno y regordete, como podría haberlo sido el pequeño Día. Lo aderezó con nabos tal y como le había sido ordenado y cocinó la salsa que tanto le gustaba a la Reina Selva, para acompañar la carne.

Tanto Rago como Erina temblaban, esperando lo que diría la señora después de comer el cabritillo. Pero sentían más angustia, si cabe, por lo que le esperaba a la pobre madre del niño.

Siguiendo las órdenes de la Reina Madre, el montero dijo a la Princesa que Día se había adentrado demasiado en el bosque y se había perdido entre sus árboles. «Seguramente se lo han comido las alimañas y las malas criaturas que lo pueblan», añadió.

La pobre Bella Durmiente sintió como si le clavaran un puñal en el corazón, se desmayó y tardó mucho en reponerse de aquella horrible noticia.

Por el contrario, la Reina Selva devoró el cabritillo con gula contenida durante mucho tiempo, y rechupeteó los huesecillos, creyendo que pertenecían al pequeño Día, con tanta pasión, que sus pálidas mejillas se colorearon, y sus ojos de azufre brillaron de tal forma que casi se podrían haber ahorrado los candelabros de la mesa. Finalmente, cuando hubo dado cuenta del cabritillo hasta la última ternilla, comentó:

—En su punto.

Y mandó felicitar al pobre Rago que, en la cocina, temblaba, agarrado al delantal de Erina. Sólo entonces se abrazaron y lloraron los dos, un poco de alivio, un poco de terror.

A todas estas, la pobre Princesa no podía consolarse de la ausencia de su niño. Una gran tristeza la llenaba. Y el invierno llegó a aquellos parajes. A través de las ventanas, donde sólo quedaban los esqueletos de la yedra amiga, la Princesa y su hija Aurora contemplaban caer los primeros copos de nieve. Sobre los bosques, la niebla iba tendiendo un velo de soledad y, allí arriba, el cielo aparecía blanco y resplandeciente. Luego la nieve lo cubrió todo, y los mismos bosques parecían nubes blancas, caídas de lo alto.

Dentro de la casa, sin embargo, los tapices, alfombras y

grandes fuegos les abrigaban del frío y de las inclemencias del invierno.

En la gran sala donde solían pasar gran parte del día, la Reina Madre contemplaba el ir y venir de su nieta Aurora, que jugaba con su perrito. Parecía muy complacida en aquella contemplación.

Aquella misma noche, volvió a llamar al cocinero Rago.

—Quiero que mañana por la noche me sirvas en la cena, con salsa de setas, a mi nietecita Aurora. Si no cumples mis órdenes, ya sabes lo que os sucederá... a ti y a tu familia.

El pobre Rago corrió escaleras arriba, en busca de su querida Erina, sin la cual, según se ve, no sabía dar ni dos pasos.

—Erina, querida Erina —sollozó—, ahora quiere comerse a la Princesita Aurora...

—Calma, calma —dijo Erina, que ya empezaba a sentirse experta en la materia—. Lo primero que debemos hacer es llamar a Silo, el montero.

No hubo necesidad de hacerlo. Como la otra vez, el montero acudió a su buhardilla y, a través del dormido Berro, les comunicó que debían cocinar una ovejita, y esta ovejita, como el cabritillo anterior, la traería él sin ningún esfuerzo. Sólo debían cocinar según los gustos de la Reina Madre, cosa que él no podía hacer, pero Rago sí.

—Sí —dijo Erina, que era la más decidida de los tres—. Lo haremos tal y como dice Silo, y la engañaremos como la otra vez.

Así lo hicieron. Cuando la Princesa estaba descuidada, Erina se llevó a Aurora a lo más alto de la buhardilla, recomendándole que, sobre todo, no dijese nada ni hiciera ningún ruido, porque sus vidas corrían peligro. Después, con toda clase de precauciones, la hizo pasar allí donde permanecía el Príncipe Día, bastante aburrido el pobre. En cuanto vio a su hermana, saltó de alegría y corrió a abrazarla. La Princesita Aurora, al ver que su hermano estaba vivo, casi se desmaya de alegría y apenas tuvieron tiempo de entristecerse por las cosas que estaban ocurriendo. Erina se encargó de infundirles esperanza.

—No temáis —les decía—, este escondite durará poco tiempo, puesto que en cuanto regrese vuestro padre, nuestro futuro rey, las cosas serán muy diferentes para todos nosotros.

—¿Y mamá...? —preguntaron los niños, inquietos.

—No temáis por ella. Nosotros la protegeremos como os hemos protegido a vosotros... Pero por lo que más queráis en este mundo, por el cariño que le tenéis a vuestra madre, por favor, no hagáis ruido.

Les habían despojado de sus zapatitos dorados y habían envuelto sus pies con trapos, para que no se oyeran sus pisadas. Ellos lo comprendían muy bien, y sus juegos eran tan silenciosos como si se tratara de niños mudos. Inventaron un lenguaje de signos, tan original y útil que, parece ser, todavía se utiliza en nuestros días.

Lo que no podían hacer era correr, ni, por supuesto, gritar. Y hay quien dice que fue así como inventaron —o recuperaron— el juego de las damas y el del parchís. Aurora daba de comer, vestía y acostaba a sus muñecas, y Día la ayudaba y también la llevaba con él de cacería por entre los muebles. Y estas cosas son fáciles de comprender, porque para los niños unas cuantas sillas o taburetes pueden convertirse fácilmente en bosques; un palo, en una ballesta; un zapatito dorado, que no se utiliza, en una liebre, un conejo o, incluso, un jabalí.

Por otro lado, la alacena donde guardaban los víveres era el hogar de las muñecas de Aurora, y éstas dormían con gran paz entre la miel, el requesón y las empanadas.

Como la vez anterior, el montero Silo mató una ovejita de apenas un año, y Rago la aderezó con todo esmero, según las instrucciones de la Reina Selva. De todos modos, hasta que no la probara, el temor llenaba su corazón. Sentado en el banco de la cocina, frío y tembloroso, pese a estar cerca del fuego, aguardaba el veredicto de la señora.

Según dijeron los sirvientes que le habían servido el plato, Selva quedó un rato pensativa ante las suculencias de la fuente. Hacer pasar un cabritillo por el Príncipe Día no era demasiado complicado, pero una ovejita y la Princesa Aurora presentaban apariencias muy diferentes. Buen cuidado había tenido Erina en cortar en pedacitos menudos aquella carne, y cubrirla con las sustanciosas cebollas y setas que aderezaban su salsa, pero, de todos modos, la Reina Selva era muy astuta. Para bien de todos, la gula —y sobre todo si se tiene en cuenta que la Reina Madre había padecido severas abstinencias desde que se casó— suele embotar y ofuscar el más claro entendimiento. En honor a la verdad, el guiso estaba exquisito, y la Reina lo devoró en un santiamén con todo lujo de rechupeteo de huesos, olvidando cualquier norma de comportamiento, ni siquiera los sucintos propios de la época.

Y al final del banquete volvió a llamar a su presencia a Rago y le dijo:

—Más que en su punto. Si sigues así, te daré un titulillo y te asignaré algunas tierras por ahí.

Rago se inclinó en una profunda reverencia, pero en modo alguno estaba dispuesto a ser nombrado lo que fuera, ni a aceptar cualquier tierra de que se tratase, si tenía que estar a las órdenes de semejante energúmena.

Estas cenas tenían lugar en la intimidad de los aposentos de la Reina Madre, cuando se suponía que la Princesa y sus hijos dormían desde hacía rato.

Al día siguiente, sin embargo, la Princesa se despertó muy temprano, cuando apenas el sol penetraba por entre los restos de la yedra marchita.

—Despierta, niña, despierta —decían los rayos del sol—. Si un día echaste en falta a tu hijito Día, ahora te han arrebatado a tu hijita Aurora.

Desesperada, la Princesa se abalanzó hacia la camita de Aurora, que, desde la desaparición de Día, había mandado instalar a su lado. Cuando la vio vacía, se sintió al borde de la desesperación. Gritaba y lloraba, pidiendo que le devolvieran a sus hijos. Hasta que por fin, y tras el silencio de su doncella y de los raros y abominables sirvientes —criaturas que ella imaginaba pertenecían a otro mundo tenebroso—, la Reina Selva se dignó aparecer y, abrazándola hipócritamente, fingió una gran pena, mientras decía:

—Tus hijos han sido devorados. Primero Día, que se empeñó en ir de cacería con Silo, aunque yo se lo había prohibido... Y ahora Aurora, que escapó de noche para ir al encuentro de las hadas, y ha sido devorada por los lobos.

Había ordenado a Silo teñir de sangre un jirón de las ropas de Día y un zapatito de Aurora. De modo que, mostrándolos, consiguió que la pobre madre la creyese y se hundiera en una profunda tristeza.

La Princesa no se consolaba de la pérdida de sus niños y, en lo más profundo de su ser, alentaba la sospecha de que su suegra la estaba engañando. Recorría las habitaciones de la enorme casa y lloraba sin cesar. «¿Dónde está mi niña Aurora? ¿Dónde está mi niño Día?» Y se horrorizaba pensando en la llegada de su esposo, el Príncipe Azul, a quien no sabría cómo explicar unas desapariciones tan fulminantes y sangrientas. Así que lloraba y lloraba, y estaba casi a punto de volverse loca.

La Reina Selva la llamó a sus aposentos y le dijo:

—Niña, tienes que hacerte a la idea de que tus hijos han desaparecido devorados por los lobos, o quién sabe por quién. Ten en cuenta que las desapariciones de niños son bastante habituales en esta comarca, donde estamos rodeados por bosques misteriosos, a los que no permito entrar a los villanos, exceptuando a mi montero Silo, que nos provee de abundante caza. Tus niños, si he de ser sincera, eran unas criaturas muy revoltosas y curiosas, y, desobedeciendo mis órdenes, entraron en el bosque. Pero, en fin, no debes llorar demasiado, porque, cuando regrese mi hijo, podrás tener muchos más hijos y olvidarás a Día y a Aurora.

La Princesa quedó absolutamente horrorizada, ante las palabras de su suegra. ¿Cómo era posible olvidar a la dulce Aurora y al encantador y retozón Día...? Llena de zozobra y desánimo, regresó a su habitación y, por algunos instantes, pensó que, si no fuera por el recuerdo del Príncipe Azul y la felicidad que con él, hasta el momento, había vivido, hubiera deseado no despertar de su largo sueño para encontrarse en un mundo tan feroz, malvado y desconocido.

Así pasó el invierno, y un día amaneció la primavera. Comenzó el deshielo, y la Bella Durmiente contemplaba desde su ventana el manar de los arroyos. Y allí, distante, de repente descubría a una cierva entre los árboles, que iba a beber en ellos con sus hijos recién nacidos. Al verlos, se llenaba de pena su corazón, se acordaba de Aurora y de Día, y lloraba, y volvía a preguntar a la yedra, que de nuevo invadía sus ventanas:

—Yedra, amiga yedra, dime... ¿Qué sabes de mis hijitos Aurora y Día? ¿Es verdad que los devoraron los lobos, o están vivos en algún lugar que yo desconozco?

Pero la yedra era demasiado joven y nada sabía; y los pájaros cuyo lenguaje entendía la Princesa no habían regresado aún de las tierras calientes, y los que aún quedaban estaban ocultos en el bosque, y nada podían decir a la Princesa. La vieja sordomuda continuaba preparándole el baño, la cama, los vestidos, pero ni siquiera parecía darse cuenta de sus lágrimas.

Únicamente Erina, en cierta ocasión, con la excusa de traerle un pastel recién cocido por su marido, acercó los labios a su oído y murmuró:

—No perdáis la esperanza, Princesa.

Y la miró de tal modo, que por un momento ella pensó que todo había sido un mal sueño y que, en el momento menos esperado, despertaría y volvería a ver a sus niños y a su amado Príncipe Azul junto a ella. Y que todos volverían a ser tan felices como antes.

TERCERA PARTE

La madre y los niños

1

Día tras día llegó, por fin, el verano. Después de que las nieves y el hielo se derritieran, y se desbordaran los riachuelos, asomaron los primeros tallos verdes y resplandecientes bajo el sol. La tierra y los bosques se cubrieron de flores, los árboles se llenaron de frutos, y se alzaron los trigos en los campos.

Así fue como, una vez más, por los siglos de los siglos apareció, esplendoroso, el grande y hermoso verano.

Pero para la Princesa no existían ni verano, ni trigales, ni árboles cargados de frutas. Sólo tenía en su mente a sus hijos, y a su Príncipe Azul.

Una mañana, un rayo de sol más potente que los otros atravesó la yedra y llegó hasta su lecho. Estaba allí, en la almohada, junto a su rostro, cuando la Bella Durmiente le oyó decir:

—Baja al jardín, Princesa, y no tengas miedo, porque este verano guarda para ti una gran pena, pero también la más grande de las alegrías... Y la felicidad volverá a ti.

Entonces la Princesa pensó: «La pena que llevo dentro del corazón no puede ser más grande, de modo que nada pierdo con bajar al jardín y aguardar esa felicidad que el verano me anuncia...»

Ordenó a la vieja lechuza que le vistiese sus más preciosas galas. Una túnica blanca, con cenefas y bordados dorados, velos del tono de la aurora y pendientes del verde esmeralda que cubría las colinas. Mandó trenzar su cabellera rubia con cintas de seda blancas y doradas, y calzó los zapatitos bordados con perlas que había lucido el día, tan lejano y feliz, de su boda con el Príncipe Azul. En aquel día todo parecía despertar, la vida y el amor, para la Bella Durmiente. Ahora todo parecía engalanarse para el día de su muerte. Este pensamiento le hizo derramar muchas lágrimas. Pero aun así bajó al jardín, que se hallaba en aquel momento resplandeciente de luz, perfume y color.

El sol y la brisa la recibieron y, por primera vez después de tanto tiempo, se sintió viva y esperanzada. Empezó a recoger florecillas para hacer un ramillete que le recordara a sus hijos y, mientras cortaba los tallos, creyó oír las risas y voces de Aurora y Día.

—¿Sabéis vosotras dónde están mis hijitos? —preguntó a las flores.

Pero de aquellas flores, que eran muy pequeñitas y tempranas, sólo brotaban gotas de agua, como diamantes o como lágrimas.

La brisa y el sol volvieron a las pálidas mejillas de la Princesa, de forma que al cabo de corto tiempo su piel volvía a tener el color de las rosas, y sus ojos, el brillo del sol.

Algunos días más tarde, desde su ventana, la Reina Selva contemplaba el ir y venir de su nuera entre las flores del jardín. El aire traía, en aquellos momentos, el olor del pan reciente que acababa de cocerse en los hornos de Rago. Un par de águilas volaban lentamente sobre las cumbres. La Reina Selva aspiró con deleite todos los aromas recién despertados por la brisa que el bosque conducía hacia su ventana (y los de la cocina). El olor dorado del pan recién hecho traía a su memoria efluvios de asados suculentos y exquisitos guisos. Las fosas de su nariz se ensancharon de forma poco corriente —más bien increíble— y apareció entre sus labios el brillo de dos largos y afilados colmillos.

Poco después, llamó a Rago. Esta vez el pobre cocinero apareció ante ella más pálido que de costumbre, y temblaba tanto que apenas podía dominarse.

—Rago —dijo la Reina Selva sin compasión, mirándole tan fijamente que Rago se creyó traspasado por largas agujas—. Como las veces anteriores, cumplirás mis órdenes a rajatabla. De lo contrario, ya sabes lo que os espera a ti y a tu familia. En fin, no nos andemos con rodeos: mañana por la noche quiero que guises, con la mejor de tus salsas y aderezos, a mi nuera la Princesa.

Esta vez el pobre Rago ya no sabía a qué atenerse. Corrió, como era habitual, a refugiarse en los brazos de su valerosa mujer. Al oírle, Erina no pudo ocultar su abatimiento.

Hasta aquel momento habían logrado engañar a la malvada Reina, pero si con los dos niños resultó difícil, con la madre la cosa tomaba un cariz verdaderamente catastrófico. Porque, se decían, un cabritillo y una oveja bien guisados pueden pasar por un niño y una niña, pero una mujer como la Princesa era cosa bien distinta. Aunque ésta ofreciera el aspecto y lozanía propios de una joven, lo cierto era que contaba ya más de cien años, y por tanto ¿dónde encontrar una carne de apariencia tersa y rozagante, pero que, a la vez, tuviera la dureza y resistencia que sólo dan los años, como sin duda era la carne de la Bella Durmiente...? Sus tendones, su textura, debían de ser bien diferentes de los de una jovencita, aunque su aspecto no lo indicara. Cien años son cien años, lo tomes como lo tomes.

La Reina Ogresa —la llamaban en secreto de esta manera y era el título que más le convenía— no era tonta, y no se dejaría engañar con facilidad.

Estaba el matrimonio lamentándose, diciéndose qué es lo que podrían hacer, y sospechando que habían llegado ya al fin de sus días, cuando apareció nuevamente el buen montero Silo y llamó quedamente a la puerta. En cuanto lo vieron, le hicieron entrar en la buhardilla con todo sigilo. Y sus corazones, nuevamente, se llenaron de esperanza.

El montero Silo les tranquilizó con un ademán. Inmediatamente se acercó a la camita donde dormía Berro, acercó los labios a su oído, y el niño se incorporó. Sonámbulo, repitió y tradujo las palabras, como en las anteriores ocasiones:

—No os preocupéis, yo mataré una cierva en el bosque,

porque una cierva es lozana y tersa, pero su carne es dura e incluso correosa. Guísala tal y como te ha ordenado la Reina Selva y esconde a la Princesa junto a sus hijos.

—¡Que Dios se apiade de nosotros... y que regrese pronto nuestro Príncipe Azul de las tierras de Zozogrino! —gimió Rago.

—Buena falta nos hace... —dijo Erina—. Pero no perdamos más tiempo.

A la mañana siguiente, el montero se internó en el bosque, ocultándose entre la maleza. Al cabo de unas horas, cazó una hermosísima cierva. Luego, con muchísimas precauciones —no en vano era un viejo cazador y conocía toda clase de argucias, vericuetos y escondrijos para no ser visto—, la llevó a la cocina de Rago. Entre los dos, descuartizaron rápidamente al animal, de modo que, si alguien entraba, no pudiera adivinar de qué clase de pieza se trataba.

Entretanto, Erina fue en busca de la Princesa y le dijo:

—Señora, hacedme caso, sólo deseo vuestro bien. No me preguntéis nada, pero si deseáis salvar la vida, recoged cuanto podáis de vuestras pertenencias y acompañadme, con toda la cautela y silencio que os sean posibles.

La Princesa confiaba en Erina, porque era la única que la miraba con ojos cariñosos, y la había visto llorar cuando desaparecieron Aurora y Día. De modo que haciendo cuanto ella le dijo, la siguió escaleras arriba.

Así pues, mientras Rago cocinaba con toda clase de aderezos la cierva, Erina condujo a la Bella Durmiente a la buhardilla, y es fácil imaginarse la inmensa alegría que tuvo ésta al encontrar vivos a sus hijos, y la alegría de ellos al reencontrar a su madre. Se le colgaron del cuello, y la cubrieron de besos, y ella a ellos, pero tenían que hacerlo muy silenciosamente, para que nadie les oyera. Y sus lágrimas de alegría y de tristeza se mezclaron con sus risas sofocadas. El pequeño Día saltaba sobre sus piececitos envueltos en trapos, y él mismo se ponía un dedo sobre los labios para recomendarse a sí mismo, y a los demás, silencio. No es fácil tener que vivir preocupado por no hacer ruido alguno, especialmente cuando se es un niño alegre, juguetón y lleno de vida como lo era el pequeño Día.

Entonces la Princesa recordó lo que había oído decir a la yedra: «Te aguarda una gran tristeza, y una gran alegría.»

—¿Y por qué razón debemos escondernos? —se atrevió, al fin, a preguntar.

Erina movió tristemente la cabeza y dijo:

—Ay querida Princesa, vuestra suegra la Reina Selva es en realidad una ogresa. Ella no puede evitarlo, porque así es su naturaleza, aunque procura ocultarlo a las gentes. Ni siquiera el difunto Rey, ni vuestro esposo, el Príncipe Azul, lo saben... Pero los sirvientes conocemos mejor a nuestros señores que sus familias, y hace ya bastante tiempo que descubrimos su debilidad. Y tenéis que saber, señora, que Silo, el montero mayor, es un buen hombre y que, harto de tanta matanza, ha sido el que más nos ha ayudado a salvaros.

La Princesa abrazó a Erina, y las dos lloraron así un ratito, aunque, por supuesto, en el mayor de los silencios.

Erina dispuso como mejor pudo un lecho para la Princesa y colocó y puso en orden cuanto ella había traído. Mientras, la Bella Durmiente pensaba que todo lo que había oído decir a la yedra resultaba verdad: que mejor era que nadie viese lo que ocurría tras los muros de aquella casa, y que aquel día iba a traerle una gran pena... y una gran alegría.

Mientras tanto, había llegado la hora de la cena. La Reina Ogresa había ordenado preparar, en esta ocasión, una gran mesa en el llamado refectorio. Parecía haber perdido toda moderación y disimulo, pues, en vista de que nadie había descubierto su secreto —o eso creía ella—, se sentía libre. Incluso, se dijo, era posible que su hijo tardara años en regresar —así lo había hecho, en cierta ocasión, su padre el difunto Rey—, y ella podría contarle, sobre la desaparición de su esposa e hijos, cualquier cosa que pareciera verosímil. Por ello guardaba cuidadosamente las ropitas de Aurora y Día, manchadas de sangre, y ordenó que hicieran lo mismo con el vestido de terciopelo verde de su nuera.

La boca se le hacía agua, pues hasta la estancia llegaban los aromas de la carne asada y bien aderezada.

Tuvieron que presentar el guiso entre cuatro sirvientes. Y eran aquellas extrañas y deformes criaturas de las que ella se rodeaba las encargadas de servirla, pues, además de que le complacía su compañía más que cualquier otra, tenía una probada confianza en ellas y su lealtad.

—Hay mucha carne, demasiada hasta para mí —dijo, mostrando sus afilados colmillos entre los labios, porque ésa era su forma de sonreír—. Queridos míos, cuando yo termine de cenar, os permito que deis cuenta de lo que quede de mi nuera.

Todos lanzaron agudos chillidos, parecidos a los que lanzan las ratas en noche de lluvia, y se apresuraron a servir una y otra vez a su dueña y señora, la Reina Ogresa Selva.

En la cocina, Rago, Erina y el montero Silo, reunidos junto al fuego, esperaban ansiosos el resultado de la cena. La Reina no era precisamente ingenua, y, hasta que hubiera probado el primer bocado, ¿quién podía decirles que no iba a descubrir el engaño? La misma Ogresa era consciente del terrible paso que acababa de dar, pues comerse a la futura reina de su país no era cosa de broma. Y —se decían— si además se trataba de su propia nuera, por muy ofuscada por la gula que se sintiera, su misma astucia podía despertarle sospechas sobre si, verdaderamente, se estaba comiendo a su nuera o estaba comiéndose otra cosa.

No les faltaba razón, porque, como se ha dicho repetidamente, la Reina Selva tenía muchos defectos, pero la inocencia y la estupidez no se contaban entre ellos.

Así que, primero mordisqueó este o aquel nabo, algún guisante, mojó pan en la salsa —en aquellos tiempos, esto no estaba mal visto, incluso, según cómo se llevara a cabo, denotaba el grado de distinción del comensal—, hasta que por fin la emprendió con un pedazo de vianda muy apetitoso. Hincó los colmillos en la carne, la masticó y paladeó con los ojos entrecerrados, y se detuvo unos instantes para saborearla. El sabor, sin duda alguna, era exquisito —al menos para su gusto—, y siguió masticando. Se trataba de una molla jugosa, pero de carne hecha, roja, turgente, delicada y, al mismo tiempo, algo dura. «No hay duda», pensó la Reina Ogresa, con verdadera satisfacción. «Ésta es la carne de una mujer joven... que ha pasado cien años durmiendo. Es joven y vieja, dulce y prieta, melosa y resistente. Tal y como yo esperaba, cuando la veía pasear por el jardín.»

Y, sin más reflexiones, se dedicó a devorar con verdadero deleite las jugosas y contundentes mollas de la cierva que ella creía la Bella Durmiente.

Y la encontró tan deliciosa e incomparable a cuanto había comido hasta entonces —había pasado tanto, tanto tiempo, sin poder deleitarse de aquella forma— que, aunque había prometido a sus horrorosos sirvientes el resto del festín, poco más que huesos y alguna que otra ternilla les dejó.

Había sido tan grande aquel festín, y además acompañado de excelentes vinos que, una vez acabada la cena, cayó en un sueño y sopor tan profundos que la mantuvieron amodorrada y en su lecho durante más de quince días.

Confiados en aquella especie de media muerte que la invadía —aunque sin confiarse demasiado, por si acaso, puesto que una criatura de la naturaleza de la Reina Selva era de mucho cuidado y toda precaución era poca—, Rago y Erina decidieron subir las escaleras que llevaban a la buhardilla, para comunicar a los escondidos la buena noticia.

Así lo hicieron, y aún estuvieron ellos dos y la Princesa un rato charlando entre susurros, mientras los pequeños Aurora y Día dormían. Hicieron planes de felicidad, y alimentaron esperanzas para que un buen día, lo más cercano posible, el añorado Príncipe Azul regresara a salvarles y a llenarles a todos de alegría.

Luego toda luz se apagó, y la Princesa se tendió a dormir

entre sus hijos. Y se despertó varias veces aquella noche y se abrazó a ellos, uno rodeado por su brazo derecho, el otro por su brazo izquierdo, porque ya no podía vivir sin sentir el calor de sus cuerpos y el tibio respirar de sus sueños junto a ella.

Hasta que, una vez más, la luz de un nuevo día se abrió paso por las rendijas de su ventana y les despertó.

El verano pasó y llegó el otoño. Erina, cuando les subía la comida, les advertía:

—No asoméis vuestras cabezas por la ventana, ni hagáis ruido. Si queréis ver algo de lo que hay ahí fuera, hacedlo por las rendijas de los postigos y por este agujero que hay aquí.

Y señalaba el redondo orificio que un nudo de la madera había dejado en el postigo de la ventana.

El otoño cubría ya los bosques de tonos dorados y escarlata, y sólo los robles y las encinas permanecían oscuros, casi negros. La niebla bajaba de las montañas y rodeaba la casa. Aunque hubieran querido o podido asomarse a las ventanas, apenas hubieran visto nada. Pero llegaban hasta ellos los aromas del cercano bosque, y los gritos de los pájaros. Empezaron gracias a la Princesa a entender nuevamente su lenguaje. La que mejor lo entendía era Aurora. Llegó un día en que ella traducía a su madre y a su hermano cuanto ellos le comunicaban:

—Dicen los mirlos que no desesperemos, porque nuestro padre vendrá...

—¿Cuándo? —preguntaba ansiosa la Princesa.

Pero los mirlos no lo sabían y emprendían el vuelo.

—Dice la yedra que no temamos, que mi padre vendrá —decía Día.

—¿Cuándo será eso? —interrogaba su madre.

Entonces, la yedra callaba.

Alguna vez, escudriñando por el agujero de la ventana pequeña, o por las rendijas de la más grande, Aurora, Día y su madre veían al pequeño Berro y a sus hermanos ir y venir libremente por el jardín. Y sentían una gran pena viendo cómo saltaban, y jugaban, y recogían las hojas caídas de los árboles en un cesto, como les habían mandado. Después hacían grandes montones y les prendían fuego. Y el humo llegaba hasta las habitaciones de la buhardilla, y entraba su aroma por entre las rendijas, y ellos cerraban los ojos y aspiraban su olor a bosques y decían:

—Quién pudiera estar con ellos...

Pasó el otoño y llegó el invierno. La nieve cubrió bosques y montañas, y llegó hasta el jardín. Empezaron a aullar los lobos, durante las noches. Sus aullidos se acercaban a la gran casa, atravesaban las ventanas de las buhardillas y estremecían a los niños, que temblaban en sus camas. Ya no veían a Berro ni a sus hermanos jugando en el jardín. Sólo podían oírles jugar, reírse y discutir al otro lado del tabique. Y pasaban los días con la oreja pegada a la pared, porque así les parecía que ellos también participaban de sus juegos.

Hasta que llegaron unos días tan fríos que apenas si podían calentarse, abrigándose con todas sus ropas y abrazados uno a otro. No podían encender el fuego de la chimenea, porque el humo les traicionaría.

Pero un día Erina, compadecida de ellos, entró con un gran montón de leña, encendió un buen fuego y les dijo:

—Ahora más que nunca, debéis guardar silencio, y que nadie, ni una rata, pueda oír vuestras pisadas.

Entretanto, la Reina Madre, que había salido ya de su sopor digestivo, paseaba silenciosa por las estancias del castillo. Su gula de ogresa parecía, de momento, aplacada por algún tiempo, tras los últimos festines. No daba señales de apetecer carne humana. Se contentaba con conejos, liebres, algún que otro jabalí y los habituales animales que criaban en la granja. Ora una oca, ora una gallina, quizás un lechoncito, era cuanto ordenaba preparar.

Pero un día, cuando salió al jardín, la mala fortuna hizo que, al elevar los ojos hacia las buhardillas, viera que salía humo por la que suponía chimenea de una estancia vacía.

Llamó entonces a Erina y le dijo:

—He visto que de la buhardilla contigua a la tuya sale humo. ¿Puedes explicarme por qué, si nadie vive en ella?

Erina era mujer que no se dejaba coger desprevenida, y hacía ya tiempo que tenía preparada la respuesta:

—Sí, señora. Allí quemamos todos los desechos y sobras de la casa, para que no molesten con su olor ni su presencia vuestro paso... Crecen demasiadas malas hierbas y arbustos en el jardín, y pienso que no deben ofender ni vuestra vista, ni vuestros paseos.

—Ah, bueno —contestó la Reina Selva, que en aquel momento no tenía ganas de discutir, y además hacía frío—. Procura que todo esté bien aseado y limpio para cuando llegue mi hijo de las tierras de Zozogrino.

Así que, de momento, no dio más importancia al suceso, y se internó en la casa. Ya no era joven, empezaba a resentirse del reuma, y las piernas le dolían tanto que no estaba su ánima dispuesta a detenerse en estas cuestiones.

Así, mal que bien, pasó aquel invierno, y un buen día volvió a florecer la primavera. La nieve volvía a derretirse, corrían los arroyuelos y brotaban los tallos verdes al borde de los manantiales. Poco después, los cerezos y perales del jardín se cubrieron de flores blancas y rosadas. Cuando el viento los zarandeaba, una nube de pétalos volaba hacia las ventanas de la buhardilla.

Y sin embargo, por más que el mundo se llenara de vida y alegría, que los pájaros inundaran los bosques de amorosas llamadas —era el momento en que cada cual buscaba su pareja y construía su nido—, que por sobre las montañas llegaran nubes de mariposas, ellos, la madre y los niños, permanecían encerrados en su buhardilla, sin tener siquiera derecho a asomarse a las ventanas. Aunque la buena Erina les traía exquisitos platos y procuraba que nada les faltase, la verdad era que sus mejillas palidecían y que el brillo de sus ojos iba apagándose día a día. Apenas tenían ganas de jugar, y únicamente les atraía aquel agujerito que había dejado en los postigos un nudo de la madera, o las rendijas de la ventana, por donde mirar hacia fuera, allí donde el mundo, una vez más, parecía recién nacido.

Entonces volvieron a ver a Berro y a Mía y al pequeño Naldo, y se sorprendieron de cuánto habían crecido aquel invierno. Y Aurora y Día se sentían cada vez más tristes, viendo cómo los hijos de Rago y Erina se revolcaban por la hierba y cogían nueces verdes y jugaban con su perrita Nan, que había parido seis cachorritos. Todos ellos retozaban y jugaban alegremente, bajo los árboles, en la brisa de la mañana. Y les oían gritar a su antojo, sin tener que guardar silencio; chapotear en las aguas del manantial, sin tener que envolver sus piececitos con trapos, y a veces, cuando apretaba el sol, les veían bañarse en la cascada del Manantial de las Hadas. Era una cascada blanca y fresca que llegaba, formando un riachuelo, desde las montañas hasta su jardín. Todo parecía estar tan cerca de ellos y, sin embargo, tan lejos.

—Madre —decía la pequeña Aurora—, yo quiero ir a coger flores con Mía, y tejerme coronas de margaritas, como hace ella.

—No puede ser, calla, calla, hijita mía —decía la Princesa.

Y sentía una pena tan grande viendo las mejillas blancas de su hija, y comparándolas con las rosadas y rollizas de Mía, que apenas si podía ocultar sus lágrimas para no entristecer más a sus hijos.

En otra ocasión, Día vio a Berro correr entre los cabritillos y el perro del pastor, y jugar con ellos.

—Madre, quiero ir a los bosques, como Berro, y conducir las ovejas y los cabritillos, y silbar como él sabe hacerlo... Quiero ser amigo de su perro, que se llama Nicolás...

—Calla, calla —decía su madre—, habla en voz baja y ten paciencia, hijo mío, porque un buen día oiremos trompetas por el camino y tu padre vendrá a sacarnos de aquí.

Únicamente el perrito Nicolás, que les conocía a todos, y

era el más sabio de toda la casa, se detenía a menudo bajo las ventanas de la buhardilla, que la mayoría de la gente creía inhabitada, y les obsequiaba con piruetas, ladridos y correteos, que hacían reír —aunque tapándose la boca— al Príncipe Día y la Princesa Aurora. Ellos le enviaban besos y, aunque nadie podía verlos, el perrito Nicolás sí los veía. Bajaban desde las ventanas como mariposas y venían a posarse sobre sus orejas. Al atardecer, Nicolás se sentaba sobre sus patas traseras, levantaba el hocico hacia la buhardilla y aullaba suave y dulcemente. Con los últimos rayos del sol, se retiraba y los niños sabían que ésa era su forma de darles las buenas noches.

Después se acostaban, junto a su madre, y soñaban, y esperaban aquel prometido día en que su padre regresaría, y la vida volvería a ser libre y feliz.

2

Estaba ya muy avanzada la primavera cuando, una tarde, se desató una gran tormenta. Caían relámpagos y truenos sobre las montañas, y todo, desde los bosques hasta las aldeas que rodeaban la casona, parecía temblar bajo los rayos.

Tras la comida, sumida en un sopor bastante profundo, la Reina Selva dormitaba en sus aposentos, cuando de pronto el aire de la tormenta le trajo un especial olor. Hacía tiempo que no sentía algo parecido.

Se incorporó, y olfateó el aire. Aun a través de la tupida cortina de la ventana, penetraba aquel aroma, aquel especial tufillo que revolvía sus entrañas.

«Qué raro», pensó. «Diríase que...»

No eran los conocidos olores a los que estaba acostumbrada. Eran otros, aquellos que habían despertado su oscuro apetito, hacía meses —quizás un año—, y que creía satisfechos con creces.

Inquieta, saltó del lecho, ordenó que la vistieran y salió,

muy despacio, como deseando no ser vista, de sus aposentos. Recorrió sigilosa estancias y pasillos, corredores y patios interiores. Pero nada descubrió que no le fuera de sobra conocido.

Entonces se le ocurrió lo que, hasta aquel momento, no había pasado por su mente. Apoyándose en el largo bastón con puño de marfil, que no abandonaba desde que su reuma se había agravado, empezó a subir las escaleras que conducían a las buhardillas. En verdad no sabía muy bien por qué lo hacía. Sólo la guiaba un antiquísimo, remoto instinto, que le llegaba desde inmemorables vivencias de criaturas que existieron muchos años antes de que ella naciese.

Erina, que en aquellos momentos se hallaba en la buhardilla, oyó el bastón de la ogresa, golpeando los peldaños, cada vez más cerca escaleras arriba. Un frío helado llegó hasta su corazón. Sintió que, de pronto, las piernas le flaqueaban y, aun sin poder explicarse razonablemente lo que estaba a punto de suceder, tuvo el presentimiento de que todos sus cuidados y precauciones eran ya inútiles, y de que un desastroso final les aguardaba.

Lentamente, el sordo y rítmico golpe del bastón iba haciéndose más claro, más cercano. Ascendía por la escalera, como el aliento de un gran animal.

Los mismos niños, Berro, Mía y el pequeño, habían callado y miraban a su madre asustados.

Al fin oyeron el golpeteo del bastón, en su propio piso. Iba de acá para allá, inquieto. Por fin, se detuvo frente a la buhardilla donde permanecían escondidos la Princesa y sus hijitos. Fue entonces cuando ocurrió la desgracia.

A pesar del silencio y cautela en que transcurrían sus vidas, de vez en cuando el pequeño Día, que era el más inquieto, se desmandaba. En aquel momento acababa de cometer una travesura y su madre le reprendió. Pero no fue esto lo peor: la pequeña Aurora, que adoraba a su hermanito, salió en su defensa, y levantó la voz más de lo debido. Precisamente en el momento en que la Reina Ogresa se detenía frente a su puerta, la voz de la pequeña Aurora llegó a sus oídos y, primero el asombro, luego la cólera llenaron su corazón. Por un instante, aún dudó si había oído realmente la voz de la niña, o si era fruto de su imaginación. Se inclinó entonces a mirar por la cerradura de la puerta, y en aquel momento un gran relámpago iluminó la estancia. De modo que pudo ver perfectamente a su nuera y a sus nietos.

Aparte del gran defecto que suponía ser ogresa, la Reina Selva disfrutaba de otro, tan grande y feroz como aquél: la soberbia. De modo que, anteponiéndose incluso a su gula y a sus instintos carnívoros, la soberbia y la humillación de haber sido engañada le ofuscaron de tal modo el entendimiento que estuvo casi a punto de ahogarse en su propia ira.

Lo primero que hizo fue aullar. Ningún lobo hubiera podido sobrepasar aquel largo aullido, ni los más hambrientos y feroces que osaban acercarse a las aldeas en el crudo invierno. Luego empezó a golpear el suelo con su bastón, de tal manera, que hizo un agujero y llegó hasta el piso inferior.

Cuando aquel aullido inhumano taladró hasta los más espesos muros de la vieja casa, todos sus sirvientes —íncubos y súcubos, más algún que otro malvado y estúpido de los que componían su séquito— acudieron en su ayuda. Cuando les tuvo reunidos, la Reina Selva ordenó derribar la puerta de la buhardilla donde se ocultaban su nuera y sus nietos y, acto seguido, la de la vivienda de Rago, Erina y sus hijos.

No tardó mucho en conocer la verdad. O, por lo menos, no tardó en adivinarla, porque hablar, lo que se dice hablar en su descargo, no le fue permitido a ninguno de ellos.

Y tampoco tardó en imaginar que aquel en quien había tan ciegamente confiado, su montero mayor, Silo, estaba también implicado en la traición.

Ciega de ira, ordenó que todos —el cocinero, su mujer, sus hijitos e incluso el perrito Nicolás— fueran inmediatamente encarcelados en las mazmorras. Lo mismo hizo con su nuera, sus nietos y el montero mayor. Todos los sirvientes, excepto las raras criaturas que servían personalmente a la Reina Ogresa, estaban aterrados, y ninguno de ellos apostaba una brizna por su cabeza. ¿Qué sería de ellos? Ninguno sabía nada de lo que allí estaba ocurriendo y, si alguno había sospechado algo, lo había callado celosamente.

La Reina Ogresa pasó toda la noche meditando su venganza. Estaba tan cegada por el odio y la humillación, que apenas pudo dormir. A su alrededor, no cesaban relámpagos y truenos, hasta el punto de que, en algún momento, creyeron que la vieja casona sería fulminada por un rayo. Cosa que, dada la fama de que disfrutaba, no hubiera sorprendido a nadie.

Pero, como suele ocurrir a menudo, la tormenta cesó tan rápidamente como se había desencadenado, y amaneció un día espléndido, con cielo azul, como recién lavado; y los prados, bosques y campos, verdes y brillantes.

La Reina Selva se hizo vestir sus mejores galas, una túnica de terciopelo malva bordeada de oro, zapatos dorados y velos de tono entre lila y azul, que disimulaban mejor que ningún otro color las arrugas que ya empezaban a estropear su cutis. Luego se cubrió con un manto de pieles de zorro plateado, y apareció ante los sirvientes y soldados, que temblaban ante su presencia, para anunciarles que regresaban todos al castillo.

Regresó, pues, con sus prisioneros al lugar de donde les había sacado, hacía ya tanto tiempo. La Princesa y los niños, así como el cocinero Rago, su mujer Erina y sus tres hijos, fueron introducidos en carros y custodiados por guardias y sirvientes. Pero a Silo, el montero, no se le pudo apresar. Sigiloso, como sólo él sabía ser, había montado en su caballo y huido hacia las montañas, en dirección a las tierras de Zozogrino.

Cuando llegaron al viejo castillo, la Reina Selva ordenó que en el patio de armas se armara una enorme hoguera. Encima debía colocarse la olla más grande que jamás se vio. Por lo menos, en aquellas tierras.

Todas las gentes de los alrededores estaban verdaderamente consternadas, ya que muchos rumores corrían de boca en boca. Pero nada se sabía de cierto. Todos se preguntaban dónde estaban la Princesa y los pequeños príncipes, pero nadie les explicaba nada. La única persona visible de todo aquel embrollo era la Reina Selva, a quien todos profesaban un comprensible miedo.

De todos modos, inquietud y desconcierto reinaban por doquier, y la noticia de la hoguera y la enorme olla había viajado de aquí para allá.

Cuando la olla estuvo dispuesta, la Reina Selva mandó aderezar su contenido con víboras, culebras y otras criaturas parecidas, que, aunque hirvieran en el interior de la olla, conservaban todos sus poderes venenosos y maléficos. Más aún: se les acrecentaban con el fuego.

El día previsto para el gran escarmiento amaneció resplandeciente. La Reina Selva volvió a vestir sus galas preferidas, y se rodeó de su corte de malignas criaturas.

Había ordenado fabricar un gran estrado, donde colocó un sillón, parecido a un trono, en el que se sentó con gran majestad. Y se dispuso a dar comienzo a la gran ceremonia de su venganza.

Para ello hizo traer a su presencia, encadenados, a su nuera, la Princesa Durmiente, y a sus nietos, Aurora y Día. Tras ellos, igualmente encadenados, aparecieron el pobre Rago, su mujer Erina y sus tres hijitos. Incluso mandó traer al perrito Nicolás, que no entendía gran cosa del asunto, y meneaba el rabito como si se tratara de una fiesta.

Pero nadie había visto a Silo, ni nadie había podido encadenarlo, y esta ausencia del que ella había creído su más fiel servidor hacía rechinar de rabia y odio los dientes de Selva, y corroía aún más su corazón. Se levantó de su asiento, y su gran estatura pareció oscurecer el brillo de aquel día tan hermoso.

—¿Veis esa gran olla hirviendo, llena de víboras, culebras y serpientes al rojo vivo...? Pues a ella seréis arrojados, uno a uno, para castigar vuestra traición. Y, a fin de que sufráis más aún, primero veréis dar alaridos de dolor y perecer en ella a vuestros hijos... para seguirles poco más tarde vosotros mismos, en la misma muerte.

Hasta los peores soldados de la Reina Madre —que reclutó entre los asesinos y malhechores más feroces— se estremecieron al oír aquellas palabras. Los únicos que se regocijaban, reían, daban palmadas y saltitos eran las abominables criaturas que formaban su corte. Desde luego, no pertenecían a la especie humana, y no conocían sentimientos humanos ni cosa que se le pareciese.

Entretanto, lejos ya de allí, Silo galopaba sobre su caballo. Cruzó valles y barrancos, y al fin de su larga carrera consiguió llegar a las tierras de Zozogrino. Precisamente en aquel momento éste y el Príncipe Azul habían llegado a un buen acuerdo, que traería la paz a los dos reinos. «Se acabaron las guerras, se acabaron los odios», decían. Por lo menos, eso decían y seguramente deseaban.

Zozogrino, cuya fama era tan terrible en tierras del Rey Abundio, resultó ser un hombre que ansiaba tanto la paz como el Príncipe Azul. De modo que las cosas se habían solucionado sin batallas sangrientas, aunque, eso sí, con muchas reuniones y banquetes, hasta llegar al acuerdo final. Uno cedía por aquí, el otro cedía por allá, y al fin se dieron el gran abrazo de la concordia.

Fue entonces cuando se presentó Silo y, aunque fue necesario traer a un niño dormido para entender su lengua, contó a su señor las cosas que habían ocurrido en el reino durante su ausencia.

De modo que el Príncipe Azul se puso en marcha, sin tardanza, hacia su castillo, y llegó en el preciso, esperado y necesario momento.

Ardía ya la leña, hervían las serpientes y las víboras vivas en el fondo de la olla, siniestras aves planeaban sobre el patio de armas en lentos círculos negros, y lanzaban lúgubres y largos gritos, que no anunciaban nada bueno, sobre las cabezas de los que allí se habían reunido para presenciar la terrible sentencia de la Reina Selva.

El primer destinado a tales ferocidades era el pequeño Día. El niño, aunque pataleando, era conducido al suplicio, cuando en aquel instante llegaron a ellos, por sobre las almenas, clamores de trompetas y galopes de caballos. Por fin, por fin regresaba el Príncipe Azul, a la cabeza de su ejército. Ya era hora.

En cuanto el Príncipe Azul, montado en su caballo blanco, entró en el patio de armas, rodeado de sus hombres, la Reina Selva comprendió que todo estaba perdido. Como era orgullosa (y además nada cobarde), detuvo al verdugo que se disponía a arrojar a su nieto a la caldera y, de un salto prodigioso que nadie hubiera podido imaginar en una dama de porte tan altivo y mesurado, se arrojó ella misma dentro.

Al ver aquello, todos sus miserables sirvientes, amén de súcubos e íncubos, que la rodeaban, imitaron su gesto. Y excusa decir el humo apestoso que invadió el patio de armas, y los gritos de espanto de todos los demás.

El pueblo, que hasta aquel momento se había agrupado en torno al castillo, sin saber muy bien lo que pasaba, irrumpió dentro y se dedicaron a vitorear al Príncipe Azul, a la Princesa, a los príncipes Aurora y Día y a los infelices Rago, Erina e hijos. Todos fueron liberados de sus cadenas, y los gritos de alegría y de horror se mezclaron en profusa algarabía, durante un buen rato, en el patio de armas. Por supuesto, todo acabó de la mejor manera. El Príncipe derramó alguna lágrima por el atroz final de la Reina Selva —al fin y al cabo, era su madre—, pero no le costó mucho consolarse en los brazos de su esposa y sus hijitos.

En cuanto a Rago y Erina, les concedió títulos y tierras, y al montero Silo pensaba concederle el título de conde, pero no lograron dar con él. Montado en su veloz caballo, Silo desapareció tal y como, cierto día, muchos años antes, apareció en el país y entró al servicio de la Reina Ogresa. Muy a su pesar, lo cierto es que había contribuido a muchas muertes, y la conciencia le pesaba. De modo que nunca más se volvió a saber de él.

La leyenda acaba aquí. No hay detalles sobre lo que fue, en años siguientes, la vida del Príncipe Azul y la Bella Durmiente y sus hijos, Aurora y Día.

Pero debe suponerse que, tal y como suelen terminar estas historias, fueron todos muy felices. Aunque la Princesa nunca más sería tan cándida, ni el Príncipe tan Azul, ni los niños tan ignorantes e indefensos.

Índice